교과서의 내용을 체계적으로 학습합니다. 핵심 자료가 있는 경우 꼼꼼히 분석하고
간단 체크를 통해 학습한 개념을 확인해 보세요.

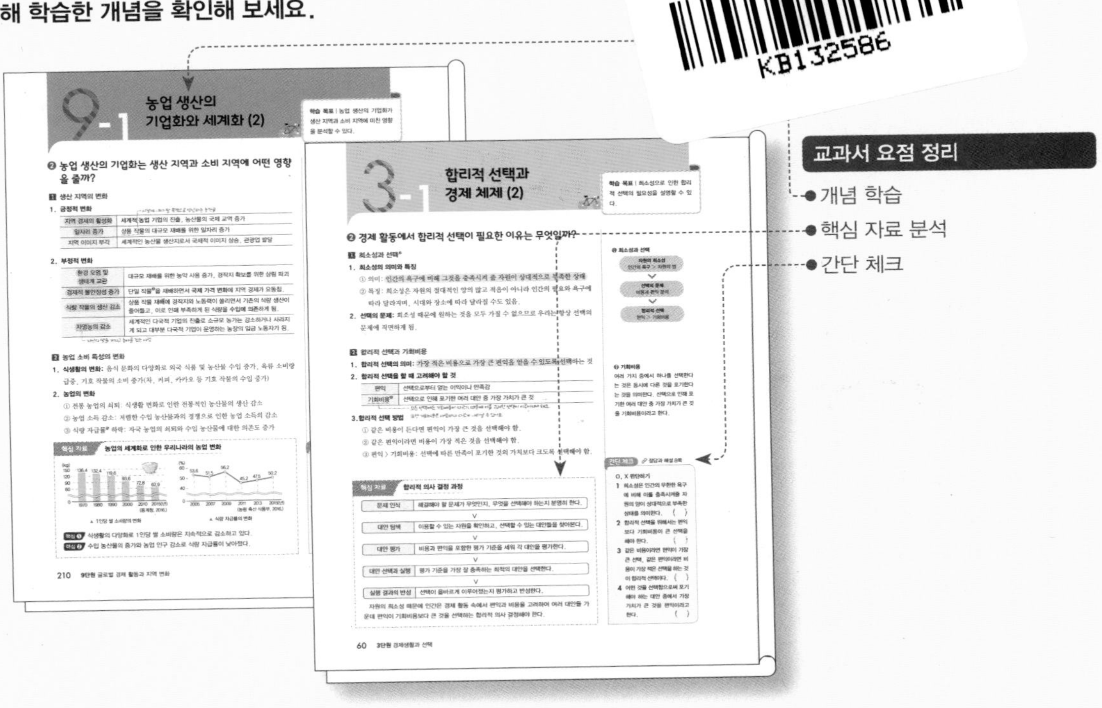

개념 노트를 완성합니다. 빈칸을 채우며 핵심 내용을 정리하고, 학습한 내용을 적용하여 활동 문제를 해결해 보세요.

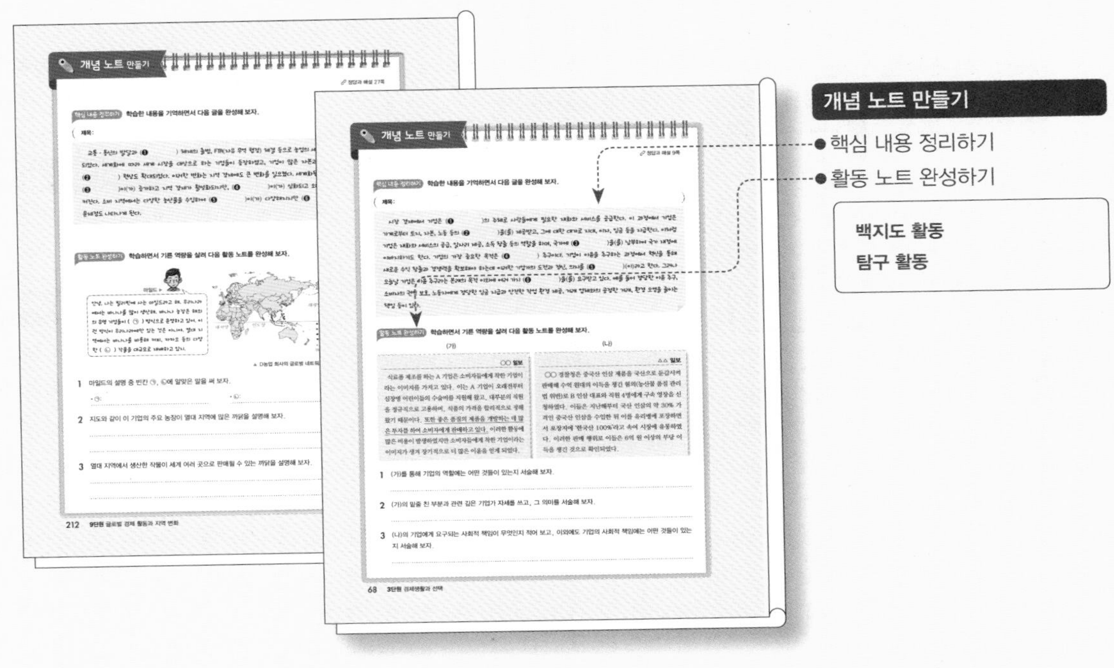

교과서 활동 풀이

교과서의 다양한 활동 및 과제에 대한 도움말과 예시 답안을 참고합니다. '해결 열쇠'를 읽고 스스로 활동을 수행해 보세요.

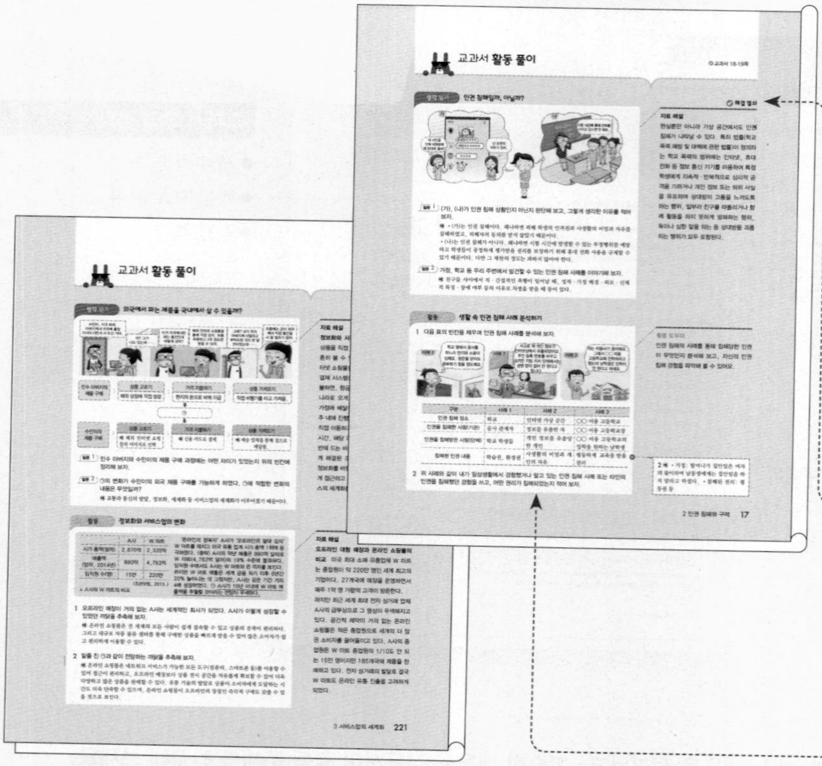

교과서 활동 풀이

- 도움말을 제공하는 '해결 열쇠'

활동 도우미 | 과제를 수행하는 까닭과 학습 방향을 제시
TIP | 구체적인 과제 수행 과정과 유의점 등을 안내
잠깐! | 주제와 관련한 흥미로운 내용
이 수행 평가는 | 수행 평가에 대한 안내

- 교과서 이미지와 예시 답안

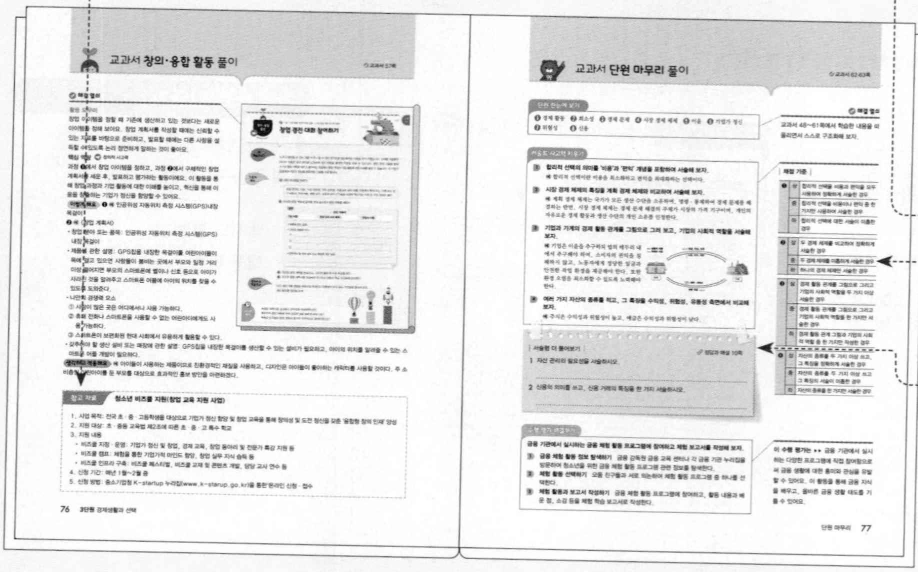

교과서 창의·융합 활동 풀이

- 참고 자료

교과서 단원 마무리 풀이

- 예시 답안과 채점 기준표
- 서술형 더 풀어보기

스스로 학습 강화 시리즈

금자랑 놀자!

중학 사회 ② 자습서

모경환 • 김현경 • 이수화 • 황미영 • 김필윤
조철기 • 승현아 • 김영일 • 윤민주 • 나유진

금성출판사

이렇게 활용해 보세요

2015 개정 중학교 사회 ② 자습서는 교과서 학습 내용을 체계적으로 정리하였고, 새 교육과정의 성취 목표에 맞추어 교과 역량 향상과 다양한 유형의 평가에 대비할 수 있도록 구성하였습니다.

교과서 개념 정리

대단원의 학습 주제를 살펴보고, 학습 계획을 세웁니다. 학습 후 나의 학습 달성 정도를 표시하여 부족한 부분을 보충해 보세요.

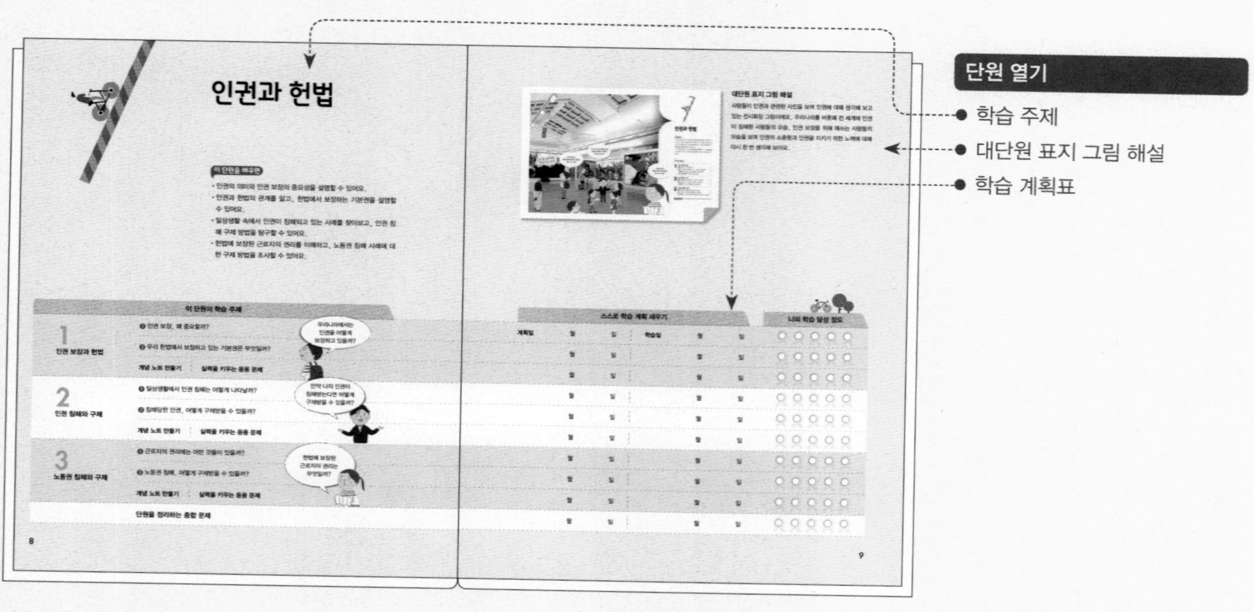

문제 풀이와 해설

중단원별 문제와 단원 마무리 문제를 풀면서 학교 시험에 대비합니다. 객관식 및 서술형 풀이로 응용력을 길러 보세요.

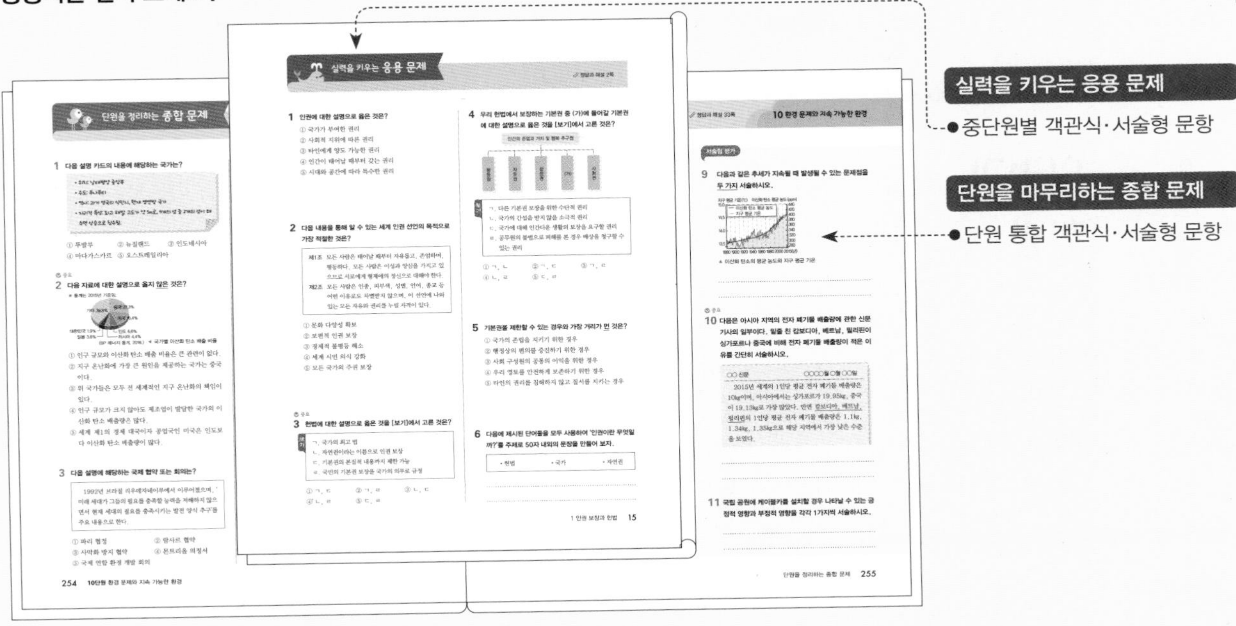

실력을 키우는 응용 문제
- 중단원별 객관식·서술형 문항

단원을 마무리하는 종합 문제
- 단원 통합 객관식·서술형 문항

정답과 오답에 대한 친절한 설명을 확인합니다. 스스로 학습하고 평가하는 능력을 길러 보세요.

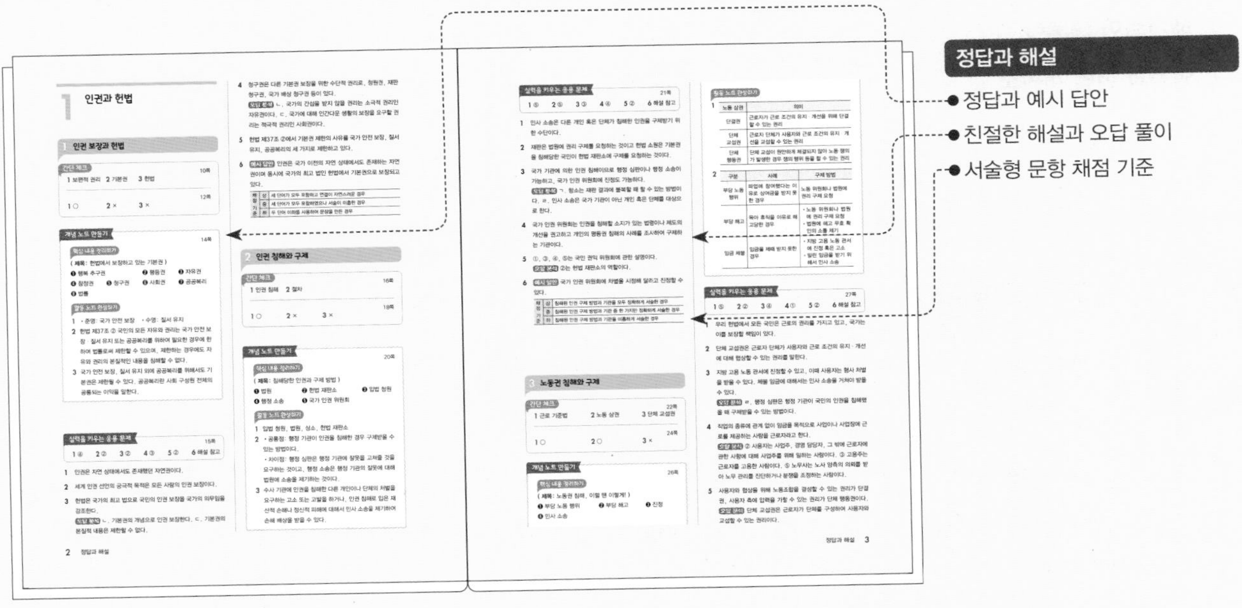

정답과 해설
- 정답과 예시 답안
- 친절한 해설과 오답 풀이
- 서술형 문항 채점 기준

차례

7 인구 변화와 인구 문제

8 사람이 만든 삶터, 도시

9 글로벌 경제 활동과 지역 변화

10 환경 문제와 지속 가능한 환경

11 세계 속의 우리나라

12 더불어 사는 세계

인권과 헌법

이 단원을 배우면

- 인권의 의미와 인권 보장의 중요성을 설명할 수 있어요.
- 인권과 헌법의 관계를 알고, 헌법에서 보장하는 기본권을 설명할 수 있어요.
- 일상생활 속에서 인권이 침해되고 있는 사례를 찾아보고, 인권 침해 구제 방법을 탐구할 수 있어요.
- 헌법에 보장된 근로자의 권리를 이해하고, 노동권 침해 사례에 대한 구제 방법을 조사할 수 있어요.

이 단원의 학습 주제

1 인권 보장과 헌법

❶ 인권 보장, 왜 중요할까?

❷ 우리 헌법에서 보장하고 있는 기본권은 무엇일까?

개념 노트 만들기 | **실력을 키우는 응용 문제**

우리나라에서는 인권을 어떻게 보장하고 있을까?

2 인권 침해와 구제

❶ 일상생활에서 인권 침해는 어떻게 나타날까?

❷ 침해당한 인권, 어떻게 구제받을 수 있을까?

개념 노트 만들기 | **실력을 키우는 응용 문제**

만약 나의 인권이 침해받는다면 어떻게 구제받을 수 있을까?

3 노동권 침해와 구제

❶ 근로자의 권리에는 어떤 것들이 있을까?

❷ 노동권 침해, 어떻게 구제받을 수 있을까?

개념 노트 만들기 | **실력을 키우는 응용 문제**

헌법에 보장된 근로자의 권리는 무엇일까?

단원을 정리하는 종합 문제

대단원 표지 그림 해설

사람들이 인권과 관련된 사진을 보며 인권에 대해 생각해 보고 있는 전시회장 그림이에요. 우리나라를 비롯해 전 세계에 인권이 침해된 사람들의 모습, 인권 보장을 위해 애쓰는 사람들의 모습을 보며 인권의 소중함과 인권을 지키기 위한 노력에 대해 다시 한 번 생각해 보아요.

스스로 학습 계획 세우기						나의 학습 달성 정도
계획일	월	일	학습일	월	일	
	월	일		월	일	
	월	일		월	일	
	월	일		월	일	
	월	일		월	일	
	월	일		월	일	
	월	일		월	일	
	월	일		월	일	
	월	일		월	일	
	월	일		월	일	

인권 보장과 헌법 (1)

학습 목표 | 인권의 의미와 인권 보장의 중요성을 설명할 수 있다.

❶ 인권 보장, 왜 중요할까?

1 인권의 의미와 특징

1. 의미: 인간이 인간답게 살아가기 위해 마땅히 누려야 할 권리

2. 인권의 의의

① 인간은 단지 인간이라는 이유만으로 존중받아야 할 소중한 존재임.

② 피부색, 성별, 나이, 재산, 종교 등이 다르더라도 인간이라면 누구나 자유롭고 평등하게 존중받으며 살 권리를 가지고 있음.

3. 인권의 특징

천부 인권❶	인간이 태어나면서부터 갖는 권리 → 남이 빼앗을 수 없고 남에게 넘겨줄 수도 없어요.
자연권	국가가 보장하기 이전에 이미 인간에게 존재하는 권리
보편적 권리	모든 사람에게 차별 없이 부여된 권리

└ 시간과 장소에 상관없이 모든 사람이 언제 어디서나 누려야 할 권리이에요.

└ 국가가 나타나기 전부터 인간이 갖는 권리로, 국가가 빼앗을 수 없어요.

2 인권 보장과 헌법

1. 민주 국가에서의 인권 보장

① 오늘날 민주주의 국가에서는 헌법을 통해 기본적 인권을 보장하고 있음.

② 헌법❷: 한 나라의 통치 조직과 운영 원리를 정한 근본 규범

③ 기본권: 헌법에 보장된 인권 → 인권은 인간이 가진 '자연적 권리'라는 의미를 강조하는 개념이고, 기본권은 헌법으로 보장되는 '시민의 권리'라는 의미를 강조함.

2. 우리나라 헌법: 인권의 중요성과 불가침성 명시

> **제10조** 모든 국민은 인간으로서의 존엄과 가치를 가지며, 행복을 추구할 권리를 가진다. 국가는 개인이 가지는 불가침의 기본적 인권을 확인하고 이를 보장할 의무를 진다.

3. 헌법의 위상

① 한 나라의 최고 법

② 다른 모든 법률이나 정책은 헌법에 따라 제정되고 시행됨.

③ 모든 국가 기관은 헌법이 정하는 내용과 절차에 따라 권한을 행사하여야 함.

4. 헌법이 인권을 기본권으로 정해 보장하는 이유

① 한 나라의 최고 법인 헌법에 인권이 규정됨으로써 국민의 기본권을 보장하는 것이 국가의 핵심적 의무로 인식됨.

② 헌법에 인권이 규정됨으로써 국민은 인권을 침해당하였을 때 구제받을 수 있음.

❶ 천부 인권
인권은 하늘이 부여한 것으로, 국가가 성립하기 이전부터 이미 인간에게 존재하는 권리를 말한다.

❷ 헌법
헌법은 모든 법률의 토대와 근거가 되는 최고 법이다. 이에 따라 모든 법률이나 명령 등은 헌법에 따라 제정되고 시행된다.

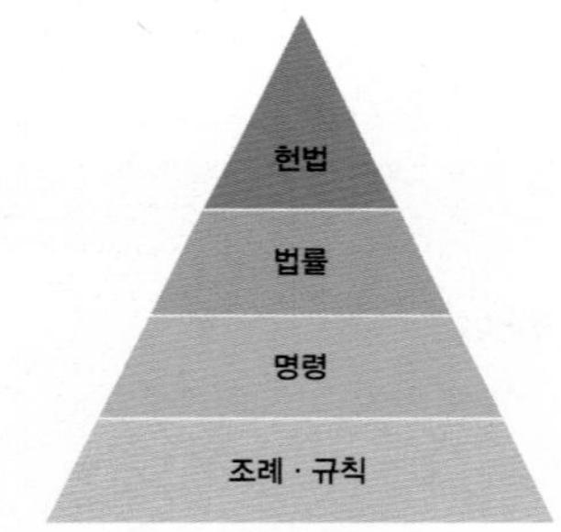

▲ 최고 규범으로서 헌법

간단 체크 정답과 해설 2쪽

알맞은 말 선택하기

1 인권은 모든 사람들이 누려야 할 (보편적 권리 | 특수한 권리)이다.

2 헌법으로 보장된 권리를 (인권 | 기본권)이라고 한다.

3 (헌법 | 법률)은 인권을 보장하는 국가의 최고 법이다.

교과서 **활동 풀이**

교과서 12-13쪽

생각 열기 나는 어떤 권리를 가지고 있을까?

자기소개서

내 이름은 (　　　　)이고,
(　)년 (　)월 (　)일 (　)에서
태어났어요.

1. 나를 가장 사랑해 주는 사람은?
2. 내가 하루에 자는 시간은?
3. 내가 가장 좋아하는 음식과 운동은?
4. 학교 끝나고 주로 하는 일은?
5. 내가 나중에 살고 싶은 곳은? 그 이유는?
6. 가장 배우고 싶은 것은?
7. 좋아하는 음악, 책, 텔레비전 프로그램은?
8. 나의 장래 희망은?

질문 1 자기소개서 각각의 질문에 답변해 보고, 그 내용을 오른쪽 권리의 내용과 연결해 보자.

예 1. 보살핌을 받을 권리, 2. 건강한 수면을 취할 권리, 3. 건강한 생활할 권리, 4. 여가 생활을 즐길 권리, 5. 거주 · 이전의 자유, 6. 교육을 받을 권리, 7. 문화생활을 즐길 권리, 8. 직업을 가질 권리

질문 2 내가 가진 권리 중 가장 중요하다고 생각되는 것을 5개 골라 보고 짝과 비교해 보자.

예 교육을 받을 권리, 건강한 생활할 권리, 보살핌을 받을 권리, 쉬는 시간을 가질 권리, 문화생활을 즐길 권리이다.

해결 열쇠

활동 도우미

자기소개서를 작성하고, 각 질문을 풍선에 담긴 권리와 연결해 보면서 스스로 자신이 가진 권리의 내용을 발견할 수 있어요.

활동 우리 학급 인권 선언 만들기

세계 인권 선언

제1조	모든 사람은 태어날 때부터 자유롭고, 존엄하며, 평등하다. 모든 사람은 이성과 양심을 가지고 있으므로 서로에게 형제애의 정신으로 대해야 한다.
제2조	모든 사람은 인종, 피부색, 성, 언어, 종교 등 어떤 이유로도 차별받지 않으며, 이 선언에 나와 있는 모든 권리와 자유를 누릴 자격이 있다.
제3조	모든 사람은 자기 생명을 지킬 권리, 자유를 누릴 권리, 그리고 자신의 안전을 지킬 권리가 있다.

1 세계 인권 선언의 각 조항에서 핵심 내용이 무엇인지 밑줄을 그어 보자.

2 창의 · 인성 학교 생활에서 보장받아야 할 인권을 찾아보고, 세계 인권 선언을 참고하여 '우리 학급 인권 선언'을 만들어 보자.

예 우리 학급 인권 선언
- 제1조 우리 학급 구성원은 모두 소중한 존재이므로 서로 우정의 정신으로 대해야 한다.
- 제2조 우리 학급 학생들은 입학할 때부터 ○○ 중학교 학생으로 인정받고 존중받아야 한다.
- 제3조 우리 학급 학생들은 모두 평등하다. 학급 회장 선거, 청소 당번 등을 정할 때 차별을 받지 않는다 등

활동 도우미

세계 인권 선언의 내용을 우리의 일상생활에 적용해 봄으로써 인권이 보편적 권리임을 파악할 수 있어요.

자료 해설

세계 인권 선언은 1948년 6월 유엔 인권 위원회에 의하여 완성된 후 몇 차례의 수정을 거쳐 1948년 12월 유엔 총회에서 만장일치로 채택되었다. 이는 보편적인 국제기구에 의하여 주창된 최초의 포괄적인 인권 문서이다.

인권 보장과 헌법 (2)

학습 목표 | 헌법에서 보장하고 있는 기본권의 종류를 알고, 기본권 제한의 내용과 한계를 설명할 수 있다.

❷ 우리 헌법에서 보장하고 있는 기본권은 무엇일까?

1 기본권의 종류와 내용

1. 기본권의 이념: 인간의 존엄과 가치 및 행복 추구권 → 헌법은 인간의 존엄과 가치 및 행복 추구권을 최고의 가치이자 기본권의 이념으로 하여 평등권, 자유권, 참정권, 사회권을 기본권으로 규정하고 있어요.

2. 우리 헌법에서 보장하고 있는 기본권

평등권	• 의미: 성별, 종교 또는 사회적 신분에 의해 불합리한 차별을 받지 않고 동등하게 대우받을 권리
자유권	• 의미: 개인의 자유로운 생활에 대해 국가의 간섭을 받지 않을 권리 • 내용: 신체의 자유, 사생활의 자유, 표현의 자유, 경제 활동의 자유 등
참정권	• 의미: 국민이 국가 기관의 형성과 국가의 정치적 의사 형성 과정에 참여할 수 있는 권리 • 내용: 선거권, 공무 담임권❶, 국민 투표권 등
청구권	• 의미: 국가에 대해 일정한 행위를 요구할 수 있는 권리 • 특징: 다른 기본권을 보장하기 위한 수단적 성격을 가짐. • 내용: 청원권, 재판 청구권, 국가 배상 청구권❷ 등
사회권	• 의미: 인간다운 생활의 보장을 국가에 요구할 수 있는 권리 • 내용: 인간다운 생활을 할 권리, 교육을 받을 권리, 근로의 권리 등

2 기본권 제한의 내용과 한계

1. 기본권 제한

① 기본권은 누구에게나 인정되고 소중한 것이지만, 언제 어디서나 무제한으로 보장되는 것은 아님.

② 어떤 사람의 기본권 행사가 다른 사람의 기본권을 침해하거나 공동체의 이익을 해칠 염려가 있으면 국가는 기본권 행사를 제한할 수 있음.

2. 기본권 제한의 사유

국가 안전 보장	국가의 존립과 영토의 보존, 헌법 기관 유지 등 국가 안전을 확보하는 것
질서 유지	타인의 권리를 침해하지 않고, 공공질서를 지키는 것
공공복리	사회 구성원 전체에게 공통되는 이익을 추구하는 것

3. 기본권 제한의 한계

① 기본권은 국가 안전 보장, 질서 유지, 공공복리를 위한 목적 이외에는 제한할 수 없음.

② 국민의 대표 기관인 국회에서 제정한 법률을 통해 이루어져야 함.

③ 기본권을 제한하는 경우에도 필요한 경우에 한하여 최소한에 그쳐야 함.

④ 기본권의 본질적 내용❸은 침해할 수 없음.

4. 헌법에 기본권 제한 규정을 둔 목적: 기본권 제한의 한계를 분명히 하여 국가 권력이 함부로 기본권을 침해할 수 없도록 함. → 국민의 기본권을 최대한 보장하면서 공익을 실현함.

❶ 공무 담임권
국민이 국가나 지방 자치 단체의 구성원이 되어 공무를 담당할 수 있는 권리이다.

❷ 국가 배상 청구권
공무원의 직무상 불법 행위로 피해를 본 국민이 국가에 대해 손해 배상을 청구할 수 있는 권리이다.

❸ 기본권의 본질적 내용
일반적으로 기본권의 본질적 내용이란 양심의 자유를 말한다. 양심이란 옳고 그름의 판단을 내리는 도덕적 · 윤리적 결정이다.

간단 체크 정답과 해설 2쪽

O, X 판단하기

1 평등권은 성별, 종교 또는 사회적 신분에 의해 차별을 받지 않을 권리이다. ( )

2 기본권은 국가 안전 보장을 위한 경우에 언제든지 제한될 수 있다. ( )

3 사회권에는 청원권, 국가 배상 청구권 등이 있다. ( )

교과서 활동 풀이

교과서 14-16쪽

활동 헌법에서 보장하는 기본권 사례 찾기

1 다음은 기본권의 종류와 기본권이 일상생활에서 실현되는 모습, 기본권 관련 헌법 조항이다. 빈칸에 해당하는 기본권의 실현 모습을 그려 보고, 각각의 내용을 옳게 연결해 보자.

기본권	실현 모습	관련 헌법 조항
평등권	①	제11조 ① 모든 국민은 법 앞에 평등하다. 누구든지 성별 · 종교 또는 사회적 신분에 의하여 …… 차별을 받지 아니한다.
자유권	②	제21조 ① 모든 국민은 언론 · 출판의 자유와 집회 · 결사의 자유를 가진다.
참정권	④	제24조 모든 국민은 법률이 정하는 바에 의하여 선거권을 가진다.
청구권	⑤	제26조 ① 모든 국민은 법률이 정하는 바에 의하여 국가 기관에 문서로 청원할 권리를 가진다.
사회권	③	제34조 ① 모든 국민은 인간다운 생활을 할 권리를 가진다.

해결 열쇠

활동 도우미

기본권의 내용을 일상 생활에서 실현되는 사례와 연결하고, 관련 헌법 조항을 확인해 보세요.

함께 배우기 생활 속 기본권 제한 사례 분석하기

가 보육 시설에서의 아동 학대를 예방 · 방지하기 위해 모든 어린이집에 의무적으로 폐회로 텔레비전(CCTV)을 설치하도록 한다.

나 군사 기지 또는 군사 시설 보호 구역은 출입이 통제되며, 그 안에서 촬영 · 묘사 · 녹취 · 측량 등을 할 수 없다.

1 (가)와 (나)에서 제한되고 있는 기본권의 종류가 무엇인지 토의한다.

예 • (가): 자유권(사생활의 비밀과 자유), • (나): 자유권과 행복 추구권

2 (가)와 (나)에 나타난 기본권 제한이 정당한지 아래 질문을 활용하여 분석한다.

- 국가 안전 보장, 질서 유지, 공공복리 중 어느 것을 위한 경우인가?
- 필요한 경우에 한하여 최소한으로 제한하였는가?
- 제한하는 수단은 무엇인가?
- 자유와 권리의 본질적인 내용을 침해하지 않았는가?

예 • (가)의 자유권 제한은 아동 학대 방지라는 공공복리를 위해서이고, 필요한 경우에 한하여 법률로써 제한하였으므로 자유와 권리의 본질적 내용을 침해하지 않은 것으로 판단된다.
• (나)의 자유권 제한은 국가 안전 보장을 위해서이고, 필요한 경우에 한하여 법률로써 제한한 것이며, 자유와 권리의 본질적 내용을 침해하지 않은 것으로 판단된다.

3 분석 결과를 토대로 기본권 침해 여부를 판단하는 결정문을 작성한다.

자료 해설

우리 헌법 제37조 2항은 기본권 제한의 사유를 명시하여 함부로 기본권을 제한하지 못하도록 하고 있다. 기본권 제한의 사유는 세 가지이다. 첫째, 국가 안전 보장은 국가 안전의 확보, 영토의 보존 등이다. 둘째, 질서 유지는 다른 사람의 권리를 침해하지 않고 공공질서를 지키는 것을 말한다. 셋째, 공공복리는 사회 구성원 전체의 공통되는 이익을 말한다.

3 예 • (가): 어린이집 폐회로 텔레비전(CCTV)의 설치 의무화로 침해되는 사생활의 비밀과 자유라는 개인의 이익보다 아동 학대 예방이라는 공공복리(공익)를 더 우선시해야 하기 때문에 어린이집 CCTV 설치 의무화는 기본권을 침해하지 아니한다.
• (나): 군사 기지 또는 군사 시설 보호 구역의 출입 통제 및 촬영, 묘사, 녹취, 측량 등의 자유권 제한보다 국가 안전 보장이라는 공익을 더 우선시해야 하기 때문에 기본권을 침해하지 아니한다.

스스로 확인하기

1 (1) 평등권 (2) 청구권 (3) 법률

2 (1) 인권은 모든 사람에게 차별 없이 부여된 권리로, 다른 사람에게 넘겨줄 수 없다.
(2) 사회권은 인간다운 생활의 보장을 국가에 요구할 수 있는 권리이다.

개념 노트 만들기

정답과 해설 2쪽

핵심 내용 정리하기 학습한 내용을 기억하면서 다음 글을 완성해 보자.

(**제목:**)

우리 헌법은 인간의 존엄과 가치 및 (❶)을(를) 기본 이념으로 하여 성별, 종교 또는 사회적 신분에 의해 차별받지 않을 권리인 (❷), 개인의 자유로운 생활에 대해 국가의 간섭을 받지 않을 (❸), 국민이 정치에 직접 참여할 수 있는 (❹), 국가에 대해 일정한 행위를 요구할 수 있는 권리인 (❺), 인간다운 생활의 보장을 국가에 요구할 수 있는 권리인 (❻)을(를) 기본권으로 보장하고 있다.

우리 헌법에서는 국가 안전 보장, 질서 유지, (❼)을(를) 위하여 필요한 경우에 한해 법률로써 기본권을 제한할 수 있도록 규정하고 있다. 기본권을 제한하는 경우에도 필요한 경우에 한하여 최소한에 그쳐야 하며, 기본권 제한은 국민의 대표 기관인 국회에서 제정한 (❽)을(를) 통해 이루어져야 한다. 이러한 조건을 모두 충족하더라도 기본권의 본질적 내용은 침해할 수 없다.

활동 노트 완성하기 학습하면서 기른 역량을 살려 다음 활동 노트를 완성해 보자.

국가의 존립과 영토의 보존, 헌법 기관 유지 등 국가 안전의 확보를 위해 기본권은 제한될 수 있어.

준영

다른 사람의 권리를 침해하지 않고 공공질서를 지키기 위해서 기본권은 제한될 수 있어.

수영

기본권을 제한하더라도 반드시 필요한 경우에 한해 법률을 통해서 제한되어야 해.

민영

1 준영이와 수영이 말하는 기본권 제한의 사유를 써 보자.

- 준영:
- 수영:

2 민영이가 말하는 내용이 포함된 우리 헌법 조항을 찾아 적어 보자.

3 준영이와 수영이가 제시한 내용 외에 기본권이 제한되는 사유를 찾아 적어 보자.

실력을 키우는 응용 문제

정답과 해설 2쪽

1 **인권에 대한 설명으로 옳은 것은?**

① 국가가 부여한 권리
② 사회적 지위에 따른 권리
③ 타인에게 양도 가능한 권리
④ 인간이 태어날 때부터 갖는 권리
⑤ 시대와 공간에 따라 특수한 권리

2 **다음 내용을 통해 알 수 있는 세계 인권 선언의 목적으로 가장 적절한 것은?**

> 제1조 모든 사람은 태어날 때부터 자유롭고, 존엄하며, 평등하다. 모든 사람은 이성과 양심을 가지고 있으므로 서로에게 형제애의 정신으로 대해야 한다.
> 제2조 모든 사람은 인종, 피부색, 성별, 언어, 종교 등 어떤 이유로도 차별받지 않으며, 이 선언에 나와 있는 모든 자유와 권리를 누릴 자격이 있다.

① 문화 다양성 확보
② 보편적 인권 보장
③ 경제적 불평등 해소
④ 세계 시민 의식 강화
⑤ 모든 국가의 주권 보장

중요

3 **헌법에 대한 설명으로 옳은 것을 [보기]에서 고른 것은?**

보기
ㄱ. 국가의 최고 법
ㄴ. 자연권이라는 이름으로 인권 보장
ㄷ. 기본권의 본질적 내용까지 제한 가능
ㄹ. 국민의 기본권 보장을 국가의 의무로 규정

① ㄱ, ㄷ ② ㄱ, ㄹ ③ ㄴ, ㄷ
④ ㄴ, ㄹ ⑤ ㄷ, ㄹ

4 **우리 헌법에서 보장하는 기본권 중 (가)에 들어갈 기본권에 대한 설명으로 옳은 것을 [보기]에서 고른 것은?**

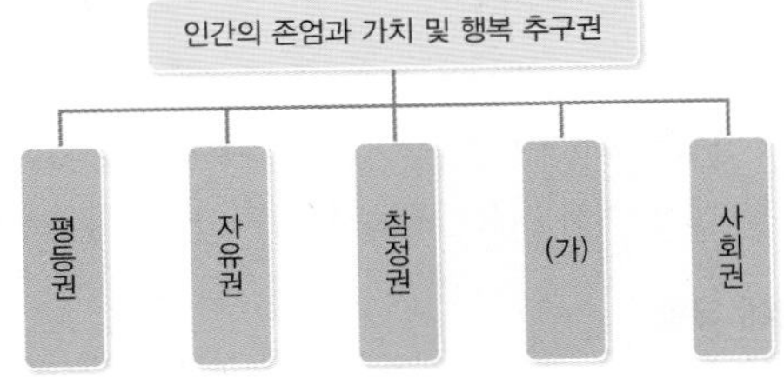

보기
ㄱ. 다른 기본권 보장을 위한 수단적 권리
ㄴ. 국가의 간섭을 받지 않을 소극적 권리
ㄷ. 국가에 대해 인간다운 생활의 보장을 요구할 권리
ㄹ. 공무원의 불법으로 피해를 본 경우 배상을 청구할 수 있는 권리

① ㄱ, ㄴ ② ㄱ, ㄷ ③ ㄱ, ㄹ
④ ㄴ, ㄹ ⑤ ㄷ, ㄹ

5 **기본권을 제한할 수 있는 경우와 가장 거리가 먼 것은?**

① 국가의 존립을 지키기 위한 경우
② 행정상의 편의를 증진하기 위한 경우
③ 사회 구성원의 공통의 이익을 위한 경우
④ 우리 영토를 안전하게 보존하기 위한 경우
⑤ 타인의 권리를 침해하지 않고 질서를 지키는 경우

6 **다음에 제시된 단어들을 모두 사용하여 '인권이란 무엇일까?'를 주제로 50자 내외의 문장을 만들어 보자.**

• 헌법 • 국가 • 자연권

1-2 인권 침해와 구제 (1)

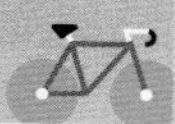

학습 목표 | 생활 속에서 인권이 침해되고 있는 사례를 찾아 분석할 수 있다.

❶ 일상생활에서 인권 침해는 어떻게 나타날까?

1 인권 침해의 의미와 유형

1. 인권 침해❶

① 의미: 다른 사람이나 국가 기관에 의해 인권을 침해당하거나 보장받지 못하는 경우

② 인권은 헌법에서 기본권으로 보장하고 있지만, 언제나 저절로 보장되는 것은 아님.

2. 인권 침해 유형

① 오늘날 인권 침해는 다양한 유형으로 나타남.

② 인권 침해 유형과 사례

구분	유형	사례
침해 대상	타인에 의한 침해	학교 안 집단 따돌림
	국가 기관에 의한 침해	국회에 의한 인권 침해, 행정 기관에 의한 인권 침해
침해 내용	정신적 침해	친구들의 따돌림으로 인한 정신적 피해
	물리적 침해	인근 공사장의 소음과 먼지로 인한 피해

3. 인권 보장을 위한 올바른 자세

① 침해된 인권의 내용이 무엇인지 파악하고, 법에 정해진 방법과 절차❷에 따라 구제 받을려는 노력이 필요함.

② 자신의 인권뿐만 아니라 타인의 인권 침해에 관심을 두고 구제하기 위해 함께 노력하는 자세가 필요함.

❶ 인권 침해
현대 사회에서는 사회의 다양화, 이해관계의 충돌 증가, 인권 개념의 범위 확대 등으로 인해 일상생활에서 인권 문제가 증가하고 그 양상이 복잡해 지고 있다.

❷ 법에 정해진 방법과 절차
침해된 인권을 구제받기 위해서는 법에 정해진 방법과 절차에 따라야 한다. 목적이 정당하더라도 방법과 절차가 적합하지 않을 경우 침해된 인권을 구제받기 어렵다. 이때 누가 침해했는가에 따라 방법과 절차가 달라진다.

핵심 자료 인권 침해의 사례

▲ 경찰 간부 후보생 공개 경쟁 선발 시험의 일반 분야에서 여성을 더 적게 모집하는 것은 불합리한 차별에 해당하며 평등권을 침해하므로 인권 침해에 해당한다.

▲ 장애인이 대중교통을 자유롭게 이용할 수 있도록 하는 보조 시설을 갖추지 않는 것은 장애인의 이동할 권리를 제한하는 인권 침해에 해당한다.

간단 체크 정답과 해설 2쪽

알맞은 말 채우기

1 다른 사람이나 기관 혹은 국가에 의해 인권을 보장받지 못하는 경우를 (　　)(이)라고 한다.

2 인권을 침해당한 경우에는 법에 정해진 방법과 (　　)에 따라 구제받으려는 노력이 필요하다.

교과서 활동 풀이

교과서 18-19쪽

생각 열기 인권 침해일까, 아닐까?

질문 1 (가), (나)가 인권 침해 상황인지 아닌지 판단해 보고, 그렇게 생각한 이유를 적어 보자.

예 • (가)는 인권 침해이다. 왜냐하면 피해 학생의 인격권과 사생활의 비밀과 자유를 침해하였고, 피해자의 동의를 받지 않았기 때문이다.
• (나)는 인권 침해가 아니다. 왜냐하면 시험 시간에 발생할 수 있는 부정행위를 예방하고 학생들이 공정하게 평가받을 권리를 보장하기 위해 휴대 전화 사용을 규제할 수 있기 때문이다. 다만 그 제한의 정도는 과하지 않아야 한다.

질문 2 가정, 학교 등 우리 주변에서 발견할 수 있는 인권 침해 사례를 이야기해 보자.

예 친구들 사이에서 직 · 간접적인 폭행이 일어날 때, 성적 · 가정 배경 · 외모 · 신체적 특징 · 장애 여부 등의 이유로 차별을 받을 때 등이 있다.

해결 열쇠

자료 해설
현실뿐만 아니라 가상 공간에서도 인권 침해가 나타날 수 있다. 특히 법률(학교 폭력 예방 및 대책에 관한 법률)이 정의하는 학교 폭력의 범위에는 인터넷, 휴대 전화 등 정보 통신 기기를 이용하여 특정 학생에게 지속적 · 반복적으로 심리적 공격을 가하거나 개인 정보 또는 허위 사실을 유포하여 상대방이 고통을 느끼도록 하는 행위, 일부러 친구를 따돌리거나 함께 활동을 하지 못하게 방해하는 행위, 욕이나 심한 말을 하는 등 상대방을 괴롭히는 행위가 모두 포함된다.

활동 생활 속 인권 침해 사례 분석하기

1 다음 표의 빈칸을 채우며 인권 침해 사례를 분석해 보자.

구분	사례 1	사례 2	사례 3
인권 침해 장소	학교	인터넷 가상 공간	○○ 미용 고등학교
인권을 침해한 사람(기관)	공사 관계자	정보를 유출한 자	○○ 미용 고등학교장
인권을 침해받은 사람(단체)	학교 학생들	개인 정보를 유출당한 개인	○○ 미용 고등학교의 입학을 원하는 남학생
침해된 인권 내용	학습권, 환경권	사생활의 비밀과 개인의 자유	평등하게 교육을 받을 권리

2 위 사례와 같이 내가 일상생활에서 경험했거나 알고 있는 인권 침해 사례 또는 타인의 인권을 침해했던 경험을 쓰고, 어떤 권리가 침해되었는지 적어 보자.

2 예 • 가정: 할머니가 집안일은 여자의 몫이라며 남동생에게는 집안일을 하지 말라고 하셨다. • 침해된 권리: 평등권 등

활동 도우미
인권 침해의 사례를 통해 침해당한 인권이 무엇인지 분석해 보고, 자신의 인권 침해 경험을 파악해 볼 수 있어요.

인권 침해와 구제 (2)

학습 목표 | 침해된 인권의 구제 방법을 설명할 수 있다.

❷ 침해당한 인권, 어떻게 구제받을 수 있을까?

1 인권 침해 구제 방법

1. 인권 침해 구제

① 다양한 국가 기관에 구제를 요청할 수 있음. 예 법원, 헌법 재판소, 국가 인권 위원회 등

② 누가, 어떻게 침해하였느냐에 따라 법적으로 구제받는 방법이 다름.

2. 인권 침해 시 구제 방법

인권 침해 유형	구제 기관	구제 방법
개인이나 단체가 인권을 침해한 경우	수사 기관	고소
	법원	재판 청구
국가 기관이 국민의 기본권을 침해한 경우	헌법 재판소	헌법 소원❶ 심판
입법 기관이 법을 제정하지 않거나 불충분한 법을 제정함으로써 인권을 침해한 경우	입법 기관 (국회, 지방 의회)	입법 청원❷
행정 기관이 인권을 침해한 경우	행정 기관	행정 심판
	법원	행정 소송❸
사법 기관이 법을 잘못 적용한 판결로 인권을 침해한 경우	상급 법원	상소

2 인권 보장을 위한 국가 기관

1. 국가 인권 위원회

① 의미: 인권 침해와 차별 행위를 개선하기 위해 설립된 독립적 국가 기관

② 역할: 인권 침해의 소지가 있는 법령이나 제도에 대해 시정을 권고함.

③ 구제 방법: 진정❹

2. 국민 권익 위원회

① 의미: 국민의 고충 민원 처리와 불합리한 행정 제도를 개선하는 국무총리 소속 기관

② 역할: 국민의 고충 민원 처리와 행정 심판을 통해 잘못된 행정 처분을 취소하거나 무효임을 확인함. → 예 행정 민원 처리, 부패 방지 정책 및 제도 개선, 행정 심판, 행정 제도 개선 등이 있어요.

③ 구제 방법: 진정

3. 대한 법률 구조 공단

① 의미: 경제적으로 어렵거나 법의 보호를 충분히 받지 못하는 국민의 권익 보호를 위해 설립된 법률 복지 서비스 기관

② 역할: 무료 법률 상담, 민사 · 가사 사건 등 소송 대리 등의 법률 구조 사업 등

③ 구제 방법: 법률 구조 요청

---

❶ 헌법 소원
국가 권력에 의해 기본권을 침해당한 국민이 직접 헌법 재판소에 구제를 요청하는 것이다.

❷ 입법 청원
국민이 입법 기관에 법률을 만들어 달라고 청원하는 것으로, 국회 의원의 소개를 얻어 청원서 등의 서류를 제출하면 법률안 등과 같은 일반 의안에 준해 처리된다.

❸ 행정 심판과 행정 소송
행정 기관에 의해 권리를 침해당한 사람이 행정 기관에 잘못을 고쳐 줄 것을 요구하는 것은 행정 심판이며, 법원에 재판을 청구하는 것은 행정 소송이다.

❹ 진정
국가나 공공 기관에 국민이 어떤 조처를 하여 달라고 요청하는 일이다.

간단 체크 정답과 해설 2쪽

O, X 판단하기

1 입법 기관이 법을 제정하지 않아 권리가 침해당했을 경우 입법 청원을 통해 구제받을 수 있다. ( )

2 행정 심판은 법원에서, 행정 소송은 국민 권익 위원회에서 구제한다. ( )

3 국가 기관이 국민의 인권을 침해하면 항상 헌법 재판소의 헌법 소원 심판을 통해 구제받을 수 있다. ( )

교과서 **활동 풀이**

교과서 20-21쪽

활동 인권 내비게이션, 이럴 땐 어디로?

다음 사례를 읽고 침해당한 인권을 구제받기 위해 각각 어떤 국가 기관으로 가야 할지 적어 보자.

사례 1 쾌적한 환경에서 공부하고 싶은 은주는 환경권과 학습권을 보장 받기 위해 민사 소송을 제기하기로 하였다.

민사 소송은 (   )(으)로!

사례 2 ○○ 씨는 출생 신고 때 정해진 주민 등록 번호를 바꾸지 못하도록 정한 주민 등록법 규정은 개인의 기본권을 과도하게 침해한다고 보고, 헌법 소원 심판을 청구하기로 하였다.

헌법 소원은 (   )(으)로!

사례 3 동현이는 ○○ 미용 고등학교가 신입생 입학 전형에서 남학생의 입학을 제한하여 평등권을 침해받았다고 생각하여 시정을 요청하기로 하였다.

차별 시정 권고는 (   )(으)로!

• 사례 1: 법원 • 사례 2: 헌법 재판소 • 사례 3: 국가 인권 위원회

해결 열쇠

활동 도우미

인권을 누가 침해했는가에 따라 이를 구제하는 국가 기관이 구분되어 있어요. 활동을 통해 인권을 보장하는 다양한 국가 기관의 성격과 하는 일을 알 수 있어요.

함께 배우기 인권 침해 상황 모니터링하기

1 모둠별 토의를 통해 최근 뉴스 기사나 일상생활에서 인권이 침해되고 있는 상황을 찾아 스크랩한다.

예 국내 대학에 다니는 외국인 유학생의 인권 침해

2 인권 침해 상황을 하나 선정하고, 모니터링 목적에 부합하는 평가 항목을 작성한다.

모니터링을 위한 평가 항목 예시

- ✓ 문제가 되는 상황은 무엇인가?
- ✓ 문제의 원인은 무엇인가?
- ✓ 누구의 책임인가?
- ✓ 어떻게 문제를 해결할 수 있을까?
- ✓ 도움을 요청할 수 있는 국가 기관은 어디인가?
- ✓ 내가 할 수 있는 일은 무엇인가?

예 현장 방문을 통해 확인할 수 있는 평가 항목들로 구성한다.

3 평가 항목에 근거하여 현장 모니터링 활동을 실시한다.

예 모둠별로 실행 가능한 모니터링지를 작성하고 현장 모니터링을 할 수 있도록 지도한다. 모니터링지 작성이 생소하게 느껴질 수 있으므로 실제 사례를 제시하여 학생들이 필요한 내용은 모방하여 자신의 모니터링지에 활용할 수 있도록 한다.

4 현장 모니터링 활동 결과 발견한 문제점과 이를 개선하기 위한 방안을 모둠별로 토의한 후 결과 보고서를 작성하여 발표한다.

예 국내 대학으로 유학을 온 이슬람 여학생들이 히잡을 두른다는 이유로 캠퍼스 내에서 다른 학생들로부터 불쾌한 표현을 듣는 등 인권이 침해되고 있다. 대학은 문화의 차이를 인정하고 교육부와 지역 다문화 교육 지원 센터 등의 도움을 받아 다른 문화를 이해하는 교육을 시행하고, 학생들도 문화적 차이로 인해 인권을 침해받는 사람들에게 관심을 가져야 한다.

활동 도우미

국가 인권 위원회 누리집의 '상담 · 민원 · 진정 코너'에서 진정서를 내려받으면 양식에 따라 진정서를 작성해 볼 수 있어요.

자료 해설

인권 침해 사례에 대해 모니터링을 해 봄으로써 인권 침해의 문제점을 알고, 이를 개선하기 위한 방안을 탐색해 볼 수 있다. 모니터링 작성 활동에서 다른 사람의 어떤 인권이 침해되었는지 인권 침해의 항목을 설정하고 인터뷰하는 과정을 통해 인권 감수성을 함양할 수도 있다.

스스로 확인하기

1 (1) 법원 (2) 헌법 소원 (3) 행정 심판 **2** (1) × (2) ○ (3) × (4) ○

개념 노트 만들기

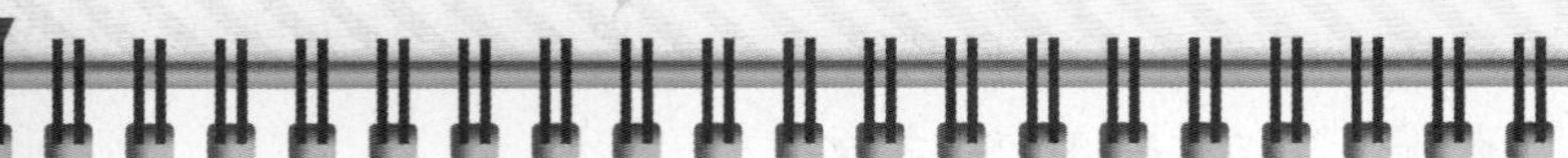

정답과 해설 2쪽

핵심 내용 정리하기 학습한 내용을 기억하면서 다음 글을 완성해 보자.

(제목:)

인권 침해가 발생하였을 때 다양한 국가 기관에 구제를 요청할 수 있다. 다른 개인이나 단체가 인권을 침해한 경우에는 (❶)에 재판을 청구하여 구제받을 수 있다. 반면, 국가 기관이 기본권을 직접 침해한 경우에는 (❷)에 헌법 소원을, 입법 기관이 적절한 법을 만들지 않아 인권을 침해한 경우에는 (❸)을(를), 행정 기관이 인권을 침해한 경우에는 행정 심판이나 (❹)을(를) 통해 구제를 요청할 수 있다. 이외에도 국가나 단체의 차별에 대해 시정 권고는 (❺)에 진정할 수 있다.

활동 노트 완성하기 학습하면서 기른 역량을 살려 다음 활동 노트를 완성해 보자.

1 국가 기관에 의한 인권 침해의 유형과 구제 방법을 정리한 표이다. 빈칸에 알맞은 내용을 채워 표를 완성해 보자.

인권 침해 유형	구제 방법	구제 수행 기관
입법 기관이 법 제정을 하지 않거나 불충분한 법을 제정하여 인권을 침해한 경우		입법 기관 (국회, 지방 의회)
행정 기관이 법 집행을 잘못하여 인권을 침해한 경우	행정 심판	행정 기관
	행정 소송	
사법 기관이 법을 잘못 적용한 판결로 인권을 침해한 경우		상급 법원
국가 기관이 국민의 기본권을 침해한 경우	헌법 소원	

2 행정 심판과 행정 소송의 공통점과 차이점을 서술해 보자.

- 공통점:
- 차이점:

3 다른 개인이나 단체에 의한 인권 침해를 구제할 수 있는 방안을 써 보자.

실력을 키우는 응용 문제

정답과 해설 3쪽

중요

1 국가 기관에 의해 침해된 인권의 구제 방법으로 옳지 않은 것은?

① 진정 ② 헌법 소원 ③ 행정 소송
④ 행정 심판 ⑤ 민사 소송

2 ㉠과 ㉡에 들어갈 용어가 순서대로 바르게 연결된 것은?

> 행정 기관에 의해 권리를 침해당한 사람이 행정 기관의 잘못을 고쳐줄 것을 요구하기 위해 국민 권익 위원회에 진정하는 것은 (㉠)(이)고, 법원에 구제를 요청하는 것은 (㉡)이다.

	㉠	㉡
①	재판	헌법 소원
②	재판	행정 심판
③	상소	행정 소송
④	헌법 소원	행정 소송
⑤	행정 심판	행정 소송

3 A 씨가 침해당한 인권을 구제받을 수 있는 방법으로 적절한 것을 [보기]에서 고른 것은?

> △△ 일보
>
> A 씨는 30년 가까이 육군에서 여군 헬기 조종사로 근무하였으나 유방암 투병 후 부당하게 퇴역하게 되었다. 병이 완쾌되어 정상적인 업무 수행에 문제가 없었지만 정기 신체 검사에서 심신 장애 판정을 받은 것이다. A 씨는 퇴역 처분이 부당하다며 국방부에 재심사를 요구하였으나 기각되었다.

보기
> ㄱ. 상급 법원에 항소한다.
> ㄴ. 행정 법원에 소송을 제기한다.
> ㄷ. 국가 인권 위원회에 진정을 한다.
> ㄹ. 장애 판정 결정자를 상대로 민사 소송을 제기한다.

① ㄱ, ㄴ ② ㄱ, ㄷ ③ ㄴ, ㄷ
④ ㄴ, ㄹ ⑤ ㄷ, ㄹ

4 다음에서 설명하는 국가 기관으로 옳은 것은?

> • 호주제, 사형제, 비정규직 근로자에 대한 차별 대우 등 국민의 인권을 침해할 소지가 있는 법령이나 제도의 문제점을 발견하여 이를 개선할 것을 권고한다.
> • 국가 기관, 지방 자치 단체 등이 업무를 수행하면서 국민의 인권을 침해하거나 법인, 단체 등이 개인의 평등권을 침해하는 경우에 이를 조사하여 구제한다.

① 대법원 ② 헌법 재판소
③ 국민 권익 위원회 ④ 국가 인권 위원회
⑤ 대한 법률 구조 공단

5 국민 권익 위원회에 대한 설명으로 옳지 않은 것은?

① 부패 방지 정책 및 제도 개선 관련 업무를 한다.
② 법률이나 국가 기관이 기본권을 침해했는지 심판한다.
③ 주로 고충 민원 처리와 불합리한 행정 제도를 개선한다.
④ 고충 민원을 조사하고 잘못된 부분은 시정하도록 조치한다.
⑤ 행정 심판을 통해 잘못된 행정 처분을 취소하거나 무효임을 확인한다.

6 다음 사례에서 침해된 인권을 구제받을 수 있는 방법을 서술하시오(단, 구제 방법과 구제 기관을 모두 포함하시오).

> A사는 상품 매장에서 근무하는 판매 직원들에게 머리 모양, 옷 색깔 심지어 신발의 모양까지 규제하고 있다. A사의 직원들은 회사의 조치가 인권을 침해하고 있다고 생각한다.

1-3 노동권 침해와 구제 (1)

학습 목표 | 헌법에 보장된 근로자의 권리를 설명할 수 있다.

❶ 근로자의 권리에는 어떤 것들이 있을까?

1 근로자[1]의 권리

1. 우리 헌법에서 보장하는 권리: 우리 헌법에서는 모든 국민은 근로의 권리를 가지며, 국가는 근로의 권리를 보장할 책임이 있다고 명시함.

2. 근로의 권리

① 근로 능력을 가진 사람이 국가에 대해 근로의 기회를 요구할 수 있는 권리를 말함.

② 국가는 근로자의 고용을 증진하고 적정한 임금을 받을 수 있도록 최저 임금을 보장함.
└ 2018년 시간급 최저 임금은 7,530원이에요.

③ 국가는 근로자가 인간의 존엄성을 보장하는 근로 조건의 기준을 근로 기준법으로 정함.
└ 근로의 최저 기준, 최저 임금, 최저 노동 시간 등을 규정해요.

2 노동 삼권

1. 노동 삼권의 유형: 근로자에게는 근로의 권리 외에도 단결권, 단체 교섭권, 단체 행동권이 헌법으로 보장됨.

단결권	근로자가 근로 조건의 유지 · 개선을 위해 단결할 수 있는 권리
단체 교섭권	근로자 단체가 사용자[2]와 근로 조건의 유지 · 개선을 교섭할 수 있는 권리
단체 행동권	단체 교섭이 원만하게 체결되지 않아 노동 쟁의[3]가 발생한 경우 쟁의 행위[4] 등을 할 수 있는 권리

2. 노동 삼권의 의의: 근로자는 자율적으로 노동조합을 결성할 수 있고, 사용자인 기업가와 대등한 위치에서 임금과 근로 조건을 협상할 수 있음.

핵심 자료 **우리 헌법에 보장된 근로자의 권리**

근로자의 권리를 헌법에 명시한 것은 근로자의 권리가 국가가 보장해야 할 국민의 중요한 권리임을 보여 주는 것이다.

제32조 ① 모든 국민은 근로의 권리를 가진다. 국가는 사회적 · 경제적 방법으로 근로자의 고용의 증진과 적정 임금의 보장에 노력하여야 하며, 법률이 정하는 바에 의하여 최저 임금제를 시행하여야 한다.
③ 근로 조건의 기준은 인간의 존엄성을 보장하도록 법률로 정한다.
④ 여자의 근로는 특별한 보호를 받으며, 고용 · 임금 및 근로 조건에 있어서 부당한 차별을 받지 아니한다.

제33조 ① 근로자는 근로 조건의 향상을 위하여 자주적인 단결권 · 단체 교섭권 및 단체 행동권을 가진다.

❶ 근로자
근로자는 직업의 종류와 관계없이 임금을 목적으로 사업이나 사업장에 근로를 제공하는 사람을 말한다.

❷ 사용자
사용자는 사업주 또는 사업 경영 담당자, 그 밖에 근로자에 관한 사항에 대하여 사업주를 위해 일하는 사람을 말한다.

❸ 노동 쟁의
노동조합과 사용자 또는 사용자 단체 간에 근로 조건에 관한 주장이 일치하지 않아 분쟁이 나타나는 상태를 말한다.

❹ 쟁의 행위
근로자 측의 쟁의 행위에는 파업, 태업 등이 있고, 사용자 측의 쟁의 행위에는 직장 폐쇄가 있다.

간단 체크 정답과 해설 3쪽

알맞은 말 채우기

1 (　　)은(는) 근로자가 인간의 존엄성을 보장하는 근로 조건을 법으로 정해 놓은 것이다.

2 (　　)은(는) 근로의 권리 외에 헌법으로 보장받는 근로자의 권리로 단결권, 단체 교섭권, 단체 행동권을 말한다.

3 (　　)은(는) 근로자 단체가 근로 조건의 유지, 개선을 위해 단결할 수 있는 권리이다.

교과서 **활동 풀이**

교과서 22-23쪽

생각 열기 O, X 퀴즈로 알아보는 청소년 근로자의 권리

질문 1 청소년도 성인 근로자와 동일한 권리가 있을까? 그림에서 옳은 설명을 담은 풍선을 모아 단어를 완성해 보자.

예 청소년도 성인 근로자와 동일한 권리가 있다. 법에서 정한 최저 임금을 적용받으며(최저 임금법), 근로 계약을 문서로 작성해야 하고(근로 기준법 제67조 ③), 월급은 청소년 본인이 직접 받을 수 있다(근로 기준법 제68조). 따라서 '노동권'이라는 단어가 완성된다.

질문 2 근로자의 권리를 보장하는 법과 제도에는 어떤 것들이 있을까?

예 헌법에 근로자의 권리를 명시하고 있고, 법률로는 근로 기준법, 최저 임금법, 남녀 고용 평등과 일 · 가정 양립 지원에 관한 법률 등이 있다.

해결 열쇠

자료 해설

18세 미만의 근로자는 연소자라고 하여 특별히 보호를 받는다. 우선 15세 미만의 청소년은 원칙적으로 취업이 금지된다. 하지만 고용 노동부에서 발급한 취직 인허증이 있으면 15세 미만이라도 일을 할 수 있다. 15세 이상의 청소년은 법정 대리인의 동의를 얻어야 고용 관계를 맺을 수 있다. 청소년의 근로 계약은 법정 대리인의 동의를 얻어 직접 체결하고 법정 대리인은 어떤 경우에도 근로 계약을 대신해서 체결할 수 없으며, 임금도 법정 대리인의 동의 없이 청소년이 독자적으로 청구할 수 있다. 도덕적으로 유해하거나 보건상 위험한 환경에서 일을 시키는 것은 금지되며, 근로 시간은 1일 7시간 이내, 1주 40시간 이내가 원칙이다. 청소년의 근로관계에서 부당한 일을 당하였을 때에는 고용 노동부나 지방 고용 노동 관서 또는 청소년 보호 단체 등의 기관을 통해서 보호 및 구제를 받을 수 있다.

활동 무엇이 문제일까?

1 (가)~(다) 사례에 나타난 문제점이 무엇인지 헌법에 보장된 근로자의 권리를 근거로 하여 문장을 완성해 보자.

가	나	다
편의점 아르바이트를 하는 고등학생 현우는 나이가 어리다는 이유로 시급을 최저 임금보다 적은 5,000원만 받고 있다. *2017년 최저 임금: 시간당 6,470원	혜원이는 승진이 늦어 속상하다. 같은 시기에 회사에 입사하고 실력도 비슷한 남자 동기들은 이미 승진을 했지만, 혜원이와 여자 동기들은 승진이 늦어지고 있다.	○○ 회사의 근로자들은 노동조합을 만들기로 했다. 그러자 ○○ 회사 사장은 노동조합에 가입하는 직원은 모두 해고하겠다고 한다.

예
- (가) – 위 상황은 최저 임금법을 위반한 사례이다. 이는 헌법에 규정된 제32조 ①의 최저 임금제 시행 내용을 침해한다.
- (나) – 위 상황은 근로 기준법을 위반한 사례이다. 이는 헌법에 규정된 제32조 ④ "여자의 근로는 특별한 보호를 받으며, 고용 · 임금 및 근로 조건에 있어서 부당한 차별을 받지 아니한다."의 내용을 침해한다.
- (다) – 위 상황은 노동조합 및 노동관계 조정법을 위반한 사례이다. 이는 헌법에 규정된 제33조 ①의 근로자의 단결권, 단체 교섭권, 단체 행동권을 침해한다.

2 짝 활동 근로자의 권리가 왜 법으로 보장되어야 하는지 짝과 이야기해 보자.

활동 도우미

헌법에 보장된 근로의 권리가 침해되는 경우를 사례를 통해 스스로 분석하고 논리적으로 서술할 수 있어요. 먼저 근로자의 권리에는 무엇이 있는지 살펴보고 각 사례에서 근로자의 어떤 권리가 침해되었는지 연결해 보세요.

2 예 근로자의 권리가 헌법과 법률에 의해 보장되어야 상대적으로 사회적 약자인 근로자가 사용자와 동일한 위치에서 임금, 근로 조건 등을 협상할 수 있다. 근로의 권리를 헌법에 명시한 것은 근로자의 권리가 국가가 보장해야 할 국민의 중요한 인권임을 보여주는 것이다.

1-3 노동권 침해와 구제 (2)

학습 목표 | 노동권 침해 사례와 구제 방법을 조사할 수 있다.

❷ 노동권 침해, 어떻게 구제받을 수 있을까?

1 노동권 침해 유형과 구제 방법

1. 부당 노동 행위의 의미와 구제 방법

① 의미: 근로자의 노동 삼권인 단결권, 단체 교섭권, 단체 행동권을 방해하는 사용자의 행위

② 사례: 근로자가 노동조합에 가입했다는 이유로 불이익을 받은 경우

③ 구제 방법: 노동 위원회[1]나 법원에 권리 구제 요청

2. 부당 해고의 의미와 구제 방법

① 의미: 사용자가 정당한 사유 없이 근로자를 해고하는 행위

② 사례: 근로자가 육아 휴직을 신청했다는 이유로 해고를 당한 경우

③ 구제 방법: 노동 위원회에 권리 구제 요청, 이와 별개로 법원에 해고 무효 확인의 소를 제기할 수 있음.

3. 임금 체불의 의미와 구제 방법

① 의미: 사용자가 근로자에게 임금을 지급하지 않는 행위

② 사례: 사용자가 경기가 어렵다는 이유로 근로자의 임금을 지불하지 않은 경우

③ 구제 방법: 지방 고용 노동 관서[2]에 진정 또는 고소할 수 있음. → 만약 사용자가 계속해서 임금을 주지 않으면 사용자는 형사 처분을 받을 수 있고, 이때 받지 못한 임금은 민사 소송을 거쳐야 받을 수 있음.

핵심 자료 **부당 노동 행위**

근로자의 노동 삼권인 단결권, 단체 교섭권, 단체 행동권을 방해하는 사용자의 행위를 부당 노동 행위라고 한다. 구체적으로 부당 노동 행위는 다음과 같은 경우를 말한다.

① 근로자가 노동조합에 가입 또는 가입하려고 하였거나 기타 노동조합의 업무를 위한 정당한 행위를 한 것을 이유로 근로자를 해고하거나 불이익을 주는 행위

② 근로자가 특정 노동조합에 가입하지 않거나 또는 가입 · 탈퇴할 것을 고용 조건으로 하는 행위

③ 노동조합의 대표자(또는 위임을 받은 자)와의 단체 협약 체결, 기타 단체 교섭을 정당한 이유 없이 거부하거나 게을리하는 행위

④ 근로자가 노동조합을 조직 또는 운영하는 것을 지배하거나 이에 개입하는 행위

⑤ 노동조합의 전임자에게 급여를 지원하거나 노동조합의 운영비를 원조하는 행위

⑥ 근로자가 정당한 단체 행위에 참가한 사실이나 노동 위원회에 사용자가 부당 노동 행위를 한 것을 신고 · 증언 · 증거의 제출을 한 것을 이유로 그 근로자에게 해고 또는 불이익을 주는 행위 등이다.

---

❶ **노동 위원회**
노사관계의 특수성으로 인하여 법원에서 모든 분쟁을 처리하는 데 부적합한 경우가 많아 이를 보완하기 위하여 설치된 노동 분쟁을 처리하는 기관이다.

❷ **지방 고용 노동 관서**
해당 사업장을 관할하는 노동 지청을 말한다.

간단 체크 정답과 해설 3쪽

O, X 판단하기

1 근로자가 노동조합에 가입했다는 이유로 불이익을 받았다면, 이는 부당 노동 행위에 해당한다. ( )

2 부당 해고를 당한 근로자는 노동 위원회나 법원에 권리 구제를 요청할 수 있다. ( )

3 임금을 받지 못한 근로자가 지방 고용 노동 관서에 진정을 하면 별도의 소송 없이도 밀린 임금을 받을 수 있다. ( )

교과서 **활동 풀이**

교과서 24-25쪽

활동 근로자의 권리 침해와 구제 방법

1 각 사례에 해당하는 용어를 낱말 카드에서 찾아보자.
- (가): 부당 노동 행위 • (나): 부당 해고 • (다): 임금 체불

2 인터넷 활용 '찾기 쉬운 생활 법령 정보' 누리집에 접속하여 (가)~(다) 사례에서 침해된 노동권을 구제받을 수 있는 방법과 절차를 확인해 보자.

해결 열쇠

활동 도우미
근로자의 권리를 침해하는 부당 노동 행위, 부당 해고, 임금 체불이 무엇인지 알아보고 구제 방법과 절차를 확인할 수 있어요.

2 예 • (가): 노동 위원회에 사건을 진정하거나 법원에 소송을 제기할 수 있다. • (나): 노동 위원회에 권리 구제를 신청하거나 법원에 해고 무효 확인의 소를 제기할 수 있다. • (다): 지방 고용 노동 관서에 진정서를 제출하여 체불 사실이 인정되면 사용자에게 임금 지급을 명령한다. 형사 절차를 통해 사용자의 형사 처벌을 의뢰할 수 있고, 민사 소송을 통해 강제 집행도 가능하다.

함께 배우기 노동권 침해 문제 해결을 위한 권리 카드 만들기

1 사례 1~4의 상황에서 근로자의 권리가 어떻게 침해되고 있는지 모둠별로 토의한다.
예 사례 1은 휴가와 휴일을 보장받을 권리, 사례 2는 근로로 인한 부상을 치료받을 권리 혹은 안전한 환경에서 근로할 권리, 사례 3은 근로자가 근로 중 휴식을 취할 권리, 사례 4는 최저 임금을 받을 권리를 침해받고 있다.

2 모둠 내에서 역할을 분담하여 각자 사례 1~4 중 하나를 선택하고, 각 사례에서 침해되고 있는 근로자의 권리를 보장하기 위한 정책이나 법률, 구제 방법에 대해 조사한다.

3 조사한 내용을 바탕으로 앞면에는 근로자의 권리가, 뒷면에는 구제 방법이 적힌 '근로자 권리 카드'를 만들어 모둠 내에서 발표한다.

활동 도우미
노동권 침해 사례를 통해 근로자의 권리를 이해하고, 근로자의 권리와 노동권 침해의 구제 방법을 '권리 카드'로 표현해 볼 수 있어요.

2 예 사례 4: 최저 임금제는 헌법 제32조 ①에 명시되어 있으며, 최저 임금제를 시행하기 위해 최저 임금법과 최저 임금 위원회 등의 법률과 제도가 있다. 근로자가 최저 임금액 미만으로 임금을 지급받는 경우에는 사업장의 관할 지방 고용 노동 관서에 권리 구제를 요청하여 도움을 받을 수 있다.
3 예 • 앞면(근로자의 권리): 최저 임금 보장! • 뒷면(구제 방법): 사업장의 관할 지방 고용 노동 관서에 권리 구제를 요청할 수 있어요! • 발표 내용: 근로자는 헌법 제32조 ①에 따라 최저 임금을 받을 권리가 있으며, 최저 임금을 받지 못할 경우 사업장의 관할 지방 고용 노동 관서에 권리 구제를 요청할 수 있다.

스스로 확인하기

1 (1) 노동 삼권 (2) 부당 노동 행위 (3) 노동 위원회 **2** (1) ㉢ (2) ㉠ (3) ㉡

개념 노트 만들기

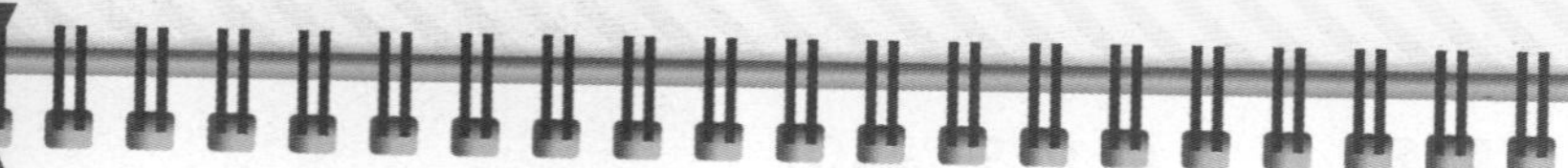

정답과 해설 3쪽

핵심 내용 정리하기 학습한 내용을 기억하면서 다음 글을 완성해 보자.

(제목:)

파업에 참여했다는 이유로 불이익을 받았다면 이는 (❶)에 해당한다. 육아 휴직을 이유로 해고를 당한 경우라면 (❷)에 해당한다. 이 두 경우는 노동 위원회나 법원에 권리 구제를 요청할 수 있다. 한편 임금을 받지 못한 경우에는 지방 고용 노동 관서에 (❸) 하거나 법원에 고소할 수 있다. 사용자가 계속 임금을 주지 않으면 사용자는 형사 처분을 받을 수 있고, 이때 받지 못한 임금은 (❹)을(를) 거쳐야 받을 수 있다.

활동 노트 완성하기 학습하면서 기른 역량을 살려 다음 활동 노트를 완성해 보자.

1 우리 헌법에서 보장하는 노동 삼권의 종류와 그 의미를 정리해 보자.

노동 삼권	의미

2 근로자의 노동권 침해 사례와 구제 방법을 정리해 보자.

구분	사례	구제 방법
부당 노동 행위		
부당 해고		
임금 체불		

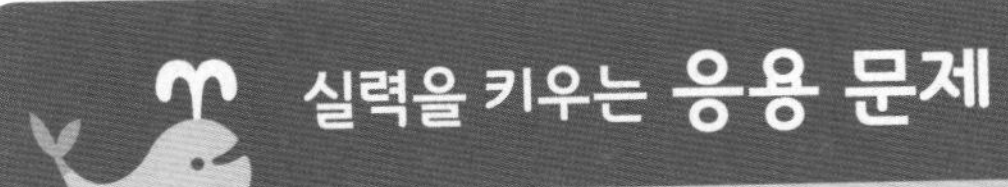

정답과 해설 3쪽

중요

1 다음 제도들이 추구하는 목적으로 가장 적절한 것은?

• 최저 임금법 • 근로 기준법

① 헌법상 자유권 인정
② 노사 공존 관계 유지
③ 부당 노동 행위 방지
④ 불법 노동권 침해 예방
⑤ 국민의 근로의 권리 보장

2 다음에서 설명하는 근로자의 권리는?

근로자 단체가 사용자와 근로 조건의 유지 · 개선에 대해 협상할 수 있는 권리

① 단결권
② 단체 교섭권
③ 단체 행동권
④ 노동권 구제 요청권
⑤ 위법 노동 행위 소송권

3 다음 그림에서 근로자의 침해된 권리를 구제받을 수 있는 방법으로 적절한 것을 〈보기〉에서 있는 대로 고른 것은?

보기
ㄱ. 지방 고용 노동 관서에 진정
ㄴ. 체불 임금에 대한 민사 소송
ㄷ. 임금 체불 사용자에 대한 형사 처벌
ㄹ. 국민 권익 위원회에 행정 심판 요청

① ㄱ, ㄹ ② ㄱ, ㄷ ③ ㄴ, ㄹ
④ ㄱ, ㄴ, ㄷ ⑤ ㄴ, ㄷ, ㄹ

4 다음 내용이 설명하는 개념으로 옳은 것은?

직업의 종류에 관계없이 임금을 목적으로 사업이나 사업장에 근로를 제공하는 사람

① 근로자 ② 사용자 ③ 고용주
④ 중재인 ⑤ 노무사

5 다음 설명에 해당하는 용어를 순서대로 바르게 연결한 것은?

(가) 사용자와 협상을 위해 노동조합을 결성할 수 있는 권리
(나) 태업, 파업 등을 통해 사용자 측에 압력을 가할 수 있는 권리

	(가)	(나)
①	단결권	단체 교섭권
②	단결권	단체 행동권
③	단체 행동권	단결권
④	단체 행동권	단체 교섭권
⑤	단체 교섭권	단체 행동권

6 다음 사례와 관련이 있는 노동권 침해 유형과 그 의미를 서술하시오.

근로자가 노동조합에 가입하는 것에 대해 불이익을 주는 행위, 노동조합에 가입하지 않을 것을 고용 조건으로 제시하는 경우, 정당한 단체 행동에 참가한 것을 이유로 불이익을 주는 행위 등이 해당한다.

• 유형: ……………………………………………

• 의미: ……………………………………………

교과서 **창의·융합 활동** 풀이

교과서 17쪽

해결 열쇠

활동 도우미

우리 주변에 아주 어려움을 겪고 있는 사람들만 생각하지 말고 평소에 인권 침해라고 생각하지 못했던 부분에 대해 새로운 인권의 기준으로 바라봄으로써 우리 주변에서도 이러한 사례를 많이 발견할 수 있어요. 가정, 학교, 지역 사회에서 인권이 보장되지 못하는 사례가 있는지 가까이에서 살펴 볼 수 있어요.

핵심 역량 창의적 사고력

과정 ❶에서 우리 주변에 인권을 보장받지 못하는 사람들에 대해 살펴본 후 과정 ❷에서 어떤 인권을 보장받지 못하는지와 보장받을 수 있는 방법에 대해 토의를 통해 생각해 보아요. 과정 ❸에서 지금까지 활동을 종합하여 이를 그라피티 형식으로 표현해 봄으로써 다른 사람의 인권에 대해 민감하게 생각하는 자세를 기를 수 있어요. 그라피터를 다른 사람들에게 설득력있게 전달할 수 있는 방법을 창의적으로 표현해 볼 수 있어요.

이렇게 해요 ❶ 예 혼자 사는 노인들, 외국인 근로자 등

❷ • 혼자 사는 노인들 (• 보장받아야 할 인권: 건강한 식사를 할 권리, 보살핌을 받아야 할 권리 등, • 보장 방법: 개인적으로는 혼자 사는 노인들에 관심을 가지고, 사회적으로는 사회 보장 제도를 강화하여 이들이 식사를 거르지 않도록 지원하는 방안 등을 마련한다.)

• 외국인 근로자 (• 보장받아야 할 인권: 차별받지 않을 권리, 안전한 환경에서 일할 권리 등, • 보장 방법: 외국인 근로자가 안전한 근로 환경에서 내국인 근로자와 동등한 조건에서 일할 수 있도록 제도를 강화한다.)

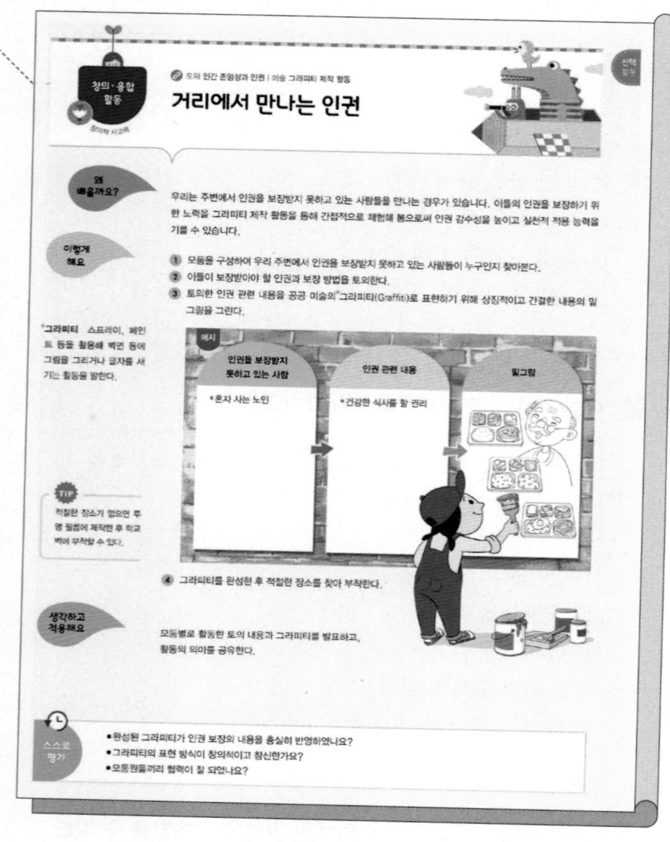

참고 자료 **학생들의 인권을 말하다, 학생 인권 조례**

학교에서 학생들의 인권은 얼마나 지켜지고 있을까? 학교 교육과정에서 학생의 인권이 보장될 수 있도록 전국 16개 시 · 도 교육청별로 학생 인권 조례가 제정 · 공포되어 시행 중이다. 전국 16개 시 · 도 교육청 가운데 경기도(2010. 10. 5.), 광주광역시(2011. 10. 5.)에 이어 세 번째로 서울시 교육청이 집회의 자유 등을 포함한 서울 학생 인권 조례를 2012년 1월 26일에 공포하였고, 그 뒤를 이어 전북도 교육청이 2013년 7월 12일 전북 학생 인권 조례를 공포하였다.

학생 인권 조례의 내용을 보면 차별받지 않을 권리, 모든 물리적 · 언어적 폭력으로부터 자유로울 권리, 정규 교과 이외의 교육활동과 관련한 선택의 자유, 직 · 간접적 체벌 금지, 복장 및 두발 규제 금지, 학생 소지품 검사의 최소화, 양심 · 종교의 자유 및 표현의 자유, 자치 및 참여의 권리, 복지에 관한 권리, 징계 등 절차에서의 권리, 권리 침해로부터 보호받을 권리, 소수 학생의 권리 보장, 인권 교육, 인권 실천 계획, 학생 인권 옹호관의 설치 등의 내용을 담고 있다.

한편 학생 인권 조례의 시행으로 인해 학생들이 스스로의 인권에 대한 감수성이 함양되길 기대하면서 역지사지의 마음으로 다른 사람의 인권(교사, 여성, 아동, 노인 등)에도 관심을 갖는 계기가 되길 바라고 있다.

교과서 단원 마무리 풀이

교과서 26-27쪽

단원 한눈에 보기

❶ 천부 인권 ❷ 헌법 ❸ 사회권 ❹ 공공복리 ❺ 법률
❻ 헌법 소원 ❼ 국가 인권 위원회 ❽ 근로 기준법 ❾ 노동 삼권

해결 열쇠

교과서 12~25쪽에서 학습한 내용을 떠올리면서 스스로 구조화해 보자.

서술로 사고력 키우기

1 **다음은 우리 헌법의 기본권 제한 관련 조항이다. 빈칸에 알맞은 내용을 쓰고, 헌법에 이러한 기본권 제한 규정을 둔 목적이 무엇인지 서술해 보자.**

> 제37조 ② 국민의 모든 자유와 권리는 (　　　), (　　　) 또는 (　　　)를 위하여 필요한 경우에 한하여 법률로써 제한할 수 있으며, 제한하는 경우에도 자유와 권리의 본질적인 내용을 침해할 수 없다.

예 • 국가 안전 보장, 질서 유지, 공공복리 • 기본권 제한의 한계를 분명히 하여 국가 권력이 함부로 국민의 기본권을 침해할 수 없도록 하기 위한 것이다.

2 **인권 침해가 발생했을 때 다양한 국가 기관에 구제를 요청할 수 있다. 헌법 재판소에 구제를 요청할 수 있는 경우와 그 방법을 서술해 보자.**

예 국가 권력에 의해 기본권을 침해당한 국민은 직접 헌법 재판소에 헌법 소원 심판을 청구할 수 있다. 다만 다른 법률에 구제 절차가 있는 경우에는 그 절차를 모두 거친 후에 청구할 수 있다.

3 **노동 삼권의 종류를 쓰고, 근로자에게 이러한 권리를 보장하는 이유가 무엇인지 설명해 보자.**

예 노동 삼권에는 단결권, 단체 교섭권, 단체 행동권이 있다. 근로자에게 노동 삼권을 보장하는 이유는 기업가와 대등한 위치에서 임금과 근로 조건을 협상하도록 하기 위함이다.

채점 기준

❶	상	기본권 제한 사유와 목적을 정확히 서술한 경우
	중	기본권 제한의 사유와 목적 중 하나만 서술한 경우
	하	기본권 제한의 사유와 목적을 미흡하게 서술한 경우
❷	상	헌법 재판소에 구제 요청하는 경우와 방법을 정확히 서술한 경우
	중	헌법 재판소 구제 요청하는 경우와 방법 중 하나만 서술한 경우
	하	헌법 재판소에 구제 요청하는 경우와 방법을 미흡하게 서술한 경우
❸	상	노동 삼권의 종류와 권리 보장 이유를 모두 정확히 서술한 경우
	중	노동 삼권의 종류만 서술한 경우
	하	노동 삼권의 종류와 권리 보장 이유를 미흡하게 서술한 경우

서술형 더 풀어보기

정답과 해설 4쪽

1 직장에서 육아 휴직을 이유로 부당 해고를 당했을 때 구제 방법을 서술해 보자.

....

수행 평가 해결하기

'인권을 빛낸 인물'을 선정하여 이들을 소개하는 '인권 신문'을 만들어 보자.

1 **인권을 빛낸 인물 선정하기** 인권과 관련된 인물 10명을 선정하고 시대순으로 배열한다.

예시

마틴 루서 킹 / 넬슨 만델라 / 로자 파크스 / 에밀리 데이비슨

2 **자료 수집하기** 모둠별로 관심 있는 사람을 선택하여 인물의 배경, 주요 활동, 결과, 인권에 미친 영향 중심으로 자료를 수집한다.

3 **인권 신문 만들기** 사진과 그림을 포함하여 자유로운 형식으로 신문을 제작한다.

4 **발표하기** 완성된 신문을 친구들 앞에서 발표한다.

이 수행 평가는 ▸▸ 인권 신문 만들기 활동을 통해 오늘날 우리가 보장받는 인권이 하루 아침에 저절로 이루어진 것이 아니라 인류가 오랜 역사 속에서 희생을 통해 서서히 이루어 온 것임을 알고, 인권 보장의 중요성에 대해 관심을 가지도록 한다.

단원을 정리하는 종합 문제

1 인권에 대한 설명으로 옳은 것을 [보기]에서 고른 것은?

보기
ㄱ. 국가의 법에 의해서만 보장되는 권리
ㄴ. 인간이라면 누구나 누릴 수 있는 권리
ㄷ. 모든 사람이 동등하게 가지는 보편적 권리
ㄹ. 시대와 국가에 따라 정당성이 달라지는 권리

① ㄱ, ㄴ ② ㄱ, ㄷ ③ ㄱ, ㄹ
④ ㄴ, ㄷ ⑤ ㄴ, ㄹ

2 헌법에 대한 설명으로 옳은 것을 [보기]에서 고른 것은?

보기
ㄱ. 인권 보장을 위해 국가 권력의 분립을 규정함.
ㄴ. 법률이나 명령에 따라 개정 또는 폐지 가능함.
ㄷ. 한 나라의 최고 법으로 국민의 기본적 인권을 규정함.
ㄹ. 개인 스스로 기본권을 보장할 의무가 있음을 명시함.

① ㄱ, ㄴ ② ㄱ, ㄷ ③ ㄴ, ㄷ
④ ㄴ, ㄹ ⑤ ㄷ, ㄹ

3 기본권의 종류와 그 내용을 바르게 연결한 것은?

① 평등권 – 선거권, 공무 담임권
② 자유권 – 교육을 받을 권리, 근로의 권리
③ 참정권 – 신체의 자유, 거주 이전의 자유
④ 청구권 – 청원권, 재판 청구권, 국가 배상 청구권
⑤ 사회권 – 사회생활에서 부당하게 차별받지 않을 권리

중요

4 기본권 제한에 대한 설명으로 옳지 않은 것은?

① 법률로 기본권을 제한한다.
② 기본권의 본질적 내용을 제한할 수 있다.
③ 사회 구성원 전체의 이익을 위해 제한할 수 있다.
④ 헌법 제37조 2항에 기본권 제한을 규정하고 있다.
⑤ 국가 안전 보장, 질서 유지, 공공복리를 위하여 필요한 경우에 최소한으로 기본권을 제한할 수 있다.

5 다음 인권 침해 사례에 대한 권리 구제 방안으로 가장 적절한 것은?

○○ 건설 회사는 건물 신축 공사를 하였는데, 주변 지역 주민들이 공사 과정에서 발생한 소음과 먼지로 인해 스트레스와 불면증으로 고통을 겪게 되었다.

① 상급 법원에 상소
② 법원에 민사 소송 제기
③ 관할 구청에 형사 소송 제기
④ 헌법 재판소에 헌법 소원 신청
⑤ 국민 권익 위원회에 행정 소송 제기

6 다음과 같은 일을 수행하는 기관에 대한 설명으로 옳은 것을 [보기]에서 고른 것은?

- 대학 입시 동점자 중 연장자 불합격 처리 시정 개선 권고
- 크레파스 색 명칭 중 '살색' 표현을 '살구색'으로 수정 권고
- 비학생 청소년의 공공시설 이용 요금 할인 혜택 차별 시정 권고

보기
ㄱ. 고충 민원 해결 ㄴ. 독립된 국가 기관
ㄷ. 인권 침해 사례 구제 ㄹ. 재판을 통해 기본권 구제

① ㄱ, ㄴ ② ㄱ, ㄷ ③ ㄴ, ㄷ
④ ㄴ, ㄹ ⑤ ㄷ, ㄹ

7 **청소년 근로에 대한 설명으로 옳은 것을 [보기]에서 고른 것은?**

ㄱ. 원칙적으로 중학생도 일할 수 있다.
ㄴ. 청소년도 법에서 정한 최저 임금을 받는다.
ㄷ. 청소년의 근로 계약은 문서로 작성해야 한다.
ㄹ. 청소년은 본인이 원하면 언제든지 일할 수 있다.

① ㄱ, ㄴ ② ㄱ, ㄷ ③ ㄱ, ㄹ
④ ㄴ, ㄷ ⑤ ㄴ, ㄹ

8 **다음 사례에 대한 설명으로 옳은 것은?**

○○ 회사의 근로자들은 노동조합을 만들기로 했다. 그러자 ○○ 회사 사장은 노동조합에 가입하는 직원은 모두 해고하겠다고 한다.

① 부당 해고 사례로 이는 헌법에 규정된 근로의 권리를 침해한다.
② 부당 해고 사례로 이는 헌법에 규정된 단체 교섭권을 침해한다.
③ 임금 체불 사례로 이는 헌법에 규정된 최저 임금법을 위반한다.
④ 부당 노동 행위 사례로 이는 헌법에 규정된 노동 삼권을 위반한다.
⑤ 부당 노동 행위 사례로 이는 헌법에 규정된 최저 임금법을 위반한다.

9 **임금 체불의 구제 방법으로 옳은 것을 [보기]에서 고른 것은?**

ㄱ. 법원에 해고 무효 확인의 소를 제기할 수 있다.
ㄴ. 관할 지방 고용 노동 관서에 진정 및 고소할 수 있다.
ㄷ. 사용자가 계속 임금을 주지 않으면 사용자는 형사 처벌을 받을 수 있다.
ㄹ. 임금 지급 명령 이후에도 사용자가 계속 체불한 임금은 형사 소송을 통해 받을 수 있다.

① ㄱ, ㄴ ② ㄱ, ㄷ ③ ㄱ, ㄹ
④ ㄴ, ㄷ ⑤ ㄴ, ㄹ

서술형 평가

10 **다음 사례가 어떤 기본권을 제한하고 있으며, 기본권 제한이 정당한지 근거를 들어 서술하시오.**

보육 시설에서의 아동 학대를 예방·방지하기 위해 모든 어린이집에 의무적으로 폐회로 텔레비전(CCTV)을 설치하도록 한다.

....

....

11 **㉠과 ㉡에 알맞은 개념을 쓰고, ㉠의 역할에 대해 서술하시오.**

- 인권 침해 소지가 있는 법령이나 제도의 시정을 요청하는 방법으로 (㉠)에 (㉡)할 수 있다.
- (㉡)은(는) 국가나 공공 기관에 국민이 어떤 조처를 취하여 주도록 문서로 요청하는 일이다.

- ㉠: ....
- ㉡: ....
- ㉠의 역할: ....

단원 연계 문항

12 **우리나라 헌법에 보장된 기본권 중 사회권에 근로의 권리가 속하는 이유를 서술하시오.**

....

....

헌법과 국가 기관

이 단원을 배우면

- 입법 기관으로서 국회의 위상을 설명할 수 있어요.
- 행정부의 주요 조직과 기능을 제시할 수 있어요.
- 법원과 헌법 재판소의 위상과 역할을 설명할 수 있어요.
- 국민의 기본권 보장을 위한 국가 기관의 활동에 관심을 갖고 적극적으로 참여하는 태도를 길러요.

이 단원의 학습 주제

1 국회

❶ 국회를 왜 입법부라고 할까?

❷ 국회는 어떤 일을 할까?

개념 노트 만들기 | **실력을 키우는 응용 문제**

2 행정부와 대통령

❶ 행정부는 어떤 일을 할까?

❷ 대통령은 어떤 지위와 권한을 가지고 있을까?

개념 노트 만들기 | **실력을 키우는 응용 문제**

3 법원과 헌법 재판소

❶ 법원은 어떻게 구성되고, 어떤 일을 할까?

❷ 헌법 재판소는 어떤 일을 할까?

개념 노트 만들기 | **실력을 키우는 응용 문제**

단원을 정리하는 종합 문제

대단원 표지 그림 해설

국회 의사당에서 열린 대통령 취임식 모습이에요. 우리나라 헌법에서 규정하고 있는 국가 기관으로는 국회, 행정부, 대통령, 법원과 헌법 재판소가 있어요.

스스로 학습 계획 세우기						나의 학습 달성 정도
계획일	월	일	학습일	월	일	○ ○ ○ ○ ○
	월	일		월	일	○ ○ ○ ○ ○
	월	일		월	일	○ ○ ○ ○ ○
	월	일		월	일	○ ○ ○ ○ ○
	월	일		월	일	○ ○ ○ ○ ○
	월	일		월	일	○ ○ ○ ○ ○
	월	일		월	일	○ ○ ○ ○ ○
	월	일		월	일	○ ○ ○ ○ ○
	월	일		월	일	○ ○ ○ ○ ○
	월	일		월	일	○ ○ ○ ○ ○

2-1 국회 (1)

학습 목표 | 국회의 위상을 이해하고, 국회의 주요 조직을 설명할 수 있다.

❶ 국회를 왜 입법부라고 할까?

1 입법 기관으로서의 국회

1. 입법: 민주 국가에서 어떤 정책을 실행할 때에는 관련 법이 있어야 하는데, 이러한 법을 만드는 일을 말함.

2. 입법 기관으로서의 국회

① 우리 헌법에서는 입법에 관한 일이 국회 고유의 권한임을 명시함.

헌법 제40조 입법권은 국회에 속한다.

② 대의 민주 정치[1]에서 국민을 대표하여 헌법 개정안을 제안, 의결하거나 법률을 제정하고 개정함.
(제정: 만들거나 정하는 것 / 개정: 내용을 고치는 것)

2 국회의 조직

1. 구성: 국민이 선거를 통해 선출한 국회 의원들로 구성 → 국회가 구성되면 의장 1인과 부의장 2인을 선출함. (임기는 4년이며, 연임이 가능해요.)

지역구 국회 의원	각 지역구의 후보자 중 투표를 통해 선출된 의원
비례 대표 국회 의원	각 정당[2]별 득표율에 비례하여 선출된 의원

2. 운영

① 교섭 단체: 일정한 수 이상의 국회 의원이 소속된 단체로, 국회 의원들의 의사를 사전에 통합하고 조정함. → 교섭 단체는 국회의 효율적인 의사 진행을 가능하게 해요.

② 위원회: 본회의에서 심의할 안건을 미리 조사하고 심의함.

상임 위원회	• 각 분야를 전담하기 위해 항상 활동함. • 예 국방 위원회, 보건 복지 위원회 등
특별 위원회	• 특별한 안건을 처리하기 위해 일시적으로 활동함. • 예 예산 결산 특별 위원회, 윤리 특별 위원회 등

③ 본회의: 국회의 의사를 최종적으로 결정하는 곳으로, 국회 의원들이 모두 모여 국가의 중요한 문제를 논의함.

구성	국회 재적 의원[3] 전원으로 구성
운영	매년 1회 정기적으로 열리는 정기회와 대통령이나 국회 의원의 요구에 따라 열리는 임시회로 구분됨.
역할	각 위원회에서 심사한 안건을 최종적으로 결정함.
의결 정족수	특별한 규정이 없는 한 재적 의원 과반수의 출석과 출석 의원 과반수의 찬성으로 의결함.
회의 진행	공개하는 것을 원칙으로 함.

❶ 대의 민주 정치
영토가 넓고 인구가 많은 현대 국가에서는 모든 국민이 국가 정책을 직접 결정하기 어렵기 때문에 국민이 대표를 선출하여 의회를 구성하고, 의회에서 법이나 정책을 만들도록 하는 정치 제도이다.

❷ 정당
정치적 견해를 같이하는 사람들이 정권 획득을 목표로 조직한 단체이다.

❸ 재적 의원
국회 의원 명부에 등록되어 있는 모든 국회 의원을 말한다.

간단 체크 정답과 해설 5쪽

알맞은 말 선택하기

1 우리 헌법에서는 입법에 관한 일이 (국회 | 정부)의 고유 권한임을 밝히고 있다.

2 국회는 국민이 선거를 통해 선출한 (대통령 | 국회 의원)으로 구성된다.

3 국회의 의사를 최종적으로 결정하는 곳은 (본회의 | 위원회)이다.

교과서 **활동 풀이**

생각 열기 미로 탈출 게임으로 알아보는 국회는?

다음의 내용이 옳으면 O, 옳지 않으면 X를 선택하면서 미로를 탈출해 보자.

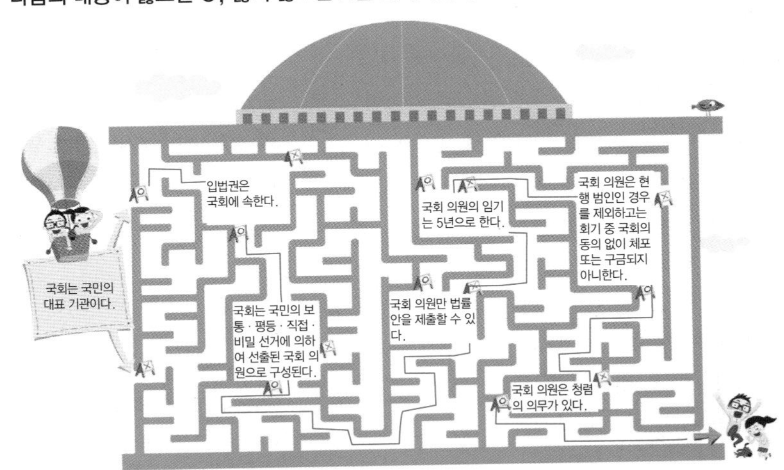

해결 열쇠

활동 도우미

미로 탈출 게임을 통해 헌법에 규정되어 있는 국회의 위상 및 국회 의원의 권리와 의무를 살펴보는 활동이에요.

자료 해설

국민의 대표 기관인 국회는 입법 권한을 가지며, 국회 의원들로 구성된다. 법률안은 정부에서도 제출할 수 있으며 국회 의원의 임기는 4년이다. 국회 의원은 불체포 특권을 가지며, 청렴의 의무가 있다.

세상 속으로 국회 의원 선거 투표용지는 왜 두 장일까?

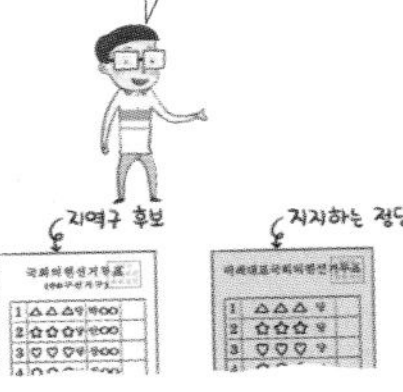

생각+ 투표용지를 따로 만들어 비례 대표 국회 의원을 선출하는 이유는 무엇일까?

예 비례 대표 국회 의원을 선출하는 이유는 먼저 국민의 대표인 국회 의원의 구성이 사회적 소수자, 계층, 직업 등 사회 각 분야를 대표할 수 있도록 하여 국민의 다양한 의사를 반영하기 위해서이다. 또한 지역구 국회 의원들은 정책 결정에 있어서 정당이나 국민 전체의 이익보다는 지역 유권자들을 우선적으로 고려하기 쉬운 반면, 비례 대표 국회 의원들은 지역 대표가 갖는 한계를 극복하고, 입법과 정부 감시 등 국회 본연의 기능을 다할 수 있다.

자료 해설

- 지역구 국회 의원은 각 지역구의 후보자 중 투표를 통해 선출된 의원이다.
- 비례 대표 국회 의원은 각 정당별 득표율에 비례하여 선출된 의원이다.

잠깐! 국회 의원은 어떤 특권과 의무를 가지고 있을까요?

불체포 특권	국회 의원은 현행범인 경우를 제외하고는 회기 중 국회의 동의 없이 체포 또는 구금되지 않음.
면책 특권	국회 의원은 국회에서 직무상 행한 발언과 표결에 관하여 국회 밖에서 책임을 지지 않음.
겸직 금지의 의무	국회 의원으로 활동하는 동안 법에서 금지하는 직업을 가질 수 없음.
청렴·국익 우선의 의무	국회 의원은 청렴하며, 국가의 이익을 우선하여 양심에 따라 직무를 수행해야 함.
지위 남용 금지의 의무	국회 의원의 지위와 권한을 남용해서는 안됨.

국회 (2)

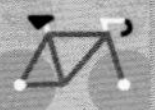

학습 목표 | 국회의 주요 기능을 조사할 수 있다.

❷ 국회는 어떤 일을 할까?

1 입법에 관한 일 → 국회가 하는 가장 대표적인 일은 입법이에요.

1. **법률 제정 및 개정:** 국회 의원 10인 이상이 발의(심의하고 토의할 안건을 내놓는 것) 또는 정부가 제출한 법률안을 심의하고, 본회의에서 재적 의원 과반수의 출석과 출석 의원 과반수의 찬성으로 의결함.
2. **헌법 개정안 제안 및 의결:** 국회 재적 의원 과반수 또는 대통령의 발의로 제안하며, 국회 재적 의원 2/3 이상의 찬성으로 의결하고, 국민 투표를 거침.
3. **외국과의 조약❶ 체결 및 비준❷ 동의:** 외국과 맺어진 조약은 법률과 동일한 효력을 가지므로 조약 체결에 관한 동의권을 가짐.

2 재정❸에 관한 일 → 국회는 국민의 세금으로 운영되는 나라 살림을 감시하는 일을 해요.

1. **예산안의 심의 및 확정:** 매년 정부가 제출한 예산안(정부의 1년간 수입과 지출을 계획한 것)을 심의하고 확정함.
2. **예산 결산 심사:** 정부가 예산을 합리적으로 집행하였는지 확인함. (결산: 정부에서 1년간 예산을 집행한 내역을 정리한 것)

3 일반 국정에 관한 일 → 국회는 국민을 대신하여 국정을 감시하고 견제해요.

1. **국정 감사 및 국정 조사:** 행정부의 정책 결정과 집행을 감시하고 비판

구분	국정 감사	국정 조사
대상	국정 전반	특정 사안
담당 기관	상임 위원회	상임 위원회 또는 특별 위원회

2. **대통령의 선전 포고나 국군의 해외 파병 동의권:** 대통령의 권한인 외국에 대한 선전 포고나 국군의 해외 파병에 대한 동의권을 가짐.
3. **중요 공무원 임명 동의:** 법률이 정한 중요 공무원을 임명할 때 동의권을 행사함. ㉮ 국무총리, 대법원장, 헌법 재판소의 장 임명 동의
4. **탄핵 소추 의결:** 대통령, 국무총리, 국무 위원 등이 법률을 위반하였을 때 파면을 요구할 수 있음.

핵심 자료 **법률 제정 · 개정 절차**

▲ 법률 제정 및 개정은 국회 의원 10인 이상 또는 정부의 제출로 시작된다. 제출된 법률안은 국회 의장을 거쳐 해당 상임 위원회에서 심사를 받는다. 상임 위원회의 심사를 거쳐 통과된 법률안은 본회의에 상정되고, 본회의에서 가결되면 대통령이 공포한다. 일반적으로 공포 후 20일이 지나면 법률의 효력이 발생한다.

---

❶ 조약
대통령이 체결하고 공포한 조약은 국내법과 동일한 효력을 가진다. 따라서 조약의 체결은 대통령의 권한에 속하지만 국회의 동의를 얻어야 한다.

❷ 비준
조약을 헌법상의 조약 체결권자가 최종적으로 확인하고 동의하는 절차를 말한다. 우리나라에서는 대통령이 국회의 동의를 얻어 행사한다.

❸ 재정
국가 또는 지방 자치 단체가 법을 집행하거나 공공정책을 시행하기 위해 자금을 만들어 관리하고 이용하는 경제 활동을 말한다.

간단 체크 정답과 해설 5쪽

O, X 판단하기

1 국회가 하는 가장 대표적인 일은 입법이다. ( )

2 국회는 정부가 제출한 예산안을 심의하여 확정하고, 예산을 합리적으로 집행하였는지를 예산 결산 심사를 통해 확인한다. ( )

3 국회는 고위 공무원이 헌법이나 법률을 위반하였을 때 탄핵을 결정한다. ( )

교과서 **활동 풀이**

교과서 32-33쪽

활동 생생! 국회 회의 현장 속으로

'국회 회의 현장의 생생한 영상'을 통해 국회의 역할을 알아보자.

1 인터넷 활용 '국회 영상 회의록 시스템' 누리집에 접속하여 '본회의'의 영상을 하나 선택하여 시청하고, 동영상 오른쪽의 '안건 보기'에서 어떤 안건들이 처리되고 있는지 찾아보자.

예 2015년 12월 9일 본회의 안건으로 형사 소송법 일부 개정 법률안(대안), 민법 일부 개정 법률안(대안), 2014 회계 연도 한국 교육 방송 공사 결산 승인안(원안) 등이 있다.

2 선택 활동 같은 방식으로 '청문회/공청회', '국정 감사'의 영상을 각각 하나씩 선택하여 시청하고, 각 회의에서 처리되고 있는 안건을 확인하여 국회의 역할을 조사해 보자.

예 법률이 정한 중요 공무원을 임명할 때 동의할 권한을 가지며, 행정부의 정책 결정과 집행을 감시하고 비판한다.

해결 열쇠

활동 도우미

국회 영상 회의록 시스템에서는 국회에서 이루어지고 있는 본회의, 청문회, 공청회, 국정 감사 등의 활동을 실시간 생중계 또는 녹화하여 보여주고 있어요. 이를 통해 국회의 역할을 파악할 수 있어요.

생각+ '국회 법률 지식 정보 시스템' 누리집에 접속하여 최근 제정·개정된 법률을 찾아보고, 어떤 과정을 거쳐 제정 또는 개정되었는지 알아보자.

예 국회 의원 또는 정부가 제출한 법률안은 국회 의장을 거쳐 해당 상임 위원회에서 심사를 받는다. 상임 위원회의 심사를 거쳐 통과된 법률안은 본회의에 상정되고, 본회의에서 가결되면 대통령이 공포한다. 일반적으로 공포 후 20일이 지나면 법률의 효력이 발생한다.

활동 도우미

국회 법률 지식 정보 시스템 누리집에서 최근 제정·개정 법률뿐만 아니라 현행 법률, 폐지 법률, 판례 등을 찾아볼 수 있어요.

함께 배우기 우리 지역 국회 의원의 공약 찾아보기

우리 지역을 대표하는 지역구 국회 의원의 공약을 찾아보고, 지역에 필요한 정책을 제안할 수 있다.

1 '당선인 보기'에서 자신이 사는 지역의 지역구 의원을 검색한다.

2 당선된 지역구 국회 의원의 주요 공약을 찾아 아래 표를 작성한다.

예

선거	제20대 국회 의원 선거	선거구	△△구
당선자 이름	○○○	소속 정당	ㅁㅁ 당

- △△ 경유 신분당선 연장선 내년 착공
- △△ 지구 단위 계획 재정비

3 모둠별로 우리가 사는 지역의 발전 및 문제점 개선을 위해 필요하다고 생각하는 정책이나 법을 만들어 '공약 은행'에 제안한다.

예

공약명	길 고양이와 독거노인 연결 사업		
분야	사회 복지	해당 지역	○○시 △△구
문제점	△△구에는 길 고양이들이 음식물 쓰레기통을 뒤지는 등 적절한 보살핌을 받지 못하여 여러 문제가 발생하고 있다. 또한 독거노인들도 많이 거주하고 있어 노인 소외 등의 문제가 심각하다.		
개선 방안	길 고양이를 입양할 의사가 있는 독거노인들을 조사하여 이들을 연결시켜 주면 길 고양이 문제도 해결하고, 독거노인들의 외로움도 충족시켜 줄 수 있을 것이다.		

활동 도우미

국회 의원이 각 지역구의 후보자 중 투표를 통해 선출된 지역구 국회 의원과 각 정당별 득표율에 비례하여 선출된 비례 대표 국회 의원이 있음을 파악하고 있어야 해요. 그리고 우리 지역의 문제 해결과 발전을 위해 지역구 국회 의원이 어떤 공약을 내세워 당선이 되었는지, 공약을 실행하고 있는지 살펴 보세요.

스스로 확인하기

1 (1) 국회 (2) 지역구, 비례 대표 (3) 본회의 **2** (1) ㉠ (2) ㉢ (3) ㉡

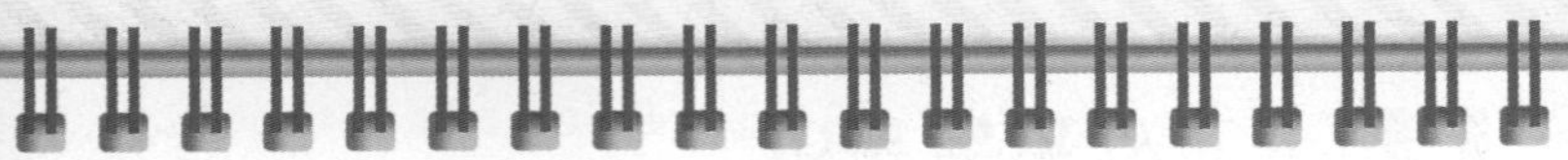

개념 노트 만들기

정답과 해설 5쪽

핵심 내용 정리하기 학습한 내용을 기억하면서 다음 글을 완성해 보자.

(제목:)

국민을 대표하는 기관인 (❶)은(는) 지역구 국회 의원과 비례 대표 국회 의원으로 구성된다. 국회는 효율적인 의사 진행을 위해 일정 수 이상의 국회 의원으로 구성되어 국회 의원들의 의사를 사전에 통합하고 조정하는 (❷)을(를) 두고 있다. 또한 본회의에 앞서 관련된 안건이나 법률안을 심사하는 상임 위원회와 특별 위원회가 있다. 국회의 의사를 최종적으로 결정하는 곳은 (❸)이다.

국회는 입법과 관련하여 (❹)의 제정 및 개정 권한, 헌법 개정의 제안 및 의결 권한, (❺) 체결에 관한 동의권을 가진다. 국회는 재정과 관련하여 (❻)을(를) 심의하여 확정하고, 결산 심사를 한다. 국회는 (❼) 및 국정 조사, 헌법 기관 구성에 대한 동의권 행사, 탄핵 소추 의결 등을 통해 국민을 대신하여 국정을 감시하고 견제한다.

활동 노트 완성하기 학습하면서 기른 역량을 살려 다음 활동 노트를 완성해 보자.

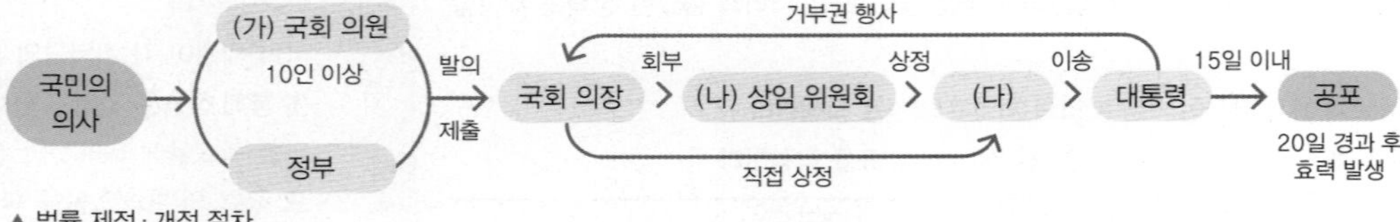

▲ 법률 제정·개정 절차

1 (가) 국회 의원을 두 종류로 구분하고, 선출 방식을 써 보자.

- 구분:
- 선출 방식:

2 (나) 상임 위원회 제도를 두는 이유를 써 보자.

3 (다)에 들어갈 국회의 조직과 그 역할을 서술해 보자.

실력을 키우는 응용 문제

정답과 해설 5쪽

1 ㉠에 들어갈 국가 기관에 대한 설명으로 옳지 않은 것은?

> 헌법 제40조 입법권은 (㉠)에 속한다.

① 법률을 제정하고 개정한다.
② 국가 재정과 관련된 권한을 가진다.
③ 대의 민주 정치에서 국민을 대표하는 기관이다.
④ 행정부의 수반이자 국가 원수의 지위를 동시에 가진다.
⑤ 지역구 국회 의원과 비례 대표 국회 의원으로 구성된다.

중요

2 다음 대화 내용 중 ㉠에 들어갈 가장 적절한 답변은?

① 교섭 단체
② 정기회와 임시회
③ 국회 의장과 부의장
④ 상임 위원회와 특별 위원회
⑤ 지역구 국회 의원과 비례 대표 국회 의원

3 다음과 같은 국회 운영 조직을 쓰고, 이러한 조직을 두는 이유를 서술하시오.

> 일정한 수 이상(국회법에는 20인 이상)의 의석을 가진 정당이나 모임에 대표권을 주어 국회 운영에 대한 협의를 하도록 한다.

• 국가 조직: ....

• 이유: ....

4 국회 본회의에 대한 설명으로 옳지 않은 것은?

	구분	본회의
①	구성	국회 재적 의원 전원
②	운영	정기회와 임시회로 구분
③	역할	각 위원회에서 심사한 안건을 최종적으로 결정
④	의결 정족수	특별한 규정이 없는 한 재적 의원 과반수의 출석과 출석 의원 2/3 이상의 찬성으로 의결
⑤	회의 진행	공개하는 것이 원칙

5 입법 기관으로서 국회의 역할을 [보기]에서 고른 것은?

> 보기
> ㄱ. 헌법 개정안을 제안하고 의결한다.
> ㄴ. 조약 체결에 관한 동의권을 가진다.
> ㄷ. 정부가 제출한 예산안을 심의하여 확정한다.
> ㄹ. 국가 중요 공무원에 대한 임명 동의권을 행사한다.

① ㄱ, ㄴ ② ㄱ, ㄷ ③ ㄴ, ㄷ
④ ㄴ, ㄹ ⑤ ㄷ, ㄹ

6 다음 자료와 가장 관련 깊은 국회의 역할로 옳은 것은?

<본회의 시청 보고서>

회의 구분	본회의	회의명	제○○회 국회(정기회) 제○차 본회의
안건	• 2018 회계 연도 결산 • 2018 회계 연도 예비비 지출 승인의 건		

① 헌법 개정안을 제안하고 의결한다.
② 조약 체결에 관한 동의권을 행사한다.
③ 헌법 기관 구성에 대한 동의권을 행사한다.
④ 국군의 해외 파병에 대한 동의권을 행사한다.
⑤ 정부가 예산을 합리적으로 집행하였는지 확인한다.

행정부와 대통령 (1)

학습 목표 | 행정부의 주요 조직과 기능을 조사할 수 있다.

❶ 행정부는 어떤 일을 할까?

1 행정과 행정부

1. **행정:** 국회에서 제정 · 개정한 법률을 집행하고, 국가의 목적이나 공공 이익의 실현을 위해 정책을 수립하여 실행하는 국가의 작용 예 교통 법규 단속, 도로 건설 등
2. **행정부** → 입법부, 사법부와 동등한 지위를 가져요.
   ① 행정 일을 담당하는 국가 기관
   ② 현대 국가에서 국민 복지와 관련된 행정부의 역할이 더욱 커지고 전문화되고 있음.❶
   ③ 우리나라 행정부는 대통령을 중심으로 국무총리, 국무 회의, 행정 각부, 감사원 등의 기관으로 구성됨.

2 행정부의 조직과 기능

1. **대통령**
   ① 행정부의 최고 책임자
   ② 행정부 관련 업무에 대한 최종적인 권한과 책임을 가짐.
   ③ 국민의 직접 선거로 선출되며, 임기는 5년으로 중임할 수 없음.
2. **국무총리❷**
   ① 대통령을 보좌하고, 대통령의 명을 받아 행정 각부를 총괄함.
   ② 대통령 자리가 공석(자리가 비는 것)일 때 대통령의 권한을 대행(대신 맡아서 하는 것)함.
   ③ 국무총리는 국회의 동의를 얻어 대통령이 임명함.
3. **국무 회의**
   ① 국가의 중요한 정책을 심의함. 예 정부의 일반 정책, 헌법 개정안 · 법률안, 예산안 등
   ② 대통령, 국무총리, 국무 위원으로 구성됨. → 대통령이 의장, 국무총리가 부의장임.
4. **행정 각부**
   ① 업무의 성격에 따라 여러 부서로 나뉘며, 각자 맡은 일을 전문적으로 처리함.
   ② 행정 각부의 장관❸: 부서의 업무를 지휘하며, 국무 위원으로서 국무 회의에 참석하여 국정 전반에 관한 의견을 제시함.
5. **감사원❹**
   ① 대통령 직속 기관으로 행정부의 **최고 감사 기관** → 독립적인 지위를 가진 헌법 기관
   ② 정부의 예산 사용을 감독하고 행정부와 공무원의 업무 처리를 감찰함.
   ③ 감사원장은 국회의 동의를 얻어 대통령이 임명함.

❶ 행정 국가화 현상
현대 복지 국가에서 복지에 대한 국민의 요구에 부응하기 위해 행정부의 역할이 확대되는 현상을 말한다.

❷ 국무총리
국회의 동의를 얻어 대통령이 임명한다.

❸ 행정 각부의 장관
국무 위원 중에서 국무총리의 제청으로 대통령이 임명한다.

❹ 감사원
국가의 세입 · 세출의 결산 검사, 국가 및 법률이 정한 단체의 회계 검사, 행정 기관 및 공무원의 직무에 관한 감찰 등의 활동을 하여 행정 운영의 개선 · 향상을 도모한다.

간단 체크 정답과 해설 5쪽

O, X 판단하기

1 국무총리는 행정부의 최고 책임자이다. ( )

2 대통령, 국무총리, 국무 위원으로 구성되는 국무 회의에서는 국가의 중요한 정책을 심의한다. ( )

3 감사원은 대통령 직속 기관으로 정부의 예산 사용을 감독하고, 행정부와 공무원의 업무 처리를 감찰한다. ( )

교과서 활동 풀이

교과서 34-35쪽

생각 열기 누가 나서서 해결해야 할까?

질문 1 말풍선의 빈칸을 채워보자.

해결 열쇠

자료 해설

국회에서 제정 · 개정한 법률을 집행하고, 도로 건설 및 정비, 복지와 같은 정책을 수립하고 실행하는 국가 작용을 '행정'이라고 한다. 그리고 이러한 행정 작용을 담당하는 국가 기관을 '행정부'라고 한다.

질문 1 ⓔ • (가): 입법부인 국회에서 법률을 새로 만들거나 고치면 행정부에서 이를 집행한단다.
• (나): 도로를 정비하는 것과 같이 국가의 목적이나 공익 실현을 위해 여러 가지 정책을 만들어 실행하는 것을 행정이라고 하고, 이를 행정부가 담당하고 있어.

활동 우리나라 행정부의 다양한 활동

정부 조직도(2017)

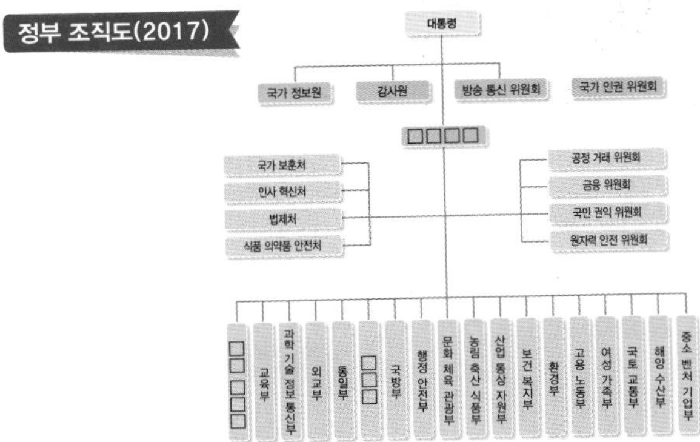

(가) 위험 도로, 산사태 위험 지구 등 도로 정비

(나) 기후 변화 적응을 위한 환경 정책 마련

(다) 저소득층 노인을 위한 건강 검진 지원

(라) '문화가 있는 날' 실시

1 인터넷 활용 '정부 24' 누리집에 접속하여 정부 조직도를 확인하고, 빈칸을 완성해 보자.
ⓔ 국무 총리, 기획 재정부, 법무부

2 (가)~(라)에 나타난 행정 작용과 관련된 기관을 정부 조직도에서 찾아보자.
ⓔ (가) 국토 교통부, (나) 환경부, (다) 보건 복지부, (라) 문화 체육 관광부

3 선택 활동 '정부 24' 누리집의 정부 서비스 〉 연령/대상별 혜택 찾기 코너를 활용하여 내가 활용할 수 있는 공공 서비스를 조사해 보자.

자료 해설

행정부는 대통령, 국무총리, 국무 회의, 행정 각부, 감사원 등의 기관으로 구성된다. 대통령은 행정부의 최고 책임자이며, 국무총리는 대통령을 도와 행정 각부를 총괄한다. 행정 각부는 업무의 성격에 따라 여러 부서로 나뉘며 각자 맡은 일을 전문적으로 처리한다.

3 ⓔ 생애 주기는 아동 · 청소년(만 6세~19세), 관심 조건은 학생, 지원 혜택은 서비스 이용권으로 검색을 해 보았더니 '방과 후 학교 자유 수강권'이 제시되었다. '해당 사이트' 바로 가기를 누르자 보건 복지부의 '복지 ro 온라인 신청' 사이트로 연결되었다. '초 · 중 · 고 학생 교육비' 코너로 들어가면 시 · 도 교육청별 지원 기준 보기에 온라인 신청하기가 있는데, 해당 조건이 충족되면 온라인 신청하기에서 바로 신청할 수 있다.

2-2 행정부와 대통령 (2)

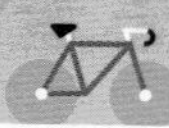

학습 목표 | 대통령의 지위와 그에 따른 권한을 설명할 수 있다.

❷ 대통령은 어떤 지위와 권한을 가지고 있을까?

1 대통령[1]의 지위

1. **우리나라 헌법:** 대통령이 국가를 대표하는 국가 원수이자 행정부 수반임을 명시함.

헌법 제66조	① 대통령은 국가의 원수이며, 외국에 대하여 국가를 대표한다. ④ 행정권은 대통령을 수반으로 하는 정부에 속한다.

2. **행정부 수반:** 행정부의 최고 책임자로서 대내적으로 행정권을 통제함. (수반 – 행정부의 우두머리)
3. **국가 원수:** 대외적으로 국가를 대표하고, 대내적으로는 국가와 헌법을 수호하는 국가 원수로서의 지위를 가짐. (원수 – 국가 최고의 통치권을 가진 사람)

2 대통령의 권한

1. **행정부 수반으로서 권한**

▲ 국무 회의 참석

① 행정부의 지휘 · 감독권: 행정부를 구성하고 지휘 · 감독할 수 있는 권한, 국무 회의의 의장으로서 국가 정책을 최종 결정함.

② 국군 통수권: 국군을 지휘하고 통솔함. (통수 – 무리를 거느리고 다스리는 것)

③ 공무원 임명 및 해임권: 행정부의 공무원[2]을 임명하거나 해임할 수 있음.

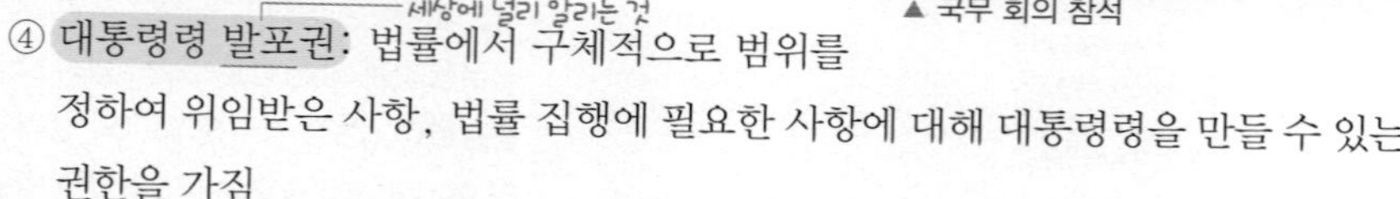

④ 대통령령 발포권: 법률에서 구체적으로 범위를 정하여 위임받은 사항, 법률 집행에 필요한 사항에 대해 대통령령을 만들 수 있는 권한을 가짐. (발포 – 세상에 널리 알리는 것)

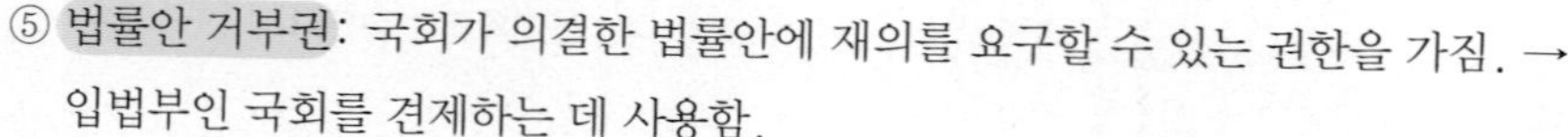

⑤ 법률안 거부권: 국회가 의결한 법률안에 재의를 요구할 수 있는 권한을 가짐. → 입법부인 국회를 견제하는 데 사용함.

2. **국가 원수로서의 권한**

① 대외적 국가 대표 권한: 외국에 대하여 국가를 대표하여 외교 사절 접수, 조약 체결 및 비준권 등을 가짐.

② 헌법 기관 구성권: 대법원장, 헌법 재판소의 장 등 헌법에 따라 설치된 국가 기관을 구성함.

③ 국가와 헌법을 수호하는 권한: 천재지변 등 국가에 긴급한 일이 생긴 경우 긴급 명령을 내릴 수 있으며, 전쟁과 같은 국가 비상사태가 발생했을 때 계엄[3]을 선포할 수 있음.

▲ 한-미 정상 회담

---

❶ 대통령
대통령은 국민의 직접 선거로 선출되며 임기는 5년 단임제이다. 대통령 선거에서 후보 등록을 하기 위해서는 만 40세 이상 국내에 5년 이상 거주하여야 하고, 일정 금액을 선거 관리 위원회에 기탁해야 한다.

❷ 정부 중요 공무원의 임명 방식

국무총리, 감사원장	국회의 동의를 얻어 대통령이 임명함.
행정 각부의 장관	국무총리의 제청을 받아 대통령이 임명함.

❸ 계엄
국가에 비상사태가 생겼을 때 행정 및 사법 기능의 전부 또는 일부를 군대가 맡아 다스리는 것을 말한다.

간단 체크 정답과 해설 5쪽

알맞은 말 채우기

1 우리나라 대통령은 국민이 직접 선거로 선출하며 임기는 (   )년이다.

2 대통령은 국가 (   )이자 (   ) 수반의 지위를 동시에 갖고 있다.

3 대통령은 (   )(으)로서 국가의 대표로 국제회의에 참석하기도 하고, 외국 손님을 맞이하기도 한다.

교과서 활동 풀이

교과서 36-37쪽

활동 우리나라 대통령은 어떤 일을 할까?

1 다음은 우리나라 대통령의 가상 일정이다. 일정에 나타난 대통령의 업무와 관련 헌법 조항을 바르게 연결해 보자.

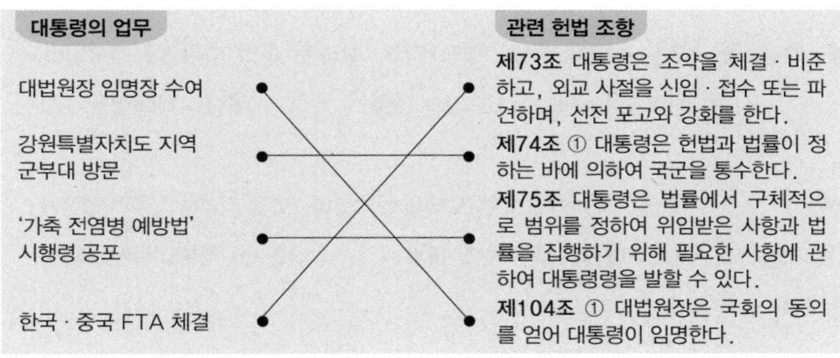

2 위 일정에 나타난 대통령의 업무를 헌법상 대통령의 지위에 따라 분류해 보자.

행정부 수반으로서 지위	국가 원수로서 지위
• 강원특별자치도 지역 군부대 방문 • '가축 전염병 예방법' 시행령 공포	• 대법원장 임명장 수여 • 한국 · 중국 FTA 체결

3 선택 활동 청와대 누리집에서 이번 달 대통령의 일정과 청와대 뉴스를 조사해 보자.

해결 열쇠

자료 해설

대통령의 업무와 관련 헌법 조항을 연결해 봄으로써 대통령의 지위와 권한을 파악해보는 활동이다. 우리나라 대통령은 행정부 수반이자 국가 원수로서의 지위를 동시에 갖고 있다.

3 예

요일	일정
월	신임 장 · 차관(급) 임명장 수여식
화	국무 회의 참석
수	신임 한 · 미 연합 사령관 접견
목	국가 유공자 및 보훈 가족과의 오찬
금	문화 관광 산업 경쟁력 강화 회의 참석

함께 배우기 모의 국무 회의 개최하기

1 현재 해결해야 할 국가의 중요한 사건을 브레인스토밍하고, 그중 한 가지를 선정한다.

2 '정부 24' 누리집을 방문하여 주제와 관련된 행정 부처를 검색하고, 보도 자료를 수집한다.

3 자료를 분석하여 모둠별로 모의 국무 회의 대본을 작성한다. 이때 대본에는 주어진 현안에 대한 각 부처의 입장 및 역할, 해결 방안이 포함되도록 한다.

예 | 모의 국무 회의 대본 |

- 안건: 학교 밖 청소년 발굴 · 지원 강화 대책
- 회의 참석자: 대통령, 국무총리, 여성 가족부 장관, 교육부 장관, 법무부 장관 외 15명 참석
- 대통령: 학교 밖 청소년 발굴 및 지원 대책에 대해 토의하도록 하겠습니다. 여성 가족부 장관님 발언해 주십시오.
- 여성 가족부 장관: 매년 5~7만여 명의 청소년들이 학교를 떠나고 있는 실정입니다. 대책 마련을 통해 학교 밖 청소년들을 지속적으로 발굴하려는 노력이 필요합니다.
- 교육부 장관: 교육청 평가 시 학업 중단 청소년 정보 연계 실적을 포함하도록 하고, 청소년 상담원을 참여시켜 학교 밖 청소년들에게 심리 및 진로 상담을 제공하겠습니다.
- 법무부 장관: 보호 관찰소 및 소년원을 퇴소하는 청소년에게 학교 밖 청소년 지원 센터와 연계하여 맞춤형 지원을 제공받을 수 있도록 조치하겠습니다.

4 작성한 대본을 바탕으로 모둠원들끼리 역할을 정하고 모의 국무 회의를 개최한다.

활동 도우미

대통령 기록관 누리집에 접속하면 '국무 회의 소개' 동영상이 있어요. 이를 시청함으로써 국무 회의에서 정부의 주요 정책에 대한 심의 · 의결 과정을 이해할 수 있어요.

잠깐! 국무 회의에 대해 좀 더 자세히 알아볼까요?

헌법상 지위	최고 정책 심의 기관
구성원	의장(대통령), 부의장(국무총리), 국무 위원
심의 사항	• 헌법 개정안, 법률안, 예산안 등 • 개별법에서 심의하여 보고하도록 규정한 사항 • 각 부처 주요 정책 및 역점 사업 추진 현황 • 국정의 주요 현안 사항
의사 및 의결 정족수	• 의사 정족수: 구성원의 과반수 출석 • 의결 정족수: 출석 구성원의 3분의 2 이상 찬성

스스로 확인하기

1 (1) 대통령, 국무총리 (2) 국무 회의 (3) 감사원 **2** (1) × (2) × (3) × (4) ○

개념 노트 만들기

정답과 해설 5쪽

핵심 내용 정리하기 학습한 내용을 기억하면서 다음 글을 완성해 보자.

(제목:)

우리나라 행정부는 (❶)을(를) 중심으로 국무총리, 국무 회의, 행정 각부, 감사원 등의 기관으로 구성된다. 대통령은 (❷) 수반이자, (❸)의 지위를 동시에 가지고 있다. (❹)은(는) 대통령을 도와 행정 각부를 총괄한다.

대통령, 국무총리, 국무 위원으로 구성되는 (❺)은(는) 국가의 중요한 정책을 심의한다. 행정 각부는 업무의 성격에 따라 여러 부서로 나뉘며 각자 맡은 일을 전문적으로 처리한다. 대통령 직속 기관인 (❻)은(는) 정부의 예산 사용을 감독하고 행정부와 공무원의 업무 처리를 감찰한다.

활동 노트 완성하기 학습하면서 기른 역량을 살려 다음 활동 노트를 완성해 보자.

(가)

○○ 일보

△△시의 'ISO 국제 인증 사업' 의혹과 관련해 ㉠ 감사원 감사가 착수됐다. ㉠ 감사원은 △△시로 하여금 관련 서류 일체의 준비를 지시했으며 오는 28일까지 방문하겠다는 뜻을 전한 것으로 전해졌다.

논란의 배경은, △△시가 품질과 행정 서비스를 국제적으로 인증하는 ISO 인증을 따기 위해 수억 원의 혈세를 낭비했다는 의혹과 함께 특정 업체에 일감을 몰아 준 사실이 드러났기 때문이다.

\- KNS 뉴스 통신, 2017. 7. 25. -

(나)

△△ 일보

(㉡)(은)는 내년 최저 임금을 시간당 7,530원으로 확정 · 고시했다.

2018년 최저 임금은 일급으로 환산 시(8시간 기준) 6만 240원, 월급으로 환산 시 주 40시간제의 경우(유급 주휴 포함, 월 209시간 기준) 157만 3,770원이다. 이에 대해 (㉡)은(는) "최저 임금 고시문에 시급과 월 환산액을 같이 기재해 근로자와 사업주 모두가 주휴수당 지급에 대한 권리 · 의무를 명확히 인지하고 준수할 수 있도록 했다."고 밝혔다.

\- 노컷뉴스, 2017. 8. 4. -

1 (가)의 밑줄 친 ㉠ 감사원의 역할을 정리해 보자.

....

....

2 정부 조직도를 찾아, (나)의 ㉡에 들어갈 행정 부처를 써 보자.

....

실력을 키우는 응용 문제

정답과 해설 5쪽

1 ㉠에 들어갈 용어로 옳은 것은?

> 국회에서 제정 · 개정한 법률을 집행하고, 국가의 목적이나 공공 이익의 실현을 위해 정책을 수립하여 실행하는 국가의 작용을 (㉠)(이)라고 한다. 출생 신고, 취학 통지, 주민 등록, 혼인 신고, 납세 등이 그 예이다. 그리고 이러한 일을 담당하는 국가 기관을 (㉠)부라고 한다. 현대 복지 국가에서 복지에 대한 국민의 요구에 부응하기 위해 (㉠)부의 역할이 더욱 커지고 그 내용도 전문화되고 있다.

① 사법　② 입법　③ 통치
④ 재판　⑤ 행정

중요
2 행정부의 조직과 기능에 대한 설명으로 옳은 것은?

① 행정부의 최고 책임자는 국무총리이다.
② 감사원은 국가의 중요한 정책을 심의한다.
③ 행정 각부는 행정부의 최고 감사 기관이다.
④ 대통령은 행정부의 수반이자 국가 원수이다.
⑤ 국무 회의는 법률을 제정하고 개정하는 입법 기관이다.

3 국무총리에 대한 설명으로 옳은 것을 [보기]에서 고른 것은?

보기
> ㄱ. 국민의 직접 선거에 의해 선출된다.
> ㄴ. 국가 원수로서 외국과 조약을 체결한다.
> ㄷ. 대통령을 보좌하여 행정 각부를 총괄한다.
> ㄹ. 국무 회의의 부의장으로서 주요 정책을 심의한다.

① ㄱ, ㄴ　② ㄱ, ㄷ　③ ㄴ, ㄷ
④ ㄴ, ㄹ　⑤ ㄷ, ㄹ

[4-5] 다음을 읽고 물음에 답하시오.

> 헌법 제66조 ① 대통령은 국가의 원수이며, 외국에 대하여 국가를 대표한다.
> ④ 행정권은 대통령을 수반으로 하는 정부에 속한다.

4 우리나라 헌법 제66조 ①항과 관련된 대통령의 역할로 적절하지 않은 것은?

① 외국과 조약을 체결한다.
② 국군을 지휘하고 통솔한다.
③ 외교 사절을 해외에 보낸다.
④ 대법원장, 헌법 재판소장을 임명한다.
⑤ 긴급 명령을 내리거나, 계엄을 선포한다.

5 우리나라 헌법 제66조 ④항과 관련된 대통령의 역할을 두 가지 이상 서술하시오.

6 ㉠에 들어갈 국가 기관에 대한 설명으로 가장 옳은 것은?

> (㉠)이(가) 19개 국가 기관을 대상으로 '특수 활동비 집행 실태 점검'에 착수한다고 밝혔다. 특수 활동비는 기밀 유지가 요구되는 정보, 사건 수사, 기타 이에 준하는 국정 수행 활동 등에 직접 소요되는 경비를 말한다.
> – 중앙일보, 2017. 7. 18. –

① 국군을 지휘하고 통솔한다.
② 대통령을 도와 행정 각부를 총괄한다.
③ 행정부와 공무원의 업무 처리를 감찰한다.
④ 담당하고 있는 부서의 행정 업무를 집행한다.
⑤ 행정부의 권한에 속하는 중요한 정책을 심의한다.

2-3 법원과 헌법 재판소 (1)

학습 목표 | 법원의 조직과 기능을 조사할 수 있다.

❶ 법원은 어떻게 구성되고, 어떤 일을 할까?

1 법원의 의미와 구성

1. **사법:** 법적 분쟁이 발생하였을 때 법을 해석하고 적용하여 분쟁을 해결하는 국가 작용
2. **법원(사법부):** 사법 작용을 담당하는 국가 기관
3. **법원의 역할:** 법적 분쟁 해결, 국민의 권리 보호, 사회 질서 유지 등
4. **법원의 구성**

① 우리나라 법원은 최고 법원인 대법원과 고등 법원, 지방 법원 등 각급 법원으로 조직됨.

② 대법원 아래에는 고등 법원과 특허 법원이 있음.

③ 고등 법원 아래에는 지방 법원과 그 지원, 가정 법원, 행정 법원이 설치되어 있음.

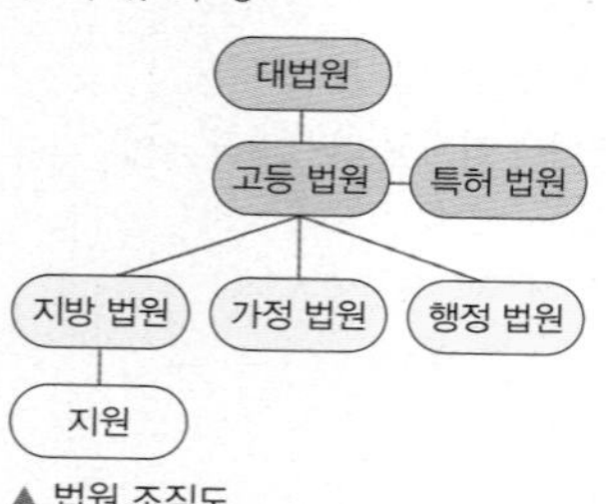

▲ 법원 조직도

2 법원의 조직과 기능

1. **대법원**

① 사법부의 최고 법원

② 대법원장과 대법관 등으로 구성됨.

③ 심급 제도❶에 따라 하급 법원의 최종심을 담당함.

④ 행정부에서 만든 명령이나 규칙이 헌법이나 법률에 위반되는지 최종적으로 심사함.

⑤ 대통령 및 국회 의원, 광역 자치 단체장 선거 등의 선거 재판에서 최종심을 담당함.

2. **고등 법원**

① 주로 1심 법원의 판결에 대한 항소 사건 재판 (항소: 1심 판결에 불복하여 2심 법원에 재판을 청구하는 것)

② 지방 의회 의원 및 기초 자치 단체장의 선거 재판을 담당함.

3. **지방 법원**

① 민사 또는 형사 사건의 1심 사건 재판

② 지방 법원 합의부❷: 지방 법원 단독 판사의 1심 판결에 대한 항소 사건을 재판함.

4. **특수 법원**

① 가정 · 행정 · 특허 · 군사 법원 등의 특수 법원을 두어 특수한 사건을 담당함.

② 기능

가정 법원	지방 법원급으로 가사 사건과 소년 사건을 담당
행정 법원	지방 법원급으로 행정 사건을 담당
특허 법원	고등 법원급으로 특허 업무와 관련된 사건을 담당
군사 법원	군사 재판을 관할하는 특별 법원

❶ 심급 제도

- 의미: 한 사건에 대하여 급이 다른 법원에서 여러 번 재판을 받을 수 있게 한 제도
- 목적: 법관이 잘못된 판결을 내릴 가능성을 최소화하고, 공정한 재판을 실현하여 국민의 자유와 권리를 보장하고자 한다.

❷ 지방 법원 합의부

민사 또는 형사 사건의 1심은 원칙적으로 지방 법원의 단독 판사가 담당하지만, 법률에서 중요하다고 정하고 있는 사건들은 지방 법원 합의부에서 1심을 담당한다.

간단 체크 정답과 해설 6쪽

알맞은 말 채우기

1 대법원은 사법부의 최고 법원으로 하급 법원의 (　　)을(를) 담당한다.

2 1심 법원의 판결에 대한 항소 사건을 재판하는 곳은 (　　)이다.

3 (　　)은(는) 지방 법원 급으로 가사 사건과 소년 범죄 사건을 담당한다.

교과서 **활동 풀이**

교과서 38-39쪽

생각 열기 일상생활 속 법적 분쟁은 어디에서 해결할 수 있을까?

"식당이 제공한 고기의 오도독뼈가 특별히 크거나 단단하다고 볼 수 없으므로 배상할 필요가 없다."

"학원의 심야 영업시간을 제한하는 ○○시 조례는 학생의 건강과 안전, 자습 능력 향상, 학교 교육 정상화를 위한 것이므로 헌법에 위배되지 않는다."

질문 1 (가)의 사례처럼 일상생활에서 법적인 문제로 다툼이 일어날 때 해결해 주는 곳은 어디일까? 법원

질문 2 (나)의 사례처럼 국가 기관의 행위가 국민의 기본권을 침해하고 있는지를 심판해 주는 곳은 어디일까? 헌법 재판소

해결 열쇠

활동 도우미

각급 법원의 역할을 얼마나 잘 이해하고 있으며, 그것이 실제 법적 분쟁 사례 해결에 어떻게 적용되는지 탐구할 수 있어요.

자료 해설

법원	구체적인 사건이 발생했을 때 법을 적용하여 분쟁을 해결하는 사법을 담당하는 국가 기관
헌법 재판소	헌법의 해석과 관련된 다툼을 해결하기 위해 법원과는 별도로 독립된 특별 재판소

활동 사례로 알아보는 법원의 조직과 기능

사건 개요

이 씨는 관할 교육청에 피시방 개설 신청을 하였다. 하지만 교육청에서는 피시방이 학교 환경 위생 정화 구역 내에 있다며 이를 거부하였다.

(가)	(나)	(다)
이 씨는 피시방 개설 금지 처분을 취소해 달라고 교육청을 상대로 소송을 제기하였다. <u>재판부</u>에서는 "인근 초등학교로부터 피시방이 속해 있는 건물까지의 최단 거리가 186m로 측정되었기 때문에 개설 금지 처분은 정당하다."라며 교육청의 손을 들어주었다.	이에 이 씨는 항소하였고, <u>재판부</u>에서는 "학교 환경 위생 정화 구역에 포함되는지를 따질 때는 시설이 들어선 건물이 아니라 시설의 전용 출입구까지의 거리를 기준으로 해야한다. 이 피시방의 출입구에서 학교까지의 거리는 200m를 넘기 때문에 피시방 개설이 가능하다."라고 판결하였다.	교육청에서는 2심 재판부의 판결에 불복해 상고하였고, <u>재판부</u>는 "피시방이 학교 환경 위생 정화 구역 안에 있는지를 판단하는 기준은 해당 피시방 건물이 아니라 전용 출입구 등의 경계선으로 보아야 한다며 <u>원심</u>은 정당하다."라고 판결하였다.

1 (가)~(다)의 밑줄 친 '재판부', '원심'에 해당하는 법원을 오른쪽 법원 조직도에서 찾아보자.

예 • (가) 재판부: 행정 법원 또는 지방 법원 • (나) 재판부: 고등 법원 • (다) 재판부: 대법원 • 원심: 고등 법원

2 선택 활동 재판 외에 법원이 수행하는 역할을 조사해 보자.

예 법원은 분쟁에 관한 재판 외에 부동산 및 동산·채권 담보 등기, 가족 관계 등록, 공탁, 집행관 및 법무사에 관한 사무를 관장 또는 감독한다.

자료 해설

우리나라 법원의 조직과 기능

대법원	최종심(상고 사건, 재항고 사건), 위헌·위법 명령과 규칙 및 처분에 대한 최종 심사권, 위헌 법률 심판 제청권, 대법원 규칙 제정권(자율권 해당)
고등 법원	제1심 판결에 대한 항소 사건, 제1심 결정·명령에 대한 항고 사건
지방 법원	제1심 사건, 지방 법원 단독 판사의 판결·결정에 대한 항소 사건
가정 법원	지방 법원급으로 가사 사건과 소년 사건 심판
행정 법원	지방 법원급으로 행정 사건 담당
특허 법원	고등 법원급으로 특허 사건 담당
군사 법원	군사 재판을 관할하는 특별 법원

법원과 헌법 재판소 (2)

학습 목표 | 헌법 재판소의 위상과 역할을 설명할 수 있다.

❷ 헌법 재판소는 어떤 일을 할까?

1 헌법 재판소의 위상과 역할

1. **헌법 재판소:** 헌법의 해석과 관련한 다툼을 해결하기 위해 법원과는 별도로 독립된 재판소❶
2. **헌법 재판소의 역할** → 헌법은 한 국가의 최고 법으로서 법령 · 명령, 규칙 등 모든 하위 법령과 국회, 대통령, 행정부 등 국가 기관의 활동은 헌법에 위배 되어서는 안 돼요.
   ① 국회가 만든 법률이 헌법에 어긋나는지 판단함.
   ② 국가 기관의 행위가 국민의 기본권을 침해하였는지 판단함.
3. **헌법 재판소의 위상**
   ① 헌법 수호 기관: 법률, 명령, 규칙 등 모든 하위 법령과 국회, 대통령, 행정부 등 국가 기관의 활동이 헌법을 위배하는 것을 방지하여 헌법을 보호함.
   ② 기본권 보장 기관: 국민의 기본권을 침해하였는지를 판단하여 기본권을 보장함.

2 헌법 재판소의 권한

위헌 법률 심판❷	• 재판의 전제가 되는 법률의 위헌 여부를 심판 • 법원의 제청❸으로 이루어지며, 재판관 6인 이상의 찬성으로 위헌이 결정되면 해당 법률은 효력을 상실함.
헌법 소원 심판	• 국가 권력의 행사에 의해 기본권을 침해하였는지 심판 • 기본권을 침해 당한 국민의 직접 신청으로 이루어지며, 재판관 6인 이상이 찬성하면 기본권 침해를 인정함.
탄핵 심판	• 고위 공직자가 위법한 행위를 한 경우 파면 여부 심판 • 국회가 공무원에 대해 탄핵 소추를 의결 → 재판관 6인 이상의 찬성으로 탄핵이 결정되면 해당 공직자는 파면됨. (파면: 잘못을 저지른 공무원을 강제로 퇴직시키는 처분)
정당 해산 심판	• 민주적 기본 질서를 어긴 정당의 해산 여부 심판 • 정부의 제소로 이루어지며, 재판관 6인 이상의 찬성으로 비민주적인 정당으로 결정되면 정당은 해산됨.
권한 쟁의 심판	• 국가 기관이나 지방 자치 단체 간의 권한 분쟁 해결 • 재판관 과반수 이상의 찬성으로 결정되고, 모든 국가 기관은 그 결정을 따라야 함.

핵심 자료 **헌법 재판소의 구성**

헌법 재판소는 법관의 자격을 가진 총 9명의 재판관으로 구성된다. 3명은 국회(입법부)에서 선출, 3명은 대법원장(사법부)이 지명, 3명은 대통령(행정부)이 지명하는데, 이들은 모두 대통령이 임명한다. 헌법 재판소의 장은 국회의 동의를 얻어 대통령이 임명한다.

▲ 헌법 재판소

❶ 헌법 재판소의 독립성 보장
• 재판관의 신분 보장: 재판관은 탄핵 또는 금고 이상의 형의 선고에 의하지 않고서는 파면되지 않는다.
• 정치적 중립: 재판관의 정당 가입이나 정치적 활동을 금지한다.

❷ 위헌 법률 심판
해당 법률이 헌법에 위반된다고 결정하는 것을 위헌 결정이라고 한다. 헌법 재판소에서 위헌 결정이 내려질 경우 그 법률은 결정이 있는 날로부터 효력을 상실하거나 개정될 때까지만 그 효력을 유지한다.

❸ 제청
법률의 헌법 위반 여부가 재판의 전제가 된 경우 법원이 직권으로 또는 소송 당사자의 신청에 의한 법원의 결정으로 헌법 재판소에 위헌 법률 심판을 청구한다.

간단 체크 정답과 해설 6쪽

알맞은 말 선택하기

1 헌법의 해석과 관련된 사건을 사법적 절차에 따라 해결하기 위해 설치된 재판소는 (법원 | 헌법 재판소)이다.

2 국가 권력의 행사가 국민의 기본권을 침해하였는지를 심판하는 것은 (탄핵 심판 | 헌법 소원 심판)이다.

3 위헌 법률 심판은 (법원의 제청 | 국민의 직접 신청)으로 심판한다.

교과서 활동 풀이

교과서 40-41쪽

세상 속으로 **국민이 뽑은 가장 중요한 헌법 재판소 결정 1위는?**

헌법 재판소에서는 2013년 '헌법 재판소 주요 결정 10선'을 선정하여 그 결과를 발표하였다. 1위는 '친일 재산 몰수 규정 합헌 결정'이었으며, 2위는 '유신 헌법 시절 대통령 긴급 조치 위헌 결정', 3위는 '국회의 대통령 탄핵 기각 결정' 순이었다.

생각+ 헌법 재판소 누리집에서 '주요 결정 25선'을 찾아보고, 그중 우리 반에서 가장 중요하게 생각하는 헌법 재판소 결정을 뽑아 보자.

예 2015년 12월 헌법 재판소에서 주민 등록법에 대한 헌법 불합치 결정을 내렸다. 강모 씨 등의 원고는 2011년 포털 사이트의 정보 유출과 2014년 카드 3사의 정보 유출로 인해 자신들의 주민 등록 번호가 유출되었다는 이유로 각 소속 지방 자치 단체장에게 주민 등록 번호 변경을 청구했다. 하지만 현행 주민 등록법에는 예외적인 상황에 한하여 주민 등록 번호 정정만 규정되어 있을 뿐 주민 등록 번호 변경에 대한 규정은 없다는 이유로 그들의 청구는 거절당했다. 이에 대하여 원고들은 행정 소송을 냈지만 각하되었고, 위헌 법률 심판 제청 신청도 기각되자 헌법 소원 심판을 제기하였다. 헌법 재판소는 '주민 등록 번호 유출 또는 오남용으로 인한 피해 등에 대한 아무런 고려 없이 번호 변경을 일률적으로 허용하지 않은 것은 그 자체로 개인 정보 자기 결정권에 대한 과도한 침해'라고 하며 2017년 12월 31일까지 위헌인 내용을 시정하고 다만 그때까지는 현행 법률을 유지하는 헌법 불합치 결정을 내렸다.

해결 열쇠

자료 해설

헌법 재판소의 결정 유형

각하 결정	심판 청구가 이유 여부를 따져 볼 필요도 없이 법률이 정한 일정한 형식적인 요건을 갖추지 못하여 심리를 거절하는 결정. 청구 기간을 경과하였거나, 다른 법률에 구제 절차가 있음에도 불구하고 그 절차를 모두 거치지 않는 경우 등이 해당됨.
기각 결정	형식적인 요건을 갖추었으나 심판 청구를 받아들일 이유가 없다고 판단한 경우에 내리는 결정
위헌 또는 합헌 결정	심판의 대상이 된 법률 또는 법률 조항이 헌법에 위배된다 또는 위배되지 않는다고 선언하는 결정
인용 결정	심판 청구를 받아들일 이유가 있다고 판단한 경우에 이를 받아들이는 결정

함께 배우기 **나도 전문가! 헌법 재판 사례 조사하기**

1 **원모둠 구성** | 5명으로 모둠을 구성한다.

2 **역할 분담** | 모둠원이 협의하여 각자 담당할 헌법 재판 유형을 한 가지씩 선정한다.

3 **전문가 집단 활동** | 같은 재판을 맡은 각 모둠의 구성원이 함께 모여 전문가 집단을 구성하고, 해당 재판에 관한 헌법 재판소의 결정을 찾아 탐구 보고서를 작성한다.

전문가 집단 탐구 보고서

헌법 소원 심판 사례 탐구

1. 누가, 왜 헌법 재판을 청구하였는가?

정해진 수업 시간 외에 영어 수업을 할 수 없게 한 교육부 고시 때문에 ○○ 초등학교에서는 1, 2학년의 영어 몰입 교육을 폐지하였다. 그러자 재학생과 학부모들은 헌법에 보장된 교육의 자유를 침해당했다며 헌법 소원 심판을 청구하였다.

2. 헌법 재판소는 어떤 결정을 내렸는가? 그 이유는 무엇인가?

교육부 고시는 청구인들의 기본권을 침해하지 않았기에 헌법에 위배되지 않는다고 결정하였다(합헌 결정). 교육부 고시는 전인적 교육과 정체성 형성을 위해서이므로 기본권을 크게 제한했다고 보기 어렵기 때문이다.

3. 헌법 재판소의 결정은 어떠한 영향을 미쳤는가?

교육부 고시대로 초등학교 1, 2학년의 정규 교과에서 영어 과목을 배제하고, 3~6학년의 영어 교육을 일정 시수로 제한하였다.

4 **원모둠 활동** | 원래 모둠으로 돌아가 전문가 집단 활동에서 배운 내용을 다른 학생들에게 알려 준다.

활동 도우미

헌법 재판소에서 이루어지는 헌법 재판은 위헌 법률 심판, 헌법 소원 심판, 탄핵 심판, 위헌 정당 해산 심판, 권한 쟁의 심판이 있어요. 이러한 심판들을 통해 헌법 재판소는 공권력의 남용을 막고 국민의 기본권을 보장함으로써 사회 질서를 유지하는 역할을 하고 있다는 것을 파악할 수 있어요.

자료 해설

헌법 재판의 종류와 청구 주체

종류	청구 주체	결정의 효력
위헌 법률 심판	법원의 청구	법률의 효력 상실
헌법 소원 심판	국민의 청구	국민의 기본권 구제
권한 쟁의 심판	국가 기관, 지방 자치 단체의 청구	권한 기관 결정
정당 해산 심판	정부의 제소	위헌 정당 해산
탄핵 심판	국회의 탄핵 소추 의결	공직자 파면

스스로 확인하기

1 (1) 사법 (2) 대법원 (3) 헌법 재판소 2 (1) ㉢ (2) ㉡ (3) ㉤

개념 노트 만들기

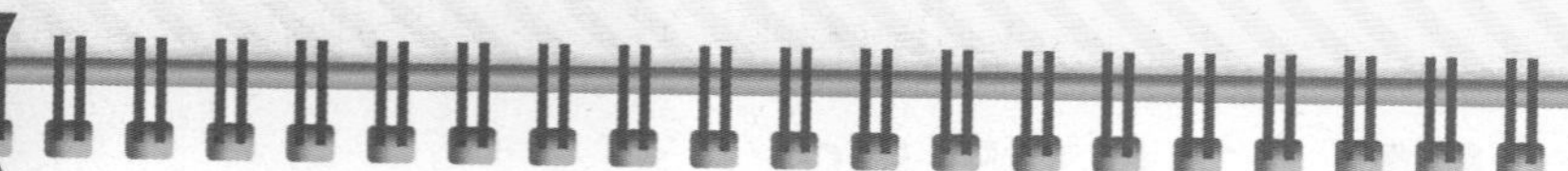

정답과 해설 6쪽

핵심 내용 정리하기 학습한 내용을 기억하면서 다음 글을 완성해 보자.

(제목:)

우리나라에서 사법 기능을 담당하는 곳은 법원과 헌법 재판소이다. 먼저, 우리나라 법원은 최고 법원인 (❶)와(과) 고등 법원, 지방 법원 등 각급 법원으로 조직되어 있다. 대법원은 하급 법원의 (❷)을(를) 담당한다. 또한 행정부에서 만든 명령이나 규칙이 헌법이나 법률에 위반되는지가 재판의 전제가 될 때는 이를 최종적으로 심사한다. (❸)은(는) 주로 1심 법원의 판결에 대한 항소 사건을 재판한다. (❹)은(는) 1심 사건을 재판하거나 지방 법원 단독 판사의 판결에 대한 항소 사건을 재판한다. 이외에도 가정 법원, 행정 법원, 특허 법원 등의 특수 법원이 있다. 다음으로 우리나라에서는 헌법의 해석과 관련한 다툼을 해결하기 위해 (❺)을(를) 설치하여 운영하고 있다. 헌법 재판소는 위헌 법률 심판, (❻), 탄핵 심판, 위헌 정당 해산 심판, 권한 쟁의 심판 등을 통해 헌법을 수호하고, 국민의 (❼)을(를) 보장하는 역할을 한다.

활동 노트 완성하기 학습하면서 기른 역량을 살려 다음 활동 노트를 완성해 보자.

(가)

◇◇ 일보

정해진 수업 시간 외에 영어 수업을 할 수 없도록 규정한 교육부 고시 때문에 ○○ 초등학교에서는 기존에 실시하던 1, 2학년 영어 몰입 교육을 폐지하였다. 그러자 ○○ 초등학교의 재학생과 학부모들은 헌법에 보장된 교육의 자유를 침해당하였다고 주장하며 (㉠)에 헌법 소원을 청구하였다.

(나)

☆☆ 일보

△△시와 □□시는 강을 사이에 두고 인접해 있다. 두 지역의 상수원으로 이용되는 강의 오염이 점차 심해지자 강의 수질 관리를 두고 △△시와 □□시의 갈등이 발생하였다.

이를 놓고 두 지방 자치 단체는 갈등을 해결하기 위해 (㉠)에 권한 쟁의를 청구하였다.

1 ㉠에 공통적으로 들어갈 국가 기관을 써 보자.

....

2 (가)에 해당되는 헌법 소원 심판과 (나)에 해당되는 권한 쟁의 심판을 비교하여 다음 표를 정리해 보자.

분류	헌법 소원 심판	권한 쟁의 심판
청구		
결정의 효력		

실력을 키우는 응용 문제

정답과 해설 6쪽

1 사법(司法)에 대한 옳은 설명을 [보기]에서 고른 것은?

보기
ㄱ. 법원과 헌법 재판소에서 담당한다.
ㄴ. 법을 적용하여 옳고 그름을 판단하는 것이다.
ㄷ. 법률을 집행하고 정책을 만들어 실행하는 것이다.
ㄹ. 도로 건설, 치안 유지, 사회 보험 실시 등이 이에 해당된다.

① ㄱ, ㄴ ② ㄱ, ㄷ ③ ㄴ, ㄷ
④ ㄴ, ㄹ ⑤ ㄷ, ㄹ

2 법원의 조직과 기능이 바르게 연결된 것은?

① 특허 법원 – 가정과 소년에 관한 문제를 담당한다.
② 고등 법원 – 민사 또는 형사 사건의 1심 사건을 재판한다.
③ 지방 법원 – 1심 법원의 판결에 대한 항소 사건을 재판한다.
④ 가정 법원 – 고등 법원급으로 특허 업무와 관련된 재판을 담당한다.
⑤ 대법원 – 명령이나 규칙이 헌법이나 법률에 위반되는지를 최종적으로 심사한다.

중요

3 다음과 같은 역할을 하는 국가 기관을 쓰시오.

- 우리나라 최고 법원이다.
- 심급 제도에 따라 하급 법원의 최종심을 담당한다.
- 대통령 및 국회 의원, 광역 자치 단체장 선거 등의 선거 재판에서 최종심을 담당한다.

4 ㉠에 들어갈 국가 기관으로 옳은 것은?

헌법은 한 국가의 으뜸가는 법으로서 모든 하위 법령이나 국가 기관은 헌법에 위반되어서는 안된다. 그런데 구체적인 문제에서는 어떻게 하는 것이 헌법에 부합하는 것인지에 관하여 국가 기관 사이 또는 국가 기관과 국민 사이에서 의견 차이가 발생할 수 있다. 이러한 다툼을 해결하여 국민의 기본권을 보호하고 헌법을 준수하도록 하는 기관이 바로 (㉠)이다.

① 국회 ② 대통령 ③ 대법원
④ 행정부 ⑤ 헌법 재판소

5 헌법 재판소에서 담당하고 있는 재판의 종류와 청구 주체가 바르게 연결된 것은?

	종류	청구 주체
①	위헌 법률 심판	국회의 탄핵 소추 의결
②	헌법 소원 심판	기본권을 침해당한 국민의 청구
③	권한 쟁의 심판	정부의 제소
④	정당 해산 심판	법원의 청구
⑤	탄핵 심판	국가 기관, 지방 자치 단체의 청구

6 다음 자료를 통해 알 수 있는 헌법 재판소의 역할로 가장 적절한 것은?

연도	헌법 재판소 결정
1997년	국회 법률안 날치기 통과 “위헌”
2004년	국회의 노무현 대통령 탄핵 “기각”
2008년	공무원 시험 나이 제한 “헌법 불합치”
2011년	정부의 위안부 피해 외교적 방치 “위헌”
2011년	친일 재산 몰수 규정 “합헌”
2012년	본인 확인 인터넷 실명제 “위헌”
2013년	유신 헌법 시절 대통령 긴급 조치 “위헌”

① 헌법을 수호한다.
② 사법부의 위상을 높인다.
③ 국민 복지를 향상시킨다.
④ 법률을 제정하고 개정한다.
⑤ 개인 간의 분쟁을 해결한다.

창의·융합 활동

비판적 사고력

국어 논리적 반박 활동 | 도덕 평화적 갈등 해결

시뮬레이션 게임, 절대 권력을 제한하라!

왜 배울까요?

오늘날 대부분의 민주 국가는 입법부, 행정부, 사법부로 구성됩니다. 대한민국 헌법에서도 입법부인 국회, 집행부인 행정부, 사법부인 법원과 헌법 재판소 등으로 나누어 국가 기관을 구성하도록 하고 있습니다. 이는 국가 기관 간의 상호 견제와 균형을 통해 국가 권력이 남용되는 것을 방지함으로써 국민의 기본권을 보장하려는 것입니다. 시뮬레이션 게임을 통해 절대 권력의 문제점을 체험하고, 권력 분립을 통한 국가 기관 간의 상호 견제의 필요성을 파악할 수 있습니다.

이렇게 해요

1 4명을 한 모둠으로 구성한다.

2 국회 의원, 대통령, 대법관(또는 헌법 재판소의 재판관)이 가지는 권한을 조사하여 자신이 해당 권력을 가졌을 때 어떤 권한을 행사할지 적어 본다.

예시

국회 의원은 법률을 제정하거나 개정할 수 있는 권한을 가지고 있다. 만약 내가 국회 의원이 된다면 공직 선거법을 개정하여 공직자도 대통령 및 국회 의원 선거에서 투표를 할 수 있도록 할 것이다.

국회 의원은	대통령은	대법관(또는 헌법 재판소의 재판관)은
권한을 가지고 있다. 만약 내가 국회 의원이 된다면	권한을 가지고 있다. 만약 내가 대통령이 된다면	권한을 가지고 있다. 만약 내가 대법관(또는 헌법 재판소의 재판관)이 된다면
할 것이다.	할 것이다.	할 것이다.

3 모둠원끼리 가위바위보를 하여 이긴 최후의 한 명은 '절대 권력' 카드 중 하나를 선택한다. '절대 권력'을 가진 사람은 2에서 작성한 권한을 마음대로 행사할 수 있다. 나머지 다른 구성원들은 '미션' 카드를 하나씩 선택하여 미션을 수행한다.

상황 1

절대 권력 / 절대 권력 / 절대 권력 / 미션 / 미션 / 미션

4 게임을 하면서 알게 된 절대 권력의 문제점을 토의한다.

42 2단원 | 헌법과 국가 기관

5 절대 권력을 견제하는 데 필요한 '권한 카드'를 만든다.

입법부 / 행정부 / 사법부

TIP 권한 카드를 작성할 때 32쪽, 36쪽, 39쪽, 40쪽을 참고해 보자.

선택 활동

❶에 들어갈 권한 / ❷에 들어갈 권한 / ❸에 들어갈 권한 / ❹에 들어갈 권한 / ❺에 들어갈 권한 / ❻에 들어갈 권한

6 [상황 1]의 방식과 같이 모둠원끼리 가위바위보를 하여 이긴 최후의 한 명은 '절대 권력' 카드 중 하나를 선택하여 권력을 행사한다. 나머지 다른 구성원들은 '미션' 카드를 하나씩 선택하여 미션을 수행한다.

상황 2

절대 권력 / 절대 권력 / 절대 권력 / 미션 / 미션 / 미션

생각하고 적용해요

[상황 1]과 [상황 2]의 차이점을 찾아보고, 이러한 차이가 발생한 이유가 무엇인지 발표해 보자.

스스로 평가

- 각 국가 기관이 가진 권한을 정확히 파악하여 해당 권한 내에서 행동하였나요?
- 카드에 적힌 미션을 정확히 숙지하고, 이를 성실히 수행하였나요?
- 절대 권력을 제한할 권한 카드를 선택하여 절대 권력을 적절히 견제하였나요?

창의·융합 활동 43

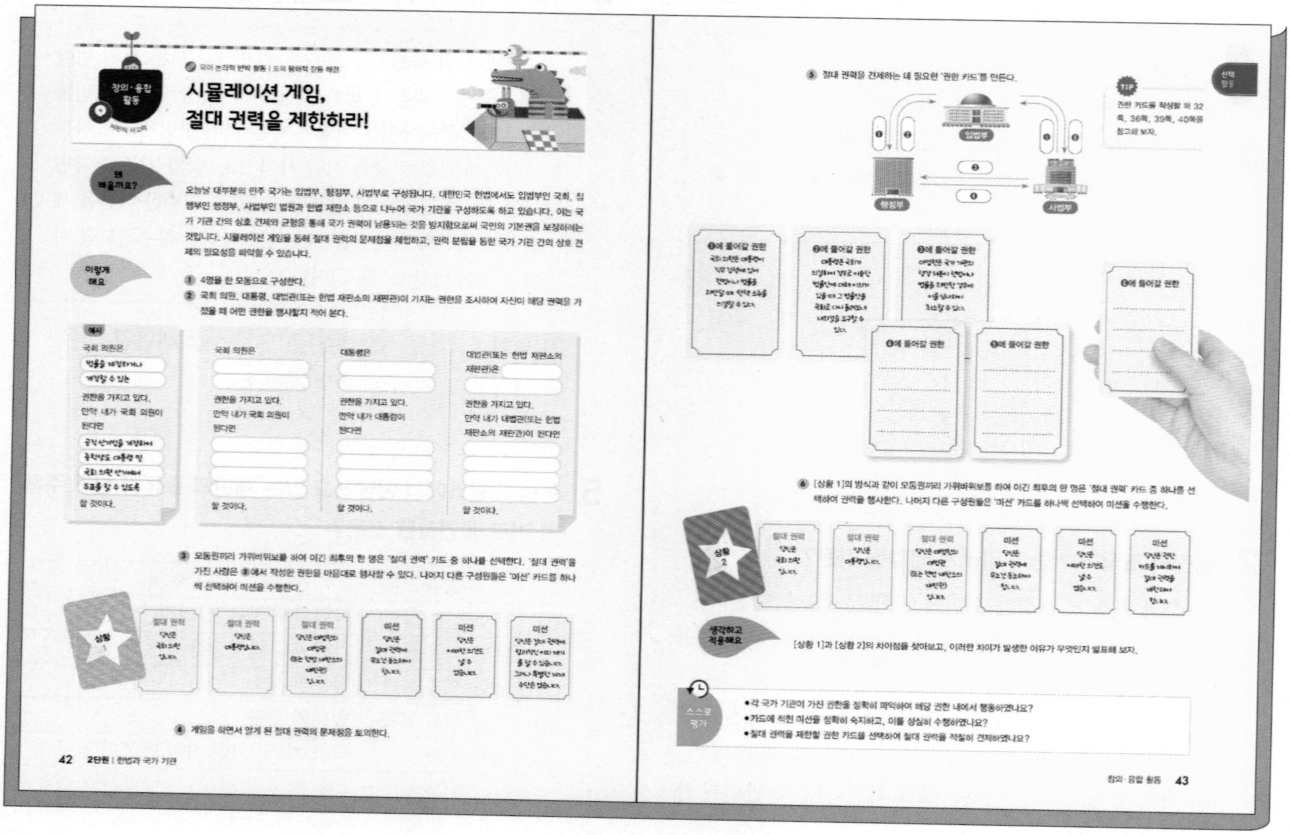

해결 열쇠

활동 도우미

우리나라 헌법 조항에서 국회, 행정부와 대통령, 법원과 헌법 재판소가 가질 수 있는 권한이 무엇인지 찾아 보세요. 또한 해당 국가 기관이 가진 권한 중 어떤 다른 국가 기관을 견제하기 위해 가지는 권한인지 생각해 보세요.

핵심 역량 비판적 사고력

과정 ❷에서 입법부인 국회, 집행부인 행정부, 사법부인 법원과 헌법 재판소가 가지는 권한을 알아보고, 과정 ❸, ❹에서 국가 기관이 가진 권한을 남용했을 때 발생할 수 있는 문제점을 파악해요. 과정 ❺에서 국가 기관 간의 상호 견제를 위해 필요한 제도나 수단을 알아보고, 과정 ❻은 실제로 해당 국가 기관의 권력 남용을 견제해 보는 활동이에요. 이 활동을 통해 절대 권력의 문제점을 비판적으로 검토하고, 권력 분립을 통한 국가 기관 간의 상호 견제의 필요성을 파악함으로써 비판적 사고력을 기를 수 있어요.

이렇게 해요

❷ 예 • 대통령은 행정부의 공무원을 임명하거나 해임할 수 있는 권한을 가지고 있다. 만약 내가 대통령이 된다면 열심히 일하지 않는 공무원을 해임하고, 성실한 사람으로 임명할 것이다. • 헌법 재판소의 재판관은 민주적 기본 질서를 어긴 정당의 해산 여부를 심판할 권한을 가지고 있다. 만약 내가 헌법 재판소의 재판관이 된다면 헌법 질서를 해치는 정당의 해산을 명하는 결정을 선고 할 것이다.

❺ 예

❹에 들어갈 권한	❺에 들어갈 권한	❻에 들어갈 권한
대통령은 국가 원수로서 대법원장, 대법관 등을 임명한다.	법률이 헌법에 위반되는지 여부가 재판의 전제가 될 때 법원은 직권 또는 당사자의 신청에 따라 헌법 재판소에 법률의 위헌 여부를 제청한다.	대통령이 대법원장을 임명할 때 국회의 동의를 얻어야 한다.

교과서 **단원 마무리** 풀이

교과서 44-45쪽

단원 한눈에 보기

❶ 입법 ❷ 법률 ❸ 국무 회의 ❹ 감사원
❺ 대통령 ❻ 재판 ❼ 헌법 재판소 ❽ 위헌 법률

해결 열쇠

교과서 30~43쪽에서 학습한 내용을 떠올리면서 스스로 구조화해 보자.

서술로 사고력 키우기

1 (가), (나)에 해당하는 국회 조직을 쓰고, 이를 운영하는 공통적인 목적을 서술해 보자.

> (가) 일정한 수 이상의 국회 의원으로 구성되며, 국회 의원들의 의사를 사전에 통합하고 조정한다.
> (나) 국회 운영 위원회, 법제 사법 위원회 등 각 분야에 전문성을 가진 국회 의원들이 모여 본회의에 앞서 관련된 안건이나 법률안을 심사한다.

예 (가)는 교섭 단체, (나)는 위원회로, 국회 의사 진행을 효율적으로 하기 위해서이다.

2 다음 헌법 조항과 관련된 대통령의 권한을 서술해 보자.

> 헌법 제66조 ④ 행정권은 대통령을 수반으로 하는 정부에 속한다.

예 헌법과 법률이 정한 바에 따라 국군을 지휘하고 통솔하고, 행정부의 공무원을 임명하거나 해임할 수 있다.

3 헌법 재판소에서 담당하는 심판의 종류를 쓰고, 이를 통해 알 수 있는 헌법 재판소의 위상을 서술해 보자.

예 위헌 법률 심판, 헌법 소원 심판, 탄핵 심판, 정당 해산 심판, 권한 쟁의 심판 등이 있다. 헌법 재판소는 기본권 보장 기관이며, 헌법 수호 기관이다.

채점 기준

❶	상	국회 조직과 운영 목적을 모두 정확하게 서술한 경우
	중	국회 조직과 운영 목적 중 한 가지만 정확하게 서술한 경우
	하	국회 조직과 운영 목적 두 가지 모두 서술이 미흡한 경우
❷	상	행정부 수반으로서의 대통령의 권한을 세 가지 이상 서술한 경우
	중	행정부 수반으로서의 대통령의 권한을 두 가지만 서술한 경우
	하	행정부 수반으로서의 대통령의 권한을 한 가지만 서술한 경우
❸	상	헌법 재판의 종류와 위상을 모두 정확하게 서술한 경우
	중	헌법 재판의 종류와 위상 중 한 가지만 정확하게 서술한 경우
	하	헌법 재판소의 종류와 위상 모두 서술이 미흡한 경우

서술형 더 풀어보기

정답과 해설 7쪽

1 지역구 국회 의원과 비례 대표 국회 의원의 선출 방식을 비교하여 서술해 보자.

2 국가 원수로서의 대통령의 권한을 세 가지 이상 서술해 보자.

수행 평가 해결하기

국회, 정부 청사, 법원, 헌법 재판소 등 국가 기관을 견학하여 해당 국가 기관의 주요 활동에 관한 보고서를 작성해 보자.

1. **누리집 방문하기** 해당 국가 기관의 누리집을 방문하여 국가 기관의 조직과 역할을 조사하고, 방문 계획서를 작성한다.
2. **관련 기사 조사하기** 신문 기사에서 해당 국가 기관의 구체적인 활동을 찾아보고 스크랩한다.
3. **국가 기관 견학하기** 누리집에서 견학 신청을 하고, 견학 후 체험 활동 내용, 관계자와의 인터뷰 내용, 소감을 중심으로 보고서를 작성한다.

이 수행 평가는 ▸▸ 국회, 정부 청사, 법원, 헌법 재판소 등 국가 기관을 견학하여 국가 기관의 설립 취지 및 역할을 조사해 보고서를 작성해 보도록 하는 과제이다. 이를 통해 국가 기관의 역할을 직·간접적으로 체험해 볼 수 있다.

단원을 정리하는 종합 문제

1 **다음 설명에 해당하는 국가 기관의 지위로 옳은 것을 [보기]에서 고른 것은?**

> 각 지역구의 후보자 중 투표를 통해 선출된 지역구 국회 의원과 정당별 득표율에 비례하여 선출된 비례 대표 국회 의원으로 구성된다.

보기
ㄱ. 사법 기관　　ㄴ. 입법 기관
ㄷ. 국가 원수　　ㄹ. 국민의 대표 기관

① ㄱ, ㄴ　② ㄱ, ㄷ　③ ㄴ, ㄷ
④ ㄴ, ㄹ　⑤ ㄷ, ㄹ

2 **법률 제정 및 개정 절차를 순서대로 바르게 나열한 것은?**

> (가) 본회의 의결　　(나) 법률안 공포
> (다) 법률안 제출　　(라) 상임 위원회의 심의

① (가) – (나) – (라) – (다)
② (다) – (나) – (가) – (라)
③ (다) – (라) – (가) – (나)
④ (라) – (나) – (가) – (다)
⑤ (라) – (가) – (나) – (다)

3 **입법 기관으로서 국회의 역할로 가장 적절한 것은?**

① 행정부가 작성한 예산안을 심의하고 확정한다.
② 대통령이 외국과 맺은 조약을 최종적으로 확인하고 동의한다.
③ 국정 감사를 통해 행정부의 정책 결정과 집행을 감시하고 비판한다.
④ 국무총리, 대법원장, 헌법 재판소의 장의 임명에 대해 동의권을 행사한다.
⑤ 중요 공무원이 그 직무 집행에 있어서 헌법이나 법률을 위반하였을 때 파면을 요구한다.

4 **(가), (나) 설명에 해당하는 국가 기관을 바르게 연결한 것은?**

> (가) 국가의 세입과 세출에 대한 결산을 검사하고, 행정 기관이나 공무원들이 직무를 바르게 수행하는지 감찰한다.
> (나) 정책 결정, 법률안의 제정과 개정, 예산안 등 행정부의 중요한 사항을 심의하는 기관이다. 대통령이 의장, 국무총리가 부의장이다.

	(가)	(나)
①	감사원	국무총리
②	감사원	국무 회의
③	국무총리	대통령
④	국무 회의	감사원
⑤	국무 회의	행정 각부

중요

5 **행정부 수반으로서의 대통령 권한을 수행하는 일정에 해당하는 요일은?**

	요일	대통령의 일정
①	월	대법원장 임명장 수여
②	화	△△ 국 외교 사절단 맞이
③	수	강원도 지역 군부대 방문
④	목	○○ 국과의 조약 체결
⑤	금	신임 헌법 재판소 재판관 지명

6 **대통령에 대한 설명으로 옳지 <u>않은</u> 것은?**

① 행정부의 최고 책임자이다.
② 임기는 4년이며, 중임이 가능하다.
③ 긴급 명령, 계엄을 선포할 수 있다.
④ 국가의 원수이며, 외국에 대하여 국가를 대표한다.
⑤ 국무 회의의 의장으로서 국가의 중요 정책을 심의한다.

7 ㉠, ㉡에 들어갈 국가 기관을 바르게 연결한 것은?

> 정부에서 만든 명령이나 규칙이 헌법이나 법률에 위반되는지가 재판의 전제가 될 때는 (㉠)에서 이를 최종적으로 심사한다. 반면에, 국회가 만든 법률이 헌법에 어긋나는지는 (㉡)에서 판단한다.

	㉠	㉡
①	국회	대법원
②	국회	헌법 재판소
③	대법원	행정부
④	대법원	헌법 재판소
⑤	행정부	대법원

단원 연계 문항

8 ㉠~㉣에 대한 설명으로 옳은 것은?

> 재판을 받은 사람은 하급 법원의 판결이 부당하다고 생각하면 상급 법원에 다시 재판을 청구하는 (㉠)(을)를 할 수 있다. ㉡ 1심 법원의 판결에 불복하여 2심 재판을 청구하는 것을 항소라고 하고, ㉢ 2심 법원의 판결에 불복하여 (㉣)에 재판을 청구하는 것을 상고라고 한다.

① ㉠을 제청이라고 한다.
② ㉡은 주로 고등 법원에서 담당한다.
③ ㉢에 해당하는 법원으로 가정 법원, 행정 법원이 있다.
④ ㉣은 헌법 재판소이다.
⑤ ㉣은 최종적인 재판을 담당하는 최고 법원이다.

9 다음 사건을 해결하기 위한 헌법 재판으로 옳은 것은?

> 서로 인접해 있는 ○○도와 △△시는 대규모 산업 단지 조성을 둘러싸고 갈등을 빚고 있다. ○○도에서 일자리 창출을 위해 추진하고 있는 대규모 산업 단지가 조성되면 주거 환경 악화로 △△시의 주민들이 피해를 입게 될 것이라며 △△시에서 반대했기 때문이다. 대규모 산업 단지 조성 허가 여부를 놓고 두 지방 자치 단체는 헌법 재판소에 재판을 청구하였다.

① 탄핵 심판
② 권한 쟁의 심판
③ 위헌 법률 심판
④ 정당 해산 심판
⑤ 헌법 소원 심판

서술형 평가

10 ㉠에 들어갈 국회 운영 제도를 쓰고, 이러한 제도를 두는 이유를 서술하시오.

> 국회의 (㉠)은(는) 각 분야에 전문성을 가진 국회의원들이 모여 법률안을 심사하는 상임 (㉠)와(과) 특별한 안건 발생 시 이를 처리하기 위해 일시적으로 설치되는 특별 (㉠)(으)로 나뉜다.

• ㉠: ....

• 이유: ....

11 (가)에 해당하는 국가 기관을 쓰고, (가)의 역할을 서술하시오.

> ○○ 일보
>
> (가), 건축 허가 관련 의혹 조사 착수
>
> (가), 청와대, 검찰, 국정원 등 감사

• (가): ....

• 역할: ....

12 다음과 같이 구성되는 국가 기관이 무엇인지 쓰고, 이와 같이 선출하는 이유를 서술하시오.

> 재판관은 총 9명이며, 그중에서 3명은 국회에서 선출한 사람을, 3명은 대법원장이 지명한 사람을, 나머지 3명은 대통령이 지명한 사람을 대통령이 임명한다.

• 국가 기관: ....

• 이유: ....

경제생활과 선택

이 단원을 배우면

- 경제 활동의 의미와 경제 주체의 역할을 설명할 수 있어요.
- 희소성으로 인한 합리적 선택의 필요성을 설명할 수 있어요.
- 기업의 역할과 사회적 책임을 이해하고, 기업가 정신의 의미를 설명할 수 있어요.
- 일생 동안 이루어지는 주요 경제생활을 고려하여 합리적인 미래 자산 포트폴리오를 작성할 수 있어요.

이 단원의 학습 주제

대단원 표지 그림 해설

사람들이 은행에서 경제 활동과 관련한 다양한 상담을 하는 모습이에요. 기업이 대출을 받는 것, 개인이 은행에 저축하거나 돈을 빌리는 것, 자산을 어떻게 관리할 것인지 등 우리의 경제생활과 은행은 많은 관련이 있어요.

스스로 학습 계획 세우기						나의 학습 달성 정도
계획일	월	일	학습일	월	일	○○○○○
	월	일		월	일	○○○○○
	월	일		월	일	○○○○○
	월	일		월	일	○○○○○
	월	일		월	일	○○○○○
	월	일		월	일	○○○○○
	월	일		월	일	○○○○○
	월	일		월	일	○○○○○
	월	일		월	일	○○○○○
	월	일		월	일	○○○○○

합리적 선택과 경제 체제 (1)

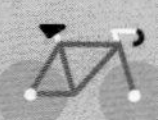

학습 목표 | 경제 활동의 의미와 경제 주체의 역할을 설명할 수 있다.

❶ 경제 활동은 어떻게 이루어질까?

1 경제 활동의 의미

1. **경제 활동:** 사람들이 재화❶와 서비스❷를 생산하고 소비하며 분배하는 모든 활동
2. **경제 활동의 요소**

생산	재화와 서비스를 만들거나 그 가치를 증대시키는 활동
분배	생산에 참여한 사람들에게 그 대가를 나누어 주는 활동
소비	생산 활동의 결과물인 재화와 서비스로 욕구를 충족시키는 활동

2 경제 활동의 주체

1. **경제 주체:** 경제 활동에 참여하는 개인 또는 집단
2. **경제 주체의 유형**

가계	• 소비 활동의 주체 • 기업에 노동, 자본, 토지 등의 생산 요소를 제공하고 그 대가로 임금, 지대, 이자 등의 소득을 얻음. • 소득으로 소비하고, 일부는 저축하며, 국가에 세금을 납부함.
기업	• 생산 활동의 주체 • 가계로부터 생산 요소를 제공받아 재화나 서비스를 생산하여 공급함. • 가계에 생산 요소의 대가로 임금, 지대, 이자 등을 지불함.
정부	• 가계와 기업으로부터 거두어들인 세금을 바탕으로 사회 간접 자본❸과 공공 서비스를 제공함. (공공 서비스: 국방, 교육 등 국민의 복리 증진을 위한 공공 기관의 서비스)
외국	• 무역 활동의 주체 → 수입과 수출을 함. • 최근 세계화 · 정보화 흐름에 따라 그 중요성이 커지고 있음.

외국: 국내에서 생산된 재화와 서비스만으로는 경제 주체의 필요와 욕구를 충족시켜줄 수 없게 되어 외국과의 무역이 필요해요.

핵심 자료 경제 주체 간 경제 활동

오늘날 세계화된 경제에서는 가계, 기업, 정부, 외국이 상호작용하면서 생산, 분배, 소비의 경제 활동이 반복 · 순환되고 있다. 여러 경제 주체들이 각자 맡은 역할을 충실히 수행하고, 협력함으로써 경제가 원활하게 순환할 수 있다.

---

❶ 재화
재화는 인간의 필요와 욕구를 충족시켜주는 눈에 보이는 물건으로, 자동차, 옷, 빵 등을 예로 들 수 있다.

❷ 서비스
인간의 필요와 욕구를 충족시켜주는 사람의 가치 있는 행위를 의미하며, 선생님의 수업, 의사의 진료 등을 예로 들 수 있다.

❸ 사회 간접 자본
생산 활동과 소비 활동을 간접적으로 지원해 주는 자본으로, 도로, 항만, 공항, 철도 등의 교통 시설과 전기, 통신, 상하수도, 댐 등의 공공 시설을 의미한다.

간단 체크 정답과 해설 8쪽

알맞은 말 채우기

1 인간에게 필요한 재화와 서비스를 생산, 분배, 소비하는 모든 활동을 ( )(이)라고 한다.

2 소비 활동의 주체인 ( )은(는) 기업에 생산 요소를 제공하고, 그 대가를 받아 소비 활동을 한다.

3 ( )은(는) 가계와 기업이 낸 세금을 바탕으로 국민 생활에 필요한 공공 서비스를 제공한다.

교과서 **활동 풀이**

교과서 48-49쪽

생각 열기 **도전! 서바이벌 체험**

산들이와 친구들은 여름방학 동안 서바이벌 체험에 참여할 예정이다. 서바이벌 체험은 3박 4일 동안 5명이 한 팀이 되어 '열대 기후의 무인도' 혹은 '냉대 기후의 삼림 지대'에서 이루어진다. 각 체험에는 아래의 품목 가운데 7개만 골라서 가지고 갈 수 있다.

질문 1 만약 체험 장소가 '열대 기후의 무인도'라면 어떤 물건을 선택할지 적어 보자. 그 이유는 무엇인가?

예 • 휴대용 전등, 선크림, 1일분의 생수와 비상식량, 다용도 칼, 낚시 도구
• 이유: 체험 장소가 열대 기후의 무인도이므로 덥고 습한 바닷가에서 필요한 물건들이기 때문이다.

질문 2 체험 장소가 '냉대 기후의 삼림 지대'로 바뀔 경우, 위에서 선택한 품목 중 두 가지를 바꿀 수 있다. 어떤 물건을 빼고 어떤 물건을 추가할지 선택해 보자. 그 이유는 무엇인가?

예 • 선크림 대신 5인용 텐트: 냉대 기후이므로 강한 햇빛에 대비하는 선크림 대신 밤에 기온이 떨어질 것에 대비하기 위해서이다.
• 낚시 도구 대신 방한복: 냉대 기후 지역이므로 따뜻한 옷으로 체온을 유지하기 위해서이다.

질문 3 위와 같이 선택을 위해 고민했던 나의 경험을 이야기해 보자.

해결 열쇠

활동 도우미
열대 기후와 냉대 기후라는 기후 조건에서 생존에 필요한 물건을 선택하는 활동이다. 제시된 물건을 다 가지지 못하고, 7개만 선택하게 함으로써 선택의 문제가 발생하는 이유를 찾아볼 수 있어요.

질문 3 예 생일선물로 부모님께서 용돈을 주셨는데 평소 가지고 싶었던 게임기를 살지, 새로 나온 운동화를 살지 고민하였다.

생각+ 나의 일상생활 속에서 생산, 분배, 소비 활동에 해당하는 사례를 찾아보자.

예 중학교 선생님이신 아버지는 학생들을 가르치는 생산 활동을 하고, 그 대가로 급여를 받으며 시장에 가서 가족 구성원들이 필요한 물건을 사 오신다.

활동 **경제 주체 간 경제 활동**

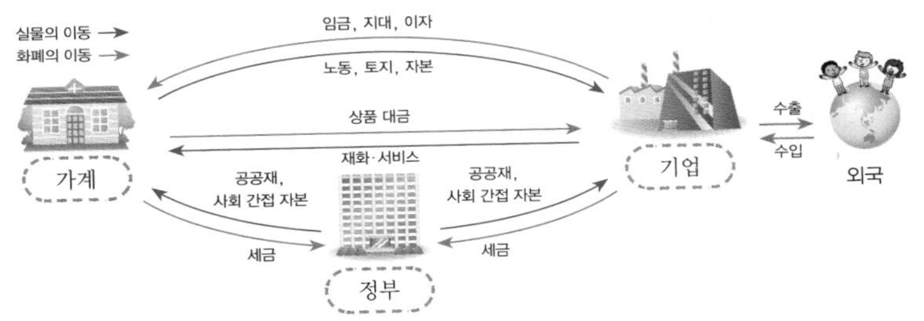

1 그림의 빈칸에 들어갈 경제 주체와 그들이 하는 경제 활동을 써 보자.

2 생산, 분배, 소비에 해당하는 활동이 어떤 것인지 그림에 표시해 보자.

3 제시된 자료를 토대로 가계, 기업, 정부 간 경제 활동의 상호 연관성을 설명해 보자.

예 가계는 기업에 생산 요소를 제공하고 그 대가로 받은 소득으로 기업이 생산한 재화와 서비스를 소비한다. 기업은 가계로부터 생산 요소를 제공받아 생산을 하고, 그 대가를 지급하며, 생산한 재화와 서비스를 가계에 제공하고 대금을 받는다. 정부는 가계와 기업으로부터 세금을 걷어 공공재와 사회 간접 자본을 제공한다.

활동 도우미
각각의 경제 주체가 주로 하는 경제 활동이 무엇이고, 각 주체의 활동이 다른 주체의 활동과 어떻게 연계되어 있는지 분석할 수 있어요.

질문 1 예 가계는 소비, 기업은 생산, 정부는 생산과 소비 활동을 한다.

질문 2 예 • 생산: 기업이 공급하는 재화와 서비스, 정부가 공급하는 공공재와 사회 간접 자본
• 분배: 가계가 생산 요소의 대가로 받는 임금 · 지대 · 이자
• 소비: 가계가 상품 대금을 지급하고 받는 재화와 서비스

합리적 선택과 경제 체제 (2)

학습 목표 | 희소성으로 인한 합리적 선택의 필요성을 설명할 수 있다.

❷ 경제 활동에서 합리적 선택이 필요한 이유는 무엇일까?

1 희소성과 선택❶

1. 희소성의 의미와 특징

① 의미: 인간의 욕구에 비해 그것을 충족시켜 줄 자원이 상대적으로 부족한 상태

② 특징: 희소성은 자원의 절대적인 양의 많고 적음이 아니라 인간의 필요와 욕구에 따라 달라지며, 시대와 장소에 따라 달라질 수도 있음.

2. 선택의 문제: 희소성 때문에 원하는 것을 모두 가질 수 없으므로 우리는 항상 선택의 문제에 직면하게 됨.

2 합리적 선택과 기회비용

1. 합리적 선택의 의미: 가장 적은 비용으로 가장 큰 편익을 얻을 수 있도록 선택하는 것

2. 합리적 선택을 할 때 고려해야 할 것

편익	선택으로부터 얻는 이익이나 만족감
기회비용❷	선택으로 인해 포기한 여러 대안 중 가장 가치가 큰 것

모든 선택에는 기회비용이 따르기 때문에 이를 고려한 선택이 이루어져야 해요. 또한 기회비용은 사람마다 다르게 나타날 수 있어요.

3. 합리적 선택 방법

① 같은 비용이 든다면 편익이 가장 큰 것을 선택해야 함.

② 같은 편익이라면 비용이 가장 적은 것을 선택해야 함.

③ 편익 〉 기회비용: 선택에 따른 만족이 포기한 것의 가치보다 크도록 선택해야 함.

핵심 자료 **합리적 의사 결정 과정**

문제 인식	해결해야 할 문제가 무엇인지, 무엇을 선택해야 하는지 분명히 한다.
대안 탐색	이용할 수 있는 자원을 확인하고, 선택할 수 있는 대안들을 찾아본다.
대안 평가	비용과 편익을 포함한 평가 기준을 세워 각 대안을 평가한다.
대안 선택과 실행	평가 기준을 가장 잘 충족하는 최적의 대안을 선택한다.
실행 결과의 반성	선택이 올바르게 이루어졌는지 평가하고 반성한다.

자원의 희소성 때문에 인간은 경제 활동 속에서 편익과 비용을 고려하여 여러 대안들 가운데 편익이 기회비용보다 큰 것을 선택하는 합리적 의사 결정해야 한다.

❶ **희소성과 선택**

자원의 희소성
인간의 욕구 > 자원의 양

∨

선택의 문제
비용과 편익 분석

∨

합리적 선택
편익 > 기회비용

❷ **기회비용**

여러 가지 중에서 하나를 선택한다는 것은 동시에 다른 것을 포기한다는 것을 의미한다. 선택으로 인해 포기한 여러 대안 중 가장 가치가 큰 것을 기회비용이라고 한다.

간단 체크 정답과 해설 8쪽

O, X 판단하기

1 희소성은 인간의 무한한 욕구에 비해 이를 충족시켜줄 자원의 양이 상대적으로 부족한 상태를 의미한다. ( )

2 합리적 선택을 위해서는 편익보다 기회비용이 큰 선택을 해야 한다. ( )

3 같은 비용이라면 편익이 가장 큰 선택, 같은 편익이라면 비용이 가장 적은 선택을 하는 것이 합리적 선택이다. ( )

4 어떤 것을 선택함으로써 포기해야 하는 대안 중에서 가장 가치가 큰 것을 편익이라고 한다. ( )

교과서 활동 풀이

교과서 50-51쪽

활동 일상생활에서 경험하는 선택의 문제

다음 사례의 주인공이 고민하게 된 이유는 무엇일까? 만일 내가 주인공이라면 어떤 선택을 할 것인지, 그 선택 때문에 포기한 것들은 무엇인지 적어 보자.

다혜는 수업을 마치고 집으로 가는 도중에 분식집 앞을 지나게 되었다. 분식집에서는 떡볶이, 어묵, 튀김을 팔고 있었다. 가진 돈 2천 원으로 한 가지만 사 먹을 수 있어서 다혜는 무엇을 선택해야 할지 고민이 되었다. 다혜가 좋아하는 순서는 떡볶이, 튀김, 어묵이다.

예 • 선택한 것: 만족이 가장 큰 떡볶이를 선택할 것이다.
• 포기한 것: 튀김과 어묵의 소비를 포기한다.

해결 열쇠

활동 도우미
우리는 일상생활에서 분식집에서 무엇을 먹을지와 같은 선택을 해요. 선택에는 반드시 포기하는 것이 따르고, 이때 어떤 선택을 하는 것이 합리적인지 확인해 보아요.

활동 비용과 편익 분석

다음 사례 주인공의 합리적인 선택이 무엇인지 '기회비용'이라는 용어를 사용하여 조언해 보자.

나열심 씨가 직장에서 받는 월 소득은 350만 원이다. 요즘 나열심 씨는 직장을 그만 두고 커피 전문점을 열까 생각 중이다. 커피 전문점을 열면 월 소득 300만 원이 예측된다. 나열심 씨는 선택할 때 소득 외에 다른 것은 고려하지 않는다고 한다.

예 창업할 경우 편익은 300만 원, 기회비용은 직장에서 받는 월 소득 350만 원이므로 기회비용이 창업할 경우의 편익보다 크다. 따라서 나열심씨는 창업을 하지 않고 직장을 다니는 것이 합리적 선택이다.

활동 도우미
나열심 씨는 지금 다니는 직장을 계속 다닐지, 커피 전문점을 창업할지 고민 중인 상황이에요. 이러한 선택의 문제에서 비용과 편익 분석을 통해 합리적 선택을 할 수 있어요.

생각+ 다혜가 지출한 비용은 얼마이며, 포기한 것은 무엇인가?

예 포기한 것은 지출한 비용 2,000원과 튀김과 어묵의 소비에 따른 만족감이다.

활동 도우미
선택에는 반드시 포기하는 것이 따르고, 이때 어떤 선택이 합리적 선택인지 확인해 보는 활동이에요.

생각+ 자신이 가장 최근에 구매한 물건의 소비 과정을 합리적인 의사 결정 단계에 따라 친구들에게 소개해 보자.

예 최근에 구매한 운동화
1. 문제의 인식: 운동화가 낡아서 새로 사야 한다.
2. 대안 탐색: 구매 가능한 금액을 확인하고, 다양한 운동화를 살펴본다. A와 B사의 운동화 중 하나를 사기로 하였다.
3. 대안 평가: 비용과 편익을 포함하여 각 운동화의 가격, 품질 등을 비교 평가한다.
4. 대안 선택과 실행: 가장 좋은 평가를 받은 A사의 운동화를 선택하여 샀다.
5. 실행 결과의 반성: 운동화를 구입하기까지 의사 결정 과정에서 부족한 점은 없었는지 평가한다.

활동 도우미
자신의 평소 생활에서 합리적 선택을 했는지 스스로 생각해 보는 활동이에요.

합리적 선택과 경제 체제 (3)

학습 목표 | 경제 체제의 종류와 특징을 분석할 수 있다.

❸ 기본적인 경제 문제를 해결하는 방식, 경제 체제

1 기본적인 경제 문제

1. 경제 문제의 의미: 경제 주체가 경제생활을 하는 과정에서 결정해야 할 문제

2. 경제 문제 발생 원인: **자원의 희소성**으로 모든 사회에서 기본적인 경제 문제에 직면함.

3. 기본적인 경제 문제

① 무엇을 얼마나 생산할 것인가? → 생산물의 종류와 수량의 문제예요.

② 어떻게 생산할 것인가? → 생산 방법의 문제예요.

③ 누구에게 분배할 것인가? → 분배의 문제예요.

2 경제 체제의 유형과 특징

1. 경제 체제 의미: 사회의 기본적인 경제 문제들을 해결해 나가는 여러 제도나 방식

2. 경제 체제 유형 → 기본적 경제 문제를 해결하는 주체에 따라 계획 경제 체제와 시장 경제 체제로 구분할 수 있어요.

계획 경제 체제	• 국가의 계획과 통제에 따라 움직임. • 국가가 모든 생산 수단을 소유하며 명령·통제하여 경제 문제를 해결함.
시장 경제 체제	• 사유 재산 제도❶를 기반으로 개인의 자유로운 경제 활동을 보장함. • 시장 거래를 통해 경제 문제를 해결함. → 경제 주체들은 자신의 이익을 추구하여 합리적 선택을 하기 위해 최선을 다해요.
혼합 경제 체제❷	• 시장 경제 체제와 계획 경제 체제가 혼합된 경제 체제 • 오늘날 대부분 국가는 정도의 차이가 있을 뿐 혼합 경제 체제를 채택함.

3 우리나라의 경제 체제

① 시장 경제 체제를 기본 원칙으로 하면서 정부 개입을 인정하는 혼합 경제 체제

② 시장 경제 체제: 사유 재산 제도, 경제 활동의 자유를 인정

③ 정부의 경제 활동 개입 인정: 경제적 약자 보호, 경제 질서 유지 목적

핵심 자료 **시장 경제 체제와 계획 경제 체제의 특징**

구분	시장 경제 체제	계획 경제 체제
생산 수단의 소유	개인 소유 허용	국가나 공공 단체 소유
경제 활동의 주체	개별 경제 주체	국가
경제 문제의 해결	시장의 가격 기구	국가의 계획과 명령
경제 활동의 동기	개인의 이익 추구	국가의 명령과 통제
장점	경제적 동기 유발로 효율성 증대	형평성 제고
단점	지나친 경쟁, 빈부 격차	비효율성 및 생산성 하락

❶ 사유 재산 제도
자유 의사에 따라 자신의 동산이나 부동산을 관리·사용·처분할 수 있도록 보장하는 제도를 말한다.

❷ 혼합 경제 체제
시장 경제 체제에서는 외부효과, 공공재의 공급 부족과 같은 시장 실패 문제를 해결하기 위해 정부가 시장에 개입하게 되었고, 계획 경제 체제에서는 낮은 생산성의 문제를 해결하기 위해 시장 경제 체제를 도입하고 있다.

간단 체크 정답과 해설 8쪽

알맞은 말 채우기

1 (　　)(으)로 인해 모든 사회에서는 경제의 기본 문제가 나타난다.

2 한 사회의 기본적인 경제 문제들을 해결하는 여러 제도나 방식을 (　　)(이)라고 한다.

3 우리나라는 시장 경제 체제를 원칙으로 하되 정부의 시장 개입을 인정하는 (　　)을(를) 선택하고 있다.

교과서 **활동 풀이**

교과서 52-53쪽

활동 생활 속 경제 문제, 어떻게 나타날까?

1 다음은 제과점 주인의 고민이다. (가)~(다)와 관련된 기본적인 경제 문제를 빈칸에 써 보자.

가 (　　　　)의 문제　나 (　　　　)의 문제　다 (　　　　)의 문제

• (가): 생산물의 종류와 수량　• (나): 생산 방법　• (다): 분배 문제

2 세 가지 경제 문제의 사례를 생활 속에서 찾아보자.

해결 열쇠

활동 도우미

자원의 희소성으로 인해 발생하는 기본적인 경제 문제를 생활 속 사례를 통해 확인하는 활동이에요.

2 예 • (가): 자동차 기업에서 가솔린 자동차와 전기 자동차 중 무엇을 얼마나 만들까? • (나): 생산 공장을 임금이 저렴한 곳에 세울까? 수출이 편리한 곳에 세울까? • (다): 초과 이윤을 경력 순서로 배분할까? 성과 순으로 배분할까? 아니면 사원 복지를 위한 시설을 마련하는데 사용할까?

생각+ 빈칸을 채워 보고 시장 경제 체제와 계획 경제 체제의 특징을 분석해 보자.

예 • 개인, 국가 • 시장 경제 체제에서는 개별 경제 주체들의 자유로운 의사 결정과 경쟁을 통해 자원 배분이 이루어진다. 즉 시장 원리를 통해 자원 배분이 결정되는 경제 체제이다. 반면에 계획 경제 체제에서는 국가의 계획과 명령에 따라 자원의 배분이 이루어진다. 생산 수단은 공동의 재산이고, 이를 공동으로 활용하여 공동체에서 분배한다.

함께 배우기 우리나라 경제 체제의 특징 파악하기

1 모둠을 구성하여 시장 경제 체제의 원리를 규정하고 있는 헌법 조항을 찾아본다.

제15조, 제23조 ①, 제119조 ①, 제126조

2 헌법 제119조 ②와 같이 국가가 경제에 관한 규제와 조정을 할 수 있도록 한 까닭은 무엇인지 토의한다.

예 환경 오염, 부의 불평등 심화 등과 같이 개인이 지나치게 사익을 추구하는 과정에서 공익을 해치게 되는 문제를 방지하기 위해서이다.

3 우리나라 현실 경제에서 나타나는 (가), (나) 정책은 아래 그림의 ㉠, ㉡ 중 어떤 움직임에 해당하는지 토의한다.

(가) 기업의 자유로운 경제 활동을 위해 각종 행정 규제를 없앴다.
(나) 물가 안정을 위해 지하철 요금, 전기 요금 등 공공요금을 동결한다.

계획 경제 체제  ㉠ ← 혼합 경제 체제 → ㉡  시장 경제 체제

4 최근 우리나라 정부에서 발표한 경제 정책 중 ㉠과 ㉡의 움직임에 해당하는 정책을 조사한다.

자료 해설

우리나라 헌법 제15조는 직업 선택의 자유, 제23조는 사유 재산 제도의 인정과 함께 재산권 행사의 한계를 규정하며, 제34조와 제119조의 ②항은 시장에 정부의 개입을 인정하는 조항이다. 제126조는 정부의 시장 개입을 제한하는 조항이다.

3 예 (가)는 기업에 대한 규제를 완화하는 정책으로 ㉡에 해당하고, (나)는 정부가 의도적으로 가격을 규제하는 정책으로 ㉠에 해당한다.

4 예 ㉠: 부동산 시장 과열 완화를 위한 아파트 분양권 거래 제한 대책, ㉡: 소상공인의 경영 어려움 해소를 위한 과도한 영업 활동 제한 완화

스스로 확인하기

1 (1) 희소성　(2) 기회비용　(3) 경제 체제　(4) 혼합 경제 체제

2 예 • 생산 활동: 엄마가 직장에서 일을 하셨다. • 소비 활동: 새 운동화를 샀다. • 분배 활동: 아빠가 월급을 받으셨다.

개념 노트 만들기

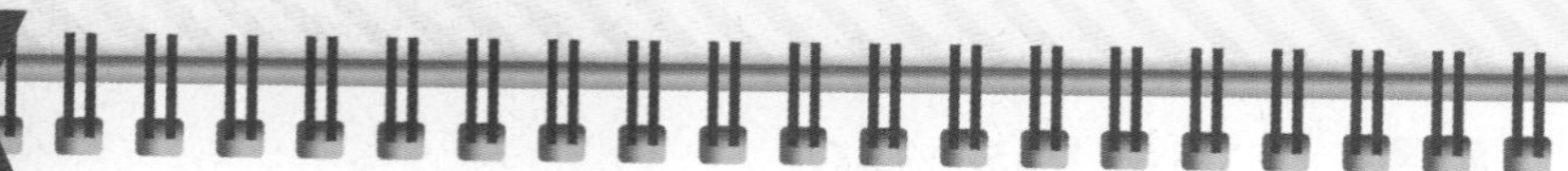

정답과 해설 8쪽

핵심 내용 정리하기 **학습한 내용을 기억하면서 다음 글을 완성해 보자.**

(제목:)

사람들이 재화와 서비스를 생산하고 소비하며 분배하는 모든 활동을 (❶)(이)라고 하며, 경제 활동을 하는 개인이나 집단을 (❷)(이)라고 한다. 국민 경제는 소비의 주체인 (❸), 생산의 주체인 (❹), 세금을 바탕으로 공공재를 생산하는 (❺)(이)가 서로 영향을 주고 받으며 움직이고 있다.

대부분의 사회는 (❻)(으)로 인해 원하는 모든 것을 다 생산하거나 가질 수 없기 때문에 경제 문제가 발생하고 선택의 문제에 직면하게 된다. 이때 최소의 비용으로 최대의 편익을 얻는 (❼)을(를) 해야 하며, 선택으로 인해 포기하는 것 중 가장 큰 가치인 (❽)도 고려해야 한다. 경제의 기본 문제를 개인의 자유로운 경제 활동과 시장 거래로 해결하는 방식을 (❾)(이)라고 하고, 국가의 명령이나 통제로 해결하는 방식을 (❿)(이)라고 한다. 우리나라는 시장 경제 체제를 원칙으로 하면서 정부의 시장 개입을 인정하는 (⓫)을(를) 선택하고 있다.

활동 노트 완성하기 **학습하면서 기른 역량을 살려 다음 활동 노트를 완성해 보자.**

A 국은 가지고 있는 생산 시설로 자동차를 생산할지, 비행기를 생산할지 고민하고 있다. 두 가지를 다 생산하는 것은 현실적으로 힘들고, 한 가지만 집중 생산할 수 있도록 생산 시설을 정비할 계획을 하고 있다. 자동차를 생산하기로 한다면 생산량이 많고, 다른 나라에도 쉽게 팔 수 있는 장점이 있지만 다른 나라와 경쟁이 치열할 것으로 예상된다. 이에 비해 비행기는 비싸게 팔 수도 있고 경쟁 국가가 많지는 않지만 초기 생산 시설 비용이 많이 들고, 기술 개발에도 많은 투자를 해야 하는 상황이다.

1 위의 자료에서 A 국이 고민하는 이유를 서술해 보자.

2 만약 A 국이 자동차를 생산하기로 결정했다면, 이 선택의 기회비용은 무엇인지 서술해 보자.

3 A 국은 경제 문제를 다음의 경제 체제 중에서 한 가지를 골라 해결하려고 한다. 각 방식의 특징을 정리해 보자.

분류	시장 경제 체제	계획 경제 체제
생산 수단을 누가 소유하는가?		
경제 활동을 하는 동기는?		
경제 문제를 어떻게 해결하는가?		

실력을 키우는 응용 문제

정답과 해설 8쪽

1 **경제 활동에 대한 설명으로 옳지 않은 것은?**

① 재화와 서비스의 생산, 분배, 소비 활동이다.
② 우리가 시장에서 물건을 사는 것은 분배 활동에 해당한다.
③ 생산 활동에 참여한 대가로 받은 소득으로 소비 활동을 한다.
④ 경제 활동을 통해 개인은 기본적인 욕구와 필요를 해결할 수 있다.
⑤ 국민 경제에서 생산, 분배, 소비 활동은 서로 연결되어 순환하고 있다.

2 **(가)와 (나)에서 설명하는 경제 주체를 순서대로 바르게 연결한 것은?**

> (가) 세금을 바탕으로 사회 간접 자본과 공공 서비스를 제공하며, 경제적 약자 보호와 시장 질서 유지를 위해 필요한 법과 제도를 마련한다.
> (나) 생산 활동에 참여한 대가로 소득을 받아 소비하는 소비 활동의 주체이다.

	(가)	(나)		(가)	(나)
①	가계	기업	②	가계	정부
③	정부	가계	④	정부	기업
⑤	정부	외국			

중요

3 **다음과 같은 경제 문제가 발생하는 원인으로 가장 적절한 것은?**

> • 무엇을 얼마나 생산할 것인가?
> • 어떻게 생산할 것인가?
> • 누구에게 분배할 것인가?

① 자원이 희소하기 때문에
② 개인의 욕구가 다양하기 때문에
③ 사회 계층 간 격차가 크기 때문에
④ 자원의 양과 종류가 너무 많기 때문에
⑤ 어느 사회나 가지고 있는 자원이 동일하기 때문에

4 **합리적 선택을 위한 방안으로 옳은 것을 [보기]에서 고른 것은?**

> 보기
> ㄱ. 비용보다 편익이 큰 것을 선택한다.
> ㄴ. 기회비용이 편익보다 작은 것을 선택한다.
> ㄷ. 같은 편익일 경우 비용이 가장 큰 것을 선택한다.
> ㄹ. 같은 비용일 경우 편익이 가장 작은 것을 선택한다.

① ㄱ, ㄴ　② ㄱ, ㄷ　③ ㄴ, ㄷ
④ ㄴ, ㄹ　⑤ ㄷ, ㄹ

5 **합리적 의사 결정 과정을 순서대로 바르게 나열한 것은?**

> (가) 문제 인식　(나) 대안 평가
> (다) 대안 탐색　(라) 대안 선택과 실행
> (마) 실행 결과의 반성

① (가) – (나) – (다) – (라) – (마)
② (가) – (다) – (나) – (라) – (마)
③ (가) – (라) – (다) – (나) – (마)
④ (나) – (가) – (라) – (마) – (다)
⑤ (나) – (라) – (가) – (마) – (다)

6 **우리 헌법 조항을 통해 알 수 있는 우리나라 경제 체제의 특징을 서술하시오.**

> 제23조 ① 모든 국민의 재산권은 보장한다. 그 내용과 한계는 법률로 정한다.
> ② 재산권의 행사는 공공복리에 적합하도록 하여야 한다.
> 제119조 ① 대한민국의 경제 질서는 개인과 기업의 경제상의 자유와 창의를 존중함을 기본으로 한다.
> ② 국가는 균형있는 국민 경제의 성장 및 안정과 적정한 소득의 분배를 유지하고, 시장의 지배와 경제력의 남용을 방지하며, 경제 주체 간의 조화를 통해 경제의 민주화를 위하여 경제에 관한 규제와 조정을 할 수 있다.

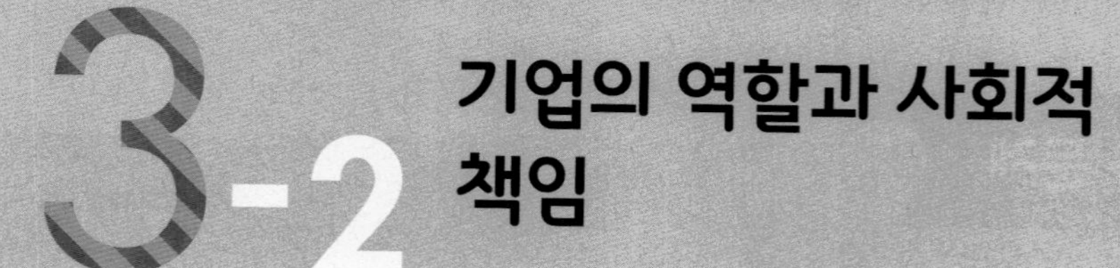

3-2 기업의 역할과 사회적 책임

학습 목표 | 기업의 역할과 사회적 책임을 이해하고, 기업가 정신의 의미를 설명할 수 있다.

❶ 기업의 역할과 책임은 무엇일까?

1 기업의 역할

1. **생산:** 시장 경제에서 기업은 재화와 서비스를 생산하여 판매함. → 사람들에게 필요한 재화와 서비스를 공급함.
2. **일자리 제공, 소득 창출:** 가계가 제공한 생산 요소에 대한 대가를 지불하여 소득을 창출함. → 가계는 토지, 노동, 자본 등의 생산 요소를 제공하고 그에 대한 대가로 지대, 임금, 이자를 받음.
3. **세금 납부:** 국가에 세금을 납부하여 국가 재정[1]에 이바지함.

2 기업가 정신

1. **기업가 정신의 의미:** 실패의 위험을 무릅쓰고 끊임없는 혁신[2]을 통해 수익을 창출하고 경쟁력을 확보해 나가려는 기업가의 도전 정신과 의지 예 신제품 개발, 새로운 생산 방법의 도입, 시장 개척 등
2. **기업가 정신의 특징:** 기업의 이윤을 늘릴 뿐만 아니라 경제를 활성화하여 경제 발전에 이바지함.

3 기업의 사회적 책임

1. **기업의 사회적 책임 의미:** 경제 사회의 구성원으로서 기업이 지켜야 할 사회적 책임
2. **등장 배경**
   ① 기업의 지나친 이윤 추구로 환경 오염, 독과점[3] 등 사회 문제가 나타남.
   ② 오늘날 기업의 기업의 사회적 역할이 커지면서 기업의 사회적 책임에 대한 요구가 커짐.
3. **기업의 사회적 책임**
   ① 기업의 본래의 목적 외에 사회 전체나 기업 관련 이해 관계자들에 대해 가지는 법적 · 윤리적 · 자선적 책임을 말함.
   ② 유형

사회에 대한 책임	법의 테두리 내에서 이윤을 추구해야 함.
소비자에 대한 책임	소비자의 권익을 보호해야 함.
노동자에 대한 책임	노동자에게 정당한 임금 지급과 안전한 작업 환경을 제공해야 함.
타 기업에 대한 책임	거래 업체와 공정하게 거래를 해야 함.
환경에 대한 책임	사회 공헌 활동에 참여하고 환경 오염을 줄여나가야 함.

   ③ 기업의 사회적 책임 활동은 기업의 이미지를 높여 장기적으로 기업의 발전에 도움됨.

❶ 재정
정부의 경제 활동에 필요한 재원을 마련 또는 사용하는 정부의 수입과 지출 활동을 말한다.

❷ 혁신
새로운 제품의 개발, 비용을 절감하는 새로운 생산 방식의 도입, 새로운 시장의 개척 등을 총칭하는 말이다.

❸ 독과점
어떤 상품의 공급에 있어서 경쟁자가 하나도 없는 경우를 독점이라고 하고, 경쟁자가 있기는 하지만 소수인 경우를 과점이라고 한다. 일반적으로 경쟁이 결여된 시장 형태를 독과점이라고 하며, 경쟁 상태보다 상품의 가격이 높아지는 경향이 있다.

간단 체크 정답과 해설 8쪽

알맞은 말 채우기

1 (　　)은(는) 사람들에게 필요한 재화와 서비스를 공급하고, 가계에 생산 요소에 대한 대가를 지불하여 소득을 제공한다.

2 (　　)은(는) 실패의 위험을 무릅쓰고 끊임없는 혁신을 통해 수익을 창출하고 경쟁력을 확보해 나가려는 기업가의 도전 정신과 의지를 말한다.

3 기업은 경제 사회의 구성원으로서 노동자와 소비자의 권익 보호, 환경 보호와 같은 (　　)을(를) 지고 있다.

교과서 활동 풀이

교과서 54-56쪽

생각 열기 우리 주변에는 어떤 기업들이 있을까?

질문 1 약도에서 기업이라고 할 수 있는 것에 모두 표시해 보자. 그렇게 생각한 이유는 무엇인가?

예 주유소, 편의점, 세탁소, 사회적 기업, ○○공사, 은행이다. 그 이유는 기업은 이윤을 얻기 위해 생산하고, 재화와 서비스를 가계에 공급하는 경제 주체이기 때문이다.

질문 2 만일 기업이 없다면 어떻게 될지 생각해 보고, 기업이 하는 역할을 짝과 이야기해 보자.

예 만일 기업이 없다면, 우리는 생활에 필요한 재화와 서비스를 제공받지 못해 불편할 것이다. 기업은 소비자가 필요한 재화와 서비스를 생산하며, 그 과정에서 직원을 고용하여 일자리를 제공하고 소득을 창출한다. 또한 생산 과정에서 연관 기업과 거래를 하고, 다른 기업과 경쟁도 하며, 국가에 세금을 납부하기도 한다.

해결 열쇠

활동 도우미
우리 주변에서 볼 수 있는 기업을 살펴보면서 기업의 역할이 무엇인지 생각해 보는 활동이에요. 특히 기업에는 우리가 흔히 생각하는 대기업뿐만 아니라 우리 주변에서 볼 수 있는 개인 사업도 포함된다는 것을 꼭 기억해요.

활동 기업가 정신과 혁신

가 오늘날 서커스 공연의 인기는 영화나 드라마에 밀려 시들해졌다. 그러나 캐나다의 '태양의 서커스'의 공연 인기는 세계적이다. 그들은 서커스 묘기를 단순히 나열하는 데 그치지 않았다. 기존 서커스에 음악, 무용, 의상 등의 복합적인 공연 요소를 도입하여 관객들이 이야기에 빠져드는 가운데 서커스 묘기를 감상하도록 혁신하였다.
– 시선 뉴스, 2015. 10. 28. –

나 저는 몇 년 전 잘 나간다는 포도 농원들의 좋은 점을 모아 포도원을 열었지만 실패하였습니다. 그때 뭔가 남과 다른 새로운 방법이 필요하다고 생각했습니다. 그래서 유럽으로 가서 포도주용 포도 종자를 가져와, 포도 따기 체험과 포도주 만들기 프로그램을 결합했어요. 지금은 일년간의 체험 예약이 꽉 차 있을 정도입니다.
– 순천대 평생 교육원, 「도시민 귀농 · 귀촌 창업 과정」 –

1 (가), (나)에서 기업가 정신이 발휘되었다고 볼 수 있는가? 그렇게 생각한 이유는 무엇인가?

예 (가), (나) 모두 기업가 정신이 발휘되었다고 볼 수 있다. 위기의 상황에서 실패의 위험을 무릅쓰고 새로운 방법을 도입하고 혁신을 하는 등의 도전을 하였기 때문이다.

2 창의 · 인성 우리 주변에서 기업가 정신이 발휘된 사례를 찾아보자.

자료 해설
- (가)는 기존의 서커스에 음악, 무용 등 복합적인 공연 요소를 도입하여 서커스의 혁신에 성공한 태양의 서커스 사례이다.
- (나)는 기존의 포도 농원과 차별화된 체험 서비스를 제공하여 성공한 농장주의 사례로 기업가 정신을 발휘하여 성공한 사례이다.

2 예 미국 포드 자동차의 창업자인 헨리 포드는 포드 시스템이라고 불리는 혁신적 생산 방식을 설계하여 대량 생산 시대가 열리는 계기를 마련하였다.

함께 배우기 기업의 사회적 책임 토론하기

| 토론 주제 | 탄소 배출과 관련하여 기업의 사회적 책임은 어디까지인가?

소극적 입장	적극적 입장
법이 정한 탄소 배출 기준을 충족시키는 것으로 기업은 사회적 책임을 다하고 있다.	현행 기준보다 탄소 배출량을 자발적으로 더 줄이려는 태도가 사회적 책임에 충실한 자세이다.

1 아래 형식에 맞게 자신의 입장을 정리한다.

예
- 주장: 나는 기업의 사회적 책임에 대한 (소극적 | 적극적) 입장을 지지한다.
- 이유: 왜냐하면 ......기업의 사회적 책임은 환경을 함께 고려하기...... 때문이다.
- 근거: 내가 그렇게 생각하는 근거는 (경험 | 사례 | 언론 보도 | 기타)이다.

2 모둠 내에서 소극적 입장과 적극적 입장을 나누고, 다음과 같은 순서로 토론한다.

활동 도우미
'탄소 배출'과 관련한 기업의 사회적 책임을 주제로 자신의 생각을 논리적으로 말하는 활동이에요. 이를 통해 논리적 사고력을 키울 수 있고, 다른 사람과의 토론을 통해 의사소통 능력도 기를 수 있어요.

스스로 확인하기

1 (1) 기업 (2) 이윤 (3) 기업가 정신 2 (1) ㉢ (2) ㉠ (3) ㉡

개념 노트 만들기

정답과 해설 9쪽

핵심 내용 정리하기 학습한 내용을 기억하면서 다음 글을 완성해 보자.

(제목:)

시장 경제에서 기업은 (❶)의 주체로 사람들에게 필요한 재화와 서비스를 공급한다. 이 과정에서 기업은 가계로부터 토지, 자본, 노동 등의 (❷)을(를) 제공받고, 그에 대한 대가로 지대, 이자, 임금 등을 지급한다. 이처럼 기업은 재화와 서비스의 공급, 일자리 제공, 소득 창출 등의 역할을 하며, 국가에 (❸)을(를) 납부하여 국가 재정에 이바지하기도 한다. 기업의 가장 중요한 목적은 (❹) 추구이다. 기업이 이윤을 추구하는 과정에서 혁신을 통해 새로운 수익 창출과 경쟁력을 확보해야 하는데 이러한 기업가의 도전과 정신, 의지를 (❺)(이)라고 한다. 그러나 오늘날 기업은 이윤 추구라는 본래의 목적 이외에 여러 가지 (❻)을(를) 요구받고 있다. 예를 들어 정당한 이윤 추구, 소비자의 권익 보호, 노동자에게 정당한 임금 지급과 안전한 작업 환경 제공, 거래 업체와의 공정한 거래, 환경 오염을 줄이는 책임 등이 있다.

활동 노트 완성하기 학습하면서 기른 역량을 살려 다음 활동 노트를 완성해 보자.

(가)

○○ 일보

식료품 제조를 하는 A 기업은 소비자들에게 착한 기업이라는 이미지를 가지고 있다. 이는 A 기업이 오래전부터 심장병 어린이들의 수술비를 지원해 왔고, 대부분의 직원을 정규직으로 고용하며, 식품의 가격을 합리적으로 정해 왔기 때문이다. <u>또한 좋은 품질의 제품을 개발하는 데 많은 투자를 하여 소비자에게 판매하고 있다.</u> 이러한 활동에 많은 비용이 발생하였지만 소비자들에게 착한 기업이라는 이미지가 생겨 장기적으로 더 많은 이윤을 얻게 되었다.

(나)

△△ 일보

○○ 경찰청은 중국산 인삼 제품을 국산으로 둔갑시켜 판매해 수억 원대의 이득을 챙긴 혐의(농산물 품질 관리법 위반)로 B 인삼 대표와 직원 4명에게 구속 영장을 신청하였다. 이들은 지난해부터 국산 인삼의 약 30% 가격인 중국산 인삼을 수입한 뒤 이를 유리병에 포장하면서 포장지에 '한국산 100%'라고 속여 시장에 유통하였다. 이러한 판매 행위로 이들은 6억 원 이상의 부당 이득을 챙긴 것으로 확인되었다.

1 (가)를 통해 기업의 역할에는 어떤 것들이 있는지 서술해 보자.

....

2 (가)의 밑줄 친 부분과 관련 깊은 기업가 자세를 쓰고, 그 의미를 서술해 보자.

....

3 (나)의 기업에게 요구되는 사회적 책임이 무엇인지 적어 보고, 이외에도 기업의 사회적 책임에는 어떤 것들이 있는지 서술해 보자.

....

실력을 키우는 응용 문제

정답과 해설 9쪽

중요

1 **기업에 대한 설명으로 옳지 않은 것은?**

① 국민 경제에서 생산의 주체로 활동한다.
② 사람들에게 필요한 공공재를 생산 · 공급한다.
③ 사람들에게 일자리를 제공하고 소득을 창출한다.
④ 가계가 제공한 생산 요소에 대한 대가를 지불한다.
⑤ 정부에게 세금을 내어 정부의 재정 마련에 기여한다.

2 **다음 설명에 해당하는 개념을 쓰시오.**

> 실패의 위험을 무릅쓰고 끊임없는 혁신을 통해 수익을 창출하고 경쟁력을 확보해 나가려는 기업가의 도전 정신과 의지를 의미하는 말이다.

....

3 **(가), (나) 사례에 나타난 기업가의 자세에 대한 설명으로 옳은 것을 [보기]에서 고른 것은?**

> (가) 포도 농장 주인인 A 씨는 다른 포도 농원과의 차별을 위해 포도 따기 체험, 포도주 만들기 프로그램 등을 실시하여 새로운 수익을 창출하였다.
> (나) 대부분의 서커스가 관객의 외면을 받고 있지만, 캐나다의 '태양의 서커스'는 세계적으로 인기를 끌고 있다. 이는 다른 서커스단과 달리 서커스를 단순한 묘기 나열이 아니라 연기, 음악, 무용, 의상 등의 복합적인 공연 요소를 도입하여 새로운 서커스를 제공하였기 때문이다.

보기
ㄱ. 혁신을 통해 새로운 수익을 창출하였다.
ㄴ. 지나친 이윤 추구로 사회적 비판을 받고 있다.
ㄷ. 변화하는 환경에 맞추어 기업 경영을 하고 있다.
ㄹ. 노동자에게 안전한 일자리를 제공해야 하는 사회적 책임을 소홀히 하고 있다.

① ㄱ, ㄴ ② ㄱ, ㄷ ③ ㄴ, ㄷ
④ ㄴ, ㄹ ⑤ ㄷ, ㄹ

4 **기업에게 요구되는 사회적 책임으로 보기 어려운 것은?**

① 소비자의 권리를 보호해야 한다.
② 법의 테두리 내에서 이윤을 추구해야 한다.
③ 환경 오염을 최소화하는 방법으로 생산해야 한다.
④ 이윤 추구보다는 지역 복지 활동을 우선해야 한다.
⑤ 노동자에게 정당한 임금과 안전한 작업 환경을 제공해야 한다.

5 **다음 사례에서 A 기업이 실시하고 있는 사회적 책임을 서술하시오.**

> A 기업은 소비자들이 상품에 대한 불만이 있으면 바로 서비스 센터 전화를 하거나 인터넷으로 의견을 줄 수 있도록 안내하고 있다. 또한 이러한 불만에 대해 친절하게 응답하고 바로 시정을 하여 소비자들의 만족도가 높다. 이렇게 하는 데에는 많이 비용이 들지만 매년 A 기업의 매출은 20% 이상 상승하고 있다.

....

6 **기업가 정신이 발휘된 사례로 가장 적절한 것을 [보기]에서 고른 것은?**

ㄱ. A 의약품 회사는 외국에서 개발한 약을 무단 복제하여 국내에서 판매하였다.
ㄴ. B 의류 회사는 개발 도상국의 저렴한 어린이 노동력을 이용하여 생산 비용을 줄였다.
ㄷ. C 자동차 회사는 이동 조립법을 내용으로 하는 대량 생산 시스템을 개발하여 생산 비용을 절감하였다.
ㄹ. D 컴퓨터 회사는 소비자가 자신이 원하는 사양을 직접 조립하는 컴퓨터로 새로운 시장을 개척하였다.

① ㄱ, ㄴ ② ㄱ, ㄷ ③ ㄴ, ㄷ
④ ㄴ, ㄹ ⑤ ㄷ, ㄹ

3-3 경제생활과 금융 생활 (1)

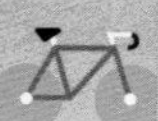

학습 목표 | 일생 동안 이루어지는 경제생활을 이해하고, 자산 관리의 필요성을 설명할 수 있다.

❶ 일생 동안 우리는 어떤 경제생활을 경험할까?

1 일생 동안 이루어지는 경제생활

1. **경제 생활의 특징:** 일생 동안 소득과 소비는 생애 주기[❶]에 따라 다르게 나타남.
2. **생애 주기별 주요 경제생활** → 소비 생활은 평생에 걸쳐 이루어지지만 소득을 얻을 수 있는 기간은 한정적이에요.

구분	주요 경제생활
유소년기	• 주로 부모 소득에 의존하여 생활함. • 대부분 소비 활동만 이루어짐.
청년기	• 취업하여 경제 활동을 시작하는 시기 • 소득과 소비가 모두 적은 편임.
중 · 장년기	• 경제 활동이 가장 활발하며 소득과 소비가 모두 많은 시기 • 주택 마련, 자녀 양육, 노후 준비로 소비가 늘어남.
노년기	• 은퇴 이후 소득은 크게 줄지만 소비 생활은 지속됨.

└ 고령화 사회로 중요성이 커지고 있으며, 소득 감소에 따른 생활에 적응해야 해요.

2 자산[❷] 관리의 필요성

1. **자산 관리:** 생애 주기에 따른 소득과 소비를 고려하여 자산을 확보하고 운영하는 것
2. **자산의 종류**
   ① 실물 자산: 귀금속, 자동차, 부동산 등
   ② 금융 자산: 예금, 주식, 채권, 보험[❸], 연금[❹] 등의 금융 상품
3. **자산 관리 필요성**
   ① 일생 동안 소득을 얻을 수 있는 기간이 한정적이므로 소득이 소비보다 많을 때 미래 소비를 위해 자산 관리가 필요함. → 지속 가능한 소비 생활을 위해서 필요해요.
   ② 평균 수명 연장과 고령화 사회로 은퇴 이후의 기간이 늘어나고 있으므로 노년기의 생활을 대비해야 함.

핵심 자료 생애 주기와 자산 관리

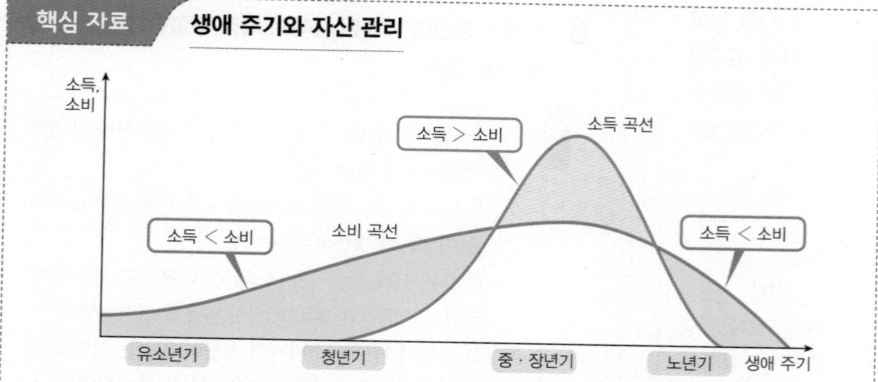

일생 동안 소득과 소비는 생애 주기에 따라 다르게 나타난다. 소득이 소비보다 많은 시가가 있는가 하면 소비가 소득보다 많아서 소득이 부족한 시기가 있다. 소득이 소비보다 많은 시기에 저축하여 지속 가능한 경제생활을 가능하게 하도록 자산 관리가 필요하다.

---

❶ 생애 주기
시간의 흐름에 따라 개인이나 가족의 경제생활이 변해가는 단계로 유소년기, 청년기, 중 · 장년기, 노년기로 구분된다.

❷ 자산
개인이나 단체가 소유한 경제적 가치가 있는 유형 또는 무형의 재산으로 크게 실물 자산과 금융 자산으로 구분된다.

❸ 보험
미래에 발생할 수 있는 사고나 질병 등의 위험에 대비하기 위해 정기적으로 돈을 냈다가 사고를 당하면 일정 금액을 받는 상품을 말한다.

❹ 연금
노후를 대비하여 저축하는 금융 상품으로 일정 나이가 되면 일정액을 받는 상품을 말한다.

간단 체크 정답과 해설 9쪽

알맞은 말 채우기

1 생애 주기 중 (　　)은(는) 소득이 가장 많지만 자녀 양육, 주택 마련 등으로 소비도 많은 시기이다.

2 (　　)은(는) 생애 주기에 따른 소득과 소비를 고려하여 자산을 확보하고 운영하는 것이다.

3 예금, 주식, 채권, 보험, 연금 등은 (　　) 자산에 해당한다.

교과서 활동 풀이

교과서 58-59쪽

생각 열기 내가 꿈꾸는 미래의 삶은?

질문 1 나의 미래 모습을 상상하여 그림이나 글로 표현해 보자.

현재	8년 후	20년 후	40년 후	60년 후

예 부모님께 용돈을 받아서 필요한 물건을 사고 있어요.	예 대학을 졸업하고 내가 원하는 게임 개발 회사에서 일하고 있어요.	예 사랑하는 사람과 결혼해서 자식을 낳고 행복한 가정을 꾸리고 있어요.	예 직장 생활을 통해 얻은 경험을 바탕으로 새로운 게임 회사를 창업했어요.	예 회사는 전문 경영인에게 경영을 맡기고, 취미 생활을 하며 살고 있어요.

질문 2 경제생활과 관련하여 시기별로 이루어야 하는 나의 과업이 무엇인지 점검해 보자. 짝과 같은 점은 무엇이고, 다른 점은 무엇인가?

해결 열쇠

활동 도우미

일련의 생애 주기 과정에서 이루어야 하는 자신이 과업이 무엇인지 생각해 보고, 이를 통해 경제생활과 관련지어 어떤 자세가 필요한지 생각해 보세요.

질문 2 예 시기별에 나의 과업
• 현재: 부모님께 받은 용돈을 합리적으로 소비하고 바람직한 경제생활 태도를 함양한다. • 8년 후: 처음 소득을 얻는 시기에 무분별한 소비를 줄이고, 신용 관리에 주의한다. • 20년 후: 자녀 양육, 주택 마련 등에 필요한 자금을 저축한다. • 40년 후: 은퇴 이후의 생활에 대비하기 위해 저축, 연금 등 노후 준비 자금을 마련한다. • 60년 후: 소득 감소에 따른 생활에 적응하고 줄어든 소득에 따라 소비 생활을 유의한다.

활동 일생 동안 이루어지는 경제생활

1 일생 중 소비보다 소득이 더 많아 저축할 수 있는 시기를 그래프에 표시해 보자.

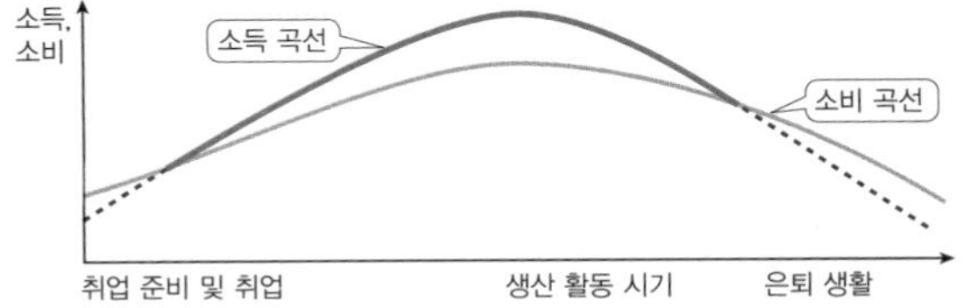

2 소득이 급격하게 줄어드는 시기를 찾아보고, 그 이유를 말해 보자.
예 은퇴 이후에는 직장에서의 은퇴, 생산성 저하 등으로 소득이 급격하게 줄어든다.

3 짝 활동 은퇴 이후에도 소득이 발생하는 까닭은 무엇인지 짝과 이야기해 보자.
예 은퇴 이후에도 소득이 발생하는 이유는 소득이 소비보다 많은 시기인 청년기와 중 · 장년기에 저축, 연금 등을 활용하여 자산 관리를 하였기 때문이다.

자료 해설

사람들의 일생을 생애 주기별로 소득과 소비 그래프로 나타낸 자료이다. 청년기에는 소득과 소비가 모두 적은 편이지만 중 · 장년기가 되면 활발한 경제 활동으로 일생 중 가장 많은 소득을 얻게 된다. 하지만 이 시기에는 자녀 교육, 주택 마련, 자녀 결혼 등 소비도 크게 늘어나게 된다. 은퇴 이후 노년기에는 소득이 급격하게 감소하고, 이에 따라 소비도 줄어드는 경향을 볼 수 있다. 이처럼 소비 생활은 평생에 걸쳐 이루어지지만 소득을 얻을 수 있는 기간은 한정적이므로 한정된 소득을 생애 기간에 적절히 배분하여 노년기에도 안정적인 생활을 누릴 수 있도록 자산 관리가 필요하다.

3-3 경제생활과 금융 생활 (2)

학습 목표 | 합리적인 자산 관리와 신용 관리의 중요성을 설명할 수 있다.

❷ 금융 생활, 어떻게 해야 할까?

1 합리적인 자산 관리

1. 자산 관리 시 고려해야 할 요인

① 수익성: 투자를 통해 수익이 발생하는 정도

② 위험성: 투자한 원금이 손실될 수 있는 정도

③ 유동성: 자산을 쉽고 빠르게 현금화할 수 있는 정도

2. 자산의 종류와 특징 → 이외에도 위험성이 낮은 예금, 유동성이 낮은 부동산 등의 자산도 있어요.

채권	• 정부나 기업이 돈을 빌리며 발생한 차용 증서 ┌ 돈이나 물건 등을 빌려서 쓰는 것 • 신용도가 높은 곳에서 발행하므로 안전성이 높은 편이지만 갚기로 한 채무자가 갚지 못할 경우 원금과 이자를 받지 못할 위험이 있음.
주식	• 주식회사❶가 자금을 조달하기 위해 투자자로부터 돈을 받고 발생하는 증서 • 주주는 기업 경영에 참여하고, 기업의 이익을 배당금❷으로 받음. • 수익성이 높은 편이지만 위험성도 높음.
펀드	• 투자 전문가에게 돈을 맡겨 수익을 내도록 하는 상품 • 투자 전문가는 투자금을 여러 주식이나 채권에 분산 투자하고 수익금을 투자자에게 돌려주는 금융 상품

3. 합리적 자산 관리 방법

① 자산 관리의 목적과 기간을 고려하여 자신에게 맞는 자산 관리 방법을 선택해야 함. → 안전한 목돈 마련을 위해서는 예금이나 적금, 노후 대비를 위해서는 연금을 선택할 수 있어요.

② 자산 관리 시 자산의 수익성, 위험성, 유동성을 종합적으로 고려하여 알맞은 방법을 선택해야 함.

③ **분산 투자**❸: 한 곳에서 손해를 보더라도 다른 곳에서 손실을 보충할 수 있도록 자금을 다양한 유형의 자산에 적절하게 분산하여 투자해야 함.

2 신용 관리의 중요성

1. 신용❹

① 의미: 돈을 빌려 쓰거나 상품을 사용한 뒤 약속한 날짜에 그 대가를 치를 수 있는 능력 → 신용은 미래의 소득으로 갚아야 하는 빚으로 부채이에요.

② 사례: 은행 대출, 신용 카드 사용, 휴대 전화 요금 납부 등

2. 신용 관리의 필요성

① 신용을 잘 활용할 경우 경제생활을 더 편리하고 더 높은 수준으로 꾸려 나갈 수 있음.

② 신용도가 낮을 경우 신용 등급이 낮아지고 채무 불이행자가 되어 여러 불이익을 받을 수 있음. ⓔ 대출 규제나 대출 시 높은 이자율, 취업 제한 등 ┘

---

❶ 주식회사
주식의 발행을 통해 여러 사람으로부터 운영에 필요한 자본을 조달받는 회사를 말한다.

❷ 배당금
기업이 이익을 발생시켜 이익의 일부를 기업의 소유주에게 분배하는 것으로 보통 현금으로 지급되지만 그 외 주식이나 어음 등으로 지급하는 경우도 있다.

❸ 분산 투자
여러 군데 나누어 투자하여 위험을 분산시키는 투자 행동을 말한다.

❹ 신용 거래의 특징
• 장점: 당장 현금이 없어도 거래할 수 있으며 현재 소득보다 더 많은 소비를 할 수 있음.
• 단점: 충동구매나 과소비로 이어질 수 있음, 미래에 갚아야 할 빚은 늘어남.

간단 체크 정답과 해설 9쪽

알맞은 말 채우기

1 (   )은(는) 자산을 현금으로 쉽고 빠르게 전환할 수 있는 정도를 의미한다.

2 자산을 투자할 때에는 다양한 유형의 자산에 적절하게 (   )하여 위험을 줄여야 한다.

3 돈을 빌려 쓰거나 상품을 사용한 뒤 약속한 날짜에 갚을 수 있는 능력을 (   )(이)라고 한다.

교과서 활동 풀이

교과서 60-61쪽

채권	주식	펀드
정부나 기업이 돈을 빌리며 발행한 차용 증서이다. 그러나 돈을 빌린 채무자가 갚기로 한 약속을 지키지 못하면 채권자는 원금과 이자를 돌려 받지 못할 수 있다.	회사의 주식을 소유한 사람인 '주주'는 기업의 경영에 참여하며, 기업의 이익을 배당금으로 받을 권리를 갖는다. 주가는 기업의 이익에 대한 전망에 따라 오르내린다.	투자자들로부터 투자금을 모아 큰 규모의 자금(펀드)을 만든다. 이를 여러 주식이나 채권에 분산 투자하고, 얻은 수익금을 투자자에게 돌려주는 금융 상품이다.

생각+ 채권과 주식의 같은 점과 다른 점을 말해 보자.

예 채권과 주식은 공통적으로 예금보다 수익성은 높지만 자산 손실의 위험성도 크다. 채권은 정부나 기업이 돈을 빌리며 발생한 차용 증서인 반면, 주식은 주식회사가 필요한 자금을 조달할 때 자금을 투자한 투자자에게 발행해 주는 증서라는 차이가 있다.

해결 열쇠

자료 해설

자산에는 예금, 주식, 채권, 부동산 등 다양한 종류가 있으며, 자산의 종류에 따라 수익성, 위험성, 유동성 등의 특징에 차이가 있다. 일반적으로 예금은 수익성은 낮지만 원금 손실 위험도 낮다. 이에 비해 주식이나 채권은 수익성은 높지만 원금을 손실한 위험도 높아지는 특징이 있다.

함께 배우기 미래 자산 포트폴리오 작성하기

생애 주기를 고려하여 나의 미래 자산 포트폴리오를 작성해 보자.

1. 생애 주기별로 자신이 이루고 싶은 목표를 설정하고 그에 필요한 자금을 예측한다.
2. 자금 마련 계획을 세우고 저축, 채권, 주식, 펀드 등으로 균형 잡힌 포트폴리오를 구성한다.

예 미래 자산 포트폴리오

연령대	주요 경제 활동	자신이 이루고 싶은 목표	필요한 자금	자산 포트폴리오
20대	1. 졸업 2. 취업 3. 결혼	• 경제적 독립 준비 • 결혼 준비	주거 독립을 위한 전세 보증금	월급의 50% 저축
30대	1. 출산과 육아 2. 내집 마련	• 직장 생활 적응 • 주택 자금 마련 • 출산 및 육아	결혼, 출산, 육아 자금, 주택 자금	월급의 5%는 보험, 15%는 예금, 30%는 주식에 투자
40대	1. 자녀 교육 2. 재산 형성 3. 은퇴 계획 수립	• 직장 생활 정착 • 노후 준비 • 자녀 교육 준비	자녀 교육비, 은퇴 후 생활을 위한 연금	월급의 5%는 보험, 10%는 연금, 30% 저축
50대	1. 자녀 결혼 2. 은퇴 3. 노후 대비 점검	• 자녀 결혼 비용 • 새로운 일을 찾아 제2의 인생 준비	은퇴 후 지속 가능한 생활을 위한 연금	월급의 5%는 보험, 30%는 연금에 투자
60대 이후	1. 노후 생활 시작 2. 건강 관리	경제적으로 지속 가능한 소비 생활	건강한 생활 유지 비용	연금, 저축 등으로 생활

TIP 활동 과정에서 사적인 정보가 노출되거나 사생활이 침해되지 않도록 주의한다.

활동 도우미

생애 주기를 고려하여 생애 주기별로 자신이 이루고 싶은 경제적 목표를 생각하고, 그 목표를 달성하기 위해 필요한 자금을 어떻게 마련할 것인지 구체적으로 자산 포트폴리오를 작성해 보세요.

스스로 확인하기

1 (1) 저축 (2) 자산 관리 (3) 신용 **2** 채권자 → 주주, 이자 → 배당금

개념 노트 만들기

정답과 해설 9쪽

핵심 내용 정리하기 학습한 내용을 기억하면서 다음 글을 완성해 보자.

(제목:)

우리의 경제생활은 일생 동안 이루어진다. 그 과정에서 소득과 소비가 시기별로 다르게 나타나는데, 경제적으로 지속 가능한 소비 생활을 하기 위해서는 소득이 소비보다 많은 시기에 저축하여 재산을 만들고 그 크기를 늘려나가는 (❶)(이)가 필요하다. 특히 평균 수명의 연장으로 은퇴 후의 생활 기간이 늘어나는 고령화 사회에서는 안정적인 노후 생활을 위한 자산 관리가 더욱 중요해지고 있다. 합리적 자산 관리를 위해서는 우선 자산 관리의 목적과 기간을 고려해야 한다. 또한 자산의 (❷)을(를) 종합적으로 고려하여 여러 자산에 나누어 투자하는 (❸)을(를) 통해 적정한 수익을 얻는 동시에 위험을 줄여나가야 한다.

오늘날 경제생활에서 점점 그 중요성이 커지고 있는 (❹)은(는) 돈을 빌려 쓰거나 상품을 사용한 뒤 약속한 날짜에 그 대가를 치를 수 있는 능력으로 신용을 잘 활용하면 더 편리한 경제생활을 할 수 있지만, 지나치게 신용 거래에 의존할 경우 (❺)에 부담이 되는 단점도 있다.

활동 노트 완성하기 학습하면서 기른 역량을 살려 다음 활동 노트를 완성해 보자.

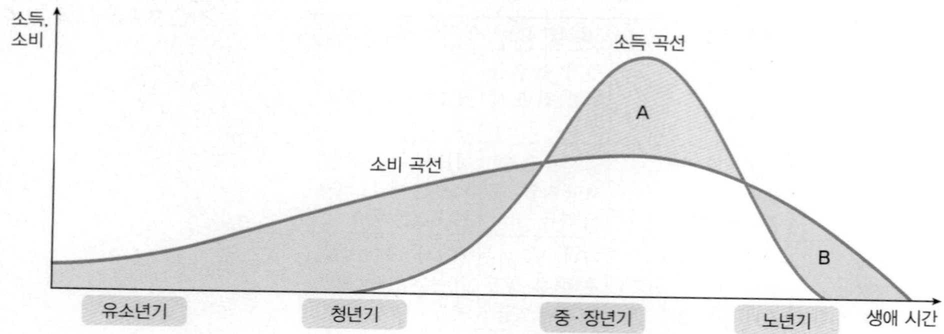

1 위의 그림을 참고하여 생애 주기별 소득과 소비의 특징을 정리해 보자.

시기	특징
유소년기	
청년기	
중 · 장년기	
노년기	

2 A, B 부분을 고려할 때, 올바른 자산 관리 방법을 서술해 보자.

실력을 키우는 응용 문제

정답과 해설 10쪽

중요

1 생애 주기별 경제 생활에 대한 옳은 설명을 [보기]에서 고른 것은?

보기
ㄱ. 유년기 – 주로 소비보다 소득이 많은 시기이다.
ㄴ. 청년기 – 일생 중 주택 마련 및 결혼 등으로 소비가 가장 많은 시기이다.
ㄷ. 중 · 장년기– 가장 많은 소득과 소비가 이루어지는 시기이다.
ㄹ. 노년기 – 은퇴로 소득이 감소하는 시기이다.

① ㄱ, ㄴ ② ㄱ, ㄷ ③ ㄴ, ㄷ
④ ㄴ, ㄹ ⑤ ㄷ, ㄹ

2 다음 글에서 설명하는 개념을 쓰시오.

생애 주기에 따른 소득과 소비를 고려하여 경제적 가치가 있는 재산을 확보하고 유지하며 증대시키는 것이다. 소득이 소비보다 많은 시기에 저축하여 재산을 만들고 그 크기를 늘려나가는 활동을 의미한다.

....

3 다음의 생애 주기 곡선을 보고 자산 관리가 필요한 이유를 서술하시오.

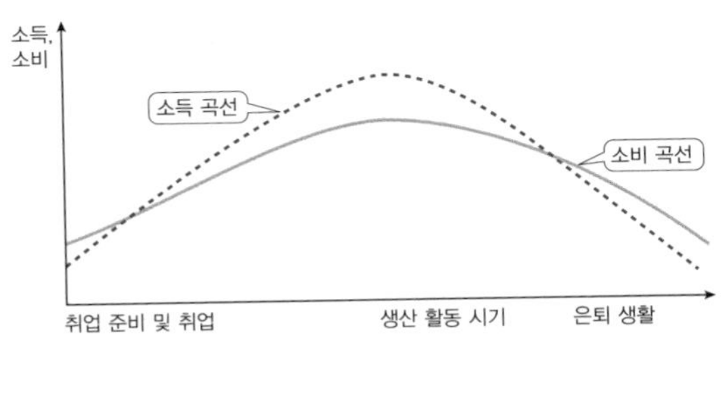

....

....

4 (가)~(다)가 의미하는 자산 관리 시 고려해야 할 요인을 순서대로 바르게 연결한 것은?

(가) 얼마나 많은 수익을 기대할 수 있는가?
(나) 원금과 이자를 안전하게 보장받을 수 있는가?
(다) 필요할 때 얼마나 쉽게 현금으로 전환할 수 있는가?

	(가)	(나)	(다)
①	수익성	위험성	유동성
②	수익성	유동성	위험성
③	위험성	수익성	유동성
④	위험성	유동성	수익성
⑤	유동성	위험성	수익성

5 (가)와 (나)에서 설명하는 자산의 종류를 순서대로 바르게 연결한 것은?

(가) 회사가 자금을 투자한 투자자에게 발생해 주는 증서로 이것을 가진 사람을 주주라고 한다.
(나) 자산 운용 회사가 여러 사람으로부터 투자금을 모아 자금을 만들고, 이 자금으로 투자하여 얻은 수익금을 투자자에게 돌려주는 금융 상품이다.

	(가)	(나)		(가)	(나)
①	주식	채권	②	주식	펀드
③	채권	펀드	④	펀드	주식
⑤	펀드	채권			

6 신용에 대한 설명으로 옳지 않은 것은?

① 신용을 이용하면 현재 소득보다 더 많은 소비를 할 수 있다.
② 신용 거래가 많아지면 미래 경제생활의 부담을 줄일 수 있다.
③ 나중에 갚기로 약속하고 현재 돈이나 물건을 빌릴 수 있는 능력이다.
④ 신용도가 낮을 경우 대출 규제 등 여러 가지 불이익을 받을 수 있다.
⑤ 신용을 통해 경제생활을 더 편리하고 더 높은 수준으로 꾸려나갈 수 있다.

교과서 창의·융합 활동 풀이

교과서 57쪽

해결 열쇠

활동 도우미

창업 아이템을 정할 때 기존에 생산하고 있는 것보다는 새로운 아이템을 정해 보아요. 창업 계획서를 작성할 때에는 신뢰할 수 있는 자료를 바탕으로 준비하고, 발표할 때에는 다른 사람을 설득할 수 있도록 논리 정연하게 말하는 것이 좋아요.

핵심 역량 창의적 사고력

과정 ❶에서 창업 아이템을 정하고, 과정 ❷에서 구체적인 창업 계획서를 세운 후, 발표하고 평가하는 활동이에요. 이 활동을 통해 창업 과정과 기업 활동에 대한 이해를 높이고, 혁신을 통해 이윤을 창출하는 기업가 정신을 함양할 수 있어요.

이렇게 해요 ❶ 예 인공위성 자동위치 측정 시스템(GPS)내장 목걸이

❷ 예 〈창업 계획서〉

- 창업 분야 또는 품목: 인공위성 자동위치 측정 시스템(GPS) 내장 목걸이
- 제품에 관한 설명: GPS칩을 내장한 목걸이를 어린아이들이 목에 걸고 있으면 사람들이 붐비는 곳에서 부모와 일정 거리 이상 떨어지면 부모의 스마트폰에 벨이나 신호 등으로 아이가 사라진 것을 알려주고 스마트폰 어플에 아이의 위치를 찾을 수 있도록 도와준다.
- 나만의 경쟁력 요소
  ① 사람이 많은 곳은 어디에서나 사용 가능하다.
  ② 휴대 전화나 스마트폰을 사용할 수 없는 어린아이에게도 사용 가능하다.
  ③ 스마트폰이 보편화된 현대 사회에서 유용하게 활용할 수 있다.
- 갖추어야 할 생산 설비 또는 매장에 관한 설명: GPS칩을 내장한 목걸이를 생산할 수 있는 설비가 필요하고, 아이의 위치를 알려줄 수 있는 스마트폰 어플 개발이 필요하다.

생각하고 적용해요 예 아이들이 사용하는 제품이므로 친환경적인 재질을 사용하고, 디자인은 아이들이 좋아하는 캐릭터를 사용할 것이다. 주 소비층인 어린아이를 둔 부모를 대상으로 효과적인 홍보 방안을 마련하겠다.

창의·융합 활동 / 창의적 사고력 / 선택 활동

기술·가정 발명 아이디어의 실현 | 미술 창업 계획 포스터 제작

창업 경진 대회 참여하기

왜 배울까요? 누구나 생산할 수 있는 것을 누구나 할 수 있는 방식으로 생산해서는 이윤을 얻기 어렵습니다. 신제품 개발뿐만 아니라 새로운 생산 방식을 도입하여 생산 비용을 줄이면 이윤을 얻을 수 있습니다. 창업 경진 대회를 통해 스스로 창업 계획을 세우고 평가하는 과정에서 창업 과정과 기업 활동에 대한 이해를 높일 수 있습니다. 또 기업가 입장에서 기업가 정신을 함양하는 기회를 갖게 됩니다.

이렇게 해요

❶ 창업 아이템을 정한다.

창업 분야는 식당, 치킨 전문점, 커피 전문점, 미용실과 같이 생활 주변에서 흔히 보는 가게 또는 전기 자동차, 우주여행, 생명 공학, 로봇과 같이 신기술을 이용한 혁신적인 기업 등 어떤 것이든 좋다.

❷ 아래의 창업 계획서 양식을 채워 넣으면서 창업 계획을 세운다.

양식

창업 계획서

기업 이름: | 창업 분야 또는 품목: | 창업자 이름:

- 제품에 관한 설명:
- 나만의 경쟁력 요소:
  ①
  ②
  ③
- 갖추어야 할 생산 설비 또는 매장에 대한 설명:

❸ 작성한 창업 계획을 발표하고, '스티커 붙여 주기'로 투표를 한다.

❹ 우수한 창업 계획서를 선정하여 포스터로 만들고 학급 게시판에 전시한다.

생각하고 적용해요 나의 창업 계획 경험을 바탕으로 주변이나 언론에서 보고 듣는 기업들을 평가해 보고, 개선 방안을 생각해 보자.

스스로 평가

- 창업 계획서를 성실하고 진지하게 작성하였나요?
- 친구의 창업 계획에 관해 궁금한 점을 질문해 보았나요?
- 학급 친구들의 창업 계획서 평가에 적극적으로 참여하였나요?

참고 자료 **청소년 비즈쿨 지원(창업 교육 지원 사업)**

1. 사업 목적: 전국 초·중·고등학생을 대상으로 기업가 정신 함양 및 창업 교육을 통해 창의성 및 도전 정신을 갖춘 '융합형 창의 인재' 양성
2. 지원 대상: 초·중등 교육법 제2조에 따른 초·중·고 특수 학교
3. 지원 내용
   - 비즈쿨 지정·운영: 기업가 정신 및 창업, 경제 교육, 창업 동아리 및 전문가 특강 지원 등
   - 비즈쿨 캠프: 체험을 통한 기업가적 마인드 함양, 창업 실무 지식 습득 등
   - 비즈쿨 인프라 구축: 비즈쿨 페스티벌, 비즈쿨 교재 및 콘텐츠 개발, 담당 교사 연수 등
4. 신청 기간: 매년 1월~2월 중
5. 신청 방법: 중소기업청 K-startup 누리집(www.k-starup.go.kr)을 통한 온라인 신청·접수

교과서 **단원 마무리 풀이**

교과서 62-63쪽

단원 한눈에 보기

❶ 경제 활동 ❷ 희소성 ❸ 경제 문제 ❹ 시장 경제 체제 ❺ 이윤 ❻ 기업가 정신
❼ 위험성 ❽ 신용

해결 열쇠

교과서 48~61쪽에서 학습한 내용을 떠올리면서 스스로 구조화해 보자.

서술로 사고력 키우기

1 합리적 선택의 의미를 '비용'과 '편익' 개념을 포함하여 서술해 보자.

예 합리적 선택이란 비용을 최소화하고 편익을 최대화하는 선택이다.

2 시장 경제 체제의 특징을 계획 경제 체제와 비교하여 서술해 보자.

예 계획 경제 체제는 국가가 모든 생산 수단을 소유하며, 명령 · 통제하여 경제 문제를 해결하는 반면, 시장 경제 체제는 경제 문제 해결의 주체가 시장의 가격 기구이며, 개인의 자유로운 경제 활동과 생산 수단의 개인 소유를 인정한다.

3 기업과 가계의 경제 활동 관계를 그림으로 그려 보고, 기업의 사회적 역할을 서술해 보자.

예 기업은 이윤을 추구하되 법의 테두리 내에서 추구해야 하며, 소비자의 권익을 침해하지 않고, 노동자에게 정당한 임금과 안전한 작업 환경을 제공해야 한다. 또한 환경 오염을 최소화할 수 있도록 노력해야 한다.

4 여러 가지 자산의 종류를 적고, 그 특징을 수익성, 위험성, 유동성 측면에서 비교해 보자.

예 주식은 수익성과 위험성이 높고, 예금은 수익성과 위험성이 낮다.

채점 기준

❶	상	합리적 선택을 비용과 편익을 모두 사용하여 정확하게 서술한 경우
	중	합리적 선택을 비용이나 편익 중 한 가지만 사용하여 서술한 경우
	하	합리적 선택에 대한 서술이 미흡한 경우
❷	상	두 경제 체제를 비교하여 정확하게 서술한 경우
	중	두 경제 체제를 미흡하게 서술한 경우
	하	하나의 경제 체제만 서술한 경우
❸	상	경제 활동 관계를 그림으로 그리고 기업의 사회적 역할을 두 가지 이상 서술한 경우
	중	경제 활동 관계를 그림으로 그리고 기업의 사회적 역할을 한 가지만 서술한 경우
	하	경제 활동 관계 그림과 기업의 사회적 역할 중 한 가지만 작성한 경우
❹	상	자산의 종류를 두 가지 이상 쓰고, 그 특징을 정확하게 서술한 경우
	중	자산의 종류를 두 가지 이상 쓰고 그 특징의 서술이 미흡한 경우
	하	자산의 종류를 한 가지만 서술한 경우

서술형 더 풀어보기

정답과 해설 10쪽

1 자산 관리의 필요성을 서술하시오.

....

2 신용의 의미를 쓰고, 신용 거래의 특징을 한 가지 서술하시오.

....

수행 평가 해결하기

금융 기관에서 실시하는 금융 체험 활동 프로그램에 참여하고 체험 보고서를 작성해 보자.

1 **금융 체험 활동 정보 탐색하기** 금융 감독원 금융 교육 센터나 각 금융 기관 누리집을 방문하여 청소년을 위한 금융 체험 활동 프로그램 관련 정보를 탐색한다.

2 **체험 활동 선택하기** 모둠 친구들과 서로 의논하여 체험 활동 프로그램 중 하나를 선택한다.

3 **체험 활동과 보고서 작성하기** 금융 체험 활동 프로그램에 참여하고, 활동 내용과 배운 점, 소감 등을 체험 학습 보고서로 작성한다.

이 수행 평가는 ▸▸ 금융 기관에서 실시하는 다양한 프로그램에 직접 참여함으로써 금융 생활에 대한 흥미와 관심을 유발할 수 있어요. 이 활동을 통해 금융 지식을 배우고, 올바른 금융 생활 태도를 기를 수 있어요.

단원을 정리하는 **종합 문제**

1 **경제 활동의 주체에 대한 설명으로 옳지 않은 것은?**

① 가계와 기업은 정부에 세금을 낸다.
② 가계는 기업으로부터 재화와 서비스를 구매한다.
③ 가계는 기업으로부터 받는 생산 요소의 대가로 소득을 얻는다.
④ 가계는 기업에게 자본, 노동, 토지와 같은 생산 요소를 제공한다.
⑤ 기업은 국민 생활에 필요한 교육과 국방 같은 공공 서비스를 생산하여 제공한다.

2 **지형이의 선택에 대한 평가로 옳은 것은?**

> 지형이는 유명 음식점 "금성"의 주방장으로 한 달에 300만 원의 월급을 받고 있다. 그는 오랜 고민 끝에 자신이 직접 식당을 경영하는 것이 더 많은 수입을 얻을 수 있을 것으로 예상하고 음식점을 그만두었다. 그러나 식당을 개업한 지 2달이 지난 현재 그는 한 달에 70만 원의 수입을 벌어들이고 있어 "금성" 음식점을 그만둔 것을 후회하고 있다.

① 합리적 선택이었다.
② 비용보다 편익이 더 크다.
③ 이윤을 최대화하는 선택이었다.
④ 편익보다 기회비용이 큰 선택이었다.
⑤ 최소의 비용으로 최대의 만족을 얻은 선택이었다.

3 **다음의 대화에서 희소성과 선택에 관해 잘못 이해하고 있는 사람은?**

① 명철: 희소성은 우리가 필요로 하는 것에 비해 이를 충족시켜줄 수 있는 자원의 양이 상대적으로 부족한 현상이야.
② 원철: 희소성은 어느 시대나 사회에서 똑같이 나타나고 있어.
③ 승언: 희소성 때문에 우리는 여러 가지 중 한 가지를 선택하는 문제를 직면하게 되지 부딪히게 되지.
④ 익형: 우리가 선택을 할 때에는 언제나 선택에 따른 비용과 편익을 비교해 봐야 해.
⑤ 재두: 비용보다 편익이 큰 선택을 합리적 선택이라고 할 수 있어.

4 **시장 경제 체제의 특징으로 옳은 설명을 [보기]에서 고른 것은?**

> **보기**
> ㄱ. 개인의 사유 재산을 인정한다.
> ㄴ. 소득이 공정하게 분배되는 장점이 있다.
> ㄷ. 국가의 계획과 명령에 따라 자원이 배분된다.
> ㄹ. 경제 주체들이 이익을 추구하는 과정에서 창의성이 발휘된다.

① ㄱ, ㄴ ② ㄱ, ㄹ ③ ㄴ, ㄷ
④ ㄴ, ㄹ ⑤ ㄷ, ㄹ

5 **다음 글에서 밑줄 친 개념의 사례로 옳지 않은 것은?**

> 기업가 정신은 실패할 수도 있는 위험을 무릅쓰고 끊임없이 혁신을 시도하는 기업가의 도전 정신과 의지를 말한다.

① 기술 개발에 투자하여 신제품을 만들었다.
② 신제품 개발을 위해 새로운 조직을 만들었다.
③ 노동자의 임금을 삭감하여 생산 비용을 줄였다.
④ 상품의 판매를 위해 새로운 시장을 개척하였다.
⑤ 비용 절감을 위해 새로운 생산 방법을 도입하였다.

6 **다음 글의 밑줄 친 부분에 해당하는 내용으로 가장 옳지 않은 것은?**

> 오늘날 기업의 사회적 역할이 커지면서 기업의 사회적 책임에 대한 요구가 커지고 있다. 이는 기업의 본래 목적 외에 기업 관련 이해 관계자와 사회 전반에 걸쳐 법적 윤리적 및 자선적 책임을 져야 한다는 것을 의미한다.

① 소비자의 권리를 보호한다.
② 거래 업체와 공정한 거래를 한다.
③ 노동자에게 정당한 임금을 지불한다.
④ 환경 오염을 최소화하기 위해 노력한다.
⑤ 생산 비용 절감을 통해 이윤을 극대화한다.

7 일생 동안의 경제생활에 대한 설명으로 가장 옳은 것은?

① 유소년기에는 생산 활동에 참여하여 소득을 얻는다.
② 청년기에는 부모 소득에 의존해 주로 소비 활동을 한다.
③ 중 · 장년기에는 소득이 크게 줄지만 소비 생활은 지속된다.
④ 노년기에는 자녀 결혼이나 내집 마련 등으로 소비가 크게 증가한다.
⑤ 소비 활동은 평생 지속되지만 소득을 얻기 위한 생산 활동 기간은 한정적이다.

8 합리적인 자산 관리 자세로 옳지 않은 것은?

① 자산 관리의 목적에 따라 자산의 유형을 고려하여 선택해야 한다.
② 노년기에는 위험을 감수하더라도 수익성이 높은 자산에 투자해야 한다.
③ 저축이나 투자의 목적과 기간을 고려하여 자산 관리 계획을 세워야 한다.
④ 위험성, 수익성, 유동성을 모두 고려하여 자산 관리 방법을 선택해야 한다.
⑤ 한 가지 자산에만 투자하기보다는 여러 자산에 나누어 투자하는 것이 합리적이다.

9 다음에서 설명하는 거래의 특징으로 옳은 내용을 [보기]에서 고른 것은?

> 나중에 그 대가를 지불하기로 약속하고 현재 돈을 빌리거나 물건을 사는 능력을 신용이라고 한다.

보기
ㄱ. 미래 경제생활에 부담을 줄일 수 있다.
ㄴ. 현재의 소득보다 더 많은 소비를 할 수 있다.
ㄷ. 당장 현금이 없으면 물건을 구입하기 힘들다.
ㄹ. 제때에 갚지 않으면 경제 활동에 불이익을 당할 수 있다.

① ㄱ, ㄴ ② ㄱ, ㄷ ③ ㄴ, ㄷ
④ ㄴ, ㄹ ⑤ ㄷ, ㄹ

서술형 평가

10 다음 문제들을 해결하는 방식을 기준으로 시장 경제 체제와 계획 경제 체제의 차이점을 비교 서술하시오.

> • 무엇을 얼마나 생산할 것인가?
> • 어떻게 생산할 것인가?
> • 누구에게 분배할 것인가?

11 기업가에게 요구되는 사회적 책임을 세 가지 이상 서술하시오.

> 기업가의 사회적 책임이란 기업의 이윤 추구라는 본래의 경제적 목적 외에 기업 관련 이해 관계자(거래 업체, 소비자, 노동자 등)와 사회 전반에 걸쳐 법적 윤리적 및 자선적 책임을 져야 한다는 것을 의미한다.

중요

12 다음이 의미하는 자산 관리의 유의점과 그 이유를 서술하시오.

> • 계란을 한 바구니에 담지 마라! - 제임스 토빈
> • 모든 이로 하여금 자신의 돈을 세 부분으로 나누게 하여 3분의 1은 토지에, 3분의 1은 사업에 투자하게 하고, 나머지 3분의 1은 예비로 남겨두게 하라! - 탈무드

시장 경제와 가격

이 단원을 배우면

- 시장의 의미와 종류를 설명할 수 있어요.
- 수요 법칙과 공급 법칙을 알고, 시장 가격의 결정 원리를 설명할 수 있어요.
- 수요와 공급을 변화시키는 요인에 대해 말할 수 있어요.
- 수요와 공급이 변동할 때 시장 가격이 어떻게 달라지는지 설명할 수 있어요.

이 단원의 학습 주제

1 시장의 의미와 종류
- ❶ 시장이란 무엇일까?
- ❷ 어떤 시장들이 있을까?
- **개념 노트 만들기** | **실력을 키우는 응용 문제**

2 수요 · 공급과 시장 가격의 결정
- ❶ 수요와 공급은 무엇일까?
- ❷ 시장에서 가격은 어떻게 결정될까?
- **개념 노트 만들기** | **실력을 키우는 응용 문제**

3 시장 가격의 변동
- ❶ 수요와 공급은 왜 변할까?
- ❷ 수요와 공급이 변하면 가격은 어떻게 달라질까?
- **개념 노트 만들기** | **실력을 키우는 응용 문제**

단원을 정리하는 종합 문제

대단원 표지 그림 해설

다양한 물건을 사고파는 사람들이 모여 거래가 이루어지는 시장의 모습이에요. 우리는 살아가면서 필요한 물건을 대부분 시장에서 구매해요. 이러한 시장은 어떻게 생겨났으며, 시장에서 물건의 가격은 어떻게 결정되는지 생각해 보아요.

스스로 학습 계획 세우기						나의 학습 달성 정도
계획일	월	일	학습일	월	일	
	월	일		월	일	
	월	일		월	일	
	월	일		월	일	
	월	일		월	일	
	월	일		월	일	
	월	일		월	일	
	월	일		월	일	
	월	일		월	일	
	월	일		월	일	

시장의 의미와 종류 (1)

학습 목표 | 시장의 의미를 설명할 수 있다.

❶ 시장이란 무엇일까?

1 시장의 의미

1. 시장

① 의미: 분업을 통해 생산된 상품의 거래가 이루어지는 곳

② 사고자 하는 사람과 팔고자 하는 사람이 만나 상품의 거래가 이루어짐.
└ 반드시 물리적 공간이 있어야 하는 것은 아니에요.

2. 시장❶의 필요성

① 우리는 생활에 필요한 여러 가지 상품을 시장에서 구매함. → 필요한 물건을 모두 직접 만들 수 없으며, 물건을 만드는 데 시간과 노력이 많이 필요함.

② 사람들은 각자 잘하는 일에 전념하여 특화❷하고, 분업❸으로 상품을 생산하며 필요한 물건을 교환함. → 시장은 교환의 편리함을 위해 등장했어요.

2 시장의 역할

1. 거래의 편리성: 거래의 상대방을 찾는 데 드는 비용과 시간을 절약할 수 있음.

2. 정보 획득: 상품을 사고팔기 위한 정보를 획득할 수 있음.

3. 특화와 분업

특화	자신이 가장 잘하는 일만 선택하여 집중하기 때문에 전문적으로 할 수 있음. → 자급자족을 하던 시대에는 특화와 분업이 나타나기 어려웠어요.
분업	모든 생산 과정에 참여하는 대신 특정한 부분만 반복적, 전문적으로 하게 되어 생산량이 증가함. → 같은 상품이라도 훨씬 더 빨리 많이 만들 수 있어요.

핵심 자료 **교환의 매개, 화폐**

주로 시장에서 교환의 매개는 화폐였다. 필요한 물건을 거래하는 수단인 화폐는 '물품 화폐 → 금속 화폐 → 지폐 → 전자 화폐'의 과정으로 발달하였다. 최근에 등장한 전자 결제 방식은 간편하고 서비스와 혜택이 많아 규모가 커지고 있다. 전자 결제는 인터넷을 이용한 단말기나 앱을 쓸 수 있는 스마트폰으로 언제 어디서든 쉽고 빠르게 물건을 구매할 수 있어 편리하지만, 개인의 신용 정보가 유출된다는 문제점도 있다.

❶ 시장
시장은 다양한 상품을 사고자 하는 사람과 팔고자 하는 사람이 모여 거래가 이루어지는 곳이다.

❷ 특화
자급자족하는 사람들은 스스로 농사를 지어야 하고 옷도 만들어야 하며 집도 지어야 한다. 하지만 필요한 것들을 시장에서 자유롭게 거래할 수 있다면, 농사일이나 바느질, 집짓기 등 각자 자신이 가장 잘하는 일에 전념할 수 있다.

❸ 분업
생산 과정을 여러 개의 과정으로 나누어 자신이 맡은 부분에서만 전문적으로 일하는 것을 말한다.

간단 체크 정답과 해설 11쪽

알맞은 말 선택하기

1 특정한 생산 활동만 선택하여 집중적으로 하는 것을 (특화 | 분업)(이)라고 한다.

2 한 상품을 만드는 과정 중 특정한 과정에만 참여하여 전문적으로 작업하는 것을 (특화 | 분업)(이)라고 한다.

교과서 **활동 풀이**

교과서 66-67쪽

생각 열기 시장일까? 아닐까?

질문 1 (가)~(라) 중 시장이라고 생각하는 것을 골라 보자.

예 (가)~(라)는 모두 시장이다.

질문 2 질문 1 의 답처럼 생각한 이유를 이야기해 보자.

예 (가)~(라)에는 다양한 재화와 서비스를 사려는 사람과 팔려는 사람이 모여 거래가 이루어지기 때문이다.

해결 열쇠

자료 해설

시장에는 다양한 형태가 있는데, (가)는 주로 재화가 거래되는 대형 할인점, (나)는 영화 관람 서비스가 거래되는 영화관, (다)는 인터넷에서 재화가 거래되는 인터넷 쇼핑몰, (라)는 주식이 거래되는 시장이다. (가)와 (나)는 거래가 보이는 시장이고, (다)와 (라)는 거래가 보이지 않는 시장이다.

자료 해설

딸기를 재배하는 농부와 신발을 만드는 장인이 원하는 물건을 시장에서 쉽게 사고 팔 수 있음을 보여주는 그림이다.

생각+ 만약 시장이 없다면 어떠한 일이 발생할까?

예 신발이 필요한 딸기 농부와 딸기를 원하는 신발 장인이 함께 동시에 만나야 거래가 이루어진다. 하지만 현실에서 이런 가능성이 희박하다. 그래서 시장이 없다면 딸기 농부는 신발을 만들고, 신발 장인은 딸기를 재배해야 하는 자급자족 사회가 될 것이고 특화와 분업이 이루어지지 않아 상품의 질이 떨어지고 생산량도 부족해질 것이다.

세상 속으로 시장 거래에서 교환의 매개, 화폐

필요한 물건을 거래하는 수단인 화폐는 '물품 화폐 → 금속 화폐 → 지폐 → 전자 화폐'의 과정으로 발달하였다. 최근에 등장한 전자 결제 방식은 간편하고 다양한 서비스와 혜택이 제공되어 시장 규모와 범위가 급속도로 커지고 있다.

생각+ 전자 결제가 증가하면 유리한 점과 그에 따른 부작용을 생각해 보자.

예 전자 결제는 인터넷이나 스마트폰을 이용하여 결제할 수 있어 언제 어디서든 쉽고 빠르게 물건을 구매할 수 있고, 간편하다는 점에서 사람들의 이용이 급증하고 있다. 그러나 보안 시스템이 완전하지 않고, 개인의 신용 정보가 유출된다는 문제점도 있다.

자료 해설

예전에는 결제를 주로 체크 카드, 신용 카드 등을 이용하였다면, 지금은 스마트폰 앱을 이용한 간편 결제 시스템이 증가하고 있다. 또한 SNS를 이용한 간단한 은행 업무도 가능해졌다.

시장의 의미와 종류 (2)

학습 목표 | 시장의 종류를 제시할 수 있다.

❷ 어떤 시장들이 있을까?

1 시장의 종류 → 우리 주변의 시장은 다양한 모습으로 존재해요.

1. 거래하는 상품의 종류에 따른 구분

① 생산물 시장: 재화와 서비스가 거래되는 시장 예 대형 할인점, 전통 시장, 농수산물 시장, 극장, 병원 등

② 생산 요소 시장: 생산물을 만드는 데 필요한 생산 요소인 토지, 자본, 노동이 거래되는 시장 예 부동산 시장❶, 금융 시장❷, 인력 시장❸ 등

2. 거래하는 모습에 따른 구분

① 보이는 시장: 거래하는 모습이 보이는 시장 예 대형 할인점, 전통 시장, 백화점, 은행 등

② 보이지 않는 시장: 거래하는 모습이 보이지 않는 시장 예 홈쇼핑, 외환 시장, 주식 시장 등

3. 현대 사회에서의 시장

① 편리하고 효율적 거래를 위한 시장의 종류가 다양해지고 있음.

② 정보 · 통신 기술의 발달로 인터넷 이용한 전자 상거래❹의 규모가 점차 확대됨.

핵심 자료 **다양한 시장의 구분**

다양한 형태의 시장이 존재하며, 시장은 다양한 기준에 따라 구분된다.

기준	종류	
거래 상품	• 생산물 시장: 재화와 서비스를 거래하는 시장	
	• 생산 요소 시장: 생산 요소가 거래하는 시장	
시장의 형태	• 보이는 시장: 거래하는 모습이 보이는 시장	
	• 보이지 않는 시장: 거래하는 모습이 보이지 않는 시장	
개설 주기	• 상설 시장: 매일 열리는 시장	
	• 정기 시장: 일정한 간격을 정해 주기적으로 열리는 시장	
공급자(기업)의 수	• 완전 경쟁 시장: 다수의 공급자가 존재하는 시장	
	불완전 경쟁 시장	• 독점 시장: 공급자가 하나인 시장
		• 과점 시장: 공급자가 소수인 시장
		• 독점적 경쟁 시장: 다수의 공급자가 존재하며 서로 경쟁하는 시장

❶ 부동산 시장
부동산 시장은 토지나 건물의 매매나 전세, 월세 등을 거래하는 시장을 말한다.

❷ 금융 시장
금융 시장은 자본을 거래하는 시장으로 은행, 주식 시장, 외환 시장 등이 있다.

❸ 인력 시장
인력 시장은 노동을 거래하는 시장으로 단기 시간제 비정규직(아르바이트)의 거래가 이루어지는 인터넷 사이트나 취업 박람회 등이 있다.

❹ 전자 상거래
경제 주체들이 인터넷을 비롯한 다양한 정보 통신 기술을 활용하여 상품이나 서비스를 교환하는 것을 말한다.

간단 체크 정답과 해설 11쪽

O, X 판단하기

1 전통 시장은 생산물 시장, 부동산 시장은 생산 요소 시장이다. ( )

2 병원은 생산 요소를 거래하는 모습이 보이는 시장이다. ( )

3 인터넷을 이용한 전자 상거래는 정보 유출의 위험을 인해 규모가 축소되고 있다. ( )

교과서 활동 풀이

교과서 68-69쪽

활동 생활 속 다양한 시장

가

나

다
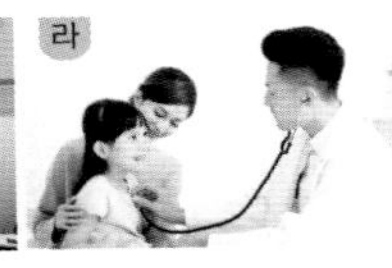
라

1 (가)~(라) 시장에서 거래되는 상품이 무엇인지 적어 보자.

예 (가): 농산물, (나): 의류, (다): 노동력, (라): 의료 서비스

2 (가)~(라) 시장을 아래 기준에 따라 분류하고, 나(또는 가족)의 이용 경험을 말해 보자.

기준		분류	이용 경험
거래하는 모습이 구체적으로 드러나는가?	예	• 보이는 시장: (가), (라)	• 시장 이용 경험: 예 주말에 재래시장에서 과일과 떡을 샀다.
	아니요	• 보이지 않는 시장: (나), (다)	• 시장 이용 경험: 예 인터넷 서점에서 책을 주문하였다.
거래하는 상품이 생산물인가?	예	• 생산물 시장: (가), (나), (라)	• 시장 이용 경험: 예 감기가 걸려 병원에서 진료를 받았다.
	아니요	• 생산 요소 시장: (다)	• 시장 이용 경험: 예 대학교 졸업을 앞둔 사촌 오빠가 취업 박람회에서 면접을 보았다.

해결 열쇠

활동 도우미

친구들이 자유롭게 말할 수 있도록 열린 마음으로 친구들의 시장 이용 경험 발표를 경청해 보세요.

함께 배우기 서비이벌 시장, 빙고!

1 모둠별로 자신이 직접 경험해 본 국내외의 다양한 시장을 조사한다.

2 조사한 시장을 모둠원끼리 의논하여 다양한 기준에 따라 분류한다.

어디서 거래하나요?			무엇을 거래하나요?		
위치	국내 시장	예 남대문 시장	거래 상품	생산물 시장	예 문구점
	외국 시장	예 태국 수상 시장		생산 요소 시장	예 주식 시장
형태	보이는 시장	예 향신료 시장	상품 종류	재화 시장	예 편의점
	보이지 않는 시장	예 인력 시장		서비스 시장	예 미용실

3 모둠별로 국내 시장 8개, 외국 시장 5개, 아무거나 3개로 4×4 빙고 판을 완성한다.

예

오일장	인력 시장	도매 시장	외환 시장
주식 시장	미용실	태국 수상 시장	가구 시장
문구점	남대문 시장	향신료 시장	한약재 시장
백화점	인터넷 쇼핑몰	편의점	상설 시장

4 모둠별로 순서를 정하고, 모둠 내에서 돌아가며 시장 중 하나를 불러 빙고 게임을 실시한다.

5 먼저 빙고를 외치는 모둠이 승리한다.

자료 해설

시장은 위치에 따라 국내 시장과 외국 시장, 형태에 따라 보이는 시장과 보이지 않는 시장, 거래되는 상품에 따라 생산물 시장과 생산 요소 시장, 상품 종류에 따라 재화 시장과 서비스 시장으로 분류할 수 있다.

스스로 확인하기

1 (1) 시장 (2) 생산물, 생산 요소 (3) 전자 상거래

2 (1) • 생산물 시장: 백화점, 편의점, 농수산물 시장, 인터넷 쇼핑몰, • 생산 요소 시장: 외환 시장, 구인 · 구직 사이트 (2) • 보이는 시장: 백화점, 편의점, 농수산물 시장 • 보이지 않는 시장: 외환 시장, 인터넷 쇼핑몰, 구인 · 구직 사이트

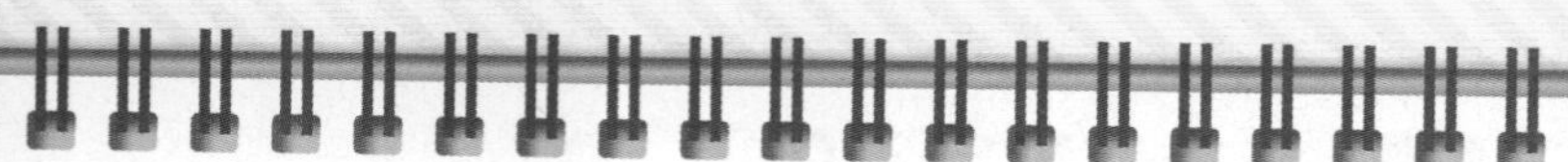

개념 노트 만들기

정답과 해설 11쪽

핵심 내용 정리하기 **학습한 내용을 기억하면서 다음 글을 완성해 보자.**

(제목:)

우리는 생활에 필요한 여러 가지 상품을 (❶)에서 구매한다. 자급자족하는 것보다 각자 잘하는 것에 (❷)하고 (❸)하여 상품을 거래하면 훨씬 시간과 노력을 절약하고 더 나은 품질의 상품을 더 많이 만들 수 있기 때문이다. 이때 사고자 하는 사람과 팔고자 하는 사람의 거래가 이루어지는 곳이 시장이다.

시장은 거래되는 상품의 종류에 따라 생산물 시장과 (❹) 시장으로, 형태에 따라 전통 시장이나 백화점과 같이 보이는 시장과 주식 시장과 인터넷 쇼핑과 같이 보이지 않는 시장으로 구분된다. 현대 사회에서는 인터넷을 이용한 (❺)의 규모가 확대되고 있다.

활동 노트 완성하기 **학습하면서 기른 역량을 살려 다음 활동 노트를 완성해 보자.**

▲ 전통 시장

▲ 주식 시장

▲ 영화관

▲ 노동 시장

1 위의 시장을 아래 구분에 따라 분류해 보자.

구분		종류
거래하는 모습이 구체적으로 드러나는가?	보이는 시장	(가)
	보이지 않는 시장	(나)
거래하는 상품이 생산물인가?	생산물 시장	(다)
	생산 요소 시장	(라)

2 위 표의 (가)~(라)의 시장을 이용한 경험에 관해 적어 보자.

- (가):
- (나):
- (다):
- (라):

실력을 키우는 응용 문제

정답과 해설 11쪽

1 **시장에 대한 설명으로 옳지 않은 것은?**

① 다양한 상품에 대한 정보를 얻을 수 있다.
② 거래하는 장소가 구체적으로 존재해야 한다.
③ 생산물 시장과 생산 요소 시장으로 구분된다.
④ 전통 시장, 외환 시장, 백화점, 병원 등이 해당한다.
⑤ 사고자 하는 사람과 팔고자 하는 사람들의 거래가 이루어진다.

2 **시장에 해당하지 않는 것은?**

① 딸기를 사려는 사람과 팔려는 사람이 만나는 곳
② 집을 사려는 사람과 팔려는 사람들이 광고를 낸 종이 신문
③ 의료 서비스를 제공하는 의사와 진료받기를 원하는 환자가 만나는 병원
④ 일자리를 찾는 사람과 일할 사람을 찾는 사람이 광고를 낸 인터넷 사이트
⑤ 팔다 남은 빵을 기증하고자 하는 빵집 사장과 무료로 빵을 기증받길 원하는 복지 시설 직원이 만나는 곳

중요

3 **㉠과 ㉡에 대한 설명으로 옳은 것은?**

〈시장〉
1. 형태에 따른 시장의 종류
㉠ 보이는 시장
㉡ 보이지 않는 시장

① ㉠에는 노동 시장, 대형 할인점이 있다.
② ㉠에서는 거래가 이루어지는 장면을 볼 수 없다.
③ ㉡에는 주식 시장, 전통 시장 등이 있다.
④ ㉡에서는 주로 인터넷을 이용한 전자 상거래가 이루어진다.
⑤ ㉠과 ㉡에서 생산 요소는 거래되지 않고 생산물만 거래된다.

4 **거래하는 상품에 따라 시장을 분류할 때 나머지와 다른 시장은?**

① 백화점 ② 대형 할인점 ③ 전통 시장
④ 부동산 시장 ⑤ 농수산물 시장

5 **다음 두 사람의 대화와 관련된 내용으로 옳은 것을 [보기]에서 고른 것은?**

보기
ㄱ. 시장에서 거래가 이루어지면서 특화 생산이 가능해졌다.
ㄴ. 시장을 통한 거래는 물물 교환보다 거래 비용을 줄일 수 있다.
ㄷ. 시장에서 거래의 불편함을 해소하기 위해 등장한 최초의 화폐는 금속 화폐이다.
ㄹ. 시장은 자급자족 경제 → 시장 형성과 화폐 발명 → 물물 교환 경제의 과정으로 나타났다.

① ㄱ, ㄴ ② ㄱ, ㄹ ③ ㄴ, ㄷ
④ ㄴ, ㄹ ⑤ ㄷ, ㄹ

6 **시장을 통해 이루어지는 교환 경제가 자급자족 경제에 비해 갖는 장점에 대해 서술하시오.**

수요 · 공급과 시장 가격의 결정 (1)

학습 목표 | 수요 법칙과 공급 법칙을 설명할 수 있다.

❶ 수요와 공급은 무엇일까?

1 수요와 수요 법칙

1. **소비자:** 시장에서 물건을 사러 나온 사람 → 상품을 사고자하는 사람, 수요자라고도 해요.
2. **수요:** 소비자가 어떤 상품을 사고자 하는 욕구
3. **수요량:** 특정한 가격에서 사려는 상품의 양
4. **수요 법칙:** 가격과 수요량의 음(−)의 관계 → 음(−)의 관계는 하나가 움직일 때 다른 하나는 다른 방향으로 움직이는 것을 말해요.
   ① 상품의 가격 상승 → 수요량 감소
   ② 상품의 가격 하락 → 수요량 증가
5. **수요 곡선[❶]:** 가격과 수요량의 관계를 그래프로 나타낸 것 → 우하향하는 형태

2 공급과 공급 법칙

1. **생산자:** 이윤을 얻으려고 상품을 만들어 시장에 공급함. → 상품을 공급하는 사람, 공급자라고도 해요.
2. **공급:** 생산자가 어떤 상품을 팔고자 하는 욕구
3. **공급량:** 특정한 가격에서 팔려는 상품의 양
4. **공급 법칙:** 가격과 공급량의 양(+)의 관계 → 양(+)의 관계는 하나가 변할 때 다른 하나도 같은 방향으로 움직이는 것을 말해요.
   ① 상품의 가격 상승 → 공급량 증가
   ② 상품의 가격 하락 → 공급량 감소
5. **공급 곡선[❷]:** 가격과 공급량의 관계를 그래프로 나타낸 것 → 우상향하는 형태

❶ 수요 곡선
수요 법칙은 가격과 수요량의 음(−)의 관계이다. 가격이 하락할수록 수요량은 증가하는 모양이다. 즉 아래로 내려가면서 오른쪽으로 증가하는 우하향(右下向)의 모습을 띤다.

❷ 공급 곡선
공급 법칙이 가격과 공급량의 양(+)의 관계이므로 가격이 상승할수록 공급량은 증가하는 모양이다. 즉 위로 올라가면서 오른쪽으로 증가하는 우상향(右上向)의 모습을 띤다.

핵심 자료 **수요 곡선과 공급 곡선**

수요 곡선은 우하향하는 모습을 띤다. 일반적으로는 상품의 가격이 상승하면 그 상품의 적게 사려고 하고, 가격이 내리면 더 많은 양을 사려고 하기 때문이다. 공급 곡선은 우상향하는 모습을 띤다. 일반적으로 생산자는 어떤 상품의 가격이 오르면 공급량을 늘리고 반대로 가격이 내리면 공급량을 줄이기 때문이다.

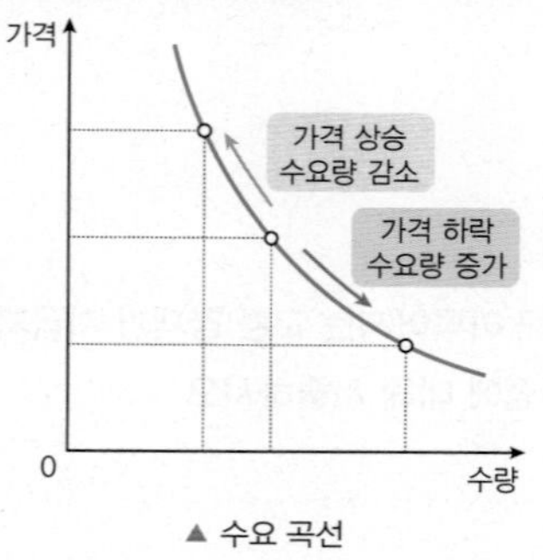

▲ 수요 곡선

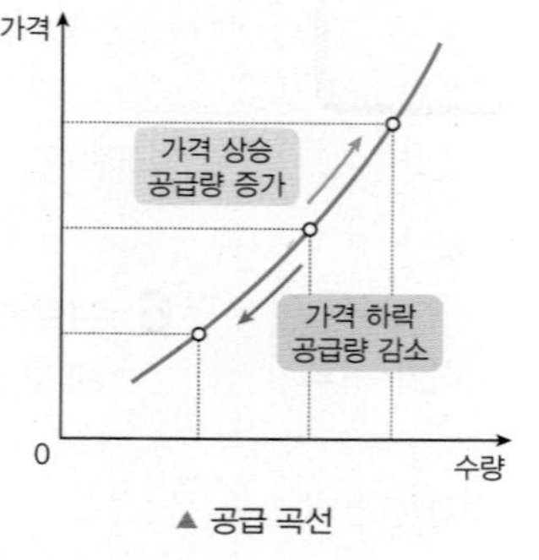

▲ 공급 곡선

간단 체크 정답과 해설 12쪽

알맞은 말 채우기

1 (   )은(는) 특정한 가격에서 사고자 하는 상품의 양이다.

2 (   )은(는) 가격과 공급량의 양(+)의 관계를 말한다.

3 (   )은(는) 가격에 따라 달라지는 수요량을 그래프로 그린 것으로 우하향하는 형태를 띤다.

교과서 **활동 풀이**

교과서 70-71쪽

생각 열기 누구의 입장일까?

다음은 빵 가격 인하에 대한 두 사람의 서로 다른 생각이다.

질문 1 (가)와 (나)는 소비자와 생산자 중 각각 누구의 입장일까?

예 (가)는 생산자의 입장, (나)는 소비자의 입장이다.

질문 2 가격이 내렸을 때 두 사람의 생각이 다르게 나타나는 이유는 무엇일까?

예 가격이 내려가면 생산자는 같은 비용으로 얻을 수 있는 이윤이 줄어들기 때문에 빵 대신 다른 상품을 생산하고자 한다. 반면에 소비자는 이전보다 더 많은 상품을 구매할 수 있으므로 더 많이 소비하고자 할 것이다.

해결 열쇠

활동 도우미

수요자와 공급자의 입장이 달라요. 소비자(수요자)와 생산자(공급자)의 입장이 가격의 변화에 따라 다르게 나타나고 있다는 것을 확인할 수 있어요.

활동 수요 곡선과 공급 곡선 그려 보기

1 다음은 빵에 대한 민주의 수요 계획과 빵 가게 주인의 공급 계획을 나타낸 것이다. 가격에 따라 빵의 수요량과 공급량이 어떻게 달라지는지 이야기해 보자.

가격(원)	수요량(개)
2,500	1
2,000	2
1,500	3
1,000	5
500	9

빵을 좋아하는 민주는 빵 가격이 내리기를 바란다. 정해진 용돈으로 더 많이 사 먹을 수 있기 때문이다.

가격(원)	공급량(개)
2,500	9
2,000	8
1,500	7
1,000	5
500	1

빵 가게 주인은 빵 가격이 오르기를 바란다. 한 개를 팔아도 더 많은 이윤을 얻을 수 있기 때문이다.

2 각각의 가격에서 민주의 수요량과 빵 가게 주인의 공급량을 아래 그래프에 점으로 표시한 후 선으로 연결하여 수요 곡선과 공급 곡선으로 나타내어 보자.

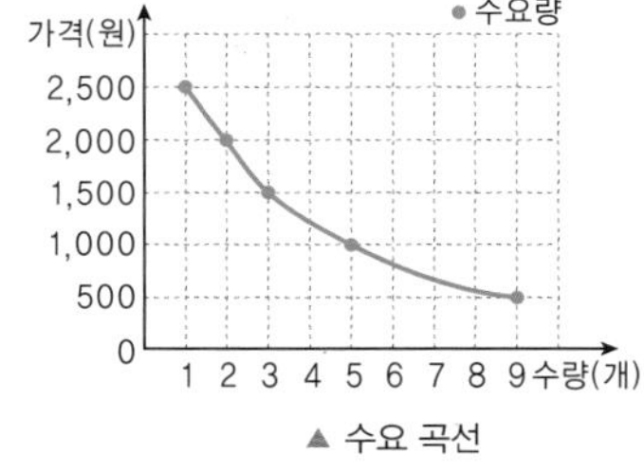

▲ 수요 곡선

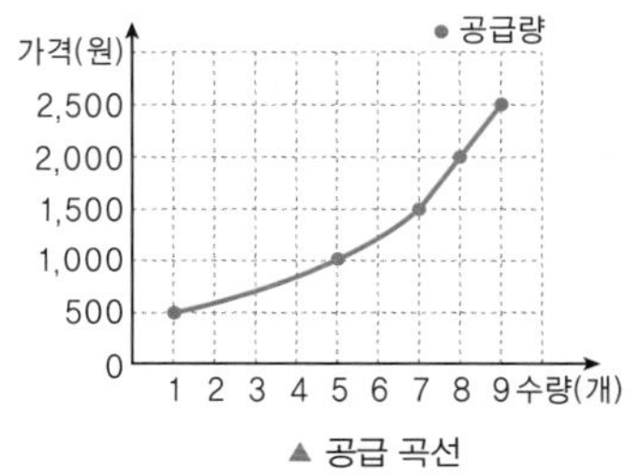

▲ 공급 곡선

활동 도우미

수요 법칙과 공급 법칙을 이해하고 이를 그래프로 표현해 보세요. 수요 곡선과 공급 곡선을 실제로 그려 보면 가격에 따라 소비자와 생산자의 행동이 어떻게 다른지 알 수 있어요.

1 예 민주는 용돈이 정해져 있으므로 빵 가격이 오를수록 사 먹고자 하는 양이 줄어든다. 빵 가게 주인은 빵 가격이 오를수록 더 많은 이윤을 얻을 수 있으므로 팔고자 하는 양이 늘어난다.

수요·공급과 시장 가격의 결정 (2)

학습 목표 | 수요 법칙과 공급 법칙을 토대로 시장 가격의 결정 원리를 도출할 수 있다.

❷ 시장에서 가격은 어떻게 결정될까?

1 시장 가격의 결정

1. **시장 가격:** 상품의 수요와 공급에 의해 결정됨.
2. **시장의 균형의 의미:** 시장에서 수요자와 공급자가 자유롭게 거래하다 보면 수요량과 공급량이 일치하는 지점
   ① 균형 가격: 상품의 수요량과 공급량이 일치하는 지점의 가격
   ② 균형 거래량: 상품의 수요량과 공급량이 일치하는 지점의 거래량

2 초과 공급과 초과 수요

1. **초과 공급❶**
   ① 상품의 가격이 균형 가격보다 높으면 발생함.
   ② 시장에서 공급량이 수요량보다 많은 상태 → 공급량 〉 수요량
   ③ 공급자들은 가격을 내려서라도 남는 상품을 팔려고 함. → 가격 하락의 요인
2. **초과 수요❷**
   ① 상품의 가격이 균형 가격보다 낮으면 발생함.
   ② 시장에서 수요량이 공급량보다 많은 상태 → 수요량 〉 공급량
   ③ 소비자들은 더 높은 가격을 주더라도 상품을 사려고 함. → 가격 상승의 요인❸
3. **시장의 균형:** 시장에서 초과 공급이나 초과 수요가 발생하였을 때 가격이 하락하거나 상승하여 자연스럽게 균형으로 이동하게 됨.

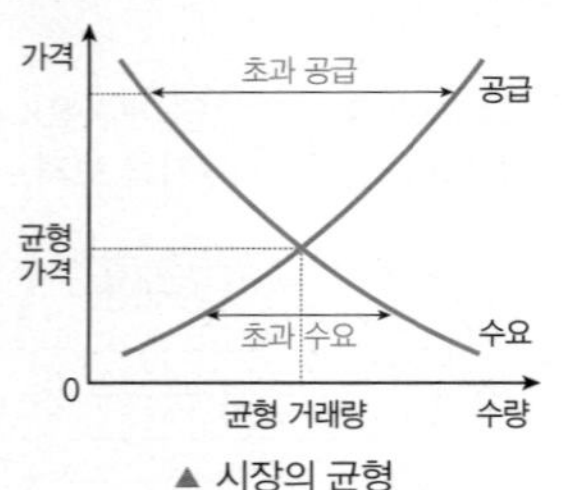

▲ 시장의 균형

3 시장 가격의 기능

1. **경제 활동의 신호등:** 소비자가 무엇을 얼마나 살지, 생산자가 무엇을 얼마나 만들지 결정하도록 도와주는 역할을 함.
   ① 가격 상승: 소비자는 소비량을 줄이고, 생산자는 생산량을 늘리려 함.
   ② 가격 하락: 소비자는 소비량을 늘리고, 생산자는 생산량을 줄이려 함.
2. **자원의 효율적 배분**
   ① 시장 가격은 경제 주체에게 합리적인 경제 활동의 방향을 알려주고, 그에 따라 경제 행위를 하도록 이끌어 자원을 효율적으로 배분하는 역할을 함.
   ② 시장에서 가장 큰 만족을 얻을 수 있는 소비자가 상품을 사도록 하고, 가장 낮은 비용으로 생산할 수 있는 생산자가 상품을 공급하도록 함.

❶ 초과 공급
시장 가격이 균형 가격보다 높아 수요량보다 공급량이 많은 상태로 공급자 간의 경쟁이 나타나 가격은 하락하게 된다.

❷ 초과 수요
시장 가격이 균형 가격보다 낮아 수요량이 공급량보다 많은 상태로 품귀 현상이 나타난다. 이때 수요자는 상품을 사려는 경쟁이 나타나게 되어 가격이 상승하게 된다.

❸ 가격과 수량 표시 방법
가격은 상승(하락), 수요량(공급량)은 증가(감소)로 표현해요.

간단 체크 정답과 해설 12쪽

O, X 판단하기
1 초과 공급은 상품의 공급량이 수요량보다 많은 상태이다. ( )
2 초과 수요가 발생하면 사려는 사람보다 팔려는 사람이 많은 품귀현상이 나타나 가격이 상승하게 된다. ( )
3 시장 가격이 상승하면, 소비자는 소비량을 늘리고, 생산자는 생산량을 줄인다. ( )

교과서 활동 풀이

교과서 72-74쪽

활동 시장 가격의 결정

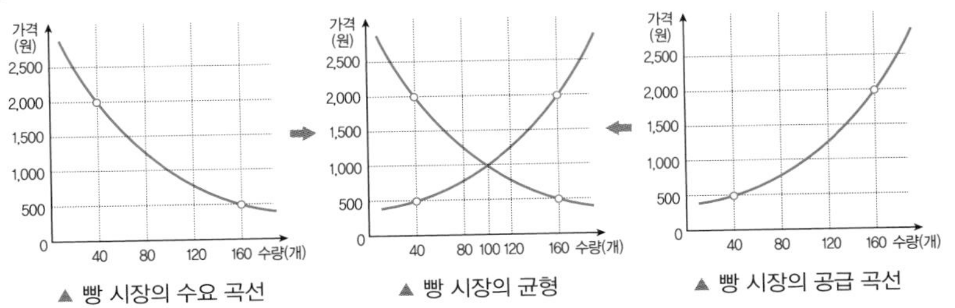

▲ 빵 시장의 수요 곡선 ▲ 빵 시장의 균형 ▲ 빵 시장의 공급 곡선

1 빵 가격이 500원일 때, 시장에 어떠한 현상이 나타날지 빈칸을 완성해 보자.

> 빵 가격이 500원인 경우 수요량은 160개이고, 공급량은 40 개이므로 수요량이 공급량보다 많은 초과 수요 이(가) 발생한다. 이때에는 소비자들이 더 높은 가격을 주고서라도 빵을 사고자 하므로 가격이 상승하게 된다.

2 빵 가격이 2,000원일 때, 시장에 어떠한 현상이 나타날지 1과 같은 형식으로 설명해 보자.

3 빵 시장에서 균형 가격과 균형 거래량은 어떻게 결정될지 적어 보자.

해결 열쇠

활동 도우미
초과 수요 혹은 초과 공급이 발생할 때 가격이 어떻게 균형 가격을 향해 이동하는지 과정을 파악할 수 있어요.

2 예 빵 가격이 2,000원인 경우 수요량은 40개이고, 공급량은 160개이므로 공급량이 수요량보다 많은 초과 공급이 발생한다. 이때에는 공급자들이 더 낮은 가격을 받고서라도 빵을 팔고자 하므로 가격이 하락하게 된다.
3 • 균형 가격: 1,000원
• 균형 거래량: 100개

함께 배우기 시장 가격의 결정 원리 체험하기

1 학급 전체를 4개의 모둠으로 나누고 2개의 모둠은 수요 팀, 2개의 모둠은 공급 팀으로 정한다. 수요 팀은 '수요자 규칙 카드'를 한 장씩 뽑고, 공급 팀은 '공급자 규칙 카드'를 한 장씩 뽑는다.

2 자신이 뽑은 카드의 규칙에 맞게 수요자와 공급자가 만나 거래를 한다(단, 거래 가격은 100원 단위로 정한다).

3 거래가 이루어지면 거래 기록지를 각자 기록한 후, 새로운 카드를 뽑아 다른 수요자 또는 공급자를 찾아 거래를 한다.

수요자 거래 기록지			
거래 번호	규칙 카드의 가격	거래 가격	이득(+/−)
1	1,600	1,200	+400
2	1,800	1,500	+300
3	2,000	1,600	+400
총 이득	(1,100)원		

공급자 거래 기록지			
거래 번호	규칙 카드의 가격	거래 가격	이득(+/−)
1	1,000	1,200	+200
2	1,200	1,500	+300
3	1,400	1,600	+200
총 이득	(700)원		

4 활동이 종료된 후 모둠별로 개인 거래 기록지를 합산하여 가장 이득이 많은 모둠을 승리 팀으로 선정한다.

활동 도우미
시장 체험 활동(시장 게임)을 통해 시장에서 가격이 형성되는 원리를 알아보고 시장 가격이 수요자와 공급자의 거래로 만들어지는 과정을 이해할 수 있어요.

생각+ 애덤 스미스의 '보이지 않는 손'이 의미하는 것이 무엇인지 이야기해 보자.
예 시장 가격을 의미한다. 애덤 스미스는 각 개인이 자신의 이익을 추구하는 경제 활동을 하더라도 가격에 의해 자원이 효율적으로 배분되고 있다는 점을 '보이지 않는 손'에 비유하여 설명하고 있다.

자료 해설
시장 가격은 경제 주체들에게 합리적인 경제 활동의 방향을 제시하여 자원을 효율적으로 배분하는 역할을 한다.

스스로 확인하기
1 (1) 수요, 수요량 (2) 공급, 공급량 **2** (1) × (2) ○ (3) ×

개념 노트 만들기

정답과 해설 12쪽

핵심 내용 정리하기 **학습한 내용을 기억하면서 다음 글을 완성해 보자.**

(**제목:**)

시장에서는 누가 개입하지 않더라도 수요와 공급에 의해 자연스럽게 가격이 결정된다. 만일 팔고자 하는 사람이 많아 (❶)이(가) 발생하면 경쟁에 의해 자연스럽게 가격이 하락한다. 반대로 사고자 하는 사람이 많아 초과 수요가 발생하면 사고자 하는 사람들의 경쟁에 의해 가격은 (❷)한다. 이렇게 초과 공급과 초과 수요가 발생하면 가격의 상승과 하락을 반복하는 과정에서 수요량과 공급량이 일치하게 되면 균형을 이룬다. 이때의 가격을 (❸) 가격 또는 시장 가격이라고 하고, 이때의 거래량을 (❹)(이)라고 한다.

활동 노트 완성하기 **학습하면서 기른 역량을 살려 다음 활동 노트를 완성해 보자.**

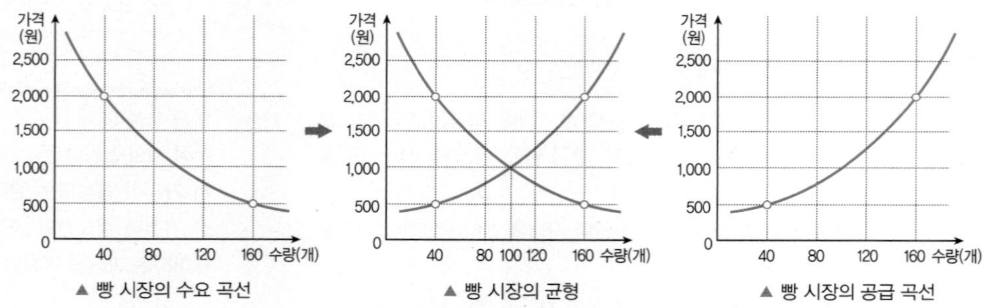

▲ 빵 시장의 수요 곡선 ▲ 빵 시장의 균형 ▲ 빵 시장의 공급 곡선

1 위의 그래프를 참고하여 시장에서 빵의 가격이 2,000원인 경우와 500원 경우 어떤 현상이 나타날지 정리해 보자.

구분	빵의 가격 2,000원	빵의 가격 500원
수요자		
공급자		
경쟁 발생		
가격 변화		

2 빵의 가격이 1,000원일 때 어떤 현상이 발생하는지 적어 보자.

실력을 키우는 응용 문제

정답과 해설 12쪽

1 다음 그래프에 대한 설명으로 옳은 것은?

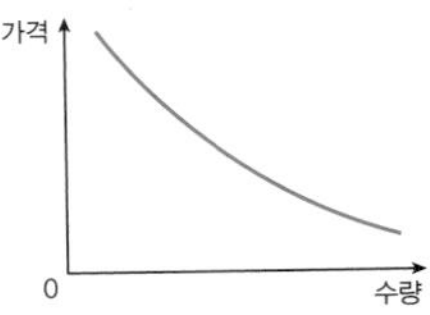

① 가격이 오르면 공급량이 증가하는 공급 곡선이다.
② 가격이 오르면 공급량이 감소하는 공급 곡선이다.
③ 가격이 오르면 수요량이 증가하는 수요 곡선이다.
④ 가격이 오르면 수요량이 감소하는 수요 곡선이다.
⑤ 가격이 오르면 거래량이 감소한다는 수요 · 공급 법칙을 나타내는 곡선이다.

[2-3] 다음 그래프는 김밥의 수요-공급 곡선을 나타낸 것이다. 이를 보고 물음에 답하시오.

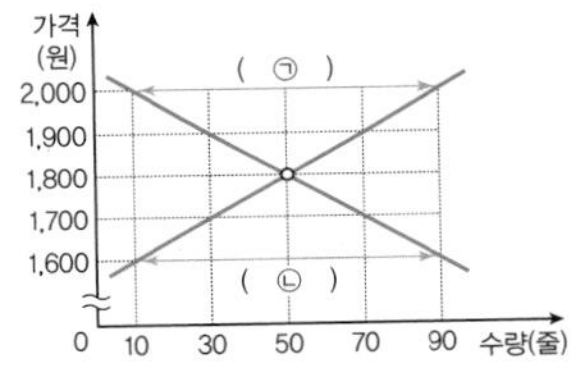

2 위의 그래프에 대한 설명으로 옳은 것은?

① ㉠은 초과 수요이다.
② ㉠에서는 수요자들이 상품을 사려는 경쟁이 나타난다.
③ ㉡이 발생할 경우 가격은 하락할 것이다.
④ ㉠이나 ㉡에서는 자원이 효율적으로 배분된다.
⑤ 두 그래프가 만나는 점에서 균형 가격과 균형 거래량이 결정된다.

3 위의 그래프에 대한 설명으로 옳지 <u>않은</u> 것은?

① 김밥의 균형 거래량은 50줄이다.
② 김밥의 균형 가격은 1,800원이다.
③ 김밥 가격이 1,600원일 때 80줄의 초과 수요가 발생한다.
④ 김밥 가격이 1,900원일 때 공급자들 간 판매 경쟁이 일어난다.
⑤ 김밥 가격이 2,000원일 때 팔고자 하는 사람보다 사고자 하는 사람이 더 많다.

4 다음 그래프에 대한 설명으로 옳지 <u>않은</u> 것은?

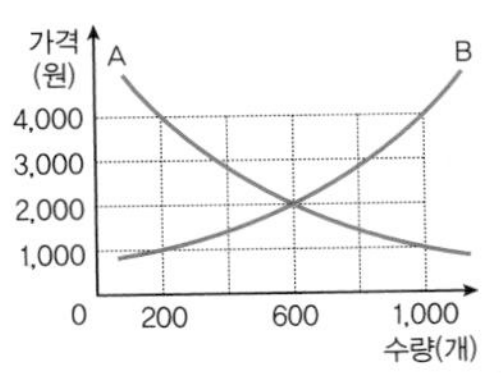

① 균형 가격은 2,000원이다.
② 균형 거래량은 600개이다.
③ A는 가격과 수요량의 관계를 나타낸 곡선이다.
④ 가격이 1,000원 일 때 수요자 간 경쟁이 발생한다.
⑤ 가격이 4,000원 일 때 공급량이 수요량보다 400개 더 많다.

5 다음 그래프는 어떤 재화의 수요-공급 곡선을 나타낸 것이다. 재화의 가격이 1,000원 일 때 초과 수요량은?

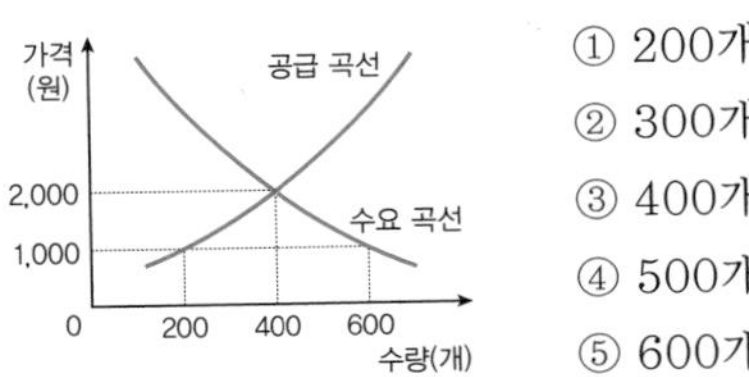

① 200개
② 300개
③ 400개
④ 500개
⑤ 600개

6 다음 그래프는 식빵 시장의 수요-공급 곡선을 나타낸 것이다. 식빵의 균형 가격과 균형 거래량에 대해 서술하시오.

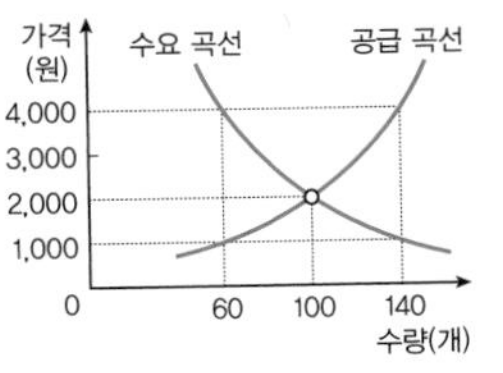

....

....

4-3 시장 가격의 변동 (1)

학습 목표 | 수요와 공급을 변화시키는 요인을 설명할 수 있다.

❶ 수요와 공급은 왜 변할까?

1 수요 변화 요인 → 상품 가격 이외에 수요를 변화 시키는 요인은 다양해요.

1. 수요 변화에 영향을 주는 요인

요인	수요 증가	수요 감소
소득	소득 증가	소득 감소
소비자의 기호❶	소비자의 기호 증가	소비자의 기호 감소
연관 상품의 가격	• 대체재❷ 가격 상승 • 보완재❸ 가격 하락	• 대체재 가격 하락 • 보완재 가격 상승
미래에 대한 기대	가격이 상승할 것으로 예상	가격이 하락할 것으로 예상❹
소비자 수	증가	감소

2. 수요 곡선 이동: 수요 곡선은 수요가 증가하면 오른쪽, 감소하면 왼쪽으로 이동함.

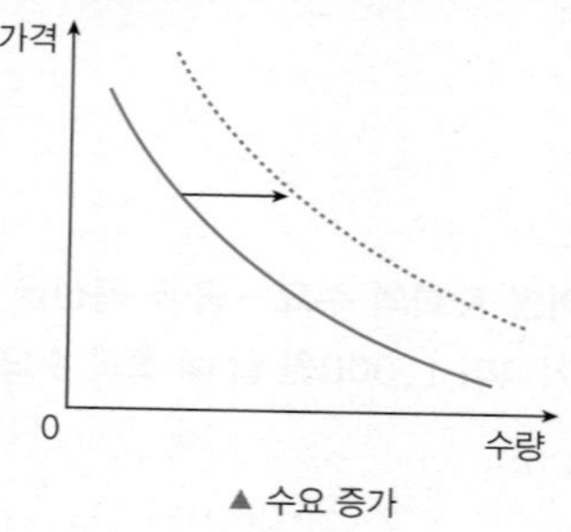

▲ 수요 증가

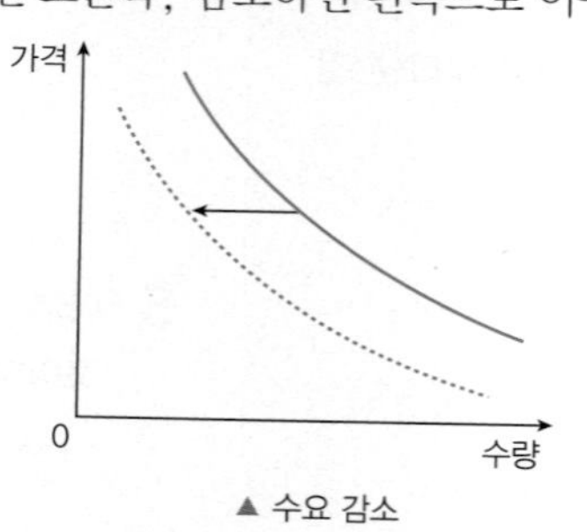

▲ 수요 감소

2 공급 변화 요인 → 수요와 마찬가지로 다양한 요인에 의해 변동해요.

1. 공급 변화에 영향을 주는 요인

요인	공급 증가	공급 감소
생산 비용	생산 비용 하락	생산 비용 상승
생산 기술	생산 기술 발전	–
미래에 대한 기대	가격이 하락할 것으로 예상	가격이 상승할 것으로 예상
공급자 수	증가	감소

2. 공급 곡선 이동: 공급 곡선은 공급이 증가하면 오른쪽, 감소하면 왼쪽으로 이동함.

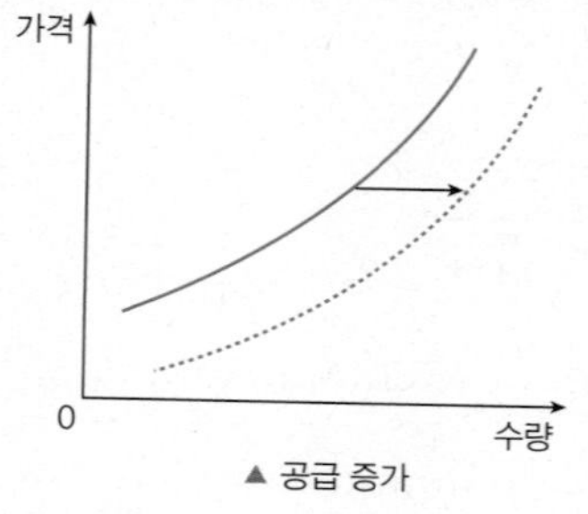

▲ 공급 증가

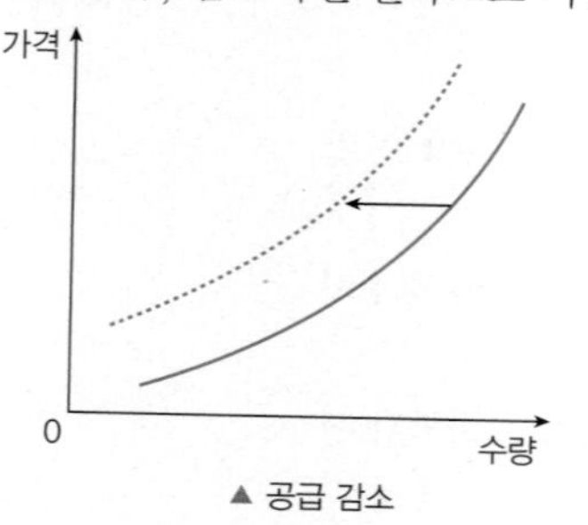

▲ 공급 감소

❶ 기호
기호(嗜好)는 무엇인가를 즐기고 좋아하는 일을 말한다.

❷ 대체재
커피와 녹차, 치킨과 피자처럼 비슷한 용도로 사용되어 서로 대체하여 사용할 수 있는 재화를 말한다.

❸ 보완재
커피와 설탕, 샤프펜슬과 샤프심처럼 상호 보완적인 관계에 있는 재화를 말한다.

❹ 미래 가격의 하락
가까운 미래에 가격이 하락할 것으로 예상되면 미래 소비를 계획하며 현재 소비를 줄이게 된다.

간단 체크 정답과 해설 12쪽

알맞은 말 채우기

1 소득이 증가하거나, 소비자 수가 증가하거나, 소비자의 기호가 증가하면 수요는 (　　)한다.
2 (　　)은(는) 서로 커피와 녹차처럼 서로 대체할 수 있는 재화를 말한다.
3 (　　)은(는) 함께 소비할 때 만족 수준이 상승하는 재화로 치킨과 치킨무와 같은 관계를 말한다.

교과서 **활동 풀이**

교과서 76-77쪽

생각 열기 수요와 공급이 달라진다면?

질문 1 뉴스 보도 후, 건강 빵의 수요는 어떻게 달라졌는가? 그 변동 방향을 예측하여 표시해 보자.

☑ 수요 증가　　☐ 수요 감소

질문 2 뉴스 보도 후, 건강 빵의 가격은 어떻게 달라질까? 그 변동 방향을 예측하여 표시해 보자.

☑ 가격 상승　　☐ 가격 하락

해결 열쇠

활동 도우미

제시된 사례를 통해 가격 이외의 수요의 변화 요인을 알아볼 수 있어요. 또한 이 때 시장에 어떤 변화가 나타나는지 예측해 볼 수 있어요.

활동 수요 곡선과 공급 곡선의 변화 그려 보기

(가) 최근 건강한 먹을거리에 대한 관심이 높아지면서 건강 빵을 찾는 사람들이 많아졌다.

가격(개 당)	수요량(개)	
	전	후
2,000원	40	80
1,500원	60	100
1,000원	80	120
500원	100	140

(나) 올해 전 세계 밀 수확량의 증가로 건강 빵의 원료인 밀가루 가격이 하락하였다.

가격(개 당)	공급량(개)	
	전	후
2,000원	70	140
1,500원	60	130
1,000원	50	120
500원	40	110

1 (가), (나) 현상의 발생 후, 건강 빵의 수요 곡선과 공급 곡선에 어떤 변화가 나타났는지 아래 모눈 종이에 그려 보자.

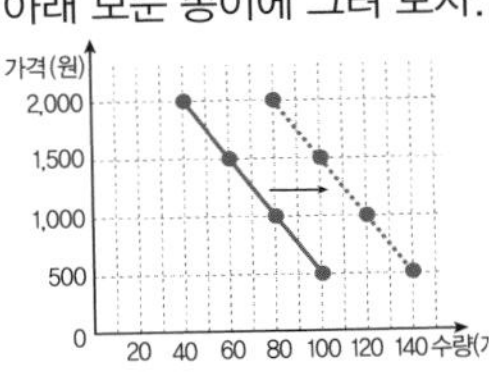

▲ 수요 곡선

▲ 공급 곡선

2 완성된 그래프를 보고, 알맞은 내용에 표시해 보자.

- 수요가 증가하면 수요 곡선이 (왼쪽 | (오른쪽))으로 이동한다.
- 공급이 증가하면 공급 곡선이 (왼쪽 | (오른쪽))으로 이동한다.

활동 도우미

수요와 공급에 영향을 미치는 요인을 조사하여 수요 곡선과 공급 곡선이 어떻게 이동하는지 표를 완성하고, 그래프를 그려봄으로써 수요 곡선과 공급 곡선의 변화를 확인할 수 있어요.

4-3 시장 가격의 변동 (2)

학습 목표 | 수요와 공급의 변화에 따른 시장 가격의 변동 과정을 분석할 수 있다.

❷ 수요와 공급이 변하면 가격은 어떻게 달라질까?

1 수요 변화에 따른 가격 변동

1. 수요 증가

① 모든 가격 수준에서 보다 더 많은 수량을 원함.

② 수요가 증가❶하면 수요 곡선이 오른쪽으로 이동 → 가격은 상승, 거래량은 증가함.

2. 수요 감소

① 모든 가격 수준에서 보다 더 적은 수량을 원함.

② 수요가 감소❷하면 수요 곡선이 왼쪽으로 이동 → 가격은 하락, 거래량은 감소함.

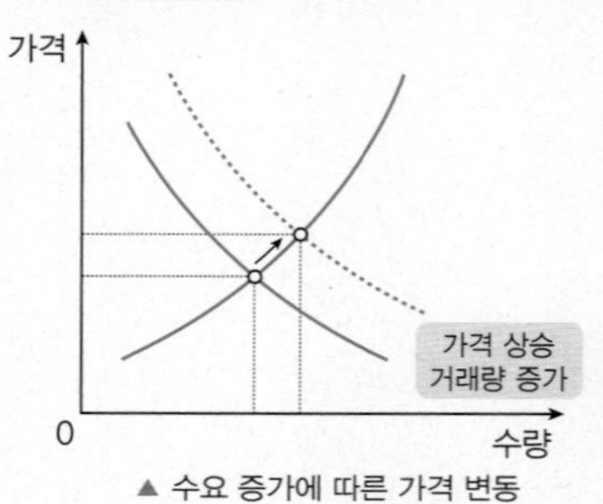

▲ 수요 증가에 따른 가격 변동

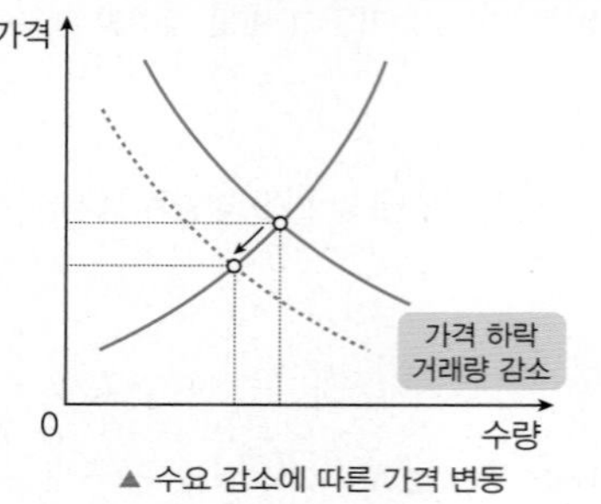

▲ 수요 감소에 따른 가격 변동

2 공급 변화에 따른 가격 변동

1. 공급 증가

① 모든 가격 수준에서 이전보다 더 많은 수량을 공급함.

② 공급이 증가❸하면 공급 곡선이 오른쪽으로 이동 → 가격은 하락, 거래량은 증가함.

2. 공급 감소

① 모든 가격 수준에서 이전보다 더 적은 수량을 공급함.

② 공급이 감소❹하면 공급 곡선이 왼쪽으로 이동 → 가격은 상승, 거래량은 감소함.

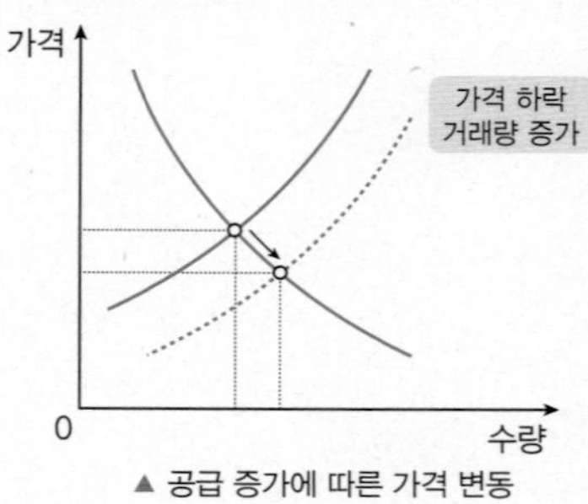

▲ 공급 증가에 따른 가격 변동

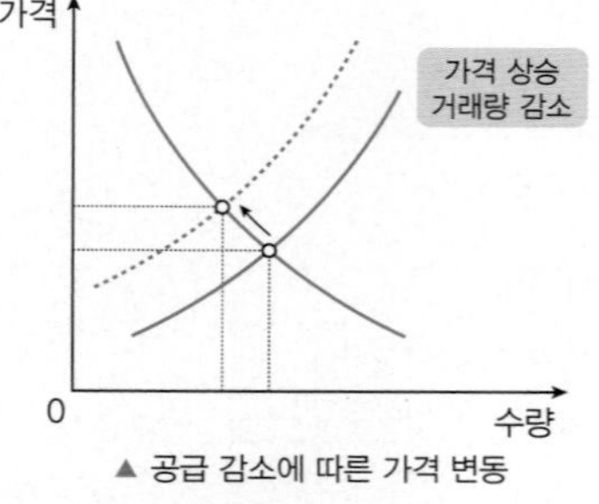

▲ 공급 감소에 따른 가격 변동

❶ 수요 증가 요인
소득 증가, 소비자의 기호나 선호도 상승, 대체재 가격 상승, 보완재 가격 하락, 인구수 증가 등

❷ 수요 감소 요인
소득 감소, 소비자의 기호나 선호도 하락, 대체재 가격 하락, 보완재 가격 상승, 인구수 감소 등

❸ 공급 증가 요인
생산 비용 하락, 생산 기술 발달, 공급자 수 증가 등

❹ 공급 감소 요인
생산 비용 상승, 공급자 수 감소 등

간단 체크 정답과 해설 12쪽

O, X 판단하기

1 소득 증가로 수요가 증가하면 가격이 상승하고 거래량이 증가한다. ( )

2 생산 기술 발전으로 공급이 증가하면 가격이 하락하고 거래량이 감소한다. ( )

3 수요가 증가하면 수요 곡선이 왼쪽으로 이동한다. ( )

교과서 **활동 풀이**

교과서 78-79쪽

활동 사례 분석! 균형 가격과 거래량 변동 예측하기

1 (가)~(라) 사례를 읽고 밑줄 친 상품의 수요와 공급의 변화를 분석하여 새로운 곡선을 그려 보자.

가	나	다	라
한 유명 연예인이 드라마에서 사용한 목걸이가 여성들 사이에서 큰 인기를 끌고 있다.	최근 쇠고기 가격 하락으로 쇠고기 수요량이 늘자 돼지고기를 찾는 사람이 줄어들었다.	초콜릿의 원료인 코코아의 45%를 생산하는 코트디부아르의 내전으로 초콜릿 생산이 급감했다.	닭을 사육하는 국내 농가가 늘고, 닭고기의 수입업체도 크게 증가하고 있다.

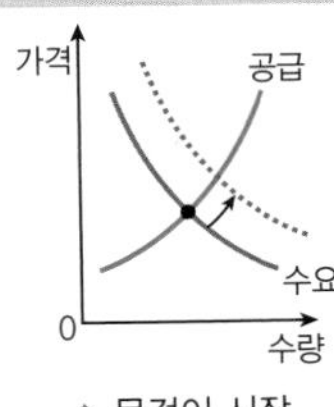

▲ 목걸이 시장

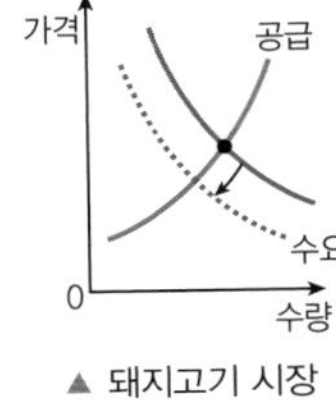

▲ 돼지고기 시장

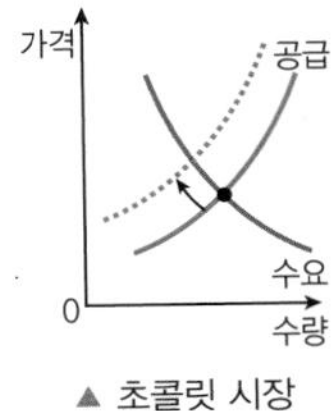

▲ 초콜릿 시장

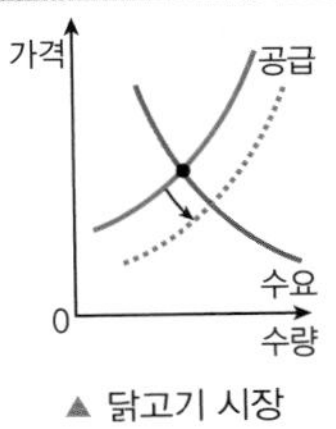

▲ 닭고기 시장

2 (가)~(라)의 균형 가격과 균형 거래량이 어떻게 변화할지 예측해 보자.

- (가) 시장에서 균형 가격은 (상승 | 하락)하고, 균형 거래량은 (증가 | 감소)한다.
- (나) 시장에서 균형 가격은 (상승 | 하락)하고, 균형 거래량은 (증가 | 감소)한다.
- (다) 시장에서 균형 가격은 (상승 | 하락)하고, 균형 거래량은 (증가 | 감소)한다.
- (라) 시장에서 균형 가격은 (상승 | 하락)하고, 균형 거래량은 (증가 | 감소)한다.

해결 열쇠

활동 도우미

신문과 TV 뉴스 등을 통해 제시되는 다양한 경제 관련 사례에서 수요와 공급의 변화를 직접 그래프로 그려볼 수 있어요.

함께 배우기 경제 뉴스에 나타난 시장 가격의 변동 분석하기

1 모둠별로 수요나 공급의 변화가 나타난 신문 기사를 찾는다.

예 이번 여름 폭염으로 배추, 무 등 농작물의 작황이 좋지 않아 가격이 폭등하고 있어 포장 김치 업체들이 생산에 어려움을 겪고 있다.

2 다음 단계별 활동에 따라 신문 기사 내용을 분석하고, 시장 균형 변화를 예측한다.

예

단계	내용
1단계	배추, 무 등 김치 재료의 가격 상승은 공급 변화 요인이다.
2단계	재료 가격의 상승으로 포장 김치의 공급이 감소하므로 공급 곡선이 왼쪽으로 이동한다.
3단계	포장 김치의 수요가 그대로인 상태에서 공급이 감소한 결과, 균형 가격은 상승하고 균형 거래량은 감소한다.

3 모둠별로 경제 뉴스 분석 결과를 학급 전체에 발표한다.

활동 도우미

경제 관련 신문 기사를 찾아 수요 혹은 공급을 변화시키는 요인이 무엇인지 단계별로 분석하여 시장 균형의 변화를 예측해 볼 수 있어요.

스스로 확인하기

1 (1) 소득 (2) 대체재 (3) 보완재 (4) 생산 기술

2 (1) 경기 불황으로 사람들의 소득이 줄어들면 커피의 수요가 감소하여 균형 거래량이 감소한다. (2) 아이스크림의 원료인 설탕 가격이 급등하면 아이스크림의 공급이 감소하여 가격이 상승한다. (3) 공급자의 수가 증가하면 공급이 증가한다.

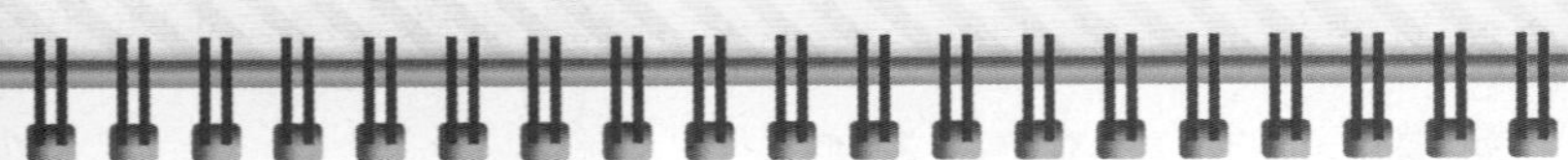

개념 노트 만들기

정답과 해설 13쪽

핵심 내용 정리하기 학습한 내용을 기억하면서 다음 글을 완성해 보자.

(**제목:**)

수요와 공급에 영향을 끼치는 요인들이 변동하면 그에 따라 균형 가격도 변동한다. 예를들어 소득이 증가하거나 대체재의 가격이 오르면 일반적으로 해당 상품의 수요는 증가한다. 수요가 증가하는 것은 수요 곡선의 오른쪽 이동으로 표현되는데, 공급이 일정한 상태에서 수요가 증가하면 가격은 (❶)하고 거래량은 (❷)한다. 한편, 생산 비용이 감소하거나 기술이 발전하게 되면 공급은 증가한다. 공급의 증가는 공급 곡선의 오른쪽 이동으로 표현되는데, 수요가 일정한 상태에서 공급이 증가하면 가격은 (❸)하고 거래량은 (❹)하여 경제에 가장 바람직한 상황이 나타나게 된다.

활동 노트 완성하기 학습하면서 기른 역량을 살려 다음 활동 노트를 완성해 보자.

(가)

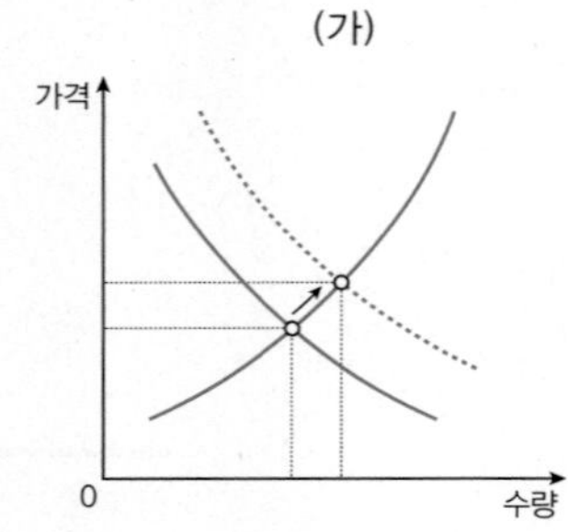

(나)

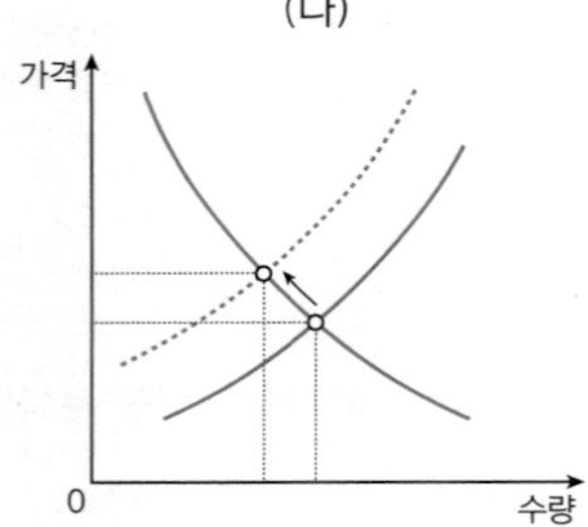

1 (나) 그래프를 참고하여, 다음 표를 완성해 보자.

구분	(가)	(나)
원인	수요 증가	
결과	• 가격 상승 • 거래량 증가	
사례	목걸이 시장에서는 한 방송에서 연예인이 착용한 목걸이가 유행하자 똑같은 디자인의 목걸이를 찾는 사람들이 많아졌다.	

2 시장에서 (나) 그래프와 같은 변화가 나타날 수 있는 요인을 적어 보자.

1 딸기 시장이 다음과 같이 변화했을 때 그 원인으로 옳은 것은?

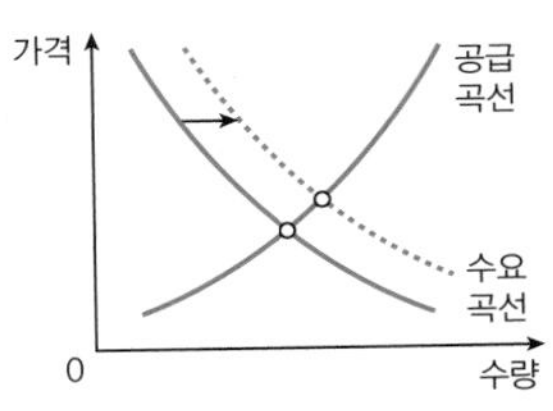

① 딸기 가격 대폭 하락
② 기술 발달로 딸기 생산 증대
③ 폭염으로 딸기 생산 포기 농가 증가
④ 취업률 상승으로 소비자의 소득 감소
⑤ 딸기의 항암 효과가 크다는 연구 결과 발표

2 다음 기사를 읽고 아이스크림 시장에서 균형점의 변화 방향으로 옳은 것은?

> △△ 일보
>
> 날씨가 더워지면서 아이스크림을 찾는 사람이 많아졌다. 그러나 아이스크림 생산 기업은 원료 가격 인상과 생산에 필요한 전력 비용 증가로 예년보다 생산을 줄일 전망이다.

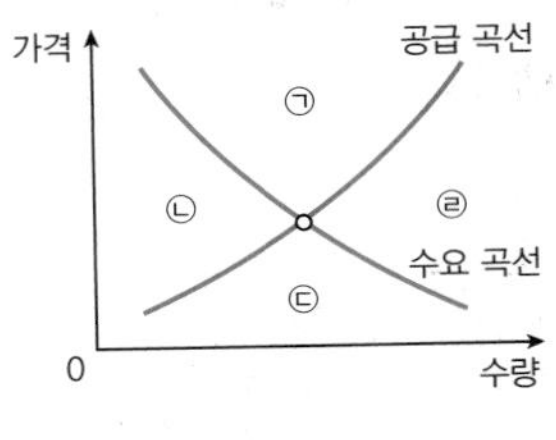

① ㉠ ② ㉡ ③ ㉢
④ ㉣ ⑤ 변화 없음.

[3-4] 다음 글을 읽고 물음에 답하시오.

> 올 봄 과일 매출 중 최고 인기 제품은 '수입산 포도'이었다. 이른 더위로 딸기 대신 여름 과일인 수입산 포도의 매출이 크게 증가한 것이다. 여기에 블루베리 등 다른 제품도 매출이 올라간 것으로 보아 딸기의 (㉠) 역할을 한 것으로 분석된다.

중요

3 위 글에 대한 분석으로 옳은 것을 [보기]에서 고른 것은?

> 보기
>
> ㄱ. 딸기의 거래량은 감소할 것이다.
> ㄴ. ㉠에 알맞은 용어는 대체재이다.
> ㄷ. 블루베리의 가격은 하락할 것이다.
> ㄹ. 수입산 포도와 딸기의 관계는 자동차와 휘발유의 관계와 같다.

① ㄱ, ㄴ ② ㄱ, ㄹ ③ ㄴ, ㄷ
④ ㄴ, ㄹ ⑤ ㄷ, ㄹ

4 수입산 포도의 수요 · 공급 곡선의 이동으로 가장 적절한 것은?

①
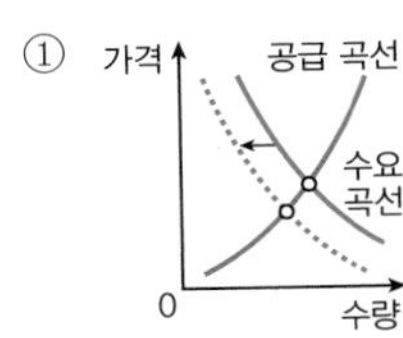

②
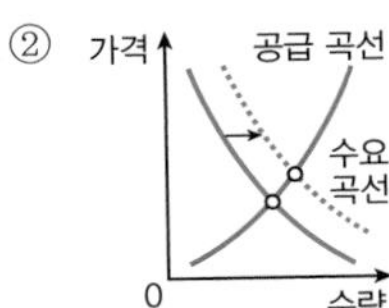

③
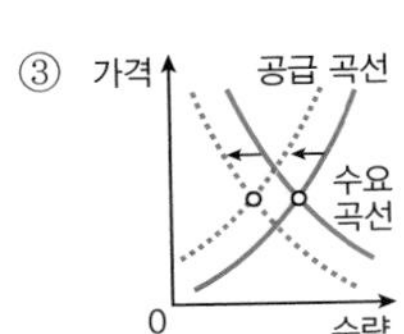

④
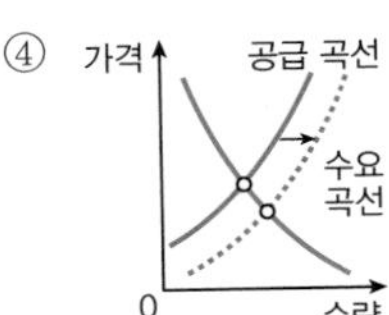

⑤
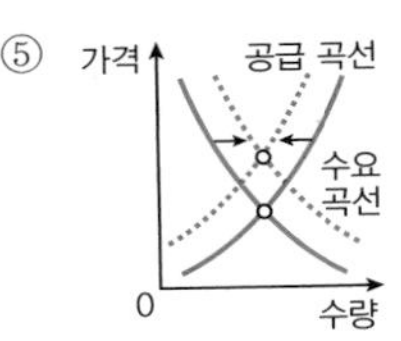

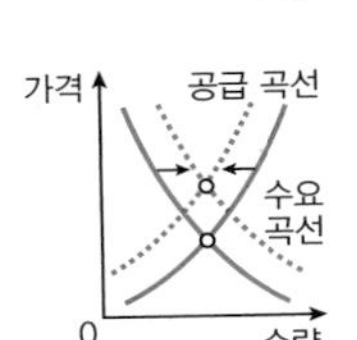

교과서 **창의·융합 활동** 풀이

교과서 75쪽

해결 열쇠

활동 도우미

소비자와 판매자의 입장에서 상품의 가격과 예산 계획을 세우는 것이 중요해요. 판매자의 입장에서는 가격을 높이 정하고 싶지만 소비자의 입장에서 높은 가격의 상품을 사고 싶지 않다는 것을 생각하고 시장 체험을 해 보세요.

핵심 역량 의사소통 및 협업 능력

과정 ❶에서 학급 회의를 통해 학급 시장 활동 규칙을 정하고 과정 ❷에서는 공급자(판매자)의 역할이 되어 판매할 물건의 가격 등 정보를 조사한 후 과정 ❸에서 수요자(소비자)의 역할이 되어 구매할 물건을 조사하여 예산 계획을 세우고 구매 활동을 해 보아요. 학급의 규칙을 정하는 과정과 거래 과정을 통해 의사소통 능력과 협업 능력을 기를 수 있어요.

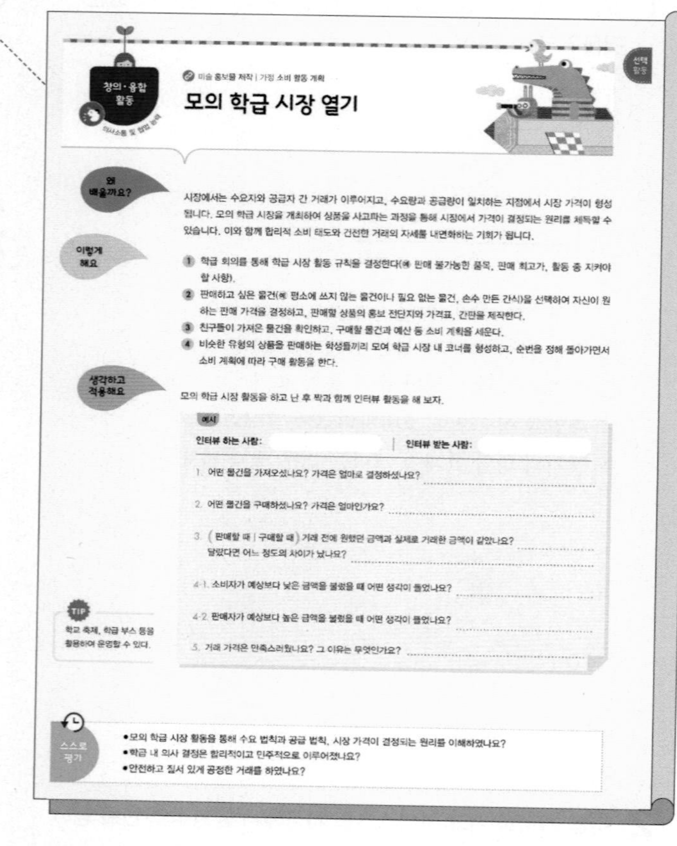

창의·융합 활동 / 의사소통 및 협업 능력

미술 홍보물 제작 | 가정 소비 활동 계획

선택 활동

모의 학급 시장 열기

왜 배울까요?

시장에서는 수요자와 공급자 간 거래가 이루어지고, 수요량과 공급량이 일치하는 지점에서 시장 가격이 형성됩니다. 모의 학급 시장을 개최하여 상품을 사고파는 과정을 통해 시장에서 가격이 결정되는 원리를 체득할 수 있습니다. 이와 함께 합리적 소비 태도와 건전한 거래의 자세를 내면화하는 기회가 됩니다.

이렇게 해요

1. 학급 회의를 통해 학급 시장 활동 규칙을 결정한다(예 판매 불가능한 품목, 판매 최고가, 활동 중 지켜야 할 사항).
2. 판매하고 싶은 물건(예 평소에 쓰지 않는 물건이나 필요 없는 물건, 손수 만든 간식)을 선택하여 자신이 원하는 판매 가격을 결정하고, 판매할 상품의 홍보 전단지와 가격표, 간판을 제작한다.
3. 친구들이 가져온 물건을 확인하고, 구매할 물건과 예산 등 소비 계획을 세운다.
4. 비슷한 유형의 상품을 판매하는 학생들끼리 모여 학급 시장 내 코너를 형성하고, 순번을 정해 돌아가면서 소비 계획에 따라 구매 활동을 한다.

생각하고 적용해요

모의 학급 시장 활동을 하고 난 후 짝과 함께 인터뷰 활동을 해 보자.

예시

인터뷰 하는 사람: | 인터뷰 받는 사람:

1. 어떤 물건을 가져오셨나요? 가격은 얼마로 결정하셨나요?
2. 어떤 물건을 구매하셨나요? 가격은 얼마인가요?
3. (판매할 때 | 구매할 때) 거래 전에 원했던 금액과 실제로 거래한 금액이 같았나요? 달랐다면 어느 정도의 차이가 났나요?

4-1. 소비자가 예상보다 낮은 금액을 불렀을 때 어떤 생각이 들었나요?

4-2. 판매자가 예상보다 높은 금액을 불렀을 때 어떤 생각이 들었나요?

5. 거래 가격은 만족스러웠나요? 그 이유는 무엇인가요?

TIP 학교 축제, 학급 부스 등을 활용하여 운영할 수 있다.

스스로 평가

- 모의 학급 시장 활동을 통해 수요 법칙과 공급 법칙, 시장 가격이 결정되는 원리를 이해하였나요?
- 학급 내 의사 결정은 합리적이고 민주적으로 이루어졌나요?
- 안전하고 질서 있게 공정한 거래를 하였나요?

생각하고 적용해요 예 모의 활동 시장 인터뷰 활동

1. 나는 평소에 쓰지 않는 모자 2개를 가져왔고, 가격은 각각 2,000원으로 결정하였다.
2. 검정 볼펜과 팔찌를 구매하였다. 검정 볼펜은 500원, 팔찌는 2,000원이었다.
3. 모자는 1,500원에 팔았다.
3. 팔찌는 처음 예상보다 1,000원 비싼 2,500원이었다.

4-1. 내가 아끼는 물건을 저렴하게 판다고 생각하였는데, 더 낮은 금액을 제시하여 팔고 싶지 않았다.

4-2. 팔찌는 손으로 직접 만들었고 예쁘기는 하였지만 예상 가격보다 비싸 구매하기가 망설여졌다. 그래서 내가 원하는 가격을 말하고 판매자와 합의하여 500원을 깎았다.

5. 거래 가격은 만족스러웠다. 처음 결정한 가격보다 낮은 가격에 모자를 판매하였고, 생각한 것보다 높은 가격에 팔찌를 구입하였지만 나를 비롯한 거래자 모두 적절하다고 생각하였다.

참고 자료 지역 사회의 다양한 알뜰장터

최근 들어 지역 사회마다 자원 재활용과 나눔 문화 확산, 친환경 상품 홍보 등을 위해 다양한 형태의 알뜰 재활용 장터를 열고 있다. 지역 사회 어린이, 청소년, 재활용 가게, 친환경 상품 판매처, 공정무역 가게 등이 홍보를 겸한 알뜰 장터에 함께 참여함으로써 지역 사회의 자원 순환을 체험하고 판매 수익의 일부는 기부하기도 한다.

▲ 광화문 희망 나눔 장터

교과서 단원 마무리 풀이

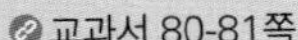
교과서 80-81쪽

단원 한눈에 보기

❶ 수요 ❷ 공급 법칙 ❸ 상승 ❹ 균형 가격 ❺ 대체재
❻ 하락 ❼ 오른쪽 ❽ 공급 감소

해결 열쇠

교과서 66~79쪽에서 학습한 내용을 떠올리면서 스스로 구조화해 보자.

서술로 사고력 키우기

1 우리 주변의 시장은 다양한 모습으로 존재한다. 시장의 종류를 어떻게 구분할 수 있는지 아래 용어를 포함하여 서술해 보자.

• 보이는 시장 • 보이지 않는 시장

예 거래하는 모습이 구체적으로 드러나는지 아닌지에 따라 재래시장이나 백화점, 수산 시장처럼 보이는 시장과 주식 시장이나 외환 시장처럼 보이지 않는 시장으로 구분한다.

2 수요 법칙과 공급 법칙의 의미를 서술해 보자.

예 수요 법칙은 가격이 상승하면 수요량이 줄어들고 가격이 하락하면 수요량이 증가하는 현상이고, 공급 법칙은 가격이 상승하면 공급량이 증가하고 가격이 하락하면 공급량이 감소하는 현상이다.

3 가격은 그대로인데 수요가 증가하는 경우와 공급이 감소하는 경우의 사례를 각각 한 가지씩 제시해 보자.

예 소비자의 소득이 증가하면 수요가 증가하고, 생산 비용이 증가하면 공급이 감소한다.

채점 기준

❶	상	시장의 구분하는 기준과 예시가 정확하게 서술된 경우
	중	시장의 구분 기준은 정확하지만 예시가 미흡하게 서술된 경우
	하	시장의 구분 기준과 예시의 서술이 모두 미흡한 경우
❷	상	수요 법칙과 공급 법칙을 모두 정확하게 서술한 경우
	중	수요 법칙과 공급 법칙 중 한 가지만 정확하게 서술한 경우
	하	수요 법칙과 공급 법칙의 의미를 서술하지 못한 경우
❸	상	수요 증가와 공급 감소의 사례를 각각 서술한 경우
	중	수요 증가와 공급 감소의 사례 중 한 가지만 정확하게 서술한 경우
	하	수요 증가와 공급 감소 사례의 서술이 미흡하거나 오개념이 포함된 경우

서술형 더 풀어보기

정답과 해설 13쪽

1 시장에서 수요량이 공급량보다 많을 경우 어떤 현상이 나타나는지 서술해 보자.

....

2 시장에서 공급이 증가하면 어떤 변화가 나타나는지 서술해 보자.

....

수행 평가 해결하기

우리 지역의 유명한 시장을 방문한 후 시장 탐방 보고서를 작성해 보자.

1 **우리 지역 유명 시장 선정하기** 집이나 학교 근처의 전통 시장, 대형 할인점 등 다양한 시장을 포함하여 방문할 시장을 선정한다(예 부산 국제 시장, 서울 광장 시장, 전주 남부 시장, 성남 모란 오일장).

2 **자료 수집 및 구매 품목 정하기** 방문할 시장에 관한 자료를 수집하고, 모둠별로 의논하여 구매할 물건을 정한다.

3 **시장 탐방하기** 시장을 탐방하면서 선정한 물건을 구매한다. 이때 점포는 세 곳 이상 방문하여 가격을 비교한다.

4 **탐방 보고서 작성하기** 계획한 물건을 구매한 과정, 시장의 특징 및 방문 소감을 포함한 보고서를 작성한다.

이 수행 평가는 ▸▸ '시장 경제와 가격' 단원에서 배운 내용을 바탕으로 시장을 견학하면서 시장의 종류를 구분하고, 시장의 의미와 시장 가격이 형성되는 원리를 이해하도록 하는 체험 활동이다. 이 활동은 다양한 과목과 연계하여 지역화 수업이나 융합 수업으로 이루어질 수 있으므로 지역 사회에 대한 관심을 가지고 체험에 임하는 것이 효과적이다.

단원을 정리하는 종합 문제

1 **시장에 대한 설명으로 옳지 않은 것은?**

① 외환 시장, 인력 시장도 시장이라고 할 수 있다.
② 수요자와 공급자간 거래가 이루어지는 곳을 말한다.
③ 시장이 형성되기 위해서는 구체적인 장소가 필요하다.
④ 스마트폰 앱 거래, 홈쇼핑 등은 보이지 않는 시장이다.
⑤ 시장은 교환을 편리하고 원활하게 하는 역할을 한다.

2 **다음 시장들을 구분하는 기준으로 옳은 것은?**

▲ 대형 할인점 ▲ 취업 박람회

① 거래 상품 ② 개설 주기 ③ 중개인의 수
④ 공급자의 수 ⑤ 수요자의 수

3 **화폐의 발달 과정을 순서대로 바르게 나열한 것은?**

(가) 지폐	(나) 금속 화폐
(다) 전자 화폐	(라) 물품 화폐

① (나) — (라) — (가) — (다)
② (나) — (라) — (다) — (가)
③ (다) — (나) — (가) — (라)
④ (라) — (나) — (가) — (다)
⑤ (라) — (다) — (나) — (가)

단원 연계 문항

4 **(가), (나)의 사례로 적절하지 않은 것은?**

(가) 수요 법칙	(나) 공급 법칙

① (가) — 팥빙수 가격이 내리자 수요량이 증가하였다.
② (가) — 스마트폰 가격이 오르자 수요량이 감소하였다.
③ (나) — 컴퓨터 가격이 오르자 공급량이 증가하였다.
④ (나) — 수입 명품 시계의 가격이 오르자 수요량이 증가하였다.
⑤ (가), (나) — 사과의 가격이 내리자 수요량은 증가하고, 공급량은 감소하였다.

5 **다음 그래프에 대한 설명으로 옳은 것은?**

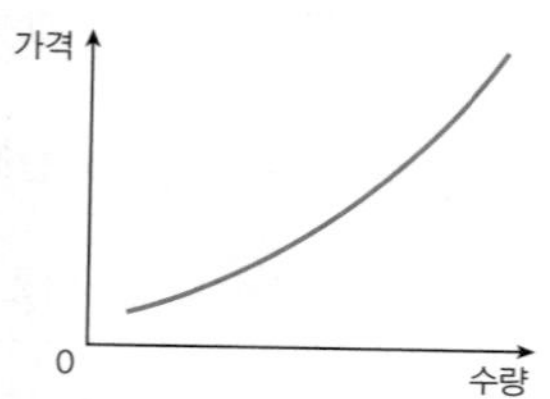

① 곡선의 모양은 우상향이다.
② 수요 법칙을 나타낸 그래프이다.
③ 가격과 수량은 음(−)의 관계이다.
④ 가격이 상승하면 수요량이 감소한다.
⑤ 가격과 수요량의 관계를 나타내고 있다.

6 **다음 그래프는 펜 시장의 수요−공급을 나타낸 것이다. 그래프에 대한 설명으로 옳은 것은?**

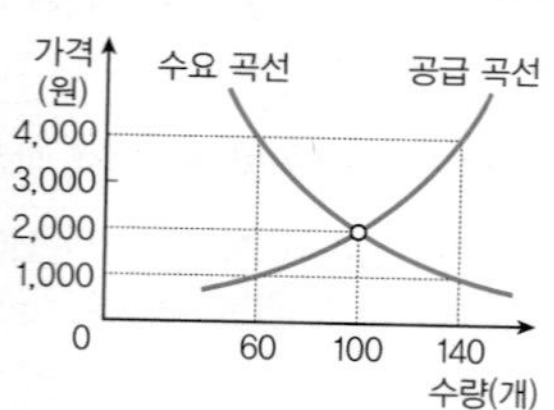

① 가격이 1,000원일 때 초과 공급이 발생한다.
② 가격이 2,000원일 때 거래가 이루어지지 않는다.
③ 균형 가격은 2,000원, 균형 거래량은 100개이다.
④ 가격이 3,000원일 때 수요자 간에 경쟁이 나타난다.
⑤ 가격이 4,000원일 때 140개의 초과 공급이 발생한다.

7 ㉠, ㉡에 들어갈 내용을 순서대로 바르게 연결한 것은?

> 땅콩이 알레르기 반응을 일으킨 사건이 기사로 보도되자, 땅콩의 (㉠)이(가) 급격히 감소하였다. 반면, 땅콩 재배에 적절한 날씨가 계속되자 땅콩의 (㉡)은(는) 증가하였다

	㉠	㉡		㉠	㉡
①	수요	수요	②	수요	공급
③	공급	공급	④	공급	수요
⑤	수요량	공급량			

[8-9] 다음 [보기]를 보고 물음에 답하시오.

> **보기**
> ㄱ. 인구수 증가　　ㄴ. 기호의 증가
> ㄷ. 소득의 증가　　ㄹ. 생산 비용 하락
> ㅁ. 생산 기술 발전　　ㅂ. 공급자 수 증가
> ㅅ. 대체재의 가격 상승　　ㅇ. 미래 가격 하락 예상

8 수요 증가의 요인으로 옳은 것을 [보기]에서 고른 것은?

① ㄱ, ㄴ, ㄷ, ㄹ　② ㄱ, ㄴ, ㄷ, ㅅ
③ ㄱ, ㄷ, ㅁ, ㅅ　④ ㄴ, ㄷ, ㄹ, ㅅ
⑤ ㄴ, ㄷ, ㅁ, ㅅ

9 공급 증가의 요인으로 옳은 것을 [보기]에서 고른 것은?

① ㄴ, ㄷ, ㅅ, ㅇ　② ㄷ, ㄹ, ㅁ, ㅂ
③ ㄹ, ㅁ, ㅂ, ㅅ　④ ㄹ, ㅁ, ㅂ, ㅇ
⑤ ㅁ, ㅂ, ㅅ, ㅇ

서술형 평가

10 수요 법칙에 대해 설명하고, 일상생활에서 경험한 수요 법칙의 예를 들어서 서술하시오.

....

....

11 다음 그래프는 어떤 상품 시장의 변화를 나타낸 것이다. 다음과 같은 변화가 나타날 수 있는 요인을 세 가지 이상 서술하시오.

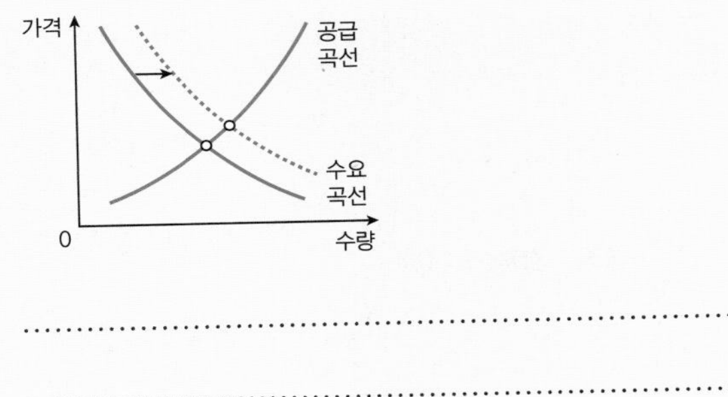

....

....

중요

12 다음과 같은 상황이 발생했을 때 포도의 균형 가격과 균형 거래량이 어떻게 변화할지 서술하시오(단, 다른 조건은 변함없다).

> 지난 여름 발생한 태풍으로 포도를 재배하는 비닐하우스가 많이 훼손되었다. 이로 인해 포도의 공급이 줄어들었다.

....

....

국민 경제와 국제 거래

이 단원을 배우면

- 국내 총생산(GDP)의 의미와 국내 총생산의 증가가 우리 생활에 미치는 영향을 설명할 수 있어요.
- 물가 및 고용 안정을 위한 정부 정책의 효과를 분석할 수 있어요.
- 환율 변동에 따른 각 경제 주체들의 행동을 예측할 수 있어요.
- 우리 사회의 경제 문제에 관심을 갖고 국민 경제 발전에 적극적으로 이바지하려는 태도를 길러요.

이 단원의 학습 주제

1 국민 경제의 이해

❶ 국내 총생산이란 무엇일까?

❷ 국내 총생산 증가는 우리 생활에 어떤 영향을 미칠까?

개념 노트 만들기 | **실력을 키우는 응용 문제**

2 물가 상승과 실업

❶ 물가 상승은 국민 생활에 어떤 영향을 미칠까?

❷ 실업은 국민 생활에 어떤 영향을 미칠까?

❸ 물가 상승과 실업을 해결하는 방안은?

개념 노트 만들기 | **실력을 키우는 응용 문제**

3 국제 거래와 환율

❶ 국제 거래란 무엇이고, 왜 필요할까?

❷ 환율이란 무엇이고, 어떻게 결정될까?

개념 노트 만들기 | **실력을 키우는 응용 문제**

단원을 정리하는 종합 문제

대단원 표지 그림 해설

경제 상황을 롤러코스터에 비유한 모습이에요. 경제는 롤러코스터처럼 생산, 소비, 투자 등 경제 활동이 활발한 상승 국면과 경제 활동이 위축되는 하강 국면이 반복해서 나타나는데 이런 현상을 경기 변동 또는 경기 순환이라고 해요. 국민 경제는 경기 변동을 겪으면서 성장해 나가요.

스스로 학습 계획 세우기						나의 학습 달성 정도
계획일	월	일	학습일	월	일	
	월	일		월	일	
	월	일		월	일	
	월	일		월	일	
	월	일		월	일	
	월	일		월	일	
	월	일		월	일	
	월	일		월	일	
	월	일		월	일	
	월	일		월	일	
	월	일		월	일	

국민 경제의 이해 (1)

학습 목표 | 국내 총생산의 의미를 설명할 수 있다.

❶ 국내 총생산이란 무엇일까?

1 국민 경제 지표로서 국내 총생산

1. **국민 경제 지표:** 국민 경제[1] 상태를 파악하기 위한 지표 ⓔ 국내 총생산, 물가, 실업률 등
2. **국내 총생산(GDP) 의미:** 일정 기간 동안 한 나라 안에서 새로이 생산된 최종 생산물의 시장 가치[2]의 합 → 국내 총생산(GDP)은 대표적인 국민 경제 지표이에요.

일정 기간 동안	보통 1년 동안 생산된 재화와 서비스를 대상으로 함.
한 나라 안에서	생산자의 국적에 상관없이 그 나라 안에서 생산된 재화와 서비스를 모두 포함함. → 외국에서 생산된 것은 포함되지 않음.
새로이 생산된	기준이 되는 기간 동안 새로 생산된 것의 가치만 포함함. → 그 전에 생산된 중고품은 포함되지 않음.
최종 생산물	최종적으로 생산된 재화와 서비스의 가치만을 포함함. → 생산 과정에 투입된 중간 생산물[3]은 포함되지 않음.
시장 가치의 합	시장에서 거래되는 재화와 서비스의 가치를 시장 가격으로 환산하여 합함. → 시장에서 거래되지 않은 것은 포함되지 않음.

2 국내 총생산의 활용

1. **국내 총생산의 활용**
   ① 한 나라의 경제 규모와 수준을 보여 줌. → 일반적으로 국내 총생산이 크면 경제 규모도 큼.
   ② 전체적인 경제 규모를 비교할 때 국내 총생산을 이용함.
2. **국내 총생산의 한계**
   ① 경제 활동 규모를 정확히 나타내지 못함. → 가정주부의 가사 노동, 무료 누리 소통망 서비스(SNS), 지하 경제[4] 활동은 포함되지 않음.
   ② 국민의 후생이나 복지 수준을 나타내기 어려움. → 오염을 발생시키는 생산 활동은 포함하지만, 오염으로 인한 국민의 후생 수준 저하는 포함하지 않음.
   ③ 한 나라의 전체적인 경제 규모를 나타내므로 소득 분배 상태나 빈부 격차를 파악하기 어려움.
3. **국내 총생산의 계산:** 일정 기간 동안 한 나라 안에서 새로이 생산된 최종 생산물의 시장 가치의 합 또는 각 생산 단계의 부가 가치의 합 → 각 생산 단계의 부가 가치의 합은 최종 생산물의 시장 가치의 합과 동일함.
   (부가 가치: 생산 과정에서 새롭게 부가된 가치)
4. **1인당 국내 총생산** → 국민 1인당 평균적인 소득 수준을 비교해 볼 수 있어요.
   ① 의미: 한 해의 국내 총생산을 그 나라의 인구수로 나눈 것
   ② 활용: 한 나라 국민들의 평균적인 소득 및 경제생활 수준을 가늠할 수 있는 지표

---

❶ 국민 경제
한 국가 내에서 경제 주체(가계, 기업, 정부 등)가 재화와 서비스를 생산, 분배, 소비하는 경제 활동의 총체를 말한다.

❷ 시장 가치
원칙적으로 시장에서 거래되는 생산물의 가치를 말한다.

❸ 중간 생산물
최종 생산물을 생산하기 위해 사용되는 원재료를 의미한다. 예를 들어 최종 생산물인 과자를 생산하기 위해 밀가루를 구입했다면 이 밀가루는 중간 생산물에 해당한다.

❹ 지하 경제
조세 부과나 정부의 규제를 피하기 위하여 합법적 · 비합법적 수단이 동원되어 이루어지는 숨은 경제이다.

간단 체크 정답과 해설 14쪽

알맞은 말 채우기

1 국내 총생산은 일정 기간 동안 한 나라 안에서 새로이 생산된 (   )의 시장 가치를 합을 말한다.
2 국내 총생산은 가정주부의 가사 노동처럼 (   )에서 거래되지 않는 것은 포함되지 않는다.
3 국민의 평균적인 소득 수준을 비교할 때에는 (   )을(를) 활용한다.

교과서 활동 풀이

교과서 84-85쪽

생각 열기 세 나라의 소득 수준과 생활 모습의 관계는?

영국(40,100달러)

말리(830달러)

멕시코(8,550달러)

질문 1 영국, 말리, 멕시코 세 나라 가정의 살림살이를 비교해 보자. 소득 수준이 높을수록 물질적으로 풍요롭게 산다고 할 수 있을까?

예 소득 수준이 높은 영국이 말리나 멕시코보다 물질적으로 더 풍요로워 보인다.

질문 2 소득이 높아질수록 행복도 비례하여 커지는지 생각해 보자.

예 소득 수준이 높다고 해서 행복도 비례하여 커지는 것은 아니라고 생각한다.

해결 열쇠

자료 해설

1인당 국내 총생산은 그 나라 국민들의 평균적인 소득 수준을 나타낸다. 따라서 각국의 1인당 국내 총생산을 비교해 보면 국가 간 경제생활 수준의 차이를 알 수 있다. 국민의 평균 소득 수준이 높으면 물질적으로 풍요롭다고 할 수 있으나 더 행복하다고 말할 수는 없다. 행복이나 삶의 만족도에는 물질적 풍요로움 이외에 다른 요인들도 큰 영향을 미친다.

활동 국내 총생산 제대로 이해하기

1 (가)~(다) 중 올해 우리나라의 국내 총생산에 포함되는 것을 찾아보자.

• (가)

2 (가)~(다) 중 올해 국내 총생산에 포함되지 않는 것이 있다면 그 이유를 설명해 보자.

예 국내 총생산에 포함되지 않는 것은 (나)와 (다)이다. (나)의 밀가루는 과자를 만들기 위한 재료로 이용되므로 중간 생산물에 해당한다. (다)의 아파트는 지은 지 20년이 넘었다. 측정하는 당해 연도 안에 생산된 것이 아니므로 국내 총생산에 포함되지 않는다.

자료 해설

- (나): 국내 총생산은 최종 생산물의 가치만을 포함한다. 즉, 다른 상품을 생산하는 데 사용되는 중간 투입물의 성격을 가진 것은 국내 총생산에 포함되지 않는다.
- (다): 어떤 한 해의 국내 총생산에는 그 해에 새로 생산된 상품의 가치만이 포함되며, 그 이전에 만들어진 상품의 가치는 포함되지 않는다.

잠깐! 국내 총생산(GDP)과 국민 총생산(GNP)에 대해 알아볼까요?

국민 총생산(GNP)은 생산 지역에 관계없이 일정 기간 동안 한 나라의 국민들이 생산한 최종 생산물의 시장 가치의 합이에요. 세계화가 진행됨에 따라 국가 간 자본과 노동이 자유롭게 이동하면서 국민 총생산이 국민 경제의 현실을 정확히 반영하기 어려워졌어요. 그래서 생산 활동 주체의 국적에 관계없이 '한 나라 안에서 이루어진 생산 활동'을 측정하는 국내 총생산(GDP)이 더 유용한 지표로 활용되고 있어요.

세상 속으로 국내 총생산의 한계

국내 총생산은 국민 경제 규모, 1인당 국내 총생산은 국민 1인당 평균적인 소득을 파악할 수 있지만, '삶의 질'이나 '소득 분배' 등은 파악하기 어렵다.

생각+ 국내 총생산의 한계를 보완하기 위한 지표에는 무엇이 있는지 조사해 보자.

예 국내 총생산 한계를 보완하는 지표로는 자원 고갈이나 환경 오염처럼 경제 활동으로 발생하는 환경 피해 금액을 통계에서 제외한 녹색 GDP, 노드하우스와 토빈이 제시한 경제 후생 지표(MEW) 등이 있다.

국민 경제의 이해 (2)

학습 목표 | 국내 총생산의 증가가 우리 생활에 미치는 영향을 설명할 수 있다.

❷ 국내 총생산 증가는 우리 생활에 어떤 영향을 미칠까?

1 국내 총생산과 경제 성장

1. **경제 성장:** 시간이 지남에 따라 한 나라의 경제 규모가 커지는 현상 → 국내 총생산(GDP)이 증가하는 것
2. **경제 성장률❶:** 실질 국내 총생산❷의 증가율로 표시 → 경제 성장의 정도를 보여주는 지표
   └ 물가 변동을 제거한 실제 경제 성장 여부를 측정할 수 있어요.

$$\text{경제 성장률(\%)} = \frac{\text{금년도 실질 국내 총생산} - \text{전년도 실질 국내 총생산}}{\text{전년도 실질 국내 총생산}} \times 100$$

2 경제 성장이 우리 생활에 미치는 영향

1. **경제 성장의 영향**

긍정적 측면	• 일자리가 늘어나고 국민 소득이 증가함. • 물질적으로 풍요로운 생활을 할 수 있게 됨. • 질 높은 교육과 의료 시설, 문화생활 등 사회적 · 문화적 욕구를 충족시켜 삶의 질❸ 향상에 기여 → 경제 성장이 언제나 삶의 질 향상으로 이어지는 것은 아니에요.
부정적 영향	• 경제 성장 과정에서 자연 자원의 고갈 및 환경 파괴 • 빈부 격차의 심화로 인한 사회 갈등의 확대

2. **지속 가능한 경제 성장 추구:** 공평한 소득 분배, 교육, 의료, 복지, 환경 등을 고려한 지속 가능한 성장을 이루려고 노력해야 함.

핵심 자료 **경제 성장의 측정**

아래의 표는 피자만을 생산하는 갑 국의 피자의 생산량과 가격을 나타낸 것이다. 갑 국은 피자만을 생산하므로 갑 국의 명목 국내 총생산*은 각 연도의 피자 가격에 생산량을 곱하여 구한다. 실질 국내 총생산*은 기준 연도인 2016년의 피자 가격에 생산량을 곱하여 구한다.

경제 성장률을 측정하기 위해서는 물가의 변동을 제외한 '실질 국내 총생산'을 이용한다. 국내 총생산은 시장 가격으로 표시되는 지표이므로, 실제 생산량이 증가하지 않더라도 재화나 서비스의 가격이 상승하면 국내 총생산이 증가한 것처럼 보이기 때문이다.

연도	가격(달러)	생산량(개)	명목 국내 총생산	실질 국내 총생산
2016년(기준 연도)	100	100	10,000	10,000
2017년	150	100	15,000	10,000

*명목 국내 총생산 = 그 해의 시장 가격 × 그 해의 최종 생산물의 생산량
*실질 국내 총생산 = 기준 연도의 시장 가격 × 그 해의 최종 생산물의 생산량

❶ 경제 성장률
금년도 국내 총생산이 전년도에 비해 얼마나 증가하였는지를 백분율로 나타낸 것이다.

❷ 실질 국내 총생산
물가의 변동을 없애고 그 해의 최종 생산물의 수량과 기준 연도의 가격을 곱해 계산한 국내 총생산(GDP)을 의미한다.

❸ 삶의 질
사람들의 전반적인 행복 수준을 의미한다. 일상생활에서 개인이 정신적 · 경제적 · 사회적 상태로부터 느끼는 행복한 정도이다.

간단 체크 정답과 해설 14쪽

O, X 판단하기

1 경제 성장이란 국내 총생산(GDP)이 증가하는 것을 의미한다. ( )
2 경제 성장의 정도를 보여주는 경제 성장률은 실질 국내 총생산의 증가율로 나타낸다. ( )
3 경제 성장은 반드시 국민들의 삶의 질 향상으로 이어진다. ( )

교과서 활동 풀이

교과서 86-87쪽

활동 세계 여러 나라의 GDP와 삶의 질

비교 항목	한국	미국	중국	일본	프랑스	멕시코
GDP(달러)	1조 4,104억	17조 4,190억	10조 3,548억	4조 6,015억	2조 8,292억	1조 2,947억
1인당 GDP(달러)	27,971	54,630	7,590	36,194	47,733	10,326
기대 수명(세)	81	79	71	83	82	77
의료비 지출/GDP(%)	7.1	17.1	5.6	10.3	11.7	6.2
인터넷 이용자 수(100명당)	84	87	49	91	84	44
연간 노동 시간(시간)	2,124	1,789	–	1,729	1,473	2,228

– OECD, IMF, 통계청, 2016. –

1 1인당 GDP의 크기와 기대 수명, 의료비 지출, 인터넷 이용률의 관계를 설명해 보자.

2 삶의 질이 높다고 생각하는 나라와 낮다고 생각하는 나라를 써 보고, 그 이유를 말해 보자.

예 미국, 프랑스, 일본, 한국 등은 삶의 질이 높고, 멕시코와 중국은 낮을 것이다. 1인당 GDP가 높으면 그만큼 물질적으로 풍요롭고, 기대 수명과 의료비 지출이 많으면 더 건강한 삶을 살 것이다. 아울러 인터넷 이용률이 높으면 그만큼 필요한 정보에 쉽게 접근하고 사용할 수 있을 것이고, 연간 노동 시간이 낮으면 노동 대신에 자신을 위한 휴식 시간을 많이 가질 것이다. 이러한 사회적 환경은 삶의 질을 높이는 데 기여할 것이다.

해결 열쇠

자료 해설

국내 총생산(GDP)이 큰 나라일수록 소득이 늘어나는 만큼 의료 혜택이나 질 높은 교육을 받을 수 있고, 다양한 문화생활을 함으로써 보다 나은 삶의 질을 누릴 수 있게 된다. 일반적으로 인간다운 삶을 누릴 수 있는 최소한의 물질적 조건이 갖추어진 상태에서 여가와 문화생활, 쾌적한 환경 등을 통해 행복감과 만족감을 느낄 수 있을 때 삶의 질이 높다고 본다.

1 예 1인당 GDP 크기와 기대 수명, GDP에서의 의료비 지출 비중, 인터넷 이용률 순위가 대체로 비례하고, 연간 노동 시간은 대체로 반비례한다.

함께 배우기 우리나라 경제 성장의 특징과 영향 파악하기

자료 1 압축 성장으로 한강의 기적을 이루다.

1960년부터 2014년까지 54년 동안 우리나라 실질 국내 총생산(GDP)은 52배로 커졌고, 경제는 연평균 7.6% 성장하였다. 선진국들이 200년 정도 걸려 이룬 산업화를 우리나라는 반세기 만에 이룬 것이다. 당시 세계는 '한강의 기적'을 일구어낸 우리나라를 '아시아의 호랑이'라고 불렀다.

자료 2 농업 사회에서 산업 사회, 이제 정보 사회로 변모하다.

1960년 우리나라는 농림 · 어업의 국내 총생산(GDP) 비중이 39%, 농가 인구의 비중이 60%를 넘는 농업 중심 국가였다. 이후 빠른 공업화의 진행으로 1990년에 제조 · 건설업의 비중이 36.8%로 높아지며 제조업 중심 국가로 변했다. 최근에는 정보 기술 산업이 경제 성장을 주도하고 있다.

자료 3 수출 주도의 경제 성장, 높은 대외 의존도를 가져오다.

우리나라는 수출이 주도하는 경제 성장을 해왔다. 지난 54년 동안 수출은 경제 성장 속도의 2배가 넘는 연평균 16.4%로 증가하였다. 그 결과 우리나라는 수출 중심의 경제 구조를 갖게 되었고, 경제의 대외 의존도가 높아져 세계 경제의 영향을 크게 받고 있다.

자료 4 세계 속 경제적 위상이 높아지다.

압축 성장의 결과 세계 속에서 우리나라의 경제적 위상은 크게 높아졌다. 2015년 국내 총생산은 세계 11위, 1인당 국내 총생산은 28위이다. 그러나 삶의 질, 1인당 연간 노동 시간 등은 상대적으로 낮은 수준에 머무르고, 경제적 성취가 삶의 질 향상으로 제대로 연결되지 않고 있다.

1 각 자료의 내용에 알맞은 제목을 빈칸에 적어 보고, 그 이유를 짝에게 설명한다.

2 자료를 토대로 경제 성장이 우리 생활에 미친 긍정적 영향과 부정적 영향을 토의한다.

예 • 긍정적 영향: 경제생활이 풍요로워진 점, 세계 속 위상이 높아진 점, 기술 강국으로 변모한 점 등 • 부정적 영향: 내 · 외수 산업의 불균형이 심화된 점, 경제의 대외 의존도가 높아진 점, 성장에도 불구하고 삶의 질 향상은 상대적으로 부족한 점 등

활동 도우미

우리나라 경제 성장의 특징을 보여주는 자료의 핵심 내용을 파악한 후, 이를 반영한 제목을 적어 보세요.

자료 해설

우리나라는 급속한 경제 성장을 통해 경제 강국으로 부상하였으며, 세계 주요 교역국이 되었다. 급속한 경제 성장 과정에서 나타난 빈부 격차, 환경 오염, 경제의 대외 의존성 심화 등의 문제점을 해결하면서 지속적인 경제 성장을 이루기 위한 노력이 필요하다.

스스로 확인하기

1 (1) 국내 총생산 (2) 경제 성장 (3) 삶의 질

2 (1)과 (3)은 포함되지만, (2)는 포함되지 않는다. 시장에서 거래된 것이 아니기 때문이다.

개념 노트 만들기

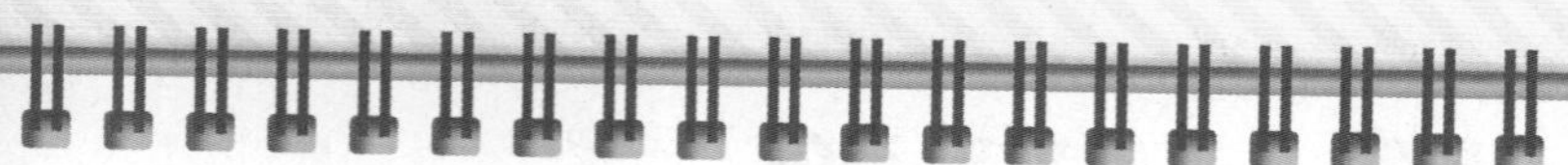

정답과 해설 14쪽

핵심 내용 정리하기 학습한 내용을 기억하면서 다음 글을 완성해 보자.

(제목:)

국민 경제 지표 가운데 한 나라의 경제 규모와 수준을 파악하기 위해 이용되는 (❶)은(는) 일정 기간 동안 한 나라 안에서 새로이 생산된 (❷)의 시장 가치를 합한 것이다. 1인당 국내 총생산은 국내 총생산을 그 나라의 (❸)(으)로 나눈 것으로 국민의 평균적인 (❹) 수준을 나타낸다.

한 나라의 경제 규모가 커지는 현상을 (❺)(이)라고 하고, 경제 성장의 정도를 보여주는 (❻)은(는) 실질 국내 총생산의 증가율로 나타낸다. 경제 성장은 교육, 의료 시설, 문화 등 사회적·문화적 욕구를 더욱 잘 충족시켜 (❼)을(를) 높이는 데 기여한다. 하지만 경제 성장 과정에서 자원 고갈, (❽), 빈부 격차 등 부작용이 생겨나기도 한다.

활동 노트 완성하기 학습하면서 기른 역량을 살려 다음 활동 노트를 완성해 보자.

(가)	(나)	(다)	(라)	(마)
이탈리안 음식점을 운영하시는 어머니께서는 일주일에 한번 스파게티를 만들어 팔기 위해 밀가루를 구입하신다.	아버지께서는 집 앞 텃밭에서 가꾼 상추와 배추, 오이 등 채소를 뜯어와 매일 저녁 식사를 준비해 주신다.	우리나라에 위치한 다국적 기업 G사에서 근무하는 누나가 첫 월급을 받았다며 가족들을 위한 선물을 준비했다.	올해 고등학교에 입학한 형은 2년 전에 생산된 중고 자전거를 올해 구입해서 자전거로 통학하고 있다.	축구를 좋아하는 동생은 유럽에서 활동하는 우리나라 축구 선수 S 씨의 연봉이 재계약 시 더 오를 것으로 예측하고 있다.

1 (가)~(마)의 밑줄 친 내용 중 올해 우리나라 국내 총생산(GDP)에 포함되는 것과 포함되지 않는 것으로 구분해 보자.

• 국내 총생산에 포함되는 것:

• 국내 총생산에 포함되지 않는 것:

2 (가)~(마)의 밑줄 친 내용 중 국내 총생산(GDP)에 포함되지 않는 것은 왜 그런지 이유를 서술해 보자.

3 국내 총생산(GDP)을 통해 알 수 있는 정보를 서술해 보자.

실력을 키우는 응용 문제

정답과 해설 14쪽

1 **다음은 국내 총생산(GDP)의 의미이다. 밑줄 친 ㉠~㉤에 대한 설명으로 옳지 않은 것은?**

> ㉠ 일정 기간 동안 ㉡ 한 나라 안에서 ㉢ 새롭게 생산된 ㉣ 최종 생산물의 ㉤ 시장 가치를 합한 것이다.

① ㉠ – 일반적으로 1년을 의미한다.
② ㉡ – 국외에서 생산된 것은 포함되지 않는다.
③ ㉢ – 그해 생산된 최종 생산물만 포함된다.
④ ㉣ – 최종 생산물과 중간 생산물 모두 포함된다.
⑤ ㉤ – 시장에서 거래된 것만 포함되며, 시장 거래를 통하지 않은 것은 제외된다.

 중요

2 **우리나라의 국내 총생산(GDP)에 포함되는 것을 [보기]에서 고른 것은?**

보기
ㄱ. 가정주부의 가사 노동
ㄴ. 5년 된 중고차의 판매 대금
ㄷ. 정부의 국립 도서관 건설 비용
ㄹ. 국내 기업이 생산한 가전제품의 국내 매출액

① ㄱ, ㄴ　② ㄱ, ㄷ　③ ㄴ, ㄷ
④ ㄴ, ㄹ　⑤ ㄷ, ㄹ

3 **국내 총생산과 1인당 국내 총생산에 대한 설명으로 옳은 것은?**

① 국내 총생산은 소득 분배 상태를 보여준다.
② 1인당 국내 총생산은 경제 규모와 생산 능력을 보여준다.
③ 국민 1인당 평균적인 소득 수준을 비교할 때에는 국내 총생산을 활용한다.
④ 국내 총생산이 전년과 동일하지만 인구가 증가한 경우 1인당 국내 총생산은 감소한다.
⑤ 국내 총생산이 큰 나라가 그렇지 않은 나라에 비해 국민들의 평균적인 소득 수준도 반드시 높다.

4 **경제 성장이 우리 생활에 미치는 영향에 대한 설명으로 옳지 않은 것은?**

① 새로운 일자리가 늘어난다.
② 국민 소득이 증가하여 물질적으로 풍요로워진다.
③ 경제 성장은 언제나 삶의 질 향상으로 이어진다.
④ 빈부 격차가 심화되는 부작용이 생겨나기도 한다.
⑤ 질 높은 교육과 보다 나은 의료 혜택을 받을 수 있다.

5 **다음 글을 통해 파악할 수 있는 국내 총생산(GDP)의 한계를 서술하시오.**

> 자가용이 널리 보급되어 교통사고로 인한 자동차 수리가 크게 늘어난 경우 정비 공장의 수입이 국내 총생산에 포함되어 국내 총생산이 증가하게 된다. 또한 공장에서 상품을 생산하는 과정에서 공해 물질을 배출하여 환경을 오염시킨 경우도 국내 총생산은 증가한다.

....

6 **다음 글의 밑줄 친 부분에 들어갈 내용으로 적절한 것을 [보기]에서 고른 것은?**

> 우리나라는 좁은 국내 시장을 극복하기 위해 수출이 주도하는 경제 성장을 해왔다. 지난 54년 동안 수출은 경제 성장 속도의 2배가 넘는 연평균 16.4%로 증가하였다. 그 결과 우리나라는 ....

보기
ㄱ. 경제의 대외 의존도가 높아졌다.
ㄴ. 수출 중심의 경제 구조를 갖게 되었다.
ㄷ. 농업과 공업이 동시에 성장하게 되었다.
ㄹ. 완만한 성장으로 세계 속 경제적 위상이 높아졌다.

① ㄱ, ㄴ　② ㄱ, ㄷ　③ ㄴ, ㄷ
④ ㄴ, ㄹ　⑤ ㄷ, ㄹ

물가 상승과 실업 (1)

학습 목표 | 물가 상승과 실업이 국민 생활에 미치는 영향을 설명할 수 있다.

❶ 물가 상승은 국민 생활에 어떤 영향을 미칠까?

1 물가와 물가 지수 → 어떤 시점의 물가 지수가 100보다 크면 기준 시점보다 물가가 상승한 것이고, 100보다 작으면 기준 시점보다 물가가 하락한 것이에요.

1. **물가:** 여러 상품들의 가격을 종합하여 평균한 것
2. **물가 지수:** 기준 시점 물가를 100으로 보았을 때 해당 시점 물가를 표현한 지수
3. **물가 지수의 종류:** 소비자 물가 지수, 생산자 물가 지수, GDP 디플레이터 등
   └ 소비자가 구입하는 주요 재화와 서비스를 대상으로 조사한 물가 지수

2 물가 상승의 원인

1. **수요 측면:** 총수요가 총공급[❶]보다 많을 때 → 가계, 기업, 정부의 지출 증가로 상품의 총수요가 증가하는데, 총공급이 이에 미치지 못할 경우 물가가 상승함.
2. **공급 측면:** 생산비가 상승할 때 → 경제 전반에 생산비의 상승이 있을 때 물가가 상승함.
   └→ 예 국내외의 원자재 가격, 임금, 임대료 등

3 물가 상승의 영향

1. **인플레이션:** 물가가 지속적으로 상승하는 현상
2. **물가 상승의 영향:** 화폐의 가치가 하락하여 구매력이 감소함.

① 경제 주체들 간에 경제적 손실이 엇갈리게 함.

유리한 경제 주체	채무자[❷], 기업가, 수입업자, 실물 자산[❸] 소유자 등
불리한 경제 주체	채권자, 근로자, 수출업자, 화폐 자산 소유자 등

② 수출 감소, 수입 증가: 국내 물가가 상승하면 수출품의 가격이 비싸져 수출은 감소하고, 상대적으로 값이 싸진 외국 상품의 수입은 증가함.

③ 급격한 물가 상승은 부동산 투기로 사회 갈등을 심화시킴. → 장기적인 투자가 감소하고 단기적인 수익을 얻을 수 있는 투기가 성행해요.

❷ 실업은 국민 생활에 어떤 영향을 미칠까?

1 실업의 의미와 영향

1. **실업의 의미:** 일할 의사와 능력이 있으나 일을 하지 못하고 있는 상태
2. **실업의 영향**

개인적 차원	직업과 소득 상실, 경제적 · 심리적 고통 등
사회적 차원	인적 자원 낭비, 정부의 재정 부담, 빈부 격차 심화 → 사회 불안 확대

2 실업의 원인과 유형[❹]

1. **마찰적 실업:** 일자리를 찾는 과정에서 일시적으로 발생하는 실업
2. **구조적 실업:** 산업 구조의 변화로 인해 쇠퇴하는 산업에서 나타나는 실업
3. **경기적 실업:** 경기 침체로 기업이 고용을 줄여 나타나는 실업
4. **계절적 실업:** 계절적 요인으로 발생하는 실업 예 건설업, 농업 등

❶ 총수요와 총공급
총수요는 일정 기간 동안 한 나라에서 생산된 재화와 서비스에 대한 경제 주체들의 수요의 총합이고, 총공급은 한 나라의 경제 주체들이 일정 기간 동안 생산하여 공급하고자 하는 재화와 서비스의 총합이다.

❷ 채무자와 채권자
채무자는 돈을 빌린 사람을 의미하고, 채권자는 돈을 빌려준 사람을 의미한다.

❸ 실물 자산과 화폐 자산
실물 자산이란 토지, 건물, 기계, 설비, 원료, 제품 등과 같이 형태가 있는 자산을 말하고, 화폐 자산은 현금, 예금 등과 같은 금융 자산을 말한다.

❹ 실업의 유형
실업은 자발적 실업과 비자발적 실업으로 구분하기도 한다. 자발적 실업에는 마찰적 실업이 있으며, 비자발적 실업에는 구조적 실업, 경기적 실업, 계절적 실업이 있다.

간단 체크 정답과 해설 15쪽

알맞은 말 채우기

1 물가란 여러 상품의 가격을 합하여 평균한 것이고, 그것을 기준이 되는 연도와 비교한 수치를 (   )(이)라고 한다.

2 일할 의사와 능력이 있으나 일을 하지 못하는 상태를 (   )(이)라고 한다.

3 (   )(이)란 경기 침체로 기업이 고용을 줄여 나타나는 실업이다.

교과서 활동 풀이

교과서 88-90쪽

생각 열기 알뜰이의 학용품 구매비, 얼마나 달라졌을까?

1학년 때와 3학년 때 각 학용품의 개당 가격

구분	공책	볼펜	샤프펜슬	샤프심
1학년	1,000원	1,500원	3,000원	500원
3학년	1,100원	1,650원	3,000원	700원

1학년 때와 3학년 때의 학용품 구매비

알뜰이의 학용품 구매 비용을 계산해 보니, 1학년 때는 39,000원이었고 3학년 때는 43,200원으로 나타났다.

질문 1 가격이 가장 많이 오른 학용품과 가장 낮게 오른 학용품은 각각 무엇인가?
가격이 가장 많이 오른것은 샤프심(40%)이고, 샤프펜슬의 가격은 변하지 않았다.

질문 2 알뜰이의 3학년 때의 학용품 구매비는 1학년 때보다 얼마나 더 많이 드는가?

해결 열쇠

자료 해설

물가가 상승하면 주어진 소득으로 구매할 수 있는 재화의 양이 줄어든다. 즉 화폐의 가치가 하락하여 소득이 같아도 전보다 구매력이 떨어진다.

질문 2 예 상품 구입비가 4,200원이 더 들게 되었으며, 상승률로 보면 약 10.8%로 늘어났다.

활동 물가 상승으로 울고 웃는 사람들

1 다음은 인플레이션 상황에서 이루어진 대화이다. 아래 설명 글을 참고하여 (가)~(다)의 빈칸을 완성해 보자.

(가)
채무자
"물가가 10% 올라서 내가 갚을 돈의 가치가 10% (하락했어.)"
채권자
"일 년 전에 내가 빌려준 돈을 돌려받고 보니 살 수 있는 물건의 양이 일 년 전 보다 (적어.)"

(나)
근로자
"물가가 오른 만큼 급여도 (올라야) 생활 수준을 그대로 유지할 수 있어."
기업가
"제품 가격이 올라 판매 수입은 늘고 직원 급여는 그대로라면 이익이 (늘어나겠군.)"

(다)
수출업자
"국내 물가 상승으로 제품 가격을 올려야 하니 수출이 (줄어들어) 걱정이야."
수입업자
"국내 물가 상승으로 수입품의 가격이 상대적으로 싸져 수입품을 찾는 사람들이 (많아졌어.)"

2 창의·인성 물가 상승으로 유리해지는 사람과 불리해지는 사람을 구분하고, 그 이유를 설명해 보자.

활동 도우미

물가 상승이 각 경제 주체에게 미치는 영향을 사례를 통해 정리해 보세요.

2 예 • 유리해지는 사람: 채무자, 기업가, 수입업자 • 불리해지는 사람: 채권자, 근로자, 수출업자 • 이유: 물가가 상승하면 현금 가치는 하락하기 때문에 물건 가치가 상승하므로 물건을 소유한 사람은 유리하고, 현금을 보유한 사람과 월급이나 이자를 받아 살아가는 고정 소득자는 불리하다.

활동 실업률, 어떻게 계산할까?

1 다음 그림에서 빈칸에 해당하는 내용을 찾아 문장을 완성해 보자.

- 15세 이상의 노동 가능 인구 중에서 일할 의사와 능력을 가진 사람들을 (경제 활동 인구)라고 한다.
- 경제 활동 인구는 일을 하고 있는 (취업자)와 일을 하지 않고 있는 (실업자)로 구분된다.
- 주부, 학생, 노약자 등은 대표적인 (비경제 활동 인구)이다.

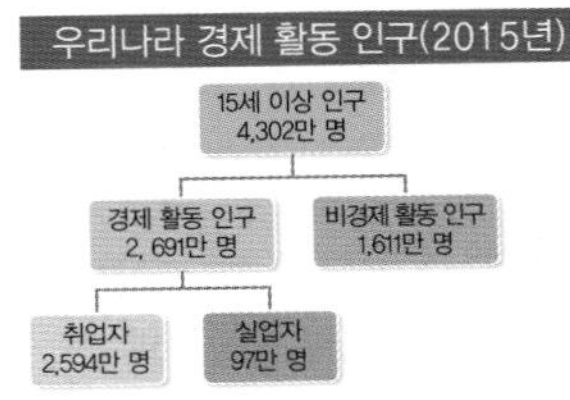

2 2015년 우리나라의 실업률을 계산해 보자. 예 (97만명/2,691만 명)×100 ≒ 3.6%

자료 해설

학생이나 가정주부처럼 일자리를 구할 의사가 없는 사람, 혹은 처음에는 직업을 구하기 위해 노력했지만 계속된 실패로 직업 구하기를 포기한 사람은 비경제 활동 인구로 분류된다.

세상 속으로 청년 실업률, 왜 높을까?

구직 단념자는 1년 안에 구직 경험이 있는 사람 중에서 지난 4주간 구직 활동을 하지 않은 사람이다. 구직 단념자는 일할 의사가 없는 사람이므로 실업자가 아니라 비경제 활동 인구에 포함된다.

생각+ 입사 시험을 준비하고 있는 청년은 왜 실업자에 포함되지 않는지 생각해 보자.
예 입사 시험을 준비하는 청년은 현재 일할 의사가 없으므로 실업자가 아니라 비경제 활동 인구로 분류된다.

5-2 물가 상승과 실업 (2)

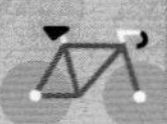

학습 목표 | 물가 안정과 고용 안정을 실현하기 위한 방안을 제시할 수 있다.

❸ 물가 상승과 실업을 해결하는 방안은?

1 물가 안정을 위한 노력

1. **물가 안정 노력:** 안정적인 경제 활동을 위해서는 다양한 경제 주체들의 물가 안정 노력이 필요함.
2. **경제 주체별 물가 안정 노력**
   ① 정부: 총수요 감소 정책 → **정부 지출**[❶]을 줄이고 **조세**를 늘림. (국가나 공공단체에 납부하는 세금)
   ② 중앙은행[❷]: 통화량[❸]을 줄이고 이자율은 높임. → 가계의 소비와 기업의 투자가 위축되어 총수요가 감소해요.
   ③ 기업: 기술 개발 및 혁신 등을 통한 **생산성 향상 및 생산비 절감**, 원가에 비해 지나치게 많은 이윤을 추구하는 것은 자제해야 함. (생산성이 향상되면 생산비가 하락하여 상품 가격이 오르는 것을 막을 수 있어요.)
   ④ 근로자: 생산성을 넘어서는 지나친 임금 인상 요구 자제해야 함.
   ⑤ 소비자: 건전하고 합리적인 소비, 과소비와 충동구매 자제해야 함.

2 고용 안정을 위한 노력

1. **정부:** 고용 안정을 위해 다양한 정책이 이루어짐.

구분	정책
마찰적 실업	구인 · 구직 정보 시스템 구축, 취업 박람회 개최 등
구조적 실업	직업 교육, 인력 개발 프로그램 개발 등
경기적 실업	총수요 확대 정책 → 공공사업[❹] 실시, 기업의 투자 유인을 통한 일자리 창출 등
계절적 실업	농공 단지 조성, 공공사업 확대 등

2. **근로자:** 새로운 작업 환경에 적응, 자기 계발 노력 등
3. **기업:** 일자리 창출, 고용 안정 방법 모색 등

핵심 자료 **고용 안정을 위한 다양한 노력들**

실업은 발생 원인에 따라 마찰적 실업, 구조적 실업, 경기적 실업, 계절적 실업 등으로 분류할 수 있다. 실업 문제 해결을 위한 정부의 정책은 아래와 같이 실업의 발생 원인에 따라 이루어져야 한다.

취업 박람회	취업 교육	공공 근로 사업	일자리 창출 우수 기업
마찰적 실업의 경우 취업 박람회를 개최하여 직업 탐색에 드는 시간과 비용을 줄인다.	구조적 실업의 경우 취업 교육, 인력 개발 프로그램을 통해 새 일자리를 찾는 것을 도와준다.	경기적 실업의 경우 공공 근로 사업을 시행하여 실업자의 최소한의 생계를 보장한다.	경기적 실업의 경우 총수요를 확대하는 정책을 펴서 기업이 일자리를 창출하도록 유도한다.

❶ 정부 지출
정부가 재화나 서비스를 구입하기 위해 지출한 것으로 사무용품 및 재료 등에 대한 지출을 말한다.

❷ 중앙은행
우리나라 중앙은행인 한국은행은 물가 안정을 목표로 통화 정책을 담당하고 있다. 통화량을 줄이거나 이자율을 높이는 정책을 실시하면 기업의 투자와 가계의 소비가 위축되어 총수요가 감소한다.

❸ 통화량
한 나라 안에서 실제로 사용되고 있는 돈의 양을 말한다.

❹ 공공사업
국가 또는 지방 자치 단체가 도로, 항만 등 공공의 목적을 위해 벌이는 사업을 말한다.

간단 체크 정답과 해설 15쪽

알맞은 말 선택하기

1 정부는 물가 상승이 우려될 경우에는 정부 지출을 (줄이는 | 늘리는) 정책을 펴야 한다.
2 중앙은행은 물가 상승이 우려될 경우에는 이자율을 (낮추는 | 높이는) 경제 정책을 펴야 한다.
3 정부는 (마찰적 실업 | 경기적 실업)을 해결하기 위해서는 구인과 구직 정보 시스템을 구축하고 취업 박람회 등을 개최해야 한다.

교과서 **활동 풀이**

교과서 91-92쪽

함께 배우기 우리나라 물가 상승, 실업의 변화와 영향 파악하기

다음은 우리나라 소비자 물가 상승률과 실업률, 경제 성장률을 나타낸 자료이다.

구분	2011년	2012년	2013년	2014년	2015년	(2016)년
소비자 물가 상승률(%)	4.0	2.2	1.3	1.3	0.7	(1.0%)
실업률(%)	3.4	3.2	3.1	3.5	3.6	(3.6%)
경제 성장률(%)	3.7	2.4	2.9	3.3	2.6	(2.7%)

※ 소비자 물가 상승률, 실업률, 경제 성장률은 전년 대비 수치임.

(한국은행, 통계청, 2016.)

1 한국은행과 통계청 누리집에서 최신 통계 자료를 수집하여 위 표를 완성한다.

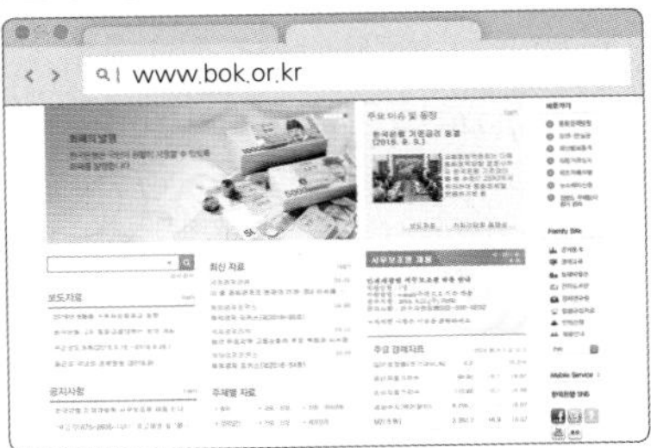

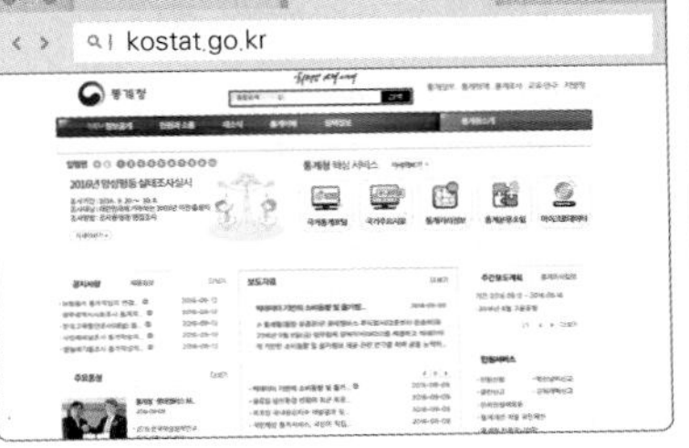

- 소비자 물가 상승률(%): 2016년 한국은행 전망치는 1.0%이다.
- 실업률(%): 2016년 9월 통계청에서 3.6%로 조사되었다.
- 경제 성장률(%): 2016년 한국은행 전망치는 2.7%이다.

2 조사한 자료와 언론 기사의 내용을 근거로 하여 현재 우리나라 경제 상태가 과열인지, 침체인지 모둠별로 토의하여 판단한다.

예 실업률이 높지는 않지만 점차 상승하고 있고, 2016년에도 저물가 상황이 계속된다면 경제 성장에 부정적인 영향을 줄 수 있으므로 경기 침체에 대한 우려가 커지고 있다.

3 현재의 경제 상태가 가계의 소비, 기업의 생산, 정부의 재정 등 국민 생활에 미치는 영향을 토의한다.

예 물가가 안정되면 당장은 소득의 구매력이 유지된다. 그러나 저물가에 의한 경기 침체가 계속되면 기업이 고용을 감소하여 실업률이 높아지고, 이는 가계 소득 감소로 이어질 것이다. 경제가 어려워지면 정부의 조세 수입도 감소하여 복지비 지출이 줄어들 것이다.

4 모둠별로 토의한 내용을 정리하여 발표한다.

예 경기 침체가 국민 경제 생활에 미치는 영향

구분	내용
가계의 소비	• 경기 침체로 소비 심리가 계속 위축된 채 유지될 것이다.
기업의 생산	• 가계의 소비가 위축되어 기업은 생산을 줄일 것이다.
정부의 재정	• 경기를 활성화하기 위해 투자 예산 투입을 계획할 것이다. • 경기 침체에는 세금을 줄이는 정책을 시행할 것이다. 세금을 감소하면 소득에서 지출할 수 있는 돈이 늘어나므로 총수요가 증가할 것이다.

해결 열쇠

활동 도우미

한국은행과 통계청 누리집의 정확한 통계 자료를 근거로 경제 상태가 침체 또는 과열인지 판단하는 것이 중요해요. 우리나라의 최근 경제 상태와 그것이 국민 생활에 미치는 영향을 다룬 신문 기사나 방송 보도 자료도 참고할 수 있어요.

자료 해설

- 소비자 물가 상승률(%): 소비자 물가 지수는 가계가 소비를 위해 구매하는 재화와 서비스의 가격을 바탕으로 작성되는 물가 지수이다. 전년 대비 소비자 물가 상승률은 지난해와 비교하여 소비자 물가 수준이 얼마나 상승하였는가를 나타내는 변화율이다.
- 실업률(%): 경제 활동 인구에서 실업자가 차지하는 비중이다.
- 경제 성장률(%): 금년도 실질 국내 총생산(GDP)이 전년도에 비해 얼마나 증가하였는지를 보여주는 지표이다.

잠깐! 경제 상태가 침체 또는 과열인지 어떻게 판단할 수 있을까요?

물가와 국민 소득, 실업을 기초로 경제 상태가 침체 또는 과열인지 판단할 수 있어요.

구분	침체	과열
물가	안정(하락)	상승
국민 소득	감소	증가
실업	증가	감소

스스로 확인하기

1 (1) 물가 (2) 인플레이션 (3) 마찰적 **2** (1) ㉡ (2) ㉠ (3) ㉡ (4) ㉠

개념 노트 만들기

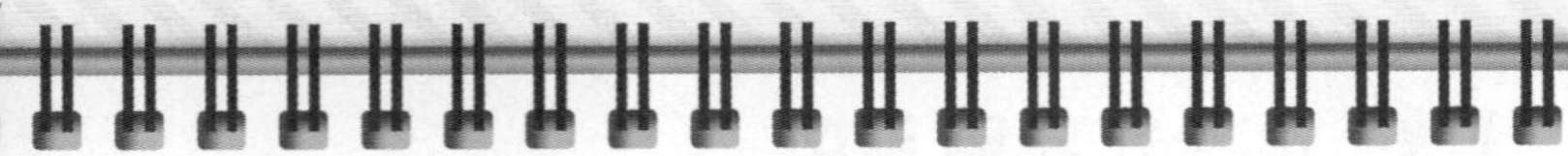

정답과 해설 15쪽

핵심 내용 정리하기 학습한 내용을 기억하면서 다음 글을 완성해 보자.

(제목:)

물가란 여러 상품의 가격을 합하여 평균한 것이고, 그것을 기준이 되는 연도와 비교한 수치를 (❶)(이)라고 한다. 물가가 지속적으로 상승하는 현상을 (❷)(이)라고 하는데, 물가가 상승하면 화폐의 가치가 하락하여 임금으로 생활하는 근로자는 (❸)해진다. 물가 상승이 우려될 경우 정부는 정부 지출을 (❹) 세금을 늘린다. 중앙은행은 통화량을 줄이고 이자율을 높인다.

일할 의사와 능력이 있으나 일을 하지 못하고 있는 상태를 (❺)(이)라고 하는데, 대표적으로 (❻), 구조적 실업, 경기적 실업, 계절적 실업 등이 있다. 고용 안정을 위해 (❼)은(는) 취업 박람회 개최, 직업 교육, 총수요 확대 등의 정책을 펴야 한다. 근로자는 자기 계발에 힘쓰고 (❽)은(는) 새로운 일자리 창출 방법을 모색해야 한다.

활동 노트 완성하기 학습하면서 기른 역량을 살려 다음 활동 노트를 완성해 보자.

○○ 일보

갑 국은 최근 몇 년간 두 자릿수 경제 성장률을 기록하며 경기* 과열 상태를 보이고 있다. 그 결과 갑 국의 ㉠ 물가가 지속적으로 상승하고 있다. 경제 전문가들은 사상 최고의 소비 증가를 그 원인으로 꼽는다. 이는 주로 소매 부문의 급성장에 따른 것으로 지난 한 달에만 자동차 48%, 가구 40%, 가전 22%가 각각 늘어난 것으로 나타났다. 이에 대해 전문가들은 크게 늘어난 자동차 수요가 주요 요인이며, 신용카드 사용 증가도 영향을 끼쳤다고 분석했다.

*경기: 국가 전체의 경제 활동 상태, 즉 국민 경제의 총체적인 수준을 말한다.

1 밑줄 친 ㉠과 같은 경제 현상을 일컫는 용어를 쓰고, 갑 국에서 이러한 현상이 나타난 원인을 서술해 보자.

- ㉠:
- 원인:

2 물가 안정을 위해 다양한 경제 주체들에게 요구되는 역할을 정리해 보자.

경제 주체	역할
정부	
중앙은행	
기업	
근로자	
소비자	

실력을 키우는 응용 문제

정답과 해설 15쪽

1 **다음 글에 나타난 물가 상승의 원인으로 가장 적절한 것은?**

> 빙과 업체들이 아이스크림의 주원료인 유제품과 설탕, 바닐라 등의 가격 상승에 따라 여름철 대표 먹거리인 아이스크림과 빙수의 가격을 인상하였다.

① 총수요의 증가
② 가계의 소비 증가
③ 원자재 가격의 상승
④ 근로자의 임금 상승
⑤ 정부의 재정 지출 증가

중요

2 **다음과 같은 현상이 지속될 경우 나타날 수 있는 경제 상황으로 옳은 것은?**

> 물가가 일정 기간 동안 지속적으로 상승하는 현상을 말한다.

① 화폐의 가치가 상승한다.
② 수출이 늘고 수입은 줄어든다.
③ 채권자가 채무자에 비해 유리해진다.
④ 임금으로 생활하는 근로자는 불리해진다.
⑤ 주어진 소득으로 구매할 수 있는 재화의 양이 많아진다.

3 **㉠~㉢에 대한 옳은 설명을 [보기]에서 고른 것은?**

> 15세 이상의 노동 가능 인구 중에서 일할 의사와 능력을 가진 사람들을 (㉠)(이)라고 한다. (㉠)은(는) 일을 하고 있는 (㉡)와(과) 일을 하지 않고 있는 (㉢)(으)로 구분된다.

보기

ㄱ. ㉠은 경제 활동 인구이다.
ㄴ. ㉡은 실업자, ㉢은 취업자이다.
ㄷ. 경기 침체가 지속되면 ㉢이 늘어난다.
ㄹ. ㉢에는 주부, 학생, 구직 단념자 등이 포함된다.

① ㄱ, ㄴ ② ㄱ, ㄷ ③ ㄴ, ㄷ
④ ㄴ, ㄹ ⑤ ㄷ, ㄹ

4 **경제 주체와 물가 안정을 위한 노력을 <u>잘못</u> 연결한 것은?**

① 소비자 – 건전하고 합리적인 소비를 한다.
② 정부 – 정부 지출을 늘리고 세금을 줄인다.
③ 기업 – 기술 개발을 통해 생산성을 향상시킨다.
④ 근로자 – 생산성을 넘어서는 지나친 임금 인상 요구를 자제한다.
⑤ 중앙은행 – 시중에 유통되는 통화량을 줄이고 이자율을 높인다.

5 **다음 갑, 을의 사례에 해당하는 실업의 종류를 쓰고, 그 의미를 각각 서술하시오.**

6 **㉠~㉢에 들어갈 경제 주체를 순서대로 바르게 연결한 것은?**

> 고용 안정을 위해 (㉠)은(는) 구인 · 구직 정보 시스템을 구축하고, 취업 박람회를 개최한다.
> (㉡)은(는) 작업 환경에의 적응과 자기 계발에 힘써야 하며, (㉢)은(는) 새로운 일자리 창출과 고용 안정 방법을 모색해야 한다.

	㉠	㉡	㉢
①	정부	근로자	기업
②	정부	기업	근로자
③	기업	정부	근로자
④	근로자	정부	기업
⑤	근로자	기업	정부

5-3 국제 거래와 환율 (1)

학습 목표 | 국제 거래의 특징과 필요성을 설명할 수 있다.

❶ 국제 거래란 무엇이고, 왜 필요할까?

1 국제 거래의 의미와 특징

1. 국제 거래의 의미: 나라와 나라 사이에 이루어지는 거래

2. 국제 거래의 특징

① 관세[1] 부과: 물품이 국경을 넘을 때 통관 절차를 거치며 관세를 내야 함.

② 서로 다른 화폐 사용: 거래하는 두 나라의 화폐가 서로 다른 불편을 피하고자 미국의 화폐인 달러를 사용하여 국제 거래를 하는 경우가 많음.

③ 제한적인 상품 이동: 나라마다 법과 제도가 달라 상품 이동이 국내보다 자유롭지 못함.

3. 오늘날 국제 거래의 양상

① 거래 대상의 변화: 재화와 서비스뿐만 아니라 노동, 자본, 기술과 같은 생산 요소[2]도 거래되고 있음.

② 거래 규모의 확대: **세계화**의 영향으로 국제 거래가 지속적으로 확대되고 있음.

2 국제 거래의 필요성 → 국제 거래를 적극적으로 활용하면 경제가 더 잘 성장할 수 있어요.

1. 생산 비용의 차이: 국가 간 기후, 자연 자원[3], 생산 기술, 노동력의 양과 질 등의 차이로 인해 생산 비용의 차이 발생 → 각 나라가 각각 잘 만들 수 있는 것을 생산하여 **수출**하고, 생산에 불리한 상품을 **수입**하면 국제 거래를 통해 상호 간 이득

2. 세계 시장을 상대로 대규모 생산 → 생산비 절약

3. 선진국의 발전된 기술 도입 → 생산비 절약

4. 부족한 생산 요소 도입 → 생산 시설 확충, 고용 증대

핵심 자료 **우리나라 국제 거래 규모의 확대**

우리나라는 부존자원이 부족하고 시장 규모가 작은 문제를 해결하기 위해 수출 주도형 경제 성장 전략을 펼쳤고, 그 결과 무역 규모가 급속히 증가하였다. 또한 세계화의 영향으로 국제 거래는 지속적으로 확대되고 있다.

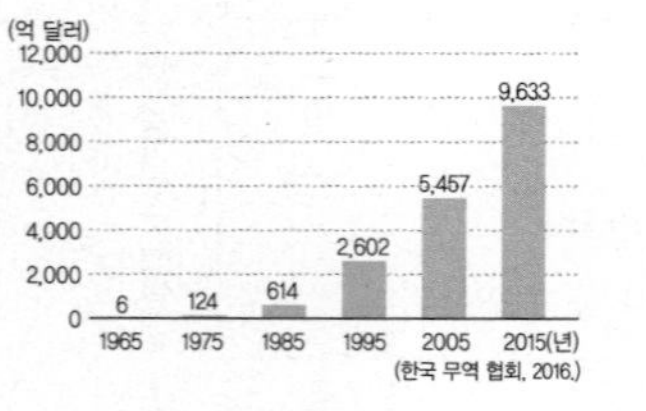

▲ 우리나라 무역 규모의 변화

❶ **관세**
상품이 국경을 통과할 때 부과하는 세금을 말한다.

❷ **생산 요소**
생산에 필요한 노동, 자본, 자연 자원 등의 요소를 의미한다.

❸ **자연 자원**
토지, 광물 자원과 같이 자연에 존재하는 자원을 말한다.

간단 체크 정답과 해설 16쪽

O, X 판단하기

1 물품이 국경을 넘을 때 통관 절차를 거치며 관세를 내야 한다. ( )

2 각 나라는 잘 만들 수 있는 것을 생산하여 수입하고, 생산에 불리한 상품을 수출하여 사용한다. ( )

3 세계 시장을 상대로 대규모로 생산하면 생산 단가가 높아져 교역국 모두가 이득을 본다. ( )

교과서 **활동 풀이**

교과서 94-95쪽

생각 열기 세계 경제는 서로 어떻게 얽혀 있을까?

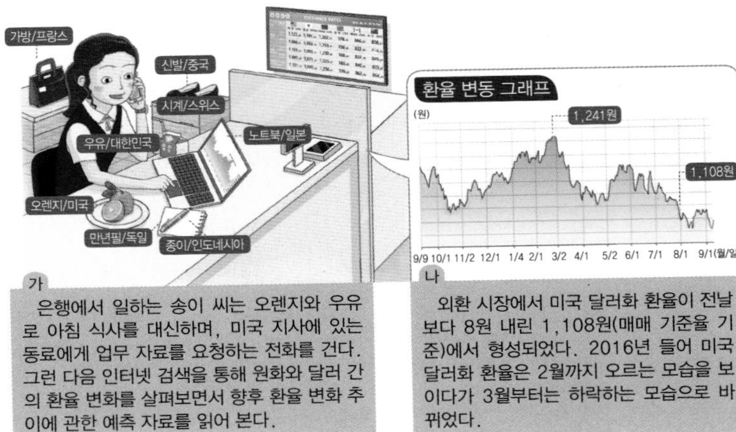

가 은행에서 일하는 송이 씨는 오렌지와 우유로 아침 식사를 대신하며, 미국 지사에 있는 동료에게 업무 자료를 요청하는 전화를 건다. 그런 다음 인터넷 검색을 통해 원화와 달러 간의 환율 변화를 살펴보면서 향후 환율 변화 추이에 관한 예측 자료를 읽어 본다.

나 외환 시장에서 미국 달러화 환율이 전날보다 8원 내린 1,108원(매매 기준율 기준)에서 형성되었다. 2016년 들어 미국 달러화 환율은 2월까지 오르는 모습을 보이다가 3월부터는 하락하는 모습으로 바뀌었다.

질문 1 내가 가진 물건 중 다른 나라에서 만든 물건이 무엇인지 찾아보고 짝과 비교해 보자.

예 볼펜(일본), 스마트폰(미국), 노트북(중국), 바지(베트남) 등

질문 2 (나)에서 1달러의 환율이 1,108원이라는 뜻은 무엇일까?

예 1달러와 교환되는 원화가 1,108원이라는 의미이다. 즉 1달러를 얻기 위해서는 우리나라 돈 1,108원을 지불해야 하며, 외국인이 1달러를 원화로 환전하면 1,108원을 받는다.

해결 열쇠

자료 해설

- (가): 국가 간에 상품뿐만 아니라, 노동, 자본, 기술에 이르기까지 다양하게 거래되고 있으며, 이로 인해 국가 간의 상호 의존성이 증가하고 있다.
- (나): 국가 간의 무역에서 대금을 지불하거나 받을 때 나라마다 서로 다른 화폐를 사용하기 때문에 화폐의 교환 비율인 환율을 고려해야 한다. 환율은 외환 시장에서 외국 화폐에 대한 수요와 공급에 의해 결정된다.

잠깐! 세계 각국의 통화에 대해 더 알아볼까요?

- 한국: 원화(₩)
- 미국: 달러($)
- 중국: 위안화(元)
- 일본: 엔화(¥)
- 영국: 파운드화(£)

세상 속으로 우리나라의 주요 수출 품목과 수입 품목은 무엇일까?

우리나라는 1960~1970년대에 노동 집약적인 제품을 위주로 수출하였고, 1990년대 후반 이후 반도체 및 자동차의 수출 비중이 크게 증가하면서 우리나라의 대표 수출 산업으로 부상하였다. 2000년대에는 1990년대 후반부터 시작된 IT 산업의 급성장과 선박 및 자동차의 선전으로 선박, 자동차, IT 제품이 꾸준히 수출 상위 5대 품목에 이름을 올리면서 그 비중도 확대되었다. 이처럼 한 국가 내에서도 여러 요인에 의해 수출 품목이 변화할 수 있다. 우리나라의 수입 품목은 대부분이 에너지 자원으로, 에너지의 해외 의존도가 매우 높음을 알 수 있다.

생각+ 우리나라의 5대 수출 품목과 수입 품목을 보고 우리나라 수출입의 특징을 말해 보자.

예 • 우리나라는 주로 원유, 마이크로프로세서, 천연가스, 석유 제품, 석탄 등을 수입한다. 대부분이 에너지 자원으로, 에너지의 해외 의존도가 매우 높음을 알 수 있다. 마이크로프로세서와 같은 첨단 기술 제품도 수입하고 있음을 알 수 있다.
• 우리나라는 원유를 수입하지만, 발달한 석유 화학 산업 기술을 활용하여 석유 제품을 생산·수출한다. 또한 반도체, 자동차, 선박, 석유 제품, 디스플레이 등 자본·기술 집약적 상품을 주로 수출하고 있다.

자료 해설

나라마다 자연 자원을 비롯하여 노동, 자본, 지식, 기술의 수준이 각각 다르며, 그에 따라 생산에 유리한 상품과 불리한 상품이 생긴다. 그러므로 각국은 생산에 유리한 조건을 가진 품목을 특화하여 교역함으로써 더 적은 비용으로 많은 양을 생산할 수 있다. 이렇게 각국이 상대적으로 더 효율적으로 재화를 생산할 수 있는 산업에 대해 비교 우위가 있다고 말한다. 각 나라의 비교 우위는 경제적 여건에 따라 바뀔 수 있다.

5-3 국제 거래와 환율 (2)

학습 목표 | 환율의 의미와 환율이 결정되는 원리를 설명할 수 있다.

❷ 환율이란 무엇이고, 어떻게 결정될까?

1 환율의 의미

1. **환율의 의미:** 외국의 화폐와 교환되는 자국 화폐의 비율
2. **환율의 표시 방법:** 외국 화폐 1단위와 교환되는 자국 화폐의 비율 예 1,000원/달러: 미국 돈 1달러와 우리나라 돈 1,000원의 교환 가치가 같음.

2 환율의 결정과 변동

1. **환율의 결정❶**
   ① 외화의 수요와 공급이 일치하는 점에서 환율 결정됨. → 외화의 가격인 환율도 상품의 가격 결정과 같이 외화에 대한 수요와 공급에 의해 결정돼요.
   ① **외화의 수요:** 외환 시장에서 외화를 사려는 것 → 수입, 해외여행, 외국 투자, 유학 등과 같이 외국에서 외화를 사용하려는 경우에 발생
   ③ **외화의 공급:** 외환 시장에서 외화를 팔려는 것 → 수출로 번 외화의 국내 유입, 외국인의 국내 관광, 외국인의 국내 투자 등 외화가 국내로 들어오는 경우에 발생
2. **환율의 변동:** 외화에 대한 수요나 공급에 변화가 있으면 그 영향으로 외환 시장에서 환율이 변동함.
   ① 외화의 수요 증가 또는 외화의 공급 감소 → 환율 상승
   ② 외화의 수요 감소 또는 외화의 공급 증가 → 환율 하락

3 환율 변동이 국내 경제에 미치는 영향

1. **환율 상승(우리나라 화폐 가치 하락❷)에 따른 영향**
   ① **수출 증가:** 외화로 표시되는 수출품의 가격 하락
   ② **수입 감소:** 원화로 표시되는 수입품의 가격 상승
   ③ **국내 물가 상승:** 수입품과 해외 원자재의 가격 상승
   ④ 해외여행 및 유학 감소
   ⑤ 외채 상환 부담 증가 (외채: 외국에 진 빚)
2. **환율 하락(우리나라 화폐 가치 상승)에 따른 영향**
   ① **수출 감소:** 외화로 표시되는 수출품의 가격 상승
   ② **수입 증가:** 원화로 표시되는 수입품의 가격 하락
   ③ **국내 물가 안정:** 수입품과 해외 원자재의 가격 하락
   ④ 해외여행 및 유학 증가
   ⑤ 외채 상환 부담 감소

❶ 환율의 결정
환율은 외화의 수요와 공급이 일치하는 점에서 결정된다.

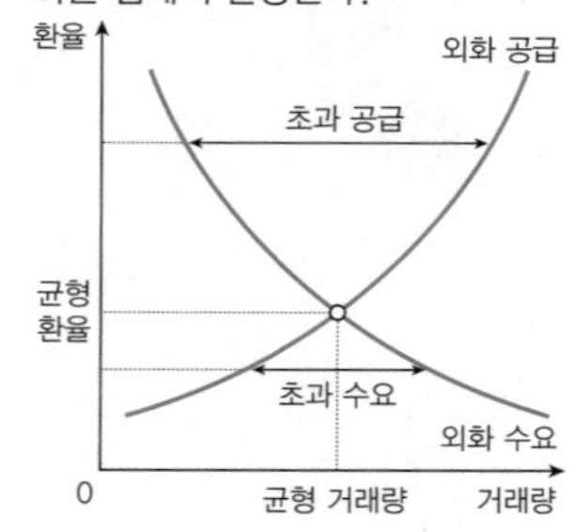

❷ 환율의 변동과 원화의 가치
달러 환율이 1,000원에서 1,100원으로 상승하면 1달러를 살 때 100원을 더 지급해야 하며, 이는 원화의 가치가 그만큼 떨어졌음을 의미한다.

간단 체크 정답과 해설 16쪽

알맞은 말 채우기

1. 환율은 외화의 (　　)와(과) (　　)이(가) 일치하는 지점에서 결정된다.
2. 상품 수출이 늘고 외국인 관광객이 증가하면 환율은 (　　)한다.
3. 환율이 상승하여 수입품과 해외 원자재의 가격이 상승하면 국내 물가가 (　　)한다.

교과서 활동 풀이

교과서 96-97쪽

활동 환율 변동 요인 파악하기

1 (가)~(라) 사례를 외화의 수요 요인과 공급 요인으로 구분해 보자.

(가) 한류 열풍으로 외국인 관광객과 외국인 유학생이 급증하였다.
(나) 전염병으로 인해 해외여행을 떠나려는 우리나라 국민이 감소하였다.
(다) 중국 금융 시장의 투자 수익률이 높아져 우리나라의 중국 투자가 증가하였다.
(라) 경제 위기로 수입품의 소비가 줄어들어 외국 상품의 수입이 감소하였다.

• 수요 요인: (나), (다), (라) • 공급 요인: (가)

2 (가)~(라) 사례에서 환율이 어떻게 변동하는지 그래프를 그려 확인해 보자.

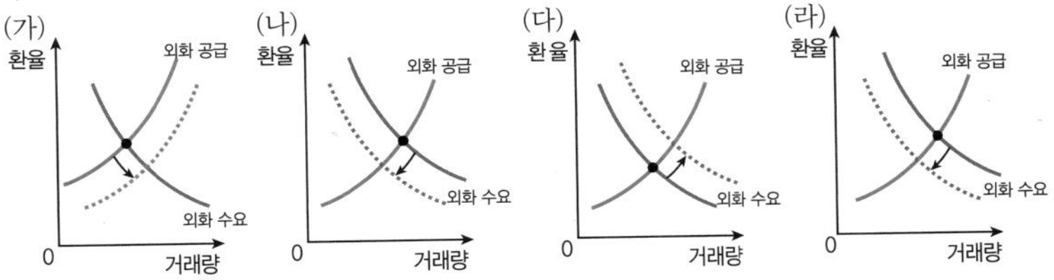

함께 배우기 역할극으로 환율 변동의 영향 파악하기

1 6명으로 모둠을 구성하고 모둠원의 역할을 6장의 경제 주체 카드에서 뽑아 정한다.

우리나라 수출업자	우리나라 수입업자	해외여행을 가려는 우리나라 대학생	우리나라에서 번 돈을 본국으로 송금하려는 외국인 근로자	우리나라에 관광 오려는 외국인	우리나라 주식에 투자하려는 외국인

2 교사가 달러 환율이 일주일 사이 1,000원에서 1,100원으로 상승하였음을 안내한다.

3 각 역할을 맡은 모둠원은 환율 변동에 따른 자신의 대응 행동과 그 이유를 붙임 쪽지에 적어 모둠에서 발표한다.

4 모둠 내에서 자율적으로 학생들 간에 역할을 바꾼다.

5 교사가 환율이 일주일 사이 1,000원에서 900원으로 하락하였음을 안내하고, 3의 활동을 진행한다.

모둠명 환율이 상승했을 때 대응 행동과 이유

수출업자	수입업자	해외여행자
수출을 늘린다.	수입을 줄인다.	여행 계획을 미룬다.
외국인 근로자	외국인 관광객	외국인 투자자
본국으로의 송금을 줄인다.	우리나라로 오는 외국인 관광객이 늘어난다.	우리나라에 투자를 늘린다.

모둠명 환율이 하락했을 때 대응 행동과 이유

수출업자	수입업자	해외여행자
수출을 줄인다.	수입을 늘린다.	해외여행이 증가한다.
외국인 근로자	외국인 관광객	외국인 투자자
본국으로 송금을 늘린다.	우리나라로 오는 외국인 관광객이 감소한다.	우리나라에 투자를 줄인다.

해결 열쇠

자료 해설

환율은 외화의 수요와 공급이 일치하는 지점에서 결정된다. 외화에 대한 수요나 공급에 변화가 있으면 그 영향으로 외환 시장에서 환율이 변동한다. 외화의 수요는 수입, 해외여행, 외국 투자, 유학 등과 같이 외화가 해외로 나가는 것을 의미한다. 외화의 공급은 수출로 번 외화의 국내 유입, 외국인의 국내 관광, 외국인의 국내 투자 등 외화가 국내로 들어오는 것을 의미한다.

활동 도우미

환율이 상승, 하락했을 때 내가 맡은 경제 주체의 대응 행동과 그 이유를 모둠원이 이해하기 쉽게 정리하여 발표해 보세요.

자료 해설

환율 상승의 영향	• 수출 유리, 수입 불리 • 한국인의 해외여행 감소 • 외국인의 국내 여행 증가 • 외채 상환 부담 증가
환율 하락의 영향	• 수출 불리, 수입 유리 • 한국인의 해외여행 증가 • 외국인의 국내 여행 감소 • 외채 상환 부담 감소

역할극 학습 TIP

모둠별로 모여 앉아 경제 주체 카드를 뽑아 모둠원의 역할을 정합니다. 선생님께서 환율이 상승 또는 하락하였음을 안내하면 이에 따라 자신이 맡은 경제 주체의 합리적인 대응 행동과 그 이유를 붙임 쪽지에 적고 모둠원들에게 논리적으로 설명합니다.

스스로 확인하기

1 (1) 국제 거래 (2) 관세 (3) 환율 (4) 수출, 수입
2 (1) ㉠ (2) ㉡ (3) ㉡ (4) ㉠ (5) ㉠

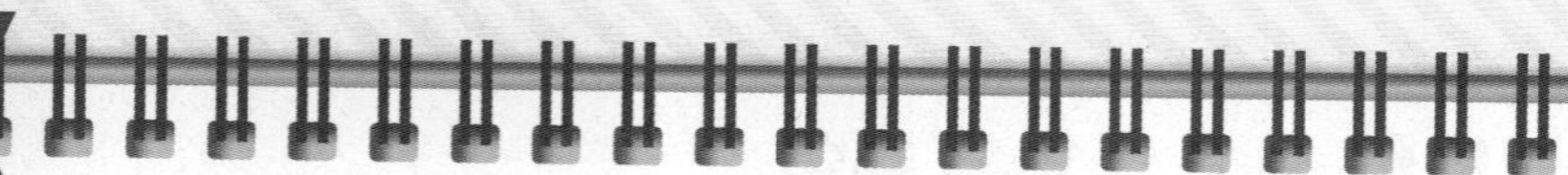

개념 노트 만들기

정답과 해설 16쪽

핵심 내용 정리하기 학습한 내용을 기억하면서 다음 글을 완성해 보자.

(제목:)

나라 간에 이루어지는 거래를 (❶)(이)라고 한다. 각 나라는 자연 자원, 생산 기술, 노동력의 양과 질 등이 달라 (❷)의 차이가 발생하는데 잘 만들 수 있는 것을 생산하여 (❸)하고, 생산에 불리한 상품은 수입하게 되면 서로가 이득을 보게 된다. 또한 세계 시장을 상대로 (❹) 생산이 가능하고 선진국의 기술을 도입하면 생산 비용을 절약할 수 있다.

외국 화폐와 교환되는 자국 화폐의 비율을 (❺)(이)라고 한다. 환율은 외화에 대한 수요와 (❻)이(가) 일치하는 점에서 결정된다. 외화의 수요가 늘거나 외화의 공급이 줄면 환율은 (❼)한다. 환율이 상승하면 국제 거래에서 수출은 (❽)하고 수입은 감소하며 국내 물가가 (❾)한다. 또한 비용의 증가로 해외여행이 줄게 되며 외채 상환 부담은 (❿)진다.

활동 노트 완성하기 학습하면서 기른 역량을 살려 다음 활동 노트를 완성해 보자.

(가)	(나)	(다)	(라)
테러 공격으로 인한 불안감으로 해외여행을 떠나려는 우리나라 국민이 감소하였다.	중국 정부의 한국 단체 관광 금지 조치로 인해 한국을 찾는 중국인 관광객이 크게 감소하였다.	건강한 한식에 대한 세계인의 관심이 높아지면서 우리나라 농식품의 수출이 증가하였다.	한-유럽연합(EU) 자유무역협정(FTA) 체결 이후 우리나라의 유럽 투자가 증가하였다.
환율, 외화 공급, 외화 수요, 0, 거래량 환율 ( )	환율, 외화 공급, 외화 수요, 0, 거래량 환율 ( )	환율, 외화 공급, 외화 수요, 0, 거래량 환율 ( )	환율, 외화 공급, 외화 수요, 0, 거래량 환율 ( )

1 다른 조건이 일정할 때, (가)~(라)의 각 상황에서 환율이 어떻게 변할지 그래프로 그리고, 환율 변동을 적어 보자.

2 환율의 변동의 국내 경제에 미치는 영향을 표로 정리해 보자.

구분	수출	수입	물가	해외여행	외채 상환 부담
환율 상승					
환율 하락					

실력을 키우는 응용 문제

정답과 해설 16쪽

1 국제 거래에 대한 설명으로 옳지 않은 것은?

① 과거에는 재화 위주의 거래가 이루어졌다.
② 노동, 자본, 기술 등은 오늘날 거래 대상에서 제외된다.
③ 물품이 국경을 넘을 때 통관 절차를 거치며 관세를 낸다.
④ 나라마다 법과 제도가 달라 상품 이동이 국내보다 자유롭지 못하다.
⑤ 거래하는 두 나라의 화폐가 서로 달라 달러를 사용하여 거래하는 경우가 많다.

2 다음은 국제 거래의 필요성을 나타낸 자료이다. 밑줄 친 ㉠~㉤ 중 그 내용이 옳지 않은 것은?

> ㉠ 각 나라는 기후, 자연 자원, 노동력의 양과 질, 기술과 지식의 수준 등이 서로 다르다. 이로 인해 ㉡ 같은 상품을 생산하더라도 나라마다 생산 비용이 달라진다. 그래서 각 나라가 ㉢ 잘 만들 수 있는 것을 생산하여 수출하고, 생산에 불리한 상품은 수입을 하게 되면 국제 교역을 통해 서로가 이득을 보게 된다. 그리고 ㉣ 세계 시장을 상대로 생산하면 생산 단가가 높아져 교역국 모두가 이득을 본다. 또한 국제 거래를 통해 ㉤ 선진국의 발전된 생산 기술을 도입하여 생산비를 낮출 수 있다.

① ㉠ ② ㉡ ③ ㉢
④ ㉣ ⑤ ㉤

중요

3 환율에 대한 설명으로 옳은 것은?

① 외화의 수요가 공급보다 많으면 환율은 상승한다.
② 환율이 상승하면 우리나라 원화의 가치는 상승한다.
③ 환율이 상승하면 해외여행을 떠나는 것이 유리하다.
④ 환율은 외국의 화폐와 교환되는 자국 화폐의 비율로 항상 고정되어 있다.
⑤ 외화에 대한 수요는 국내 상품의 수출, 외국인의 국내 관광 등 외화가 국내로 들어오는 경우에 발생한다.

4 외화의 수요 요인에 해당하는 것을 [보기]에서 고른 것은?

> **보기**
> ㄱ. 한류 열풍으로 우리나라 화장품 수출이 증가하였다.
> ㄴ. 명절 연휴에 해외여행을 떠나려는 우리나라 국민이 증가하였다.
> ㄷ. 커피 전문점이 많아지면서 커피 소비가 늘어 원두의 수입이 증가하였다.
> ㄹ. 우리나라 국가 신용 등급이 상향 조정되어 외국인의 국내 투자가 증가하였다.

① ㄱ, ㄴ ② ㄱ, ㄷ ③ ㄴ, ㄷ
④ ㄴ, ㄹ ⑤ ㄷ, ㄹ

5 그림은 우리나라 외환 시장의 변화를 나타낸 것이다. 이러한 변화를 가져올 수 있는 요인을 두 가지 이상 서술하시오.

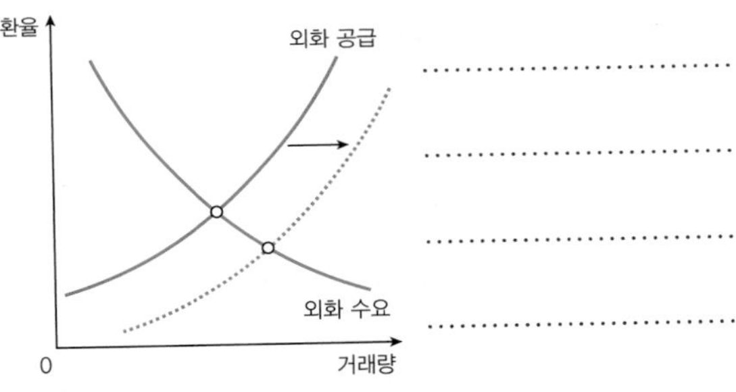

6 표는 원달러 환율의 변동을 나타낸 것이다. 이러한 환율 변동이 국내외 경제에 미치는 영향으로 옳지 않은 것은?

시기	1월 31일	2월 28일	3월 31일	4월 30일
원/달러	1,000	1,100	1,200	1,300

① 수출이 증가할 것이다.
② 수입이 감소할 것이다.
③ 국내의 물가 상승이 우려된다.
④ 외채 상환 부담이 줄어들 것이다.
⑤ 해외여행과 유학이 줄어들 것이다.

교과서 **창의·융합 활동** 풀이

교과서 93쪽

해결 열쇠

활동 도우미

물가 상승과 실업에 관한 신문 및 인터넷 자료들을 분석하여 전문가로서 담당 분야에 대한 경제 안정 대책을 제시해 보세요.

핵심 역량 문제 해결력 및 의사 결정력

과정 ❶~❸의 모집단 모둠에서 전문가 역할을 정하고 과정 ❹의 전문가 모둠에서 경제 정책을 수립하는 회의를 진행한 뒤 과정 ❺, ❻에서 모집단 모둠으로 돌아가 경제 상황에 대한 의견과 대책을 토의해 보는 활동이에요. 이 활동을 통해 다양한 경제 주체의 입장에서 경제 안정 대책의 중요성을 인식하고, 이를 바탕으로 해결 방안을 제시할 수 있어요.

이렇게 해요 ❹ ㉠ 경기 침체에 대응하기 위한 근로자 단체 대표 전문가 모임을 결성하였다.

현재 경제 상태	낮은 성장 흐름, 기업의 재고율 증가, 높은 실업률 등으로 경제 침체라고 판단할 수 있다.
예상되는 문제점	직장과 소득을 잃은 실업자와 그 가족은 경제적 · 심리적 고통을 겪는다.
대책	정부에 경제 활성화 대책을 요구한다. 기업에게는 동반자 관계임을 강조하며 고용 증가와 적극적인 투자의 필요성을 주장한다. 근로자가 생산성 향상에 이바지하도록 근로자 단체 차원에서 자기 계발 프로그램을 지원한다.

창의·융합 활동

국어 신문 기사 작성 | 정보 정보 탐색 활동

선택 활동

경제 안정 대책 수립해 보기

왜 배울까요? 물가 상승과 실업 해결을 위한 경제 정책을 수립하는 전문가 회의를 실제로 체험해 보면서 물가 안정과 고용 안정의 중요성을 인식할 수 있습니다. 모집단 토론에서는 정부, 기업, 근로자, 언론 등 여러 입장에서 문제를 바라보며 다양한 입장을 이해할 수 있습니다.

이렇게 해요

1. 5명으로 모둠을 구성한다.
2. 모둠 내에서 의논하여 각자 맡을 전문가 역할을 정한다. 전문가는 정부 재정 정책 담당자, 한국은행 통화 정책 담당자, 기업가 단체 대표, 근로자 단체 대표, 사회자(언론사 기자)로 구성한다.
3. 각 모둠의 사회자는 경기 침체와 경기 과열 등을 다룬 사례를 통해 경기 상태를 제시한다.

예시
△△일보 ○○년 ○월 ○일 ○요일
경기 활성화를 위한 경제 정책 필요
최근 수년간 ○○국 경제의 저성장 흐름이 뚜렷하다. 기업들은 생산해도 상품이 팔리지 않자 고용을 줄이고 있다. 그 결과 실업률이 높은 수준을 유지하고 있다. 이에 경기 활성화를 위한 정부 정책이 필요하다는 목소리가 높다.

예시
△△일보 ○○년 ○월 ○일 ○요일
질주하는 경제, 경기 과열 '경고음'
○○국 경제가 물가와 부동산 가격이 폭등하는 과열 조짐을 보인다. 특히 생활필수품 물가와 임대료의 급등으로 서민층의 생활이 크게 압박받고 있다. 정부가 나서서 경제의 과열을 막는 조치를 마련해야 할 때이다.

4. 각 모둠에서 같은 역할을 맡은 전문가들과 사회자(언론사 기자) 1인이 모여 전문가 모둠을 구성한다. 전문가 모둠은 아래 질문을 활용하여 회의를 진행한다.

회의 내용
1. 현재 경제 상태는 침체인가, 과열인가? 그 판단 근거는 무엇인가?
2. 그러한 현상으로 인해 예상되는 문제점은 무엇인가?
3. 우리가 취할 수 있는 대책은 무엇인가?

5. 전문가 회의가 끝나면 각 분야 전문가는 원래의 모둠으로 돌아간다.
6. 각 분야 전문가는 자신이 맡은 역할의 입장에서 경제 상황에 대한 의견과 대책을 제시하며 토의한다.

TIP 전문가 모둠을 구성할 때 원래의 모둠 수에 따라 사회자(언론사 기자)의 수가 일치하지 않을 수 있다. 따라서 사전에 사회자의 수를 적절히 조절한다.

생각하고 적용해요 토의한 내용을 경제 신문 형식으로 정리하여 게시판에 게시하고 모둠 간에 비교해 본다.

스스로 평가
- 전문가 모둠에서 진지하고 성실하게 의견을 제시하였나요?
- 모집단 모둠에서 전문가로서 담당 분야에 대한 의견을 정확하게 제시하였나요?
- 경제 신문은 종합 기사와 분야별 기사로 구분하여 체계적으로 작성하였나요?

❻ ㉠ 전문가 토의

- 언론사 기자: 경기 침체 상황을 극복하기 위한 각 전문가의 의견을 들어보겠습니다.
- 정부 재정 정책 담당자: 확대 재정 정책을 통해 투자를 유도하여 총수요를 늘리겠습니다.
- 한국은행 정책 담당자: 경기 침체가 우려되지만, 통화를 함부로 찍어 낼 수는 없습니다. 대신 이자율을 낮추는 방안을 검토하겠습니다.
- 기업가 단체 대표: 기업이 투자를 마음 놓고 할 수 있도록 정부에서 대책을 마련해야 합니다. 기업이 살아야 경제가 삽니다.
- 근로자 단체 대표: 기업은 경기 침체를 근로자 해고로 극복하려 해서는 안됩니다. 근로자가 마음 놓고 일할 수 있는 환경을 만들어야 합니다.

참고 자료 경제 안정화 정책

경제 안정화 정책은 물가 안정과 고용 안정을 위해 정부 또는 중앙은행이 펴는 정책이다. 경기 과열 시에는 물가가 지나치게 상승하는 문제가 발생하고, 경기 침체 시에는 실업이 증가하고 소득이 감소하는 문제가 발생한다. 정부는 경기의 지나친 과열이나 침체를 줄여 국민 경제의 안정을 꾀해 경기 변동에 능동적으로 대처하고자 한다.

구분	경기 과열 시	경기 침체 시
예상되는 문제점	인플레이션이 우려됨.	높은 실업률이 우려됨.
정부의 재정 정책	긴축 재정 정책 → 정부 지출 축소, 조세 확대	확대 재정 정책 → 정부 지출 확대, 조세 축소
한국은행의 통화 정책	긴축 통화 정책 → 통화량 축소, 이자율 인상	확대 통화 정책 → 통화량 확대, 이자율 인하

교과서 단원 마무리 풀이

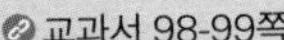

교과서 98-99쪽

단원 한눈에 보기

❶ 최종 생산물 ❷ 경제 성장 ❸ 삶의 질 ❹ 물가 ❺ 실업 ❻ 경기적 실업
❼ 생산 비용 ❽ 환율 상승

해결 열쇠

교과서 84~97쪽에서 학습한 내용을 떠올리면서 스스로 구조화해 보자.

서술로 사고력 키우기

1 물가가 상승하는 원인과 그 대책을 제시해 보자.

예 물가 상승은 총수요가 총공급보다 많거나, 생산비가 상승할 때 나타난다. 총수요가 많은 경우에 정부는 재정 지출 축소, 세금 확대, 통화량 축소 등 총수요 억제 정책을 실시한다. 생산비가 상승한 경우에 정부는 물가 관리, 기업은 생산성 향상, 근로자는 지나친 임금 인상 요구 자제 등의 노력이 필요하다.

2 실업의 유형을 들고, 각 유형의 실업을 해소하기 위한 대책에 관해 설명해 보자.

예 마찰적 실업, 구조적 실업, 경기적 실업 등이 있다. 마찰적 실업은 구인 · 구직 정보 시스템 도입, 취업 박람회 개최 등을 통해 해결하고, 구조적 실업은 새로운 일자리를 찾는 데 필요한 능력과 기술을 가르치는 직업 교육을 통해 해결할 수 있다. 경기적 실업은 정부의 재정 확대 정책을 통해 총수요를 늘려 기업의 고용을 늘리는 방법으로 해결할 수 있다.

3 환율의 변동을 일으키는 요인들을 제시하고, 환율의 상승과 하락이 국내 경제에 미치는 영향을 서술해 보자.

예 수입, 해외여행 등 외화의 수요가 변화하거나 수출, 외국인의 국내 여행 등으로 외화의 공급이 변화하면 환율이 변동한다. 환율이 상승하면 수출이 늘고 수입이 감소하며 국내 물가가 상승한다. 반면에 환율이 하락하면 수출이 줄고 수입이 증가한다.

채점 기준

❶	상	물가 상승 원인과 대책을 모두 정확하게 서술한 경우
	중	물가 상승 원인과 대책 중 한 가지만 정확하게 서술한 경우
	하	물가 상승 원인과 대책을 모두 미흡하게 서술한 경우
❷	상	실업의 유형과 각 유형의 실업 해소 대책을 모두 정확하게 서술한 경우
	중	실업의 유형과 대책 방안 중 한 가지만 정확하게 서술한 경우
	하	실업의 유형과 대책 방안을 모두 미흡하게 서술한 경우
❸	상	환율 변동의 요인과 영향을 모두 정확히 서술한 경우
	중	환율 변동의 요인과 영향 중 한 가지만 정확하게 서술한 경우
	하	환율 변동의 요인과 영향을 미흡하게 서술한 경우

서술형 더 풀어보기

정답과 해설 16쪽

1 국내 총생산과 1인당 국내 총생산을 통해 알 수 있는 정보를 서술하시오.

수행 평가 해결하기

다음 자료에 나타난 자유 무역 협정(FTA) 체결 대상 중 하나를 선정하여 '우리나라 자유 무역 협정(FTA)의 현황과 문제점'에 관한 조사 보고서를 작성해 보자.

1 **자유 무역 협정(FTA)의 의미 확인하기** 자유 무역 협정(FTA)의 의미를 확인하고 정리한다.

2 **자유 무역 협정(FTA)의 주요 내용 확인하기** 자신이 선정한 체결 대상과 우리나라 간 자유 무역 협정(FTA)의 주요 내용을 확인한다.

3 **수출입 품목 조사하기** 자유 무역 협정(FTA) 체결 이후 두 나라 간 주요 수출입 품목을 조사한다.

4 **피해 산업에 대한 정책 확인하기** 자유 무역 협정(FTA) 체결에 따른 국내 피해 산업에 대한 보호와 구제 내용을 확인한다.

5 **보고서 작성 및 전시하기** 조사한 내용을 바탕으로 보고서를 작성하고, 작성한 보고서를 전시한다.

이 수행 평가는 ▸▸ 자유 무역 협정(FTA) 체결 대상 중 하나를 선정하여 '우리나라 자유 무역 협정(FTA)의 현황과 문제점'에 관한 조사 보고서를 작성해 보는 활동이다. 여러분은 이 수행 평가를 통해 국제 거래를 확대하기 위한 방안으로 세계 여러 나라들이 자유 무역 협정(FTA)을 맺고 있음을 인식하고, 우리나라가 체결한 자유 무역 협정(FTA) 사례를 통해 자유 무역의 영향을 파악하도록 한다.

단원을 정리하는 종합 문제

1 **국내 총생산(GDP)에 대한 설명으로 옳은 것은?**

① 국민 개개인의 소득이나 생활 수준을 정확하게 나타낸다.
② 우리 집 앞 텃밭에서 직접 재배하여 먹는 배추의 가치가 포함된다.
③ 우리나라 기업이 인도 공장에서 생산한 자동차의 가치가 포함된다.
④ 한 나라의 경제 활동 규모와 생산 능력을 보여주는 대표적인 경제 지표이다.
⑤ 생산 과정에서 재화를 생산하기 위해 사용된 중간 생산물의 가치가 포함된다.

2 **다음 개념을 통해 알 수 있는 내용으로 가장 옳은 것은?**

한 해의 국내 총생산을 그 나라의 인구수로 나눈 것

① 한 나라의 경제 성장 정도
② 한 나라의 경제 활동 규모
③ 한 나라 국민의 복지 수준
④ 한 나라의 소득 분배 정도
⑤ 한 나라 국민의 평균적인 소득 수준

단원 연계 문항

3 **㉠, ㉡에 대한 옳은 설명을 [보기]에서 고른 것은?**

㉠ 경제 성장의 정도를 보여주는 ㉡ 경제 성장률은 국내 총생산의 증가율로 나타낸다.

보기
ㄱ. ㉠은 국내 총생산이 증가하는 것을 의미한다.
ㄴ. ㉠은 사회적 · 문화적인 욕구를 충족시켜 삶의 질을 반드시 향상시킨다.
ㄷ. ㉡은 물가의 변동을 제외한 실질 국내 총생산의 증가율로 측정한다.
ㄹ. ㉡이 평균적인 속도보다 더 높을 때 경제는 후퇴 국면에 있다고 한다.

① ㄱ, ㄴ ② ㄱ, ㄷ ③ ㄴ, ㄷ
④ ㄴ, ㄹ ⑤ ㄷ, ㄹ

4 **다음의 수업 시간의 주제로 가장 적절한 것은?**

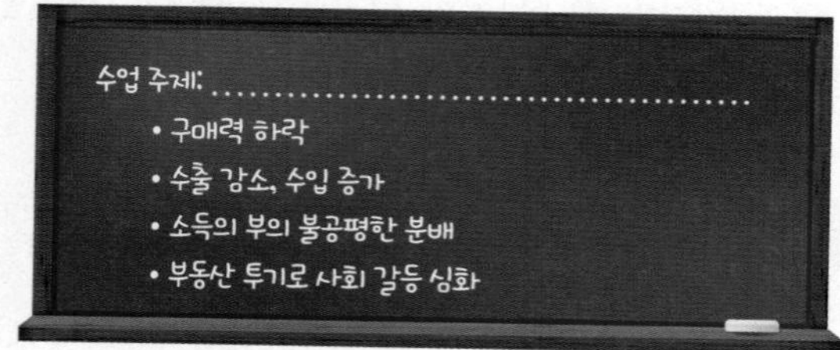

① 실업의 영향
② 국제 거래의 단점
③ 환율 하락의 영향
④ 인플레이션의 부정적 영향
⑤ 경제 성장이 우리 생활에 미치는 부정적 영향

5 **물가가 지속적으로 상승할 경우 유리한 사람을 [보기]에서 고른 것은?**

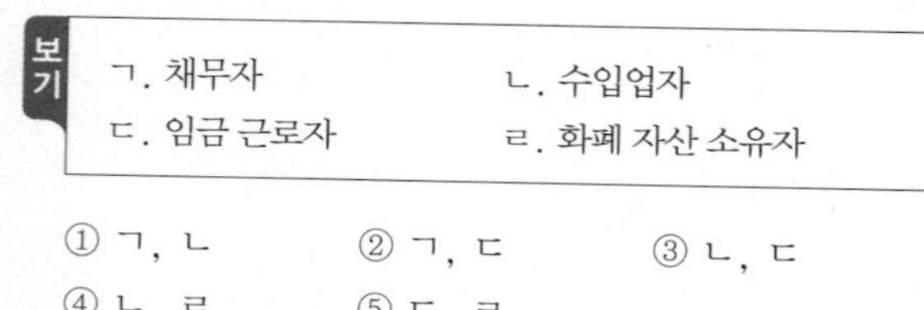

보기
ㄱ. 채무자 ㄴ. 수입업자
ㄷ. 임금 근로자 ㄹ. 화폐 자산 소유자

① ㄱ, ㄴ ② ㄱ, ㄷ ③ ㄴ, ㄷ
④ ㄴ, ㄹ ⑤ ㄷ, ㄹ

6 **실업의 유형 A~C에 대한 설명으로 옳지 않은 것은? (단, A~C는 각각 마찰적 실업, 구조적 실업, 경기적 실업 중 하나이다.)**

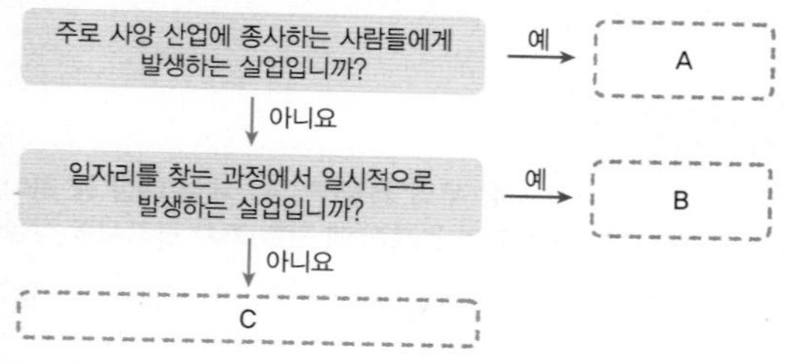

① A는 구조적 실업이다.
② B는 마찰적 실업이다.
③ 취업 박람회 개최는 B에 적절한 실업 해결 방안이다.
④ C의 요인으로 경기 침체로 인한 기업의 고용 축소를 들 수 있다.
⑤ 정부는 C를 해결하기 위해 총수요를 감소하는 정책을 해야 한다.

단원 연계 문항

7 **국제 거래의 특징에 대한 옳은 설명을 [보기]에서 고른 것은?**

ㄱ. 국가 간 상품 이동이 국내 거래에 비해 자유롭다.
ㄴ. 환율이 변동해도 수출입 상품의 가격은 동일하다.
ㄷ. 재화와 서비스의 수출입 과정에서 관세가 부과되기도 한다.
ㄹ. 오늘날 서비스, 생산 요소 등 거래되는 품목이 다양해지고 있다.

① ㄱ, ㄴ ② ㄱ, ㄷ ③ ㄴ, ㄷ
④ ㄴ, ㄹ ⑤ ㄷ, ㄹ

8 **(가)~(다)의 사례가 원/달러 환율에 미치는 영향에 대한 옳은 추론을 순서대로 바르게 연결한 것은?**

(가) 국내 자동차 기업들의 해외 공장 건설이 증가하였다.
(나) 한국 라면의 인기가 높아져 라면 수출이 증가하였다.
(다) 우리나라 대학생들의 해외 유학이 감소하였다.

	(가)	(나)	(다)
①	환율 상승	환율 상승	환율 하락
②	환율 상승	환율 하락	환율 상승
③	환율 상승	환율 하락	환율 하락
④	환율 하락	환율 상승	환율 하락
⑤	환율 하락	환율 하락	환율 상승

9 **환율 상승하였을 때 유리해지는 경제 주체를 [보기]에서 고른 것은?**

ㄱ. 미국산 부품을 수입하는 한국 기업
ㄴ. 미국에 가전제품을 수출하는 한국 기업
ㄷ. 우리나라로 여행을 준비 중인 미국인 관광객
ㄹ. 미국 유학 중인 자녀에게 학비를 보내야 하는 한국 부모

① ㄱ, ㄴ ② ㄱ, ㄷ ③ ㄴ, ㄷ
④ ㄴ, ㄹ ⑤ ㄷ, ㄹ

서술형 평가

중요

10 **다음은 갑 국에서 2017년에 발생한 경제 활동이다. 밑줄 친 ㉠~㉢ 중 갑 국의 2017년 국내 총생산(GDP)에 포함되지 않는 것을 쓰고, 그 이유를 서술하시오.**

- A 자동차 정비 회사는 사고 난 차량을 수리하고, ㉠ 2억 원어치의 수익을 올렸다.
- B 제빵 회사는 밀가루를 ㉡ 1억 원어치 구입하여 케이크를 생산하였다.
- C 전자 회사는 갑 국에 공장을 세워 ㉢ 3억 원어치의 가전제품을 생산하였다.

11 **다음 상황에서 정부와 중앙은행이 실시해야 할 적절한 정책을 각각 서술하시오.**

정부와 중앙은행은 물가 상승의 원인에 따라 적절한 정책을 실시해야 한다. 총수요가 총공급을 초과하여 물가가 상승하는 경우에는 총수요를 줄이기 위한 정책을 실시해야 한다.

12 **다음 사례에서 원/달러 환율 변동 추세에 대한 갑의 예측을 쓰고, 갑이 환전을 서두르는 이유를 서술하시오.**

미국 여행을 준비하고 있는 한국인 갑은 여행을 떠나기까지 시간이 남았지만 현재의 환율 변동 추세가 이어질 것 같아 미국에서 사용할 달러화로 미리 환전하였다.

국제 사회와 국제 정치

이 단원을 배우면

- 국제 사회의 특성과 국제 사회에서 활동하는 여러 행위 주체들을 설명할 수 있어요.
- 국제 사회에 존재하는 다양한 경쟁과 갈등을 유형별로 제시할 수 있어요.
- 국제 사회의 공존을 위한 노력을 외교 정책을 중심으로 논의할 수 있어요.
- 우리나라가 직면하고 있는 국가 간 갈등 문제의 해결에 적극적으로 참여하는 태도를 길러요.

이 단원의 학습 주제

국제 사회는 어떤 특징이 있을까?

국제 사회는 공존을 위해 어떤 노력을 할까?

우리나라는 국가 간 갈등에 어떻게 대응하고 있을까?

대단원 표지 그림 해설

'국제 연합(UN) 총회'의 모습이에요. 국제 연합은 전쟁을 예방하고 분쟁과 갈등을 조정하여 국제 사회의 평화를 유지하기 위해 설립된 정부 간 국제기구로 사회 · 경제 · 문화 등 다양한 영역에서 국가 간 우호와 협력 증진을 위해 노력해요.

스스로 학습 계획 세우기						나의 학습 달성 정도
계획일	월	일	학습일	월	일	○ ○ ○ ○ ○
	월	일		월	일	○ ○ ○ ○ ○
	월	일		월	일	○ ○ ○ ○ ○
	월	일		월	일	○ ○ ○ ○ ○
	월	일		월	일	○ ○ ○ ○ ○
	월	일		월	일	○ ○ ○ ○ ○
	월	일		월	일	○ ○ ○ ○ ○
	월	일		월	일	○ ○ ○ ○ ○
	월	일		월	일	○ ○ ○ ○ ○
	월	일		월	일	○ ○ ○ ○ ○

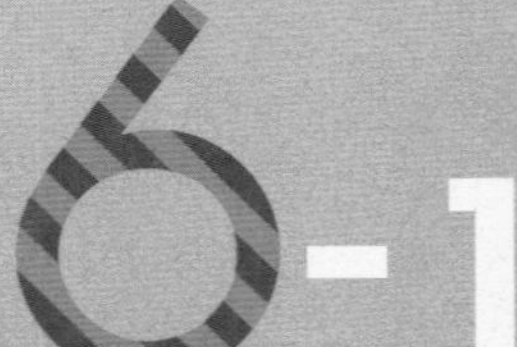

국제 사회의 특성과 행위 주체 (1)

학습 목표 | 국제 사회의 의미와 특성을 설명할 수 있다.

❶ 국제 사회는 어떤 특성을 띠고 있을까?

1 국제 사회의 의미

1. **국제 사회:** 세계 여러 나라가 서로 교류하면서 공존하는 사회
2. **오늘날의 국제 사회**
   ① 독립적인 **주권**[1]을 가진 나라들이 서로 교류하면서 상호 관계를 맺으며 활동함.
   ② 교통 · 통신의 발달로 국가 및 민간 부문의 교류와 **상호 의존성** 증가함.

2 국제 사회의 특성

1. **자국의 이익 추구**
   ① 오랫동안 협력했던 국가들도 이해관계 대립 시 적대 관계가 됨.
   ② 국가 간 갈등이 심해질 경우 전쟁을 일으키기도 함.
2. **중앙 정부의 부재**
   ① 대립과 갈등을 조정하고 해결할 수 있는 강력한 **중앙 정부가 없어** 분쟁 해결이 어려움.
   ② **국제기구**[2]나 **국제법**[3]이 존재하지만, 국제법을 어긴 국가에 대한 제재가 현실적으로 어려움. → 국제기구나 국제법은 강제력 행사에 한계가 있어요.
3. **힘의 논리가 작용**
   ① 각국은 독립된 주권을 가지고 있지만 국력의 차이로 인해 힘의 논리가 작용함.
   ② 강대국들이 국제 사회에서 더 많은 영향력을 행사함.
4. **국가 간 협력의 필요성 증가:** 국가 간의 상호 의존성 증가하여 한 나라만의 노력으로 해결할 수 없는 국제 문제들이 늘어남.

핵심 자료 **국제 연합(UN) 안전 보장 이사회의 특징**

국제 연합의 안전 보장 이사회는 국제 분쟁의 조정 절차나 방법을 권고하고 침략국에 대한 경제 · 외교적 제재나 군사적 조치를 취할 수 있다. 안전 보장 이사회는 미국, 영국, 프랑스, 러시아, 중국의 5개 상임 이사국과 10개의 비상임 이사국으로 구성되며, 상임 이사국은 거부권을 행사할 수 있다. 의사 결정은 15개 이사국 중 9개국 이상의 찬성으로 이루어지는데 상임 이사국 중 어느 한 나라라도 거부권을 행사하면 의사 결정이 이루어지지 않는다. 안전 보장 이사회의 5개의 상임 이사국에게만 거부권을 인정한 것은 국제 사회에서는 기본적으로 힘의 논리가 작용한다는 것을 보여준다.

▲ 국제 연합(UN) 안전 보장 이사회

❶ 주권
국가의 의사를 최종적으로 결정할 수 있는 권력이다. 대내적으로는 최고의 힘을 가지며, 대외적으로는 자주적인 독립성을 가진다.

❷ 국제기구
국제 사회에서 일정한 목적이나 활동을 위하여 두 나라 이상이 정부 혹은 개인이나 민간단체로 구성된 조직을 말한다.

❸ 국제법
국제 사회에서 적용되는 법규로 주로 국가와 국제기구를 규율한다. 그러나 개별 국가의 의사를 강제하는 것은 어렵기 때문에 국제 사회의 분쟁을 해결하는 데 한계가 있다.

간단 체크 정답과 해설 18쪽

O, X 판단하기

1 오늘날 국제 사회는 교통 · 통신의 발달로 국가 및 민간 부문의 교류와 상호 의존성이 증가하고 있다. ( )

2 국제 사회에서 각국은 기본적으로 다른 나라의 이익을 추구한다. ( )

3 국제 사회에는 대립과 갈등을 조정하고 해결할 수 있는 강력한 중앙 정부가 있다. ( )

교과서 활동 풀이

교과서 102-103쪽

생각 열기 **오늘 국제면의 3대 뉴스를 통해 본 세계는?**

오늘날 신문, 방송, 인터넷 포털에서는 '국제'라는 별도의 코너를 통해 세계 여러 나라의 소식을 전하고 있습니다. 오늘 신문, 방송, 인터넷 포털에서 국제면의 주요 뉴스를 찾아보고 어떤 내용을 다루고 있는지 살펴봅시다.

질문 1 오늘 신문, 방송, 인터넷 포털 국제면 뉴스의 주요 내용은 무엇인가?

예 북한의 미사일 도발에 대한 국제 사회의 입장과 대응, 허리케인 '하비'로 인한 미국 텍사스주의 피해 소식 등

질문 2 오늘 국제면 뉴스 중에 우리 생활에 영향을 미치는 내용에는 어떤 것들이 있는가?

예 북한의 미사일 발사와 핵무기 개발 시도는 한반도의 평화를 위협하고 있다.

질문 3 오늘 국제면의 3대 뉴스를 선정하고 그 이유를 발표해 보자.

예

순위	뉴스 제목	선정 이유
1	• 북 미사일에, 위기감 커진 일, 싸늘해진 미, 강경해진 중국	• 북한의 잇따른 미사일 도발로 한반도 안보 위기가 고조되고 있기 때문이다.
2	• 멕시코만 수온 2도 상승,'괴물 허리케인' 불렀다.	• 지구 온난화로 인한 기상 이변 현상은 국제 협력이 필요한 전 지구적인 문제이기 때문이다.
3	• 브릭스(BRICs) 파워, 중-인도 국경 분쟁도 덮었다.	• 중국과 인도가 우호적인 관계를 맺는다면 브릭스의 국제적 위상이 확대되고 국제 평화에 기여할 수 있는 기구가 될 수 있기 때문이다.

해결 열쇠

활동 도우미

신문, 방송, 인터넷 포털 국제면 뉴스 내용을 통해 오늘날 국제 사회는 교통·통신의 발달에 힘입어 국가 간 교류가 증가하고 있으며, 민간 부문에서의 교류도 더욱 활발하게 이루어지고 있음을 알 수 있어요. 국제 사회 구성원으로서 환경이나 자원 개발, 인구, 인권 문제 등에 관심을 갖고 살펴 보도록 해요.

활동 **국제 연합(UN)은 세계의 중앙 정부가 될 수 있을까?**

국제 사회에서는 특정한 중심적 권위가 존재하지 않는다. 즉 다른 국가들이 중재를 하거나 압력을 행사할 수 있지만, 국제 사회에서 분쟁 해결을 강제할 만한 중앙 정부는 없다. 이로 인해 분쟁에 휘말리게 된 국가들은 협상을 통해서든 전쟁을 통해서든 스스로 분쟁을 해결할 수밖에 없다.

물론 국제 연합(UN)은 그러한 권위를 가질 수 있는 잠재력을 가진 국제기구이다. 국제 연합은 193개국의 회원을 보유한 국제기구이며, 이는 세계의 거의 모든 국가를 포함하는 것이다. 국제 연합은 정부가 국가 내에서 수행하는 여러 가지 활동들을 국제 사회에서 담당하며, 국제 사회의 여러 문제를 해결하기 위해 노력하고 있다.

▲ 국제 연합(UN) 본부

– 쉬블리, 『정치학 개론』 –

1 **인터넷 활용** 국제 연합의 활동을 세 가지 이상 조사해 보자.

예 국제 연합의 가장 중요한 역할은 국제 사회의 평화와 안전을 유지하는 것이다. 국제 연합의 또 다른 역할은 경제적·사회적 개발을 촉구하고, 빈곤 퇴치 및 인권 보호 등을 위해 국제 협력과 교류를 강화하는 것이다.

2 **토론·토의** 국제 연합의 활동을 토대로 국제 연합이 지닌 세계 중앙 정부로서의 가능성과 한계를 토의해 보자.

예 국제 연합은 193개국이 회원으로 가입되어 있고 미국, 중국, 러시아 등의 강대국을 포함하고 있어 국제 사회에 끼치는 영향력이 크다. 하지만 어떤 결정을 당사국들에 강제할 만한 자체 군대나 경찰력을 갖고 있지 않아서 회원국들의 자발적인 협조나 지원에 의존한다.

활동 도우미

강력한 중앙 정부가 존재하지 않는 국제 사회에서 국제 연합(UN)이 지닌 세계 중앙 정부로서의 가능성과 한계에 대해 친구들과 자유롭게 토의해 보세요.

잠깐! 국제 연합의 설립 배경에 대해 더 알아볼까요?

제1차 세계 대전 후 국제 사회는 국제 평화 달성을 위해 국제 연맹을 창설하였으나, 강대국의 불참과 회원국 간의 의견 대립으로 국제 분쟁 해결에 아무런 역할을 하지 못했어요. 이후 제2차 세계 대전을 겪은 국제 사회는 실질적인 권한을 갖는 국제 연합을 설립하였어요.

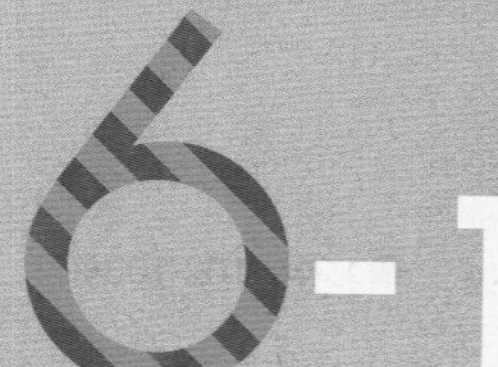

국제 사회의 특성과 행위 주체 (2)

학습 목표 | 국제 사회에서 활동하는 여러 주체들을 제시할 수 있다.

❷ 국제 사회에는 여러 행위 주체들이 있다

1 국가❶

1. 의미: 국제 사회에서 가장 기본이 되는 행위 주체

2. 특징

① 국제법상 평등하고 독립적인 주체로서 국제 사회에 참여함.

② 다양한 국제기구에 회원국으로 가입하여 활동함.

2 다국적 기업❷

1. 의미: 세계 여러 나라에 **자회사**와 **공장**을 설립하여 상품을 생산하고 판매하는 기업

2. 특징

① 경제력을 바탕으로 국제 경제뿐만 아니라 국제 정치에도 영향을 미침.

② **세계화로 인해** 다국적 기업들의 수와 규모가 확대되어 국가 간 **상호 의존성**이 더욱 증가함. → 정보 · 통신 기술 발달과 세계화로 다국적 기업의 영향력이 더욱 증가하고 있어요.

③ 국가의 공공 정책과 시민 생활을 위협하기도 함.

3 국제기구

1. 의미: 정부, 민간단체, 개인 등을 회원으로 하여 세계 평화와 질서 유지를 위해 다양한 분야에서 상호 협력하는 행위 주체

2. 구분: 국제기구는 회원 자격에 따라 정부 간 국제기구와 국제 비정부 기구로 구분함.

구분	내용
정부 간 국제기구	• 정부를 회원으로 함. • 예 국제 연합(UN), 세계 무역 기구(WTO), 유럽 연합(EU) 등
국제 비정부 기구	• 개인이나 민간단체를 회원으로 함. • 예 그린피스, 국제 사면 위원회(AI)❸, 국경 없는 의사회(MSF)❹ 등

3. 국제 비정부 기구의 역할 확대: 정부뿐만 아니라 개인과 민간단체들이 국제 문제 해결을 위해 국제 정치 활동에 적극적으로 참여함.

4 기타 행위 주체

1. 국가 내부적 행위체

① 한 국가의 일부분이지만 독자적으로 국제 사회에서 활동하는 행위 주체

② 사례: 지방 자치 단체, 한 국가 내부의 소수 인종 · 민족 등

2. 영향력이 있는 개인: 강대국의 전직 국가 원수, 저명한 학자 및 예술가, 운동선수 등 국제 사회에 미치는 영향력이 강한 인물 등

---

❶ 국가
일정한 영토와 국민을 바탕으로 주권을 갖는 독립적 행위 주체로서 국제 사회의 가장 기본적인 행위 주체이다.

❷ 다국적 기업
많은 국가에 걸쳐 자산을 보유한 기업으로 생산, 마케팅, 연구 개발의 거점을 세계 각국에 두어 체계화된 경영 전략에 따라 세계적 차원에서 사업을 전개하고 있다.

❸ 국제 사면 위원회(AI)
인권 옹호를 목적으로 하는 국제 비정부 기구로 엠네스티라고도 한다. 국가 권력에 의해 억압 받는 정치범들을 구제하는 활동을 한다.

❹ 국경 없는 의사회(MSF)
1971년 프랑스 의사들이 주축이 되어 설립한 정치, 종교, 인종, 이념을 초월한 인도주의 의료 봉사 단체로서 국제 비정부 기구에 해당한다.

간단 체크 정답과 해설 18쪽

알맞은 말 선택하기

1 국제 사회에서 가장 기본이 되는 행위 주체는 주권을 가진 (국가 | 국제기구)이다.

2 다국적 기업은 세계 여러 나라에 (본사 | 자회사)와 공장을 설립하여 상품을 생산하고 판매하는 기업이다.

3 국제 사면 위원회(AI), 그린피스 등은 개인과 민간단체를 회원으로 하는 (정부 간 국제기구 | 국제 비정부 기구)이다.

교과서 활동 풀이

교과서 104-105쪽

함께 배우기 국제기구 조사하기

1 정부 간 국제기구와 국제 비정부 기구의 의미를 이해하고, 해당 사례들을 찾아 각각의 특징에 관해 이야기해 본다.

정부 간 국제기구

정부 간 국제기구는 정부들 간의 국제 조약에 의해서 설립되며, 독립적인 조직과 직원을 가지고 운영된다. 이러한 기구들은 주로 국가 간에 체결된 국제 협약을 준수하고 이와 관련된 역할을 수행한다.

- 사례: 예 국제 연합, 국제 사법 재판소, 경제 협력 개발 기구 등
- 특징
  - 정부를 회원으로 한다.
  - 어떤 특정 정부의 직접적인 지배를 받지 않는다.
  - 운영을 지원하는 각국 정부로부터 자유로울 수는 없다.

국제 비정부 기구

국제 비정부 기구는 정부에 의해 설립된 조직이 아니며, 어떤 정부로부터 간섭을 받지 않고 독립된 형태로 운영된다. 이러한 기구들은 국제 사회에서 다양한 분야에 걸쳐 활동하고 있다.

- 사례: 예 국제 적십자 위원회, 그린피스, 국경 없는 의사회 등
- 특징
  - 개인과 민간단체를 회원으로 한다.
  - 여러 분야에 걸쳐 국제 정치 현안과 문제에 참여한다.
  - 민간 차원의 교류 증진을 도모하는 기구들도 있다.

2 모둠별로 국제기구를 하나 선정하여 그 활동을 조사한다.

예 국제 사법 재판소(ICJ): 국제 사회에서 발생하는 법적 분쟁을 관할하는 기구로, 국제 연합 산하 기관이다.

3 우리 모둠이 조사한 국제기구를 안내하는 자료를 제작한다.

예시

경제 협력 개발 기구(www.oecd.org)

정치적으로 대의제를 채택하고, 경제적으로 자유 시장 원칙을 받아들인 선진국들이 회원으로 참여한다. 주요 활동 목적은 경제 성장, 개발 도상국 원조, 무역 확대 등이다. 경제 정책의 조정, 무역 문제의 검토, 환경 문제의 해결 등 다양한 활동을 한다.

예시

국제 적십자 위원회 (www.icrc.org)

스위스 제네바에 본부를 두고 국제적으로 활동하는 민간 기구이다. 제네바 협약 및 관습법 규칙에 따라 전쟁, 내란 등의 무력 분쟁에서 전상자, 포로, 실향민, 민간인 등의 희생자를 보호하기 위해 설립된 인도주의 단체이다.

해결 열쇠

활동 도우미

정부 간 국제기구와 국제 비정부 기구의 특징을 비교하여 이해하는 것이 중요해요. 모둠별로 선정한 국제기구의 활동을 조사할 때에는 인터넷 검색을 통해 다양한 자료를 활용하여 안내 자료를 제작해 보세요.

자료 해설

국제기구는 회원 자격에 따라 정부를 회원으로 하는 정부 간 국제기구와 개인과 민간단체를 회원으로 하는 국제 비정부 기구로 나눌 수 있다.

- 경제 협력 개발 기구(OECD): 경제 발전과 세계 무역 촉진을 위해 활동하는 국제기구이다.
- 국제 적십자 위원회(ICRC): 국제 적십자 운동을 보급하고, 각국의 적십자사를 승인한다. 전쟁과 같은 무력 충돌로 피해를 입은 사람들을 보호하고, 질병 예방과 재해 구제 등의 활동을 하고 있다.

안내 자료 제작 TIP

조사한 내용을 안내 자료에 그대로 옮겨 적는 것보다는 친구들이 이해하기 쉽도록 재구성해 보아요. 특히 국제기구의 활동 사례를 소개할 때 사진 자료를 함께 싣는다면 훨씬 풍부한 안내 자료가 될 거예요. 또한 언론에 자주 보도되고 있는 내용이나 청소년들이 관심 있어 하는 주제와 관련된 국제기구의 활동을 안내 자료에 실어 보세요.

스스로 확인하기

1 (1) 국제 사회 (2) 국가 (3) 다국적 기업 2 (1) ㉢, ㉤, ㉥ (2) ㉠, ㉡, ㉣

개념 노트 만들기

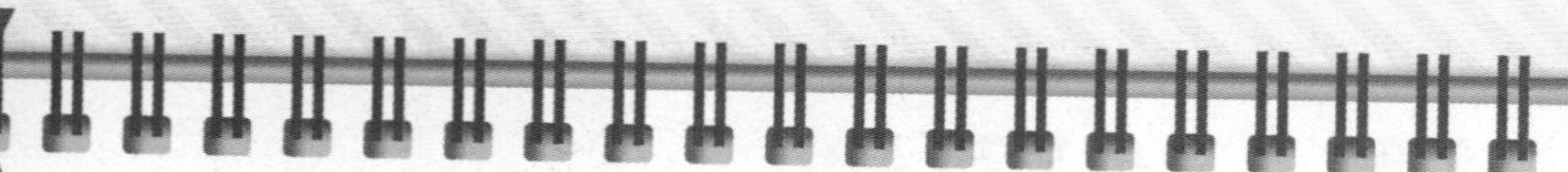

정답과 해설 18쪽

핵심 내용 정리하기 학습한 내용을 기억하면서 다음 글을 완성해 보자.

(제목:)

세계 여러 나라가 서로 교류하면서 공존하는 사회를 (❶)(이)라고 한다. 국제 사회의 특징은 각국이 (❷)의 이익을 추구하고, 대립과 갈등을 조정하고 해결할 수 있는 강력한 (❸)이(가) 없다는 점이다. 국제 사회에서는 기본적으로 (❹)의 논리가 작용하지만 국가 간 협력도 필요하다.

국제 사회에서 가장 기본이 되는 행위 주체는 주권을 가진 (❺)이다. 세계 여러 나라에 자회사와 공장을 설립하여 상품을 생산하고 판매하는 (❻)은(는) 국제 경제뿐만 아니라 국제 정치에도 영향을 미치고 있다. 국제기구는 정부를 회원으로 하는 (❼)와(과) 개인과 민간단체를 회원으로 하는 (❽)(으)로 나눌 수 있다.

활동 노트 완성하기 학습하면서 기른 역량을 살려 다음 활동 노트를 완성해 보자.

(가) 국가(대한민국)

(나) 다국적 기업(M사)

(다) 국제 연합(UN)

(라) 국제 사면 위원회(AI)

1 국제 사회에서 차지하는 (가)의 위치와 역할에 관해 서술해 보자.

2 (나)의 의미와 이들의 활동이 국제 사회에 미치는 영향에 관해 서술해 보자.

- 의미:
- 국제 사회에 미치는 영향:

3 (다)와 (라)의 공통점과 차이점을 서술해 보자.

- 공통점:
- 차이점:

실력을 키우는 응용 문제

정답과 해설 18쪽

1 **국제 사회에 대한 설명으로 옳지 않은 것은?**

① 세계 여러 나라가 서로 교류하면서 공존하는 사회이다.
② 국제 사회를 구성하는 기본 단위는 주권을 가진 개인이다.
③ 오늘날 국제 사회에서 국가 간 협력의 필요성이 증가하고 있다.
④ 교통 · 통신의 발달로 국가 및 민간 부문의 교류가 증가하고 있다.
⑤ 국가 간의 관계를 부분적으로 조정하는 국제기구와 국제법이 존재한다.

중요

2 **다음 내용을 통해 파악할 수 있는 국제 사회의 특징으로 옳은 것은?**

> 에볼라 바이러스 감염의 확산을 막기 위해 국제 연합(UN)은 긴급 대책 본부를 설치하고, 감염 대책과 지원책을 마련하고 있다.

① 힘의 원리가 지배한다.
② 국가가 유일한 행위 주체이다.
③ 공동 목표를 위해 상호 협조한다.
④ 자국의 실리 추구를 최우선으로 한다.
⑤ 강제력을 가진 중앙 정부가 존재한다.

3 **국제 사회의 특성에 대한 옳은 설명을 [보기]에서 있는 대로 고른 것은?**

> ㄱ. 개별 국가들은 자국의 이익을 최우선으로 추구한다.
> ㄴ. 국제 문제나 갈등을 조정하고 해결할 수 있는 강력한 중앙 정부가 존재하지 않는다.
> ㄷ. 표면적으로는 각 국가가 평등한 주권을 가지나, 현실적으로는 힘의 논리가 작용한다.
> ㄹ. 국제법은 개별 국가의 의사를 강제할 수 있어 국제 사회의 질서를 유지하는 데 기여한다.

① ㄱ, ㄷ ② ㄱ, ㄹ ③ ㄴ, ㄹ
④ ㄱ, ㄴ, ㄷ ⑤ ㄴ, ㄷ, ㄹ

4 **(가)에 대한 옳은 설명을 [보기]에서 고른 것은?**

> 독일에 본사를 두고 있는 제약 회사 (가) A사는 전 세계 60여 개 국가에 공장이나 연구소 등을 두고 있다.

> ㄱ. 국가 간 경계를 강화시킨다.
> ㄴ. 공익 실현을 주된 목표로 한다.
> ㄷ. 세계화의 진전으로 인해 수와 규모가 점점 확대되고 있다.
> ㄹ. 국제 경제뿐만 아니라 국제 정치에도 영향을 미치고 있다.

① ㄱ, ㄴ ② ㄱ, ㄷ ③ ㄴ, ㄷ
④ ㄴ, ㄹ ⑤ ㄷ, ㄹ

5 **국제기구를 ㉠, ㉡으로 구분하는 기준과 각각의 사례를 한 가지만 서술하시오.**

> 국제기구는 일반적으로 ㉠ 정부 간 국제기구와 ㉡ 국제 비정부 기구로 나눌 수 있다.

....

6 **국제 사회에서 활동하는 여러 행위 주체들에 대한 설명으로 옳지 않은 것은?**

① 국가는 자국의 이익을 위한 외교나 교류에 주력한다.
② 강대국의 전직 국가 원수는 국제 사회에 미치는 영향력이 강한 개인이다.
③ 국제기구는 경제, 인권, 환경 등과 관련된 문제 해결을 위해 노력하고 있다.
④ 다국적 기업은 경제력을 바탕으로 정치와 문화에도 큰 영향을 미치고 있다.
⑤ 국제 연합은 정치, 경제, 문화 등 다양한 분야에서 영향력을 행사하는 국제 비정부 기구이다.

국제 사회의 다양한 모습과 공존 노력 (1)

학습 목표 | 국제 사회에서 일어나는 경쟁, 갈등, 협력의 다양한 모습을 분석할 수 있다.

❶ 국제 사회에는 경쟁, 갈등, 협력이 나타난다

1 국제 사회의 경쟁과 갈등

1. 국제 사회의 다양한 모습: 국가 간 교류 확대와 상호 의존성 증대 → 국가 간 경쟁과 갈등이 증가하고 국가 간의 협력이 필요한 문제도 많아짐.

2. 경쟁

① 원인: 각국이 **자국의 이익을 추구**하는 과정에서 경쟁이 심화됨.

② 경제 발전, 자원 확보, 과학 기술 개발 등을 둘러싼 **경쟁**이 나타남.

3. 국제 갈등

① 원인: 국가 간의 경쟁이 심화되거나 민족이나 종교가 다르다는 이유로 차별, 억압 등이 지속되면서 갈등이 발생함. → 특히, 종교를 둘러싼 갈등은 신념의 차이에서 유발되어 극단적인 대립으로 치닫기 쉬워요.

② 국제 사회의 갈등

국제 갈등	사례
영토와 자원을 둘러싼 갈등	남중국해 영유권 분쟁❶: 동아시아의 중요한 해상로이자 자원이 풍부한 남중국해를 두고 발생한 영유권 분쟁
민족과 종교를 둘러싼 갈등	이스라엘과 팔레스타인 간의 갈등: 유대교를 믿는 유대인들과 이슬람교를 믿는 팔레스타인 사람들 간의 민족 · 종교 분쟁
군사력 증강, 핵무기 개발을 둘러싼 갈등	북한의 핵무기 개발: 북한의 핵무기 개발 추진으로 남북한뿐만 아니라 미국, 일본, 중국, 러시아 등 주변국 간의 군사적 긴장 심화
기타	오염 물질 배출 규제와 관련된 선진국과 개발 도상국 간의 갈등, 다국적 기업 간의 시장 확보를 둘러싼 경쟁과 갈등 등

③ 국제 갈등은 다양한 요인들이 복합적으로 작용하여 일어남. → 민족과 인종, 종교 등의 차이로 인한 갈등은 대개 영토 분쟁으로까지 확대됨.

2 국제 사회의 협력

1. 국제 문제와 국제 분쟁의 발생: 국제 사회의 경쟁과 갈등은 **국제 문제**❷나 **국제 분쟁**❸으로 이어짐. → 국제 문제와 국제 분쟁을 방지하고 해결하기 위해 국가 간 협력이 필요해요.

2. 국제 협력의 필요성

① 국제 경제: 무역과 다국적 기업의 증가로 국가 경제가 다른 국가들로부터 더 많은 영향을 받게 됨.

② 환경 정책: 환경 문제는 한 국가만의 문제가 아니므로 환경 정책에 대한 국제 협력이 요구됨.

③ 방송 · 통신의 발달로 자연재해, 전쟁 등의 국제 문제 소식을 접하는 기회가 많아짐.

---

❶ 남중국해 영유권 분쟁
남중국해상의 해양 지형물에 대한 영유권 및 해양 관할권을 주장하는 다국가 간의 영유권 분쟁을 말한다.

❷ 국제 문제
국제 사회에서 발생하는 정치, 경제, 환경, 영토, 군사 등의 문제를 말한다.

❸ 국제 분쟁
국제 사회 행위 주체 간 이해관계나 관념적 요인의 대립으로 발생한 다툼을 의미한다.

간단 체크 정답과 해설 18쪽

O, X 판단하기

1 국제 사회에서 일어나는 갈등은 대체로 다양한 요인들이 복합적으로 작용하고 있다. ( )

2 이스라엘과 팔레스타인 간의 갈등은 환경 오염 문제로 인해 일어난 분쟁이다. ( )

3 국제 문제는 특정 국가의 노력으로 해결이 어려우며, 국가 간 협력이 필요하다. ( )

교과서 활동 풀이

교과서 106-107쪽

생각 열기 국경이 없는 질병의 확산

지카 바이러스 발생 국가

(질병 관리 본부, 2016.)

에볼라와 메르스의 악몽이 잊히기도 전에 또 다른 전염병이 찾아왔습니다. 태아의 선천성 뇌 기형(소두증)을 유발하는 것으로 의심되는 지카 바이러스가 대규모로 퍼지고 있습니다.

2016년 2월 기준으로 브라질에서만 150만 명 넘은 사람이 지카 바이러스에 감염된 것으로 추정되며, 전 세계 30개국에서 감염 사례가 보고되었습니다. 감염이 여러 나라에 무서운 속도로 퍼져나가자 세계 보건 기구(WHO)는 '국제 공중 보건 위기 상황'을 선포하며 비상사태에 돌입하였습니다. 각국 정부는 모기 예방법 마련, 해당 지역 여행 자제 권고 등 대응에 나서고 있습니다.

질문 1 지카 바이러스에 감염된 지역은 어디인가?

예 동남아시아, 오세아니아, 라틴 아메리카 등 여러 국가에서 동시에 나타나고 있다.

질문 2 지카 바이러스는 왜 전 세계로 빠르게 퍼졌을까?

예 국제 사회의 빈번한 교류로 사람들 간의 접촉이 쉬워져서 한 국가만의 힘으로 방역하기가 힘들기 때문이다.

질문 3 우리는 '국경이 없는 질병의 확산'에 어떻게 대응해야 할까?

예 국제 사회의 협력과 공조, 관련 당사국 간의 협력을 통한 철저한 방역 대책 마련이 요구된다.

해결 열쇠

자료 해설

세계화로 교류가 활성화되고 이동이 증가함에 따라 국제적 차원에서 발생하는 문제가 우리의 삶에 미치는 영향력이 커지고 있다. 국제 문제는 국경을 초월하여 여러 나라에 영향을 끼치고 특정 지역의 사람들에게만이 아니라 포괄적 다수에게 무차별적으로 영향을 미치게 된다. 따라서 국제 문제를 해결하기 위해서는 국가들 간의 긴밀한 공조와 협력, 지구 공동체 의식에 기반한 다양한 국제 사회 행위 주체들의 노력이 필요하다.

활동 국제 사회의 다양한 갈등

가 ( ) 갈등	가 ( ) 갈등	가 ( ) 갈등
동아시아의 중요한 해상로이자 석유, 천연가스 등 자원이 풍부한 것으로 알려진 남중국해를 두고 중국, 베트남, 필리핀 등의 영유권 분쟁이 벌어지고 있다.	제2차 세계 대전 이후 이스라엘이 건국되면서 유대교를 믿는 유대인들과 그 지역에서 오랫동안 거주해 온 이슬람교를 믿는 팔레스타인 사람들 간의 민족·종교 분쟁이 시작되어 지금까지 계속되고 있다.	북한이 핵무기 개발을 추진하면서 한반도 주변의 군사적 긴장이 높아지고 있다. 이로 인해 남북한뿐만 아니라 미국, 일본, 중국, 러시아 등 주변국 간의 군사적 긴장도 심화되고 있다.

1 (가)~(다)에 나타난 갈등의 유형을 쓰고, 해당 유형의 다른 사례를 조사해 보자.

예 • (가) 영토, 자원을 둘러싼 갈등 예 쿠릴 열도 영유권 분쟁, 중국과 인도의 국경 분쟁 등
• (나) 민족과 종교를 둘러싼 갈등 예 티베트 분리 독립 운동, 카슈미르 종교 분쟁 등
• (다) 군사력 증강이나 핵무기 개발을 둘러싼 갈등 예 미국과 중국의 군사 갈등, 중국과 일본의 군사 갈등 등

2 토론·토의 (가)~(다)에 나타난 갈등 유형이 서로 어떻게 관련될 수 있는지 토의해 보자.

예 국제 사회에서 일어나는 갈등은 그 원인이 한 가지인 경우도 있지만, 대체로 다양한 요인들이 복합적으로 작용하여 일어나고 있다. 민족과 인종, 종교 등의 차이로 인한 갈등은 대개 영토 분쟁으로까지 확대되고 분쟁이 내전의 형태로 진행되어 세계 평화를 위협한다.

자료 해설

• (가): 석유와 같은 지하자원을 확보하기 위한 영유권 분쟁은 국가 간 경제적 이익과 관련된 이해관계가 충돌하기 때문에 발생한다.
• (나): 서로 다른 민족과 인종, 종교에서 비롯되는 신념이나 가치관의 차이는 쉽게 해결되지 못하고 극단적인 대립으로 이어지는 경우가 많다.
• (다): 자국의 안전을 보장하기 위한 군사력 증강이 다른 국가들의 안보에는 위협이 되기 때문에 국가 간 군사력 증강 경쟁이 일어나며 이는 국제 사회의 평화를 위협한다.

국제 사회의 다양한 모습과 공존 노력 (2)

학습 목표 | 국제 사회의 공존을 위한 외교적 노력을 설명할 수 있다.

❷ 국제 사회에서는 공존을 위해 다양한 노력이 이루어진다

1 국제 사회의 공존

1. **국가: 자국의 이익**을 추구하면서 동시에 **국제 평화**를 지향해야 함.
2. **국제 문제 해결을 위한 노력[1]:** 각국이 국제 문제에 관심을 가지고 해결을 위해 함께 노력해야 자국의 이익과 국제 평화를 동시에 실현할 수 있음.

2 국제 사회의 외교

1. **외교[2]**
   ① 의미: 한 국가가 국제 사회에서 자국의 이익을 평화적으로 달성하려는 행위
   ② 세계 각국은 국제 사회의 공존을 위해 다양한 외교 정책[3]을 펴고 있음.
2. **외교 활동**
   ① 정상 외교: **국가 원수**끼리의 만남
   ② 외교관: 공식적 외교 사절로서 외교관의 활동 → 외교관과 국가 원수는 공식적 외교 주체이에요.
   ③ 민간 외교: 시민들이 비정부 기구나 자원봉사를 통해 국제 문제 해결에 기여함.
3. **외교의 중요성**
   ① 국가의 대외적 위상을 높임, 정치적 · 경제적 이익 획득
   ② 외교 활동을 원활하게 수행하지 않으면 국익 손실과 국제적 고립 초래
4. **외교 활동의 변화**
   ① 다양한 분야의 외교 활동: 과거에는 안보를 위해 정치적 목적으로 외교가 이루어졌다면 오늘날은 경제, 문화, 환경, 자원, 인권 등 **다양한 분야에서 외교 활동**이 이루어짐.
   ② 정부의 역할뿐만 아니라 **세계 시민**의 역할이 중요해짐.

핵심 자료 **국제 사회의 공존을 위한 노력**

2015년 12월, 프랑스 파리에서 열린 유엔 기후 변화 협약 당사국 총회(COP21)에서 195개 협약 당사국이 파리 기후 협정을 채택하였다. 이는 2020년 이후 적용할 새로운 기후 협약으로 1997년 채택한 교토 의정서를 대체하는 것이다. 교토 의정서에서는 선진국만 온실가스 감축 의무가 있었지만 파리 협정에서는 참여하는 195개 당사국 모두가 감축 목표를 지켜야 한다. 195개 당사국은 세계 온실가스 배출량의 90% 이상을 차지한다. 국제 사회의 공존을 위해 각국은 기후 변화 문제에 관심을 가지고, 이를 해결하는 데 동참하고 있다.

▲ 유엔 기후 변화 협약 당사국 총회

---

❶ G20 정상 회의
1997년 아시아 외환 위기 이후 선진국의 협력만으로는 세계 경제 위기 탈출이 힘들다는 것을 인식하게 되었다. 1999년 국제 통화 기금(IMF) 회의에서 신흥 공업 경제 지역의 국내 총생산, 국제 교역량 등 경제 규모를 우선으로 고려하여 G20을 창설하였다.

❷ 외교
한 국가가 국제 사회에서 자국의 이익을 평화적인 방법으로 달성하려는 활동으로, 좁은 의미로는 외교관들에 의한 공식적인 대외 활동을 가리키고, 넓은 의미로는 국가의 대외적 목표를 달성하려는 모든 활동을 가리킨다.

❸ 외교 정책
각국이 정치적 목적이나 이익을 위해 다른 국가들에 대해 취하는 정책을 말한다.

간단 체크 정답과 해설 18쪽

알맞은 말 채우기

1 국제 사회의 공존을 위해 국가는 자국의 이익을 추구하면서 동시에 (　　)을(를) 지향해야 한다.
2 한 국가가 자국의 이익을 위해 국제 사회에서 평화적 방법으로 펼치는 대외적 활동을 (　　)(이)라고 한다.
3 정부의 외교 활동은 주로 (　　)와(과) 국가에서 공식적으로 파견하는 외교관이 한다.

교과서 **활동 풀이**

교과서 108-110쪽

활동 기후 변화를 막기 위한 국제 사회의 노력

1 왜 국제 사회는 기후 변화를 막기 위해 공동 노력을 하고 있는지 발표해 보자.
예) 지구 온난화는 한 나라의 노력으로 해결할 수 없는 전 지구적 문제이기 때문이다.

2 창의·인성 세계 각국이 "공통적이지만 차별화된 책임을 갖는다."라는 말의 의미를 생각해 보자.
예) 국가마다 온실가스 배출량 등 지구 온난화의 원인 제공 정도가 다르므로 차별화된 조치를 취해야 한다는 의미이다.

3 기후 변화를 막기 위한 국제 사회의 노력에 우리나라가 동참하는 이유를 이야기해 보자.
예) 우리나라도 주요 온실가스 배출국 중의 하나이고, 지구 온난화는 우리에게도 막대한 영향을 주는 문제이기 때문이다.

해결 열쇠

자료 해설
국제 사회에서 발생하는 문제를 특정 국가가 독자적으로 해결하는 것을 현실적으로 불가능하다. 특히 오늘날에는 환경, 보건, 기아 등과 같은 새로운 쟁점이 다양하게 나타나고 있기 때문에 국가 간 공조와 협력이 필요하다.

함께 배우기 지구촌 물 부족의 원인과 해결책 탐구하기

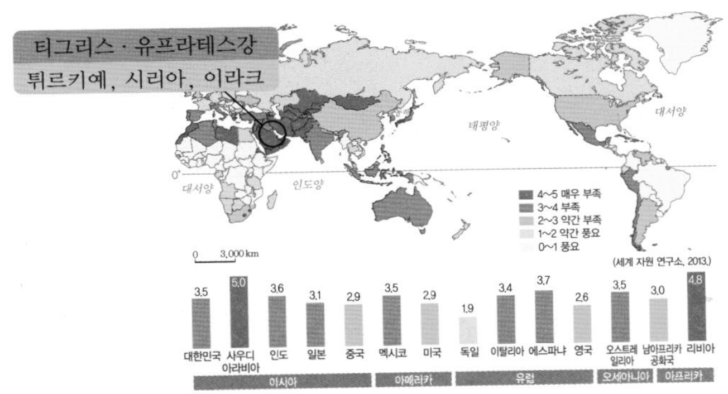

1 어떤 국가에서 물 부족이 나타나고 있는지 조사한다.
예) 리비아, 사우디아라비아 등의 중동과 아프리카 지역

2 물 부족 발생 지역 또는 갈등 사례를 하나 선정하여 세계 지도상에 표시하고, 현황과 원인을 분석한다.
예) 유프라테스강은 튀르키예에서 시작하여 시리아와 이라크를 지나 페르시아만으로 유입된다. 2005년 튀르키예가 유프라테스강을 막자, 물 공급의 90%를 유프라테스강에 의존하는 시리아는 강의 유량이 감소하면서 식수와 농업용수가 부족해졌으며, 수질 오염도 심각해졌다.

3 지구촌 물 부족을 해결하기 위해 국제 사회가 기울여야 할 외교 노력에 관해 토의한다.
예) 국제 사회는 물 자원 이용에 관한 평화적 협약을 통해 국제 하천을 공동 자산으로 여겨 수자원을 절약하고 보존 및 오염 방지를 위한 협력 체계를 구축해야 한다.

활동 도우미
모둠별로 물 부족 발생 지역 또는 갈등 사례를 선정하여 현황과 원인을 조사하고 이를 해결하기 위해 외교 정책을 만들어 보세요.

자료 해설
기후 변화, 도시화 등으로 물이 점점 고갈되면서 수자원 확보를 둘러싼 국가 간의 갈등이 세계 곳곳에서 벌어지고 있다. 사막 지대가 많은 중동 지역의 요르단강, 유프라테스강은 대표적인 국제 물 분쟁 지역이다. 미국과 멕시코는 리오그란데강을, 동남아시아 국가들과 중국은 메콩강을 둘러싸고 대립하고 있다. 전문가들은 2개 국가 이상 걸쳐 있는 국제 하천이 50개 국가 241개에 이르며, 세계 인구의 40%가 이에 의존하고 있기 때문에 이를 둘러싼 갈등은 피할 수 없는 것이라고 분석하였다.

스스로 확인하기

1 (1) 갈등 (2) 협력 (3) 외교 **2** (1) ○ (2) × (3) × (4) ○

생각+ 그 밖에 내가 알고 있는 '세계 시민'은 누구인지 이야기하고, 소개문을 작성해서 친구들 앞에서 발표해 보자.
예) 무하마드 유누스(Yunus, M.)는 방글라데시의 은행가로 1983년 빈민들에게 무담보 소액 대출을 하는 그라민 은행을 설립하여 2009년 784만 명의 빈민들에게 무담보 대출을 진행하였다.

개념 노트 만들기

정답과 해설 18쪽

핵심 내용 정리하기 학습한 내용을 기억하면서 다음 글을 완성해 보자.

(제목:)

오늘날의 국제 사회에서는 각국이 자국의 이익을 추구하는 과정에서 경제 발전, 자원 확보, 과학 기술 개발 등을 둘러싼 (❶)을(를) 더욱 심화하고 있다. 국가 간의 경쟁이 심화되거나 차별, 억압 등이 지속되면서 (❷)이(가) 발생하기도 한다. 국제 문제와 국제 분쟁을 방지하고 해결하기 위해서는 여러 부문에 걸쳐 국가 간 (❸)이(가) 필요하다.

국제 사회의 공존을 위해 국가는 (❹)을(를) 추구하면서 동시에 (❺)을(를) 지향해야 한다. (❻)은(는) 한 국가가 국제 무대에서 자국의 이익을 평화적으로 달성하기 위한 행위이다. 오늘날은 경제, 문화, 환경, 자원, 인권 등 다양한 분야에서 외교 활동이 이루어지고 있으며, 외교에서 정부의 역할뿐만 아니라 (❼)의 역할이 점차 중요해지고 있다.

활동 노트 완성하기 학습하면서 기른 역량을 살려 다음 활동 노트를 완성해 보자.

(가)	(나)	(다)
북극해 연구를 놓고 세계 각국의 경쟁이 치열하다. 천연자원 수송을 위한 북극해 항로 개발, 북극의 급격한 기후 변화 연구, '불타는 얼음' 메탄하이드레이트 등 자원 탐사를 위해서다. 연구 성과는 북극해 연안국과의 협력 관계 구축을 위한 과학 외교에 활용된다. – 동아사이언스, 2017. 6. 2. –	센카쿠 열도는 현재 일본이 실효적으로 지배하고 있으며, 일본, 중국과 대만이 영유권을 주장하고 있다. 센카쿠 열도는 중동과 동북아시아를 잇는 해상 교통로이자 전략 요충지로서 인근 해역의 석유 매장 가능성, 배타적 경제 수역 및 대륙붕 경계선 미확정 등으로 인해 분쟁이 있는 지역이다.	국제 연합(UN) 안전 보장 이사회는 전 세계 분쟁 지역에서 취재하는 언론인들을 보호해야 한다는 '언론인 보호 결의안'을 만장일치로 채택했다. 결의안은 회원국들이 분쟁 지역에서 언론인을 상대로 벌어지는 각종 범죄에 대한 책임을 반드시 물어 유사한 일이 다시는 일어나지 않도록 해야 한다는 내용이다.

1 (가)~(다)에 나타난 국제 사회의 다양한 모습과 그 이유를 서술해 보자.

- (가):
- (나):
- (다):

2 (나)에 대한 바람직한 대처 방안은 어떠해야 하는지 서술해 보자.

실력을 키우는 응용 문제

정답과 해설 19쪽

중요

1 국제 사회의 양상에 대한 설명으로 옳지 않은 것은?

① 자원 확보 경쟁으로 국가 간 갈등이 발생하기도 한다.
② 각국은 자국의 경제적 이익을 추구하는 과정에서 경쟁한다.
③ 국제적 교류가 증대되면서 국가 간 무역 경쟁이 치열해지고 있다.
④ 다국적 기업이 증가하면서 국제 경제 협력의 필요성이 줄어들었다.
⑤ 민족과 인종, 종교의 차이에 따른 서로 다른 가치관으로 인해 갈등이 발생하기도 한다.

2 다음 국제 사회의 갈등 사례에 대한 설명으로 옳은 것은?

> 1990년대에 서아프리카 기니만에서 대규모 유전이 발견되었다. 하지만 해상 국경이 분명하게 구획되지 않아 유전을 둘러싸고 앙골라, 카메룬, 콩고, 가봉 등 기니만 연안 국가 간 분쟁이 끊이지 않고 있다.

① 냉전 체제하에서 발생한 분쟁 양상이다.
② 국가 간의 이해관계를 둘러싼 분쟁이다.
③ 국제기구를 통해서만 해결 가능한 사례이다.
④ 외교적 노력에 의한 분쟁 해결이 불가능하다.
⑤ 종교의 차이에 따른 서로 다른 가치관 때문에 발생한다.

3 다음 글에 나타난 국제 사회의 문제에 대한 옳은 설명을 [보기]에서 있는 대로 고른 것은?

> 최근 전 세계에서 전염성 질병들이 새로이 나타나거나 기존의 질병들이 세력을 확대하는 일들이 벌어지고 있다. 예를 들어 서아프리카 지역의 에볼라 바이러스가 전 세계로 확산되면서 세계인의 건강을 위협하고 있다.

보기
ㄱ. 국가 간 이익을 둘러싼 갈등에서 비롯된다.
ㄴ. 특정 국가의 노력만으로는 해결하기 어렵다.
ㄷ. 포괄적인 다수에게 무차별적으로 영향을 미친다.
ㄹ. 문제를 해결하기 위해서는 국가 간 협력이 필요하다.

① ㄱ, ㄷ　② ㄱ, ㄹ　③ ㄴ, ㄹ
④ ㄱ, ㄴ, ㄷ　⑤ ㄴ, ㄷ, ㄹ

4 국제 사회의 공존을 위한 바람직한 자세를 [보기]에서 고른 것은?

보기
ㄱ. 국가는 국제 평화보다 자국의 이익을 우선하여 추구해야 한다.
ㄴ. 국가는 국제 문제에 관심을 가지고 이를 해결하는 데 동참해야 한다.
ㄷ. 국제 사회의 문제는 정부 중심의 외교 활동을 통해서만 해결해야 한다.
ㄹ. 세계 시민으로서 국제 사회의 다른 구성원들이 지닌 특성을 인정하고 존중해야 한다.

① ㄱ, ㄴ　② ㄱ, ㄷ　③ ㄴ, ㄷ
④ ㄴ, ㄹ　⑤ ㄷ, ㄹ

5 다음 글을 읽고 환경 문제를 해결하기 위해 국제 사회의 협력이 필요한 이유와 적절한 해결 방안을 서술하시오.

> 지구 온난화로 인한 이상 기후가 세계 곳곳에서 나타나고 있다. 이를 해결하기 위해 유엔 기후 변화 협약에서는 이산화 탄소 배출을 줄이기 위해 노력하고 있다.

....

....

6 외교에 대한 설명으로 옳지 않은 것은?

① 오늘날에는 실리보다 이념을 추구하고자 한다.
② 오늘날에는 민간 외교의 역할과 중요성이 확대되고 있다.
③ 자국의 국제적 위상을 높이고 정치 · 경제적 이익을 실현한다.
④ 공식적인 활동은 국가 원수와 국가에서 파견하는 외교관이 한다.
⑤ 원활하게 수행하지 않으면 국익 손실과 국제적 고립을 초래할 수 있다.

우리나라의 국제 관계와 외교 활동 (1)

학습 목표 | 우리나라의 국제 관계와 국가 간 갈등을 설명할 수 있다.

❶ 우리나라는 어떤 국가 간 갈등에 직면해 있는가?

1 우리나라의 국제 관계

1. 우리나라의 지정학적 위치

① 동아시아에 위치한 반도국으로 주변 국가의 영향을 많이 받음.

② 지리적 특성상 교류에 유리하고, 주변 국가와의 갈등을 중재하고 소통에 기여할 수 있는 중요한 위치함.

2. 우리나라의 국제 관계

① 동아시아에서 중국, 일본, 러시아 등과 인접함.

② 미 군정 이후 6 · 25 전쟁을 겪으면서 미국과 동맹 관계를 유지함.

③ 남북한 분단 상태에서 주요 당사국들과 다양한 이해관계에 직면함.

2 우리나라의 국가 간 갈등 문제

1. 한반도 핵 확산 위기 문제와 비핵화 문제: 북한의 **핵 확산 금지 조약**[❶] 탈퇴 및 핵 실험을 통한 핵무기 개발

2. 일본의 독도 영유권 주장

영유권은 일정한 영토에 대한 해당 국가의 관할권을 말해요.

① 문제점: 독도 영유권을 주장하며 자국의 교과서에 왜곡된 내용 기재

② 일본의 의도: 독도가 지닌 경제적 · 군사적 이익을 차지하기 위함.

경제적 이유	해양 자원과 해저 자원이 풍부함.
군사적 이유	동북아시아 및 국가 안전 보장에 필요한 군사 정보를 얻을 수 있는 지리적 이점이 있음.

③ 일본의 입장: 독도를 영토 분쟁 지역으로 만들어 국제 사법 재판소[❷]를 통해 문제 해결을 시도함.

④ 우리나라의 대처 방안: 독도의 중요성 인식, 우리나라 독도에 대한 영토 주권을 행사하고 있음을 국제 사회에 알리는 외교 활동이 필요함.

3. 중국의 동북공정[❸] 문제

① 문제점: 고조선, 고구려와 발해를 중국 고대 시기의 지방 정권으로 편입하려고 함.

② 중국의 의도: 중국 내 소수 민족의 이탈과 독립을 사전에 방지하여 현재의 영토를 확고히 하고, 한반도 통일 이후 발생할 수 있는 영토 분쟁을 방지하기 위함.

③ 우리나라의 대처 방안: 우리나라 고대사에 대한 관심, 다양한 외교적 접근과 노력을 통해 우리 역사와 영토를 지키려는 자세가 필요함.

4. 우리나라와 일본, 중국 간 역사 갈등: 역사 갈등의 이면에는 영토, 자원을 둘러싼 갈등이 내재하여 있음.

❶ 핵 확산 금지 조약
핵보유국은 핵무기를 어느 국가에도 양도하지 않으며, 비보유국은 이를 가지지 않을 것을 약속하고, 핵 완전 군축을 위한 교섭에 성실히 임할 것을 요구하는 내용을 담고 있다.

❷ 국제 사법 재판소의 관할권
국제 분쟁이 일어날 경우 분쟁 당사국들이 합의하여 해결을 요청한 경우에만 국제 사법 재판소가 관할권을 행사할 수 있다.

❸ 동북공정
오늘날의 중국 국경 안에서 이루어진 모든 역사를 중국의 역사로 만들기 위해 중국이 추진했던 연구 사업이다.

간단 체크 정답과 해설 19쪽

알맞은 말 채우기

1 일본은 (　　) 영유권을 주장하며 자국의 교과서에 왜곡된 내용을 싣고 있어 우리나라와 갈등을 겪고 있다.

2 (　　) 사업의 목적은 중국의 국경 안에서 전개된 모든 역사를 중국의 역사로 편입하려는 것이다.

3 우리나라가 일본, 중국과 겪고 있는 역사 갈등의 이면에는 영토, (　　) 등을 둘러싼 갈등이 내재하여 있다.

교과서 **활동 풀이**

교과서 112-113쪽

생각 열기 지정학적 위치로 본 우리나라의 국제 관계는 어떠할까?

질문 1 한반도의 지정학적 위치에 관한 두 학자의 주장을 어떻게 생각하는가?

예 관점에 따라 우리나라의 위치와 관계에 관한 인식이 달라질 수 있다.

질문 2 앞으로 우리나라는 북한을 비롯하여 주변국과 어떤 관계를 맺으며, 어떤 외교 정책을 펴는 것이 좋을까?

예 평화적인 관계를 맺으면서 우리나라의 이익과 국제 평화의 조화를 추구하고, 합리적 근거에 기초하여 국제 사회의 공감을 불러일으키는 외교 정책을 펴는 것이 필요하다.

해결 열쇠

자료 해설

동아시아에 위치한 반도국인 우리나라는 중국, 일본, 러시아 등과 인접해 있어 예전부터 주변 국가의 영향을 많이 받아왔다. 반면에 지리적 특성상 우리나라는 교류에 유리한 조건을 가지며, 주변 국가와의 갈등을 중재하고 소통에 기여할 수 있는 중요한 위치에 있다.

세상 속으로 한국 VS 일본, 한국 VS 중국

우리나라가 중국, 일본과 겪고 있는 역사 갈등의 이면에는 영토, 자원 등을 둘러싼 갈등이 내재하여 있다. 중국이 동북공정을 추진하는 배경에는 역사적으로 우리의 활동 무대였던 만주 지역을 중국의 역사로 만들어 한반도 통일 이후 발생할 수 있는 영토 분쟁을 미연에 방지하겠다는 정치적 목적이 담겨 있다. 또한 중국 내 소수민족의 독립을 막겠다는 정치적 의도도 숨겨져 있다.

일본이 독도의 영유권을 주장하는 것은 독도가 지닌 경제적 · 군사적 이익 때문이다. 독도 주변 바다는 한류와 난류가 만나는 조경 수역으로 450여 종의 난 · 한류성 어족 자원이 풍부하게 분포하고 있다. 그리고 메탄이 주성분인 천연가스가 얼음에 둘러싸여 고체로 변화한 메탄하이드레이트와 해양 심층수 등의 해저 자원이 매장되어 있다. 군사적으로도 동북아시아 및 국가 안전 보장에 필요한 군사 정보를 얻을 수 있는 지리적 이점이 있다.

▲ 독도

생각+ 우리나라는 일본과 중국의 역사 왜곡에 어떻게 대응해야 할까?

예 우리의 입장을 뒷받침할 수 있는 논리적 근거를 만들고 이를 국제 사회에 적극 홍보하는 등의 방법이 있다. 감정적인 대응보다는 논리적인 접근 자세가 필요하다. 우리 주장의 정당성을 국제 사회에 널리 알리는 홍보 활동에 힘써야 한다. 또한 정부의 적극적인 대응과 외교적 노력이 필요하다.

잠깐! 일본이 독도 영유권 문제를 국제 사법 재판소에 회부하려고 하는 이유는 무엇일까요?

일본은 독도 영유권 문제를 국제 사법 재판소(ICJ)에 회부해 국제 문제화하려 해요. 이는 독도를 국가 간 분쟁 지역으로 만들어 자국에 유리한 상황을 만들려는 의도예요.

국제 사법 재판소는 일반적인 국내 재판소와는 달리 강력한 제재를 가하기 힘들고, 재판 결과 중 어느 한쪽이 불복한다면 이를 제재할 방법도 없어요. 그러므로 국제 사법 재판소를 통한 재판이 독도 문제를 해결하기 위한 합리적 해결 방안이 될 수 없어요.

우리나라의 국제 관계와 외교 활동 (2)

학습 목표 | 우리나라 정부의 외교 활동과 시민 단체의 국제 활동을 설명할 수 있다.

❷ 우리나라가 직면한 다양한 국가 간 갈등의 해결 방안은?

1 우리나라 정부의 외교 활동

1. **외교:** 국가 간 갈등은 외교를 통해 해결해야 함.
2. **상대국의 주장 검토와 근거 마련:** 관련 국가의 입장을 분석한 후 확실한 근거를 토대로 반박함.
3. **지속적인 외교 활동**
   ① 우리의 입장을 세계에 알려 국제 사회의 공감대를 이끌어 냄.
   ② 우호적인 입장을 지닌 국가뿐만 아니라 적대적인 입장을 지닌 국가에 대해서도 적절한 외교적 대응이 필요함.
4. **우리나라 외교 정책의 변화**
   ① 광복 이후~1960년대: 반공 이데올로기[❶], 미국과 자유 진영에 의존하는 외교 정책
   ② 1980년대 후반 이후: 실리 중심 **북방 외교**[❷]를 통해 공산권 국가와도 수교
   ③ 2000년대 이후: 경제 · 문화 · 체육 분야 등 다각적 외교 추진

2 시민 단체[❸]의 국제 활동

1. **국가 간 갈등의 해결을 위한 바람직한 자세:** 정부, 시민 단체, 시민 개개인이 함께 적극적으로 문제 해결에 동참해야 함.
2. **시민 단체의 국제 활동의 중요성:** 정부가 공식적으로 제기하기 어려운 주장이나 시민 개개인 차원에서 이루어지기 힘든 국제 활동을 대신함.
3. **국가 간 갈등 해소:** 다양한 시민 단체들이 국제 활동을 통해 국가 간 갈등 해소에 이바지함.

핵심 자료 동아시아 평화를 위한 시민 단체의 활동

시민 단체는 정부가 공식적으로 제기하기 어렵거나 시민 개개인 차원에서 이루어지기 힘든 국제 활동을 통해 국제 문제 해결에 기여할 수 있다. 우리나라가 겪고 있는 국가 간 갈등, 역사에 대해 바로 알고 국제적 문제 관심과 참여 의식을 높이기 위해 2016년 7월 네덜란드 헤이그에서 '동아시아 역사 화해와 지속 가능 평화 구축을 위한 유럽과의 역사 대화'를 주제로 제4회 역사 NGO 활동가 대회가 열렸다.

이 대회에는 유럽의 역사, 교육 연구자 260여 명과 동아시아의 역사 관련 단체 활동가 40여 명이 참가하였다. '동아시아 평화를 위한 역사 NGO 포럼'의 상임 대표는 이 대회에서 오늘날 동아시아 '신냉전'의 근본 원인을 1951년 샌프란시스코 평화 조약과 미 · 일 안보 조약에서 찾고 시민 사회 진영의 역할을 강조하였다.

❶ 이데올로기
이데올로기는 일반적으로 사람이 인간 · 자연 · 사회에 대해 규정짓는 관념이나 사상 또는 의식의 체계를 말한다.

❷ 북방 외교
1980년대 후반 정부가 중국, 소련 또는 동유럽 사회주의 국가들과의 관계 개선을 통해 한반도의 긴장 완화와 평화 정착, 통일 기반 조성을 도모했던 외교 정책을 말한다.

❸ 시민 단체
공공선과 공익 실현을 목적으로 시민들이 자발적으로 참여해 구성한 단체를 말한다.

간단 체크 정답과 해설 19쪽

O, X 판단하기

1 국가 간 갈등은 외교를 통해 해결하는 것이 가장 바람직하다. ( )

2 우리나라가 직면한 국가 간 갈등 문제를 해결하기 위해서는 상대 국가의 주장을 면밀히 검토한 후 합리적인 근거를 토대로 반박해야 한다. ( )

3 시민 단체의 국제 활동은 국가 간 갈등을 해결하는 데 도움이 되지 않는다. ( )

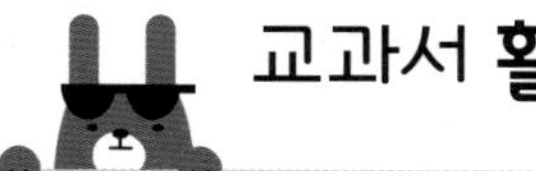

교과서 활동 풀이

교과서 114-115쪽

활동 북방 외교의 성과와 오늘날 우리나라에 필요한 외교 활동

세계 냉전 체제의 해체 직전인 1980년대 말, 대한민국은 계획적이고 주도적인 외교를 펼쳤다. 당시까지 '적성(敵性) 국가'로 분류됐던 공산권 나라들과 외교 관계를 맺었고, 그 궁극적 목표는 한반도의 평화 정착이었다. 당시 사용했던 용어인 '북방 정책'에서 '북방'은 곧 '공산권'의 다른 표현이었다. 우리 정부는 1988년의 '7 · 7 선언'으로 북한, 소련, 중국에 대한 개방 의지를 밝혔고, 88 올림픽에서 대한민국의 성공을 본 동구권도 우호적인 태도를 보였다. 1989년 2월 헝가리를 시작으로 대(對) 공산권 수교의 봇물이 터져 **북방 외교** 기간 동안 새로 수교한 나라는 45개국이었다.

1 윗글을 읽고 북방 외교의 성과를 이야기해 보자.

㉮ 1980년대 후반 구소련, 중국 및 동유럽 사회주의 국가들과의 관계 개선을 통해 한반도의 긴장 완화와 평화 정착, 통일 기반 조성 등을 도모하였다.

2 토론·토의 오늘날 우리나라에 필요한 외교 활동을 토의해 보자.

㉮ 국가 안전 보장, 평화 통일을 위한 국제적 여건의 조성, 경제 발전을 위한 자원 · 자본 및 기술의 확보와 통상 증대, 지구 공동체 문제의 해결 등이 있다.

해결 열쇠

자료 해설

냉전(Cold War)은 제2차 세계 대전 이후 시작된 미국을 중심으로 한 자본주의 진영과 소련을 중심으로 한 사회주의 진영의 대립 체제를 빗대어 부르는 말이다. 우리나라는 냉전 시대에는 이념을 중시하고 미국에 의존하는 외교 정책을 펼쳤지만, 냉전 체제가 끝나면서 소련과 중국 같은 공산권 국가와도 수교를 맺는 등 실리를 추구하는 외교 정책을 추진하게 되었다.

세상 속으로 동아시아 평화를 위한 시민 단체의 활동

국가 간 갈등 해결을 위해 정부와 언론, 전문가와 국민, 시민 단체의 적극적인 참여와 실천이 필요하다.

생각+ 동아시아 역사 갈등 해소를 위해 어떤 노력을 기울여야 할지 이야기해 보자.

㉮ 동아시아 역사 갈등을 해소하기 위해 감정적인 대응보다는 논리적인 접근 자세를 갖추어야 한다. 시민 단체를 중심으로 역사 갈등 문제에 관한 우리 주장의 정당성을 국제 사회에 널리 알리는 홍보 활동에 힘써야 한다. 또한 정부의 적극적인 대응과 외교적 노력도 필요하다.

함께 배우기 우리나라를 알리는 민간 외교관 되기

1 외국인이 잘 모르는 우리나라의 자랑거리에는 어떤 것들이 있는지 조사한다.

2 외국인이 우리나라에 관해 잘못 알고 있는 사실들을 조사한다.

3 우리나라의 자랑거리를 홍보하고 외국인이 잘못 알고 있는 것을 바로 잡는 내용의 우편엽서를 작성한다.

㉮ • 자랑거리: 훈민정음은 한국어를 기록하는 한국의 고유 문자이다. 1443년 세종대왕이 발명하였는데, 독창적이고 과학적인 글자로 알려져 있다. 한글 반포 시 발간된 해설서를 통해 한글의 자음은 사람의 발성 기관을 본뜨고, 모음은 하늘 · 땅 · 사람을 뜻하는 철학을 담고 있음을 알 수 있다.

• 바로 알리기: 일제 강점기인 1929년에 국제 수로 기구(IHO)는 '일본해'로 단독 표기된 「해양과 바다의 경계」를 처음 발행하였다. 당시 일본 대표는 국제 수로 기구 회의에 참석하였지만, 우리나라는 그럴 수 없었다. 우리나라는 1957년에 국제 수로 기구에 가입하고, 1991년 국제 연합에 가입한 후 1992년부터 동해 표기 문제를 제기하였다. 2002년부터는 현실적인 한계를 감안하여 동해와 일본해의 '명칭 병기'를 요구하고 있다.

활동 도우미

우리나라의 자랑거리를 조사할 때에는 정부 기관이나 반크(VANK)에서 발행한 우리나라 홍보 책자와 인터넷 검색을 통해 다양한 자료를 참고해 보세요.

1 ㉮ 한글(훈민정음), 한옥, 한복, 김치, 태권도 등

2 ㉮ 동해를 일본해로 표기 등

스스로 확인하기

1 (1) 역사 (2) 국가 (3) 국제 활동 2 (1) ○ (2) ○ (3) ×

개념 노트 만들기

정답과 해설 19쪽

핵심 내용 정리하기 학습한 내용을 기억하면서 다음 글을 완성해 보자.

(제목:)

우리나라는 동아시아에서 중국, 일본, 러시아 등과 인접해 있고, 남북한이 분단된 상태에서 주요 당사국들과 다양한 (❶)에 직면해 왔다. 우리나라의 국가 간 갈등 문제에는 한반도 핵 확산 위기와 비핵화 문제, 일본의 (❷) 영유권 주장과 일본군 '위안부' 문제, 중국의 (❸) 문제 등이 있다. 일본, 중국과 (❹) 갈등의 이면에는 영토, (❺) 등을 둘러싼 갈등이 내재하여 있다.

국가 간 갈등은 (❻)을(를) 통해 해결해야 하는데 (❼)의 외교 활동만으로 해결할 수 없고 민간 차원의 노력도 함께 이루어져야 한다. (❽)은(는) 정부가 공식적으로 제기하기 어렵거나 시민 개인 차원에서 이루어지기 힘든 국제 활동을 통해 국제 문제 해결에 기여할 수 있다.

활동 노트 완성하기 학습하면서 기른 역량을 살려 다음 활동 노트를 완성해 보자.

(가)

우리 정부는 동북아 지역의 역사적 갈등을 해소하고 해법을 모색하기 위해 동북아 역사 재단을 설립하였다. 동북아 역사 재단은 ㉠ 중국의 동북공정, ㉡ 일본의 독도 영유권 주장과 왜곡된 역사 교과서 채택 등 역사 왜곡에 대한 정책 대안을 개발하고 국내외의 역사 연구자, 역사 관련 NGO 등의 교류와 협력을 촉진하며 역사 갈등을 극복하는 동아시아 공동체 기반을 조성하는 것을 목표로 하고 있다.

(나)

독도 재단 등 독도 관련 단체들은 2017년 2월 22일 서울 광화문 광장에서 '세계에 고하다. 독도는 대한민국 영토다.'라는 주제로 독도 사랑 문화 축제를 열었다. '평화의 섬 독도'를 전 세계에 알리고 국민들의 독도 수호 의지를 결집시켰다. 본 행사가 끝난 뒤에는 참석자들이 광화문 광장을 한 바퀴 도는 '평화 걷기'를 진행하며 인간 띠를 연결해 독도 수호 의지를 다짐하는 퍼포먼스를 펼쳤다. -아주경제, 2017. 02. 22.-

1 밑줄 친 ㉠, ㉡에 담긴 중국과 일본의 의도를 서술해 보자.

• ㉠:

• ㉡:

2 (가)와 (나)를 종합하여 우리나라가 직면한 국가 간 갈등을 효과적으로 해결하기 위해 필요한 노력을 서술해 보자.

정답과 해설 20쪽

1 우리나라의 국제 관계에 대한 설명으로 옳은 것은?

① 종교적인 문제로 주변 국가들과 갈등을 겪고 있다.
② 여러 대륙과 해양으로 진출하는 데 불리한 위치에 있다.
③ 서아시아에 위치한 반도국으로 중국, 일본, 러시아 등과 인접해 있다.
④ 미 군정 이후 6 · 25 전쟁을 겪으면서 미국과 적대적인 관계를 유지해 왔다.
⑤ 남북한이 분단된 상태에서 주요 당사국들과 다양한 이해관계에 직면해 왔다.

2 일본이 다음과 같이 주장하는 이유를 경제적, 군사적인 측면에서 서술하시오.

> 일본은 독도 영유권을 주장하며 자국의 교과서에 왜곡된 내용을 싣고 있다.

....

....

3 다음 연구 사업에 대한 옳은 설명을 [보기]에서 있는 대로 고른 것은?

> 오늘날의 중국 국경 안에서 이루어진 역사를 중국의 역사로 만들기 위해 중국이 추진했던 연구 사업이다.

보기
ㄱ. 우리나라와 중국 간의 역사 갈등을 유발하였다.
ㄴ. 중국 내 소수 민족의 독립 운동을 억제하려는 정치적 의도가 있다.
ㄷ. 고조선, 고구려와 발해를 중국 고대 시기의 지방 정권으로 편입하려고 시도하였다.
ㄹ. 중국 동북쪽의 변경 지역인 만주 지방을 영토 분쟁 지역으로 만들어 국제 사법 재판소를 통해 해결하려고 한다.

① ㄱ, ㄷ ② ㄱ, ㄹ ③ ㄴ, ㄹ
④ ㄱ, ㄴ, ㄷ ⑤ ㄴ, ㄷ, ㄹ

중요

4 우리나라가 직면한 국가 간 갈등의 해결 방안으로 적절하지 않은 것은?

① 상대 국가의 입장을 면밀히 분석한 후 확실한 근거를 마련한다.
② 갈등에 대한 우리의 입장을 국제 사회에 알려 공감대를 이끌어 낸다.
③ 갈등에 대해 감정적인 대응보다 냉정하고 논리적으로 접근하는 자세를 갖춘다.
④ 정부, 시민 단체, 시민 모두가 문제 해결을 위해 적극적으로 참여하고 노력한다.
⑤ 우리나라에 우호적인 입장을 지닌 국가만을 대상으로 하여 집중적인 외교 활동을 한다.

5 다음 글을 통해 추론할 수 있는 내용으로 가장 적절한 것은?

> 우리나라는 냉전 시대에는 이념을 중시하고 미국에 의존하는 외교 정책을 펼쳤지만, 냉전 체제가 끝나면서 소련과 중국 같은 공산권 국가와도 수교를 맺는 등 실리를 추구하는 외교 정책을 추진하였다.

① 다양한 분야에서 외교 활동이 이루어져야 한다.
② 외교 활동은 협상과 설득을 통해 이루어져야 한다.
③ 외교는 공식적 외교 사절들을 중심으로 전개되어야 한다.
④ 외교 정책을 결정할 때는 자국의 내부 상황만을 고려하면 된다.
⑤ 외교 정책은 시대적 상황과 국제 정세의 변화에 맞추어 달라져야 한다.

교과서 **창의·융합 활동** 풀이

교과서 111쪽

해결 열쇠

활동 도우미

월드 카페의 테이블별 국제 문제에 관해 다양한 의견을 나눈 후, 순서를 지켜 자리를 이동하세요. 국제 문제 해결을 위한 홍보 활동을 학급뿐만 아니라 학교, 지역 사회에서 공유할 수 있는 방법도 찾아보세요.

핵심 역량 비판적 사고력

과정 ❶에서 국제 문제의 현황을 파악하고 과정 ❷와 ❸에서 국제 문제 해결 방안을 '월드 카페'를 통해 마련하여 홍보 활동을 기획해 보는 활동이에요. 창조적인 집단 토론을 통해 비판적 사고력을 기르고, 국제 사회 공존을 위해 필요한 세계 시민으로서 자질을 함양할 수 있어요.

이렇게 해요 ❶ 기아, 자연재해, 테러, 난민, 환경 오염

㉠ 기아: 전 세계 인구 70억 중 8억 명이 극심한 기아에 처해 있고, 전 세계 5세 이하 아동들 중 1/3이 영양실조로 사망하고 있다.

❷ ㉠ 월드 카페 토의 주제

1. 국제 문제: 기아 문제는 인간의 생존과 직결되는 것이므로 국제 사회가 공동으로 대처해야 할 문제이다.
2. 발생 원인: 자연재해, 사막화 등의 자연적 요인과 인구 급증, 분쟁으로 식량 생산 차질 등의 인위적 요인에 의해 발생한다.
3. 해결 방안: 식량 지원 사업을 통해 충분한 식량을 확보하여 사람들에게 영양을 지원한다. 농축산 전문 기술 교육을 통해 굶주림을 자발적으로 해결하도록 한다.
4. 실천 방안: 기아 대책의 지속 가능한 식량 지원 캠페인 "STOP HUNGER"에 참여한다. 정기 후원 캠페인에 참여한다.

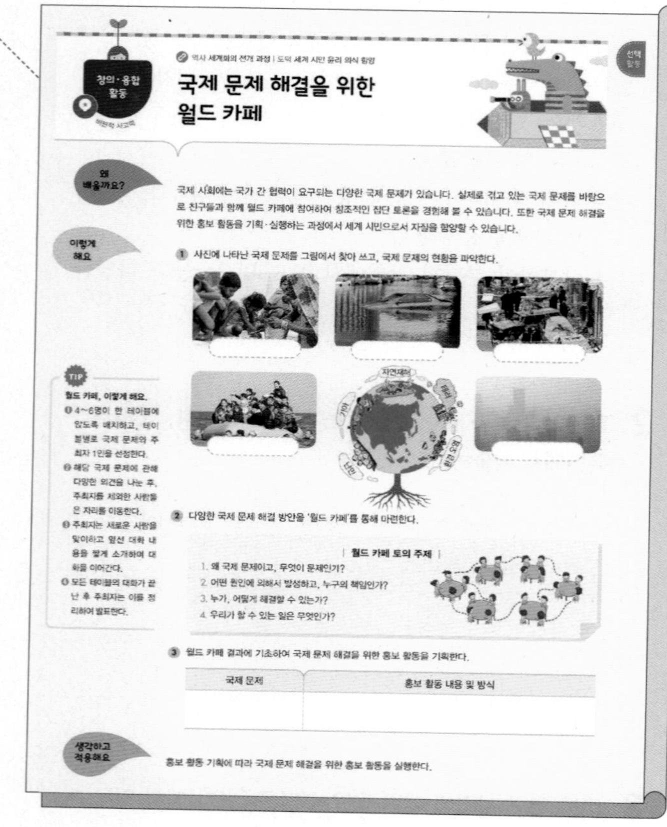

창의·융합 활동 (비판적 사고력) 선택 활동

역사 세계화의 전개 과정 | 도덕 세계 시민 윤리 의식 함양

국제 문제 해결을 위한 월드 카페

왜 배울까요? 국제 사회에는 국가 간 협력이 요구되는 다양한 국제 문제가 있습니다. 실제로 겪고 있는 국제 문제를 바탕으로 친구들과 함께 월드 카페에 참여하여 창조적인 집단 토론을 경험해 볼 수 있습니다. 또한 국제 문제 해결을 위한 홍보 활동을 기획·실행하는 과정에서 세계 시민으로서 자질을 함양할 수 있습니다.

이렇게 해요

① 사진에 나타난 국제 문제를 그림에서 찾아 쓰고, 국제 문제의 현황을 파악한다.

TIP 월드 카페, 이렇게 해요.
❶ 4~6명이 한 테이블에 앉도록 배치하고, 테이블별로 국제 문제와 주최자 1인을 선정한다.
❷ 해당 국제 문제에 관해 다양한 의견을 나눈 후, 주최자를 제외한 사람들은 자리를 이동한다.
❸ 주최자는 새로운 사람을 맞이하고 앞선 대화 내용을 짧게 소개하여 대화를 이어간다.
❹ 모든 테이블의 대화가 끝난 후 주최자는 이를 정리하여 발표한다.

② 다양한 국제 문제 해결 방안을 '월드 카페'를 통해 마련한다.

| 월드 카페 토의 주제 |
1. 왜 국제 문제이고, 무엇이 문제인가?
2. 어떤 원인에 의해서 발생하고, 누구의 책임인가?
3. 누가, 어떻게 해결할 수 있는가?
4. 우리가 할 수 있는 일은 무엇인가?

③ 월드 카페 결과에 기초하여 국제 문제 해결을 위한 홍보 활동을 기획한다.

국제 문제	홍보 활동 내용 및 방식

생각하고 적용해요 홍보 활동 기획에 따라 국제 문제 해결을 위한 홍보 활동을 실행한다.

❸ ㉠ • 국제 문제: 기아, • 홍보 활동 내용 및 방식: 포스터 그리고 전시하기, 공익 광고 동영상 제작 및 공유하기, 캠페인 참여 프로그램 만들기 등

참고 자료 **국제 사회의 다양한 문제**

세계화를 통해 국제적 교류가 활성화되고 이동이 증가함에 따라, 국제적 차원에서 발생하는 문제가 우리의 삶에 미치는 영향력이 커지고 있다. 국제 사회가 당면한 여러 문제를 해결하려면, 세계 각국의 적극적인 협력을 가능하게 하는 공조 체제를 갖추는 것이 중요하다. 다음은 국제 문제와 그 현황을 정리한 표이다.

국제 문제	현황
평화와 안보 문제	냉전 해체 이후 이념적 대립에 의한 분쟁은 감소하였으나 인종 · 민족 · 종교 등에 의한 국지적 분쟁과 테러의 위협 증가
빈곤과 경제적 격차 문제	세계화의 확산으로 부국과 빈국의 경제적 격차 확대 경향, 절대적 빈곤층의 확대
환경 문제	산업화에 따른 환경 파괴와 그로 인한 부작용 심화
인권 문제	개인의 자유에 대한 탄압, 언론과 출판의 자유 제한 등 인권 문제 증가
보건 문제	산업화 · 도시화로 인한 새로운 전염병의 등장, 지구 온난화로 인한 열대 질병의 전염 범위 확대

교과서 단원 마무리 풀이

교과서 116-117쪽

단원 한눈에 보기

❶ 이익 ❷ 다국적 기업 ❸ 협력 ❹ 외교 ❺ 정부

해결 열쇠

교과서 102~115쪽에서 학습한 내용을 떠 올리면서 스스로 구조화해 보자.

서술로 사고력 키우기

1 국제 사회의 특성을 이익, 정부, 힘 등의 용어를 사용하여 설명해 보자.

예 국제 사회에서 각국은 자국의 이익을 추구한다. 대립과 갈등을 조정하고 해결해 줄 강력한 중앙 정부가 없으며, 기본적으로 힘의 논리가 작용한다.

2 국제 사회에서 활동하고 있는 대표적인 국제 행위 주체의 세 가지 유형을 제시하고, 그 특징을 서술해 보자.

예 국제 사회의 행위 주체는 국가, 다국적 기업, 국제기구이다. 국가는 국제 사회에서 가장 기본이 되는 행위 주체이다. 다국적 기업은 여러 나라에 자회사와 공장을 설립하여 상품을 생산하고 판매한다. 국제기구는 정부, 민간단체, 개인 등을 회원으로 하여 세계 평화와 질서 유지를 위해 다양한 분야에서 상호 협력한다.

3 국제 사회에서 국가 간에 일어나는 상호 작용의 세 가지 유형을 말하고, 각 유형이 어떻게 관련되는지를 서술해 보자.

예 국제 사회에서는 경쟁, 갈등, 협력이 나타난다. 각국이 이익을 추구하는 과정에서 경쟁이 발생하고, 이러한 경쟁이 격화되면 갈등이 발생한다. 국제 사회의 경쟁과 갈등은 국제 문제나 국제 분쟁으로 이어질 수 있으므로 이를 해결하기 위해서는 국가 간 협력이 필요하다.

4 우리나라가 직면하고 있는 국가 간 갈등을 제시하고, 이를 해결하기 위해 어떤 노력이 필요한지 논술해 보자.

예 한반도 핵 확산 문제, 일본의 독도 영유권 주장과 위안부 문제, 중국의 동북공정 문제가 있다. 이를 해결하기 위해서는 정부의 적절한 외교 활동과 시민 단체의 다양한 국제 활동이 필요하다.

채점 기준

❶	상	국제 사회의 특성을 주어진 용어를 사용하여 정확하게 서술한 경우
	중	국제 사회의 특성을 주어진 용어 중 두 가지만 사용하여 서술한 경우
	하	국제 사회의 특성을 미흡하게 서술한 경우
❷	상	국제 행위 주체의 세 가지 유형과 특징을 정확하게 서술한 경우
	중	국제 행위 주체의 두 가지 유형만 서술한 경우
	하	국제 행위 주체의 한 가지 유형만 서술한 경우
❸	상	국가 간 상호 작용의 세 가지 유형과 관련성을 정확하게 서술한 경우
	중	국가 간 상호 작용의 유형을 두 가지만 서술한 경우
	하	국가 간 상호 작용의 유형을 한 가지만 서술한 경우
❹	상	우리나라의 국가 간 갈등과 해결 방안을 정확하게 서술한 경우
	중	우리나라의 국가 간 갈등과 해결 방안 중 한 가지만 서술한 경우
	하	우리나라의 국가 간 갈등과 해결 방안을 미흡하게 서술한 경우

서술형 더 풀어보기

정답과 해설 20쪽

1 외교 활동이 중요한 이유를 두 가지 이상 서술하시오.

....

수행 평가 해결하기

국제 사회에서 활동하고 있는 국제기구에 직접 참여해 보고 새로운 국제기구를 제안해 보자.

1 국제 사회에서 활동하고 있는 국제기구를 알아보고, 아래 국제기구들을 참고하여 자신이 관심을 가진 국제기구를 선정한다.

2 같은 국제기구를 선정한 사람들끼리 모둠을 구성하여 해당 국제기구의 설립 목적과 주요 활동을 조사한다.

3 해당 국제기구 누리집에서 학생들이 할 수 있는 활동을 확인한 후, 활동 계획을 수립하여 실제 활동에 참여한다.

4 앞으로 국제 사회에서 협력이 필요한 부분과 이와 관련된 새로운 국제기구를 제안한다.

이 수행 평가는 ▸▸ 관심 있는 분야의 국제기구를 선택하여 목적과 주요 활동을 조사해 보는 활동으로, 여러분은 이 수행 평가를 통해 국제기구의 활동에 직접 참여해 볼 수 있다. 국제 사회의 공존을 위해 필요한 세계 시민의 자질을 갖추도록 한다.

단원을 정리하는 **종합 문제**

1 ㉠에 들어갈 개념에 대한 설명으로 옳은 것은?

> (㉠   )은(는) 세계 여러 나라가 서로 교류하면서 공존하는 사회를 말한다.

① 완전한 무정부적 상태이다.
② 상대국의 이익을 우선적으로 추구한다.
③ 갈등을 조정해 줄 중앙 정부가 존재한다.
④ 국가 간 상호 의존과 국제 협력이 감소하고 있다.
⑤ 각국은 평등한 주권을 갖지만 힘의 논리가 작용한다.

단원 연계 문항

2 다음 글의 밑줄 친 ㉠~㉣에 대한 옳은 설명을 [보기]에서 있는 대로 고른 것은?

> 오늘날에는 ㉠ 국가뿐만 아니라 ㉡ 다국적 기업, ㉢ 정부 간 국제기구, ㉣ 국제 비정부 기구 등 다양한 행위 주체들이 국제 사회에 영향력을 행사한다.

보기
ㄱ. ㉠은 국제법상 평등하고 독립적인 주체로서 국제 사회에 참여한다.
ㄴ. ㉡을 유치하면 해당 국가는 일자리 창출, 생산 및 소비 증대 등의 효과를 기대할 수 있다.
ㄷ. ㉢은 어떤 특정 정부의 직접적인 지배를 받는다.
ㄹ. ㉣은 다양한 분야에서 상호 협력하며 오늘날 역할이 확대되고 있다.

① ㄱ, ㄴ ② ㄴ, ㄷ ③ ㄷ, ㄹ
④ ㄱ, ㄴ, ㄹ ⑤ ㄱ, ㄷ, ㄹ

3 제시된 국제기구들의 공통적인 특징으로 옳은 것은?

> • 그린피스 • 국제 사면 위원회(AI)

① 정부 간 국제기구이다.
② 한 국가 내에서만 활동한다.
③ 개인이나 민간단체를 회원으로 한다.
④ 국제 사회에서 독립적인 주권을 가진다.
⑤ 운영을 지원하는 각국 정부로부터 자유로울 수는 없다.

4 국제 사회의 경쟁과 갈등에 대한 설명으로 옳지 않은 것은?

① 각국은 자국의 이해관계에 따라 협력하고 경쟁한다.
② 최근에는 군사 갈등이 사라지고 민족과 종교를 둘러싼 갈등이 나타나고 있다.
③ 국가 간의 경쟁이 심화되거나 차별, 억압이 지속되면 갈등이 발생하기도 한다.
④ 경쟁은 경제 분야뿐만 아니라 정치, 사회, 문화 분야에도 폭넓게 확대되고 있다.
⑤ 세계화로 인해 국제적 교류가 활발해지면서 국가들의 협력과 의존은 더욱 확대되었다.

5 다음 두 사례에서 국가 간 분쟁이 일어난 공통된 원인으로 가장 적절한 것은?

> • 동아시아의 중요한 해상로인 남중국해를 두고 중국, 베트남, 필리핀 등의 영유권 분쟁이 벌어지고 있다.
> • 나일강 상류에 있는 에티오피아가 댐 건설 계획을 발표하자, 이집트와 수단은 물 부족 현상을 우려하여 반대하고 있다.

① 인종 차별로 인한 분쟁
② 서로 다른 민족 간 분쟁
③ 종교의 차이로 인한 분쟁
④ 환경 오염으로 인한 분쟁
⑤ 자원의 확보를 둘러싼 분쟁

6 다음 사례에서 찾을 수 있는 오늘날 외교의 특징에 대한 설명으로 가장 적절한 것은?

> 우리나라는 대통령부터 기업가, 스포츠 스타, 각 부처 고위 관료, 지역 주민 등 온 국민이 힘을 합쳐 국가적 외교 능력을 극대화한 결과, 2018년 평창 동계 올림픽 유치에 성공하였다.

① 외교 활동에 다양한 주체들이 참여하고 있다.
② 자국의 안보를 중심으로 외교 정책을 추진하고 있다.
③ 국제 문제를 국가 원수와 외교관을 통해 해결하고 있다.
④ 외교를 통해 국제 사회의 공존과 평화를 추구하고 있다.
⑤ 지리적으로 가까운 국가와 긴밀한 협력체를 구성하고 있다.

단원 연계 문항

[7-8] 다음 글을 읽고 물음에 답해 보자.

> 일본은 명백히 우리의 영토인 독도를 일본 영토라고 일방적으로 주장하고 있다.

7 윗글에 나타난 갈등과 관련하여 일본이 주장하는 내용으로 옳지 않은 것은?

① 자국의 교과서에 독도에 관해 왜곡된 내용을 싣고 있다.
② 안전 보장 이사회에서 독도 영유권 문제를 해결하자고 주장한다.
③ 독도 영유권을 주장하며 이를 국제 사회에서 쟁점화하고자 한다.
④ 독도에 대한 왜곡된 내용으로 일본 국민의 여론을 조성하고 있다.
⑤ 독도 영유권을 주장하는 것은 독도가 지닌 경제적, 군사적 이익을 차지하기 위해서이다.

8 윗글에 나타난 갈등에 대한 우리의 적절한 대응 방안을 [보기]에서 고른 것은?

보기
> ㄱ. 독도 문제에 자발적이고 일시적인 관심을 가진다.
> ㄴ. 지리적 · 역사적 관점에서 독도의 중요성을 인식한다.
> ㄷ. 일본의 주장을 면밀히 분석한 후 감정적으로 대응한다.
> ㄹ. 우리 주장의 정당성을 알리는 홍보 활동에 힘쓴다.

① ㄱ, ㄴ ② ㄱ, ㄷ ③ ㄴ, ㄷ
④ ㄴ, ㄹ ⑤ ㄷ, ㄹ

9 우리나라가 직면한 국가 간 갈등 해결 방안에 대해 잘못 말한 사람은?

① 갑: 국가 간 갈등은 외교를 통해 해결해요.
② 을: 갈등이 해결될 때까지는 상대 국가와 교류를 하지 않아요.
③ 병: 국가 간 갈등이 원인을 냉정하고 논리적으로 파악해야 해요.
④ 정: 시민 단체를 중심으로 우리 주장의 정당성을 국제 사회에 알려요.
⑤ 무: 정부는 갈등 해결을 위한 자료 수집 및 연구 기관에 대한 지원을 강화해야 해요.

서술형 평가

중요

10 (가)와 (나)의 사례를 통해 알 수 있는 국제 사회의 특징을 각각 서술하시오.

> (가) 갑국은 온실가스 감축을 골자로 하는 기후 변화 협약에 가입하였으나 국가별로 감축 목표가 설정되자 자국의 산업을 보호하기 위해 이 협약에서 탈퇴하였다.
> (나) 국제 연합(UN)의 안전 보장 이사회는 15개의 이사국으로 구성된다. 미국, 영국, 프랑스, 러시아, 중국 5개의 상임 이사국은 임기 제한이 없고, 거부권을 행사할 수 있는 권한을 가지고 있다.

11 다음 밑줄 친 '이것'이 가리키는 개념을 쓰고, 오늘날 이러한 활동의 주체가 어떻게 변화하였는지 과거와 비교하여 서술하시오.

> 이것은 한 국가가 국제 무대에서 자국의 이익을 평화적으로 달성하기 위한 행위이다. 오늘날 세계 각국은 국제 사회의 공존을 위해 다양한 이것 정책을 펴고 있다.

12 ㉠에 들어갈 연구 사업이 무엇인지 쓰고, 이에 대한 우리나라의 대처 방안을 서술하시오.

> 중국은 중국 동북 지방의 과거와 현재, 미래에 관계된 문제들을 연구한 (㉠)을(를) 통해 고조선, 고구려와 발해를 중국 고대 시기의 지방 정권으로 편입하려고 시도하였다.

인구 변화와 인구 문제

이 단원을 배우면

- 세계와 우리나라의 인구 분포 특징을 지도를 통해 설명할 수 있어요.
- 인구 이동이 인구 유입 지역과 유출 지역에 주는 영향을 설명할 수 있어요.
- 인구 문제가 지역별로 어떻게 다른지 분석하고, 인구 문제에 따라 적절한 해결 방안을 제안할 수 있어요.

이 단원의 학습 주제

1 인구 분포

❶ 전 세계 사람들은 어디에 모여 살고 있을까?

❷ 우리나라 사람들은 어디에 모여 살고 있을까?

개념 노트 만들기 | 실력을 키우는 응용 문제

사람들은 주로 어디에 살고 있으며, 왜 그곳에 모여 살까?

2 인구 이동

❶ 인구 이동은 왜 발생할까?

❷ 세계의 인구는 어떻게 이동하고 있을까?

개념 노트 만들기 | 실력을 키우는 응용 문제

사람들은 왜 이동을 할까?

3 인구 문제

❶ 세계의 인구 문제는 지역별로 어떻게 다를까?

❷ 인구 문제의 해결책은 무엇일까?

개념 노트 만들기 | 실력을 키우는 응용 문제

선진국과 개발 도상국의 인구 문제는 어떻게 다를까?

단원을 정리하는 종합 문제

대단원 표지 그림 해설

열차를 타려고 '방글라데시 기차역'에 모인 수많은 사람들의 모습이에요. 방글라데시는 세계에서 인구 밀도가 가장 높은 국가예요. 인구에 비해 기반 시설이 부족한 편이기는 하지만 북적이는 환경 속에서도 높은 행복 지수가 나타나는 나라이기도 하답니다.

스스로 학습 계획 세우기						나의 학습 달성 정도
계획일	월	일	학습일	월	일	
	월	일		월	일	
	월	일		월	일	
	월	일		월	일	
	월	일		월	일	
	월	일		월	일	
	월	일		월	일	
	월	일		월	일	
	월	일		월	일	
	월	일		월	일	

7-1 인구 분포 (1)

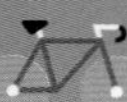

학습 목표 | 세계 인구 분포의 특징을 파악하고, 이에 영향을 미치는 지리적 요인을 설명할 수 있다.

❶ 전 세계 사람들은 어디에 모여 살고 있을까?

1 인구 밀도와 세계 인구 분포의 특징

1. **인구 밀도**❶: 인구 분포가 조밀한 정도, 특정 지역의 면적에 대한 인구수의 비율
2. **세계 인구 분포의 특징:** 세계 인구는 지구상에 고르게 분포하지 않고, 특정 지역에 집중하여 지역마다 인구 밀도가 다르게 나타남. → 전 세계의 인구는 불균등하게 분포해요.
   ① 남반구보다 육지 면적이 넓은 북반구❷에 인구가 많음.
   ② 위도별로는 기후가 온화한 중위도 지역에 거주하는 인구가 많음.
   ③ 대륙별로는 아시아에 세계 인구의 절반 이상이 집중되어 있고, 그 중에서도 벼농사가 발달한 동남 및 남부 아시아에 밀집함.
   ④ 내륙보다 지역 간 교류에 유리한 해안 지역에 인구가 집중함.

2 세계의 인구 밀집 지역과 인구 희박 지역

구분	내용
인구 밀집 지역	• 의미: 인구가 조밀하게 분포하여 인구 밀도가 높은 지역 • 농업 사회에는 자연환경이 유리한 곳에 인구 밀집 • 산업 혁명 이후 경제가 발달하여 일자리가 많고 교육 · 문화 시설이 풍부한 곳에 인구 밀집 • 예 동남 및 남부 아시아(벼농사에 유리), 서부 유럽(산업 혁명의 발상지), 미국 북동부
인구 희박 지역	• 의미: 인구가 드물게 분포하여 인구 밀도가 낮은 지역 • 자연환경이 불리한 곳은 인구가 적거나 거주하지 않음. • 교통이 불편한 곳, 경제 수준이 낮아 일자리가 부족한 곳 등은 인구가 적음. • 예 사하라 사막❸, 아마존 열대 우림, 고위도의 추운 지역

3 인구 분포에 영향을 미치는 요인

1. **자연적 요인**
   ① 지형, 기후, 토양, 식생❹ 등 ─ 산지보다는 평야에, 춥거나 더운 곳보다는 온화한 곳에, 토양이 척박한 지역보다는 비옥하고 식생이 풍부한 곳에 사람들이 많이 거주해요.
   ② 산업화 이전에 주된 영향을 미침.
2. **인문 · 사회적 요인**
   ① 교통, 산업, 문화, 교육 등 ─ 산업의 발달은 일자리를 창출해 사람들을 모이게 해요.
   ② 산업 혁명 이후 인구 분포에 더 큰 영향을 미치고 있음.
   ③ 과학 기술의 발달: 불리한 자연환경을 극복하게 하여 인간의 거주 지역을 확대시키고 있음.

---

❶ 인구 밀도
한 나라 또는 지역의 총인구를 총면적으로 나눈 것으로, 보통 1㎢ 안에 몇 명이 살고 있는지를 나타낸다.

❷ 북반구와 남반구의 육지 비율
북반구는 육지의 비율이 약 39%, 남반구는 육지의 비율이 약 19%로 북반구의 육지 면적이 남반구의 육지 면적보다 두 배 정도 넓다.

❸ 사하라 사막의 인구 밀도

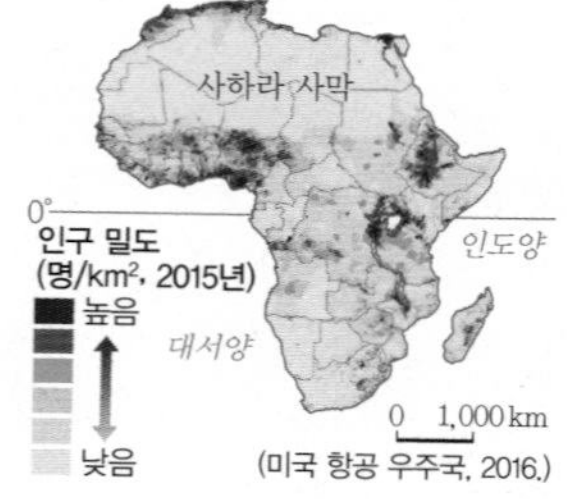

(미국 항공 우주국, 2016.)

❹ 식생
어떤 장소의 지표를 덮고 있는 식물 집단을 일컫는 말이다. 한 지역의 식생은 기후, 토양, 지형, 생물 등의 영향에 따라 달라진다.

간단 체크 정답과 해설 21쪽

알맞은 말 선택하기

1 지구상의 인구는 교류에 유리한 (내륙 | 해안)에 더 집중해있다.

2 인구가 조밀하게 분포하여 인구 밀도가 높은 지역은 인구 (밀집 | 희박) 지역이다.

3 최근에는 인구 분포에 영향을 미치는 (자연적 | 인문 · 사회적) 요인의 중요성이 더욱 커지고 있다.

교과서 활동 풀이

교과서 120-121쪽

생각 열기 인구 분포를 파악할 수 있는 방법은 무엇일까?

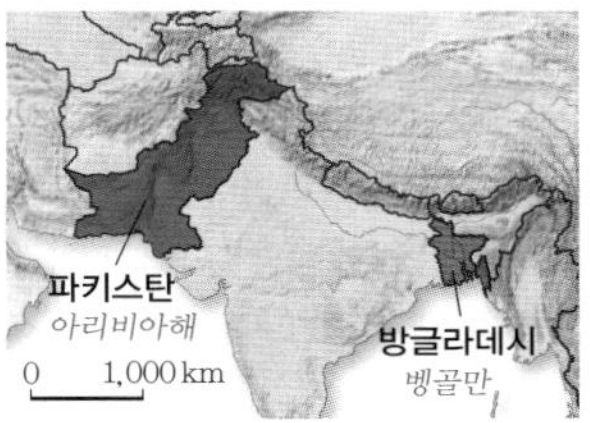

	파키스탄	방글라데시
총인구(명)	약 188,144,000명	약 164,411,000명
국토 면적(㎢)	약 796,000㎢	약 148,000㎢
인구 밀도(명/㎢)	약 236.3명/㎢	약 1,114명/㎢

질문 1 사회과 부도나 통계청 국가 통계 포털 누리집(kosis.kr)의 국제 통계를 참고하여 파키스탄과 방글라데시의 총인구, 국토 면적, 인구 밀도를 찾아 빈칸을 채워 보자.

질문 2 인구 분포를 파악할 때 총인구와 국토 면적을 함께 살펴보아야 하는 이유는 무엇일까?

예 인구 분포는 특정 지역에 얼마나 많은 사람이 살고있는가를 의미하기 때문에 단순한 인구수만으로는 인구 분포를 정확히 파악하기 힘들다.

해결 열쇠

자료 해설

지도는 남부 아시아의 파키스탄과 방글라데시를 보여준다. 두 국가의 총인구수를 비교해 보면 파키스탄이 방글라데시보다 약 2천 4백만 명 가량 더 많다. 그러나 인구 분포는 방글라데시가 더 조밀하다고 할 수 있다. 파키스탄의 총인구가 더 많아도 국가 면적 역시 더 넓기 때문에 인구 밀도는 방글라데시보다 낮아진다. 따라서 인구 분포를 파악할 때는 단순한 인구수보다는 면적 대비 인구수, 즉 인구 밀도를 살펴보는 일이 중요하다.

활동 인구 밀집 지역과 인구 희박 지역의 특징

1 세계의 인구 분포를 나타낸 위 지도를 보고, 다음 중 인구가 많이 분포하는 곳에 ○표해 보자.

• (북반구 | 남반구) • (고위도 | 중위도 | 저위도) • (내륙 지역 | 해안 지역)

2 A~E 지역을 인구 밀집 지역과 인구 희박 지역으로 나누어 보자.

(1) 인구 밀집 지역: A, C, D (2) 인구 희박 지역: B, E

3 A~E 지역의 인구 분포에 영향을 준 요인을 연결해 보고, 빈칸에 자연적 요인은 '자', 인문·사회적 요인은 '인'으로 구분하여 써 보자.

(1) A · · ㉠ 고온 다습하여 인간 거주에 불리하다. (자)
(2) B · · ㉡ 강수량이 매우 적어 농경과 목축에 불리하다. (자)
(3) C · · ㉢ 산업 혁명 이후 일찍부터 경제가 성장하였다. (인)
(4) D · · ㉣ 경제 수준이 높고, 교통 및 문화 시설을 잘 갖추고 있다. (인)
(5) E · · ㉤ 평야가 발달해 있으며, 계절풍의 영향으로 강수량이 많다. (자)

활동 도우미

지도의 빨간 점 1개당 10만 명을 나타내고 있으므로 점이 많을수록 인구가 밀집한 지역이지요. 점의 분포를 확인하여 전 세계 인구가 어디에 많이 분포하고 있는지 한눈에 알 수 있어요.

자료 해설

- 북반구: 인구는 주로 육지에 거주하므로 육지의 면적이 더 넓은 북반구에 인구가 더욱 많이 거주한다.
- 중위도: 인구 분포는 예로부터 자연환경의 영향을 많이 받았다. 인간 거주에 유리한 온대 기후 지역이 주로 자리한 중위도는 다른 위도대보다 기후가 온화하여 인구가 많다.
- 해안 지역: 사막이나 밀림이 위치하고 있는 내륙 지역보다는 지역 간 교류에 유리하고, 해상 및 육상 자원을 모두 이용할 수 있는 해안 지역에 인구가 더 밀집해 있음을 지도에서도 확인할 수 있다.

7-1 인구 분포 (2)

학습 목표 | 우리나라 인구 분포의 특징을 파악하고, 이에 영향을 미치는 지리적 요인을 설명할 수 있다.

❷ 우리나라 사람들은 어디에 모여 살고 있을까?

1 산업화[1] 이전의 인구 분포

1. **농업 중심 사회:** 농사에 유리한 자연적 요인이 중요하게 작용 ─ 벼농사에 유리한 자연 조건을 갖춘 곳의 인구가 더 많았어요.
2. **인구가 밀집하였던 남서부 지역:** 남쪽에 위치하여 온화한 기후가 나타나고, 넓은 평야와 하천이 발달하여 농업에 유리
3. **인구가 희박하였던 북동부 지역:** 해발 고도가 높으며 추운 지역이 많음. 산지가 많아 농업에 불리

2 산업화 이후의 인구 분포

1. **1960년대 이후의 인구 이동**

   ① 산업화에 따라 도시에 일자리가 많이 생겨나 이촌 향도 현상[2]이 시작됨.

   ② 수도권, 남동 임해 공업 지역, 대도시 중심으로 인구가 밀집함.

2. **오늘날의 인구 분포**

수도권의 면적은 전체 국토의 1/10에 불과하지만, 인구는 1/2 가까이 모여 있지요.

수도권[3]	• 우리나라 전체 인구의 절반 정도가 모여 있는 대표적인 인구 밀집 지역 • 정치 · 경제 · 문화의 중심지인 서울에는 전체 인구의 약 20% 집중 • 최근에는 서울의 인구가 분산되어 경기도나 인천으로 빠져나가기도 함.
남동 임해 공업 지역[4]	• 정부의 중화학 공업 육성 정책에 따라 대규모 공업 단지가 조성된 지역 • 부산, 포항, 울산, 광양 등 공업 도시에 인구 밀집 • 공업 발달로 일자리가 풍부해져 인구가 급격히 증가함.
농어촌 지역	• 산업화로 이촌 향도 현상이 나타나면서 인구가 유출 및 감소됨. • 대체로 인구가 적으며, 농어촌 면적이 넓은 전라남도는 인구 밀도가 매우 낮음.
산간 지역	• 예로부터 교통이 불편하고 농업에 불리하여 거주 인구가 적음. • 대표적으로 강원도 일대는 산지가 많아 인구가 희박하게 나타남.

핵심 자료 오늘날 우리나라의 인구 분포

핵심 ❶ 산업화로 이촌 향도 현상이 나타나면서 수도권과 남동 임해 공업 지역, 대도시에 인구가 밀집하였다.

핵심 ❷ 불리한 자연환경의 영향으로 과거부터 인구가 적었던 산간 지역, 산업화 이후 인구가 유출된 농어촌은 인구가 희박한 지역이다.

❶ 산업화
농업, 어업 등의 1차 산업을 주로 하는 사회에서 공업이나 서비스업과 같은 2, 3차 산업 중심의 사회로 변화하는 것을 말한다.

❷ 이촌 향도 현상
산업화에 따라 촌락에 거주하던 인구가 일자리를 찾아 도시로 이동하는 현상이다.

❸ 수도권
수도를 중심으로 이루어진 대도시권을 말한다. 우리나라의 수도권은 서울특별시와 그 주변의 인천광역시, 경기도를 포함한다.

❹ 남동 임해 공업 지역
1970년대 대규모 중화학 공업 단지가 들어선 남동 해안의 지역을 말한다. 부산, 포항, 울산, 창원, 거제, 광양, 여수, 순천 등이 포함된다.

간단 체크 정답과 해설 21쪽

O, X 판단하기

1 산업화 이전 우리나라 인구 분포는 자연적 요인의 영향을 많이 받았다. ( )

2 산업화 이후 수도권은 인구가 급격히 증가하였다. ( )

3 강원특별자치도는 예로부터 인구가 밀집한 대표적인 지역이다. ( )

교과서 활동 풀이

교과서 122-123쪽

함께 배우기 **우리나라 인구 분포의 변화 분석하기**

우리나라 인구 분포 지도를 보고, 인구 분포의 변화 요인을 짝과 함께 이야기해 보자.

1 내용 파악하기 | 1940년과 2015년의 자료를 각자 하나씩 맡아서, 시대별 우리나라의 인구 분포 특징과 인구 분포에 영향을 준 요인을 파악한다.

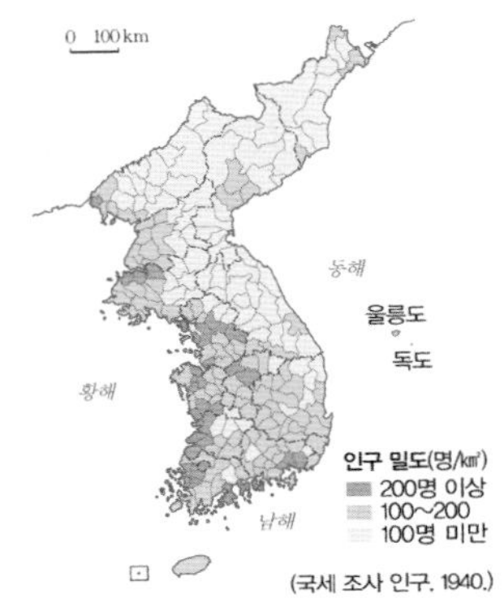

(국세 조사 인구, 1940.)

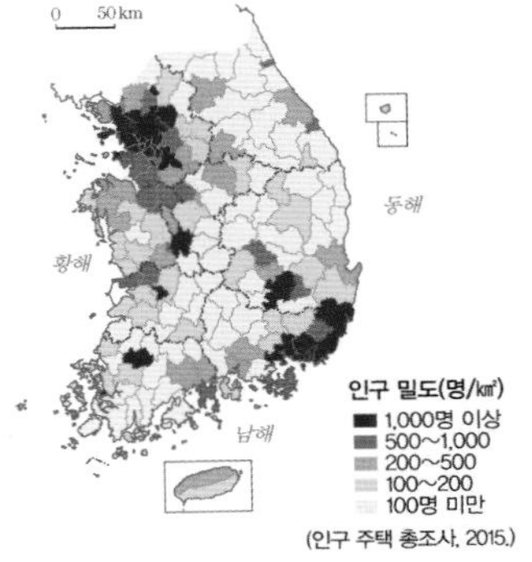

(인구 주택 총조사, 2015.)

1940년 | 기후가 온화하고 평야가 발달한 남서부 지역은 논농사에 유리한 자연환경을 갖추고 있어 일찍부터 인구가 모여 살았다. 반면 개마고원과 태백산맥 등 산지가 발달한 북동부 지역은 논농사가 불리하여 인구가 희박하였다.

2015년 | 1960년대부터 진행된 산업화와 도시화에 따라 수도권과 남동 해안 지역에 인구가 증가하였다. 산업과 교통이 발달하고 일자리가 풍부한 도시 지역으로 많은 인구가 이동하였지만, 농어촌 지역이나 산간 지역은 인구가 줄어들었다.

시기	1940년	2015년
인구 밀집 지역	예 남서부 일대	수도권, 대도시, 남동 해안 지역
인구 희박 지역	북동부 일대	촌락, 산간 지역
영향을 준 요인	기후, 지형 등 자연적 요인	산업, 교통 등 인문 · 사회적 요인

2 친구 가르치기 | 1940년의 인구 분포부터 친구에게 설명하고, 모든 설명이 끝나면 입장을 바꿔 2015년의 인구 분포를 탐구한다.

예 1940년: 농업 중심 사회였기 때문에 농업에 영향을 크게 미치는 기후, 지형 등의 자연적 요인이 인구 분포에 영향을 많이 주었다. 기후가 온화하고 평야가 발달한 남서부에 붉은 색이 많은 것으로 보아 인구 밀집 지역이라 할 수 있다. 북동부는 인구가 희박하게 분포하고 있다.
예 2015년: 산업이 발달하면서 교통이 편리하고 일자리가 풍부한 곳으로 인구가 집중하였다. 따라서 산업, 교통 등 경제와 관련된 인문 · 사회적 요인이 기존의 인구 분포를 변화시키는 데 큰 영향을 주었을 것이다.

3 짝과 토의하기 | 우리나라의 인구 분포가 변화하는 데 가장 큰 영향을 준 요인이 무엇이었을지 짝과 토의한 뒤, 그 내용을 발표한다.

예 우리나라의 인구 분포가 변화하는 데에는 산업 발달의 영향이 가장 컸다. 농업 중심 사회에서 2 · 3차 산업 중심 사회로 변화함에 따라 이촌 향도 현상이 일어나 인구 분포가 달라졌기 때문이다.

해결 열쇠

활동 도우미

자신이 맡은 시기의 인구 분포와 그에 영향을 미친 요인을 친구에게 자세히 설명해 보세요. 이해가 되지 않는 부분은 서로 물어보며 편안하게 이야기 나누면 됩니다.

자료 해설

두 시기 모두 인구 밀도가 높은 지역일수록 어두운 색으로, 인구 밀도가 낮은 지역일수록 밝은 색으로 표시되어 있다. 1940년에는 남서부에 붉은 색이 많이 나타나 북동부와 대비되는 모습이다. 그러나 2015년에는 수도권과 대도시 위주로 붉은 색이 나타나 인구 분포에 변화가 있음을 느낄 수 있다. 이렇게 우리나라의 인구 분포가 변화하게 된 요인이 산업화에 있음을 알고, 인구 밀집 지역과 희박 지역을 지도에서 찾아 그 이유를 설명해 볼 수 있다.

친구 가르치기 학습 TIP

- **친구 가르치기 학습 과정** 짝을 이루어 서로 질문을 주고받으며 학습하는 것은 유대인의 전통 교육 방법인 '하브루타'의 한 유형이에요. 일방적으로 듣거나 읽고 끝내는 학습 방법보다 여러분의 사고를 더욱 확장할 수 있고 공부한 내용을 잘 기억나게 해줄 거예요.
- **친구 가르치기 학습 시 유의점** 다른 사람을 가르치기 위해서는 반드시 본인이 먼저 내용을 정확히 이해해야 합니다. 또한 다른 사람의 말을 경청하고, 말이 다 끝나면 궁금한 점을 물어보세요. 서로의 생각을 존중하며 가르치고 배울 때 학습의 효과가 더 클 거예요.

스스로 확인하기

1 (1) 자연적 (2) 이촌 향도 **2** (1) 북반구 (2) 중위도 (3) 도시

개념 노트 만들기

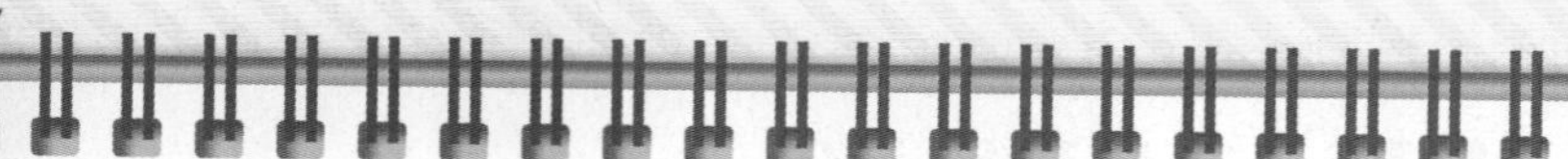

정답과 해설 21쪽

핵심 내용 정리하기 학습한 내용을 기억하면서 다음 글을 완성해 보자.

(제목:)

세계의 인구는 (❶)하게 분포한다. 대륙별로는 (❷)에, 위도별로는 기후가 온화한 (❸)에 많은 인구가 밀집해 있다. 사람들은 예로부터 기후, 지형 등 (❹)이(가) 유리한 곳에 모여 살았다. 우리나라도 산업화 이전에는 농업에 유리한 (❺) 지역의 인구 밀도가 높았다. 그러나 산업이 발달하면서 인구 분포는 교통이나 산업 등 (❻)의 영향을 많이 받았다. 서부 유럽, 미국 북동부 등은 대표적인 세계의 인구 밀집 지역이다. 우리나라의 경우 산업화 이후 이촌 향도 현상이 나타나면서 수도권이나 대도시에 인구가 집중하게 되었다.

활동 노트 완성하기 학습하면서 기른 역량을 살려 다음 활동 노트를 완성해 보자.

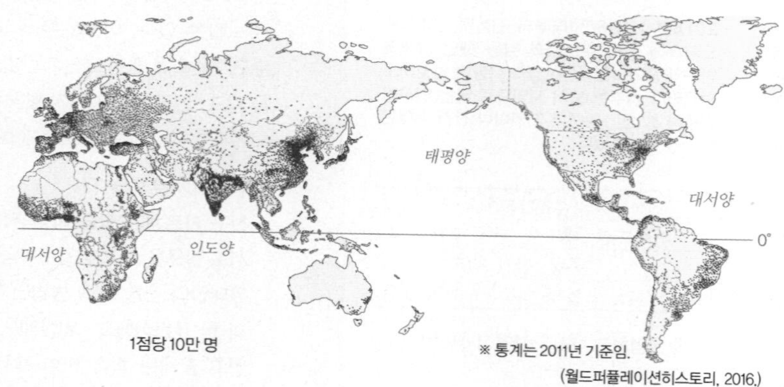

※ 통계는 2011년 기준임.
(월드퍼퓰레이션히스토리, 2016.)

1 다음 지역을 지도에 표시해 보자.

- 서부 유럽
- 미국 북동부
- 사하라 사막
- 아마존 열대 우림
- 동남 및 남부 아시아

2 문항 1에서 지도에 표시한 지역을 인구 밀집 지역과 인구 희박 지역으로 구분하여 다음과 같이 표시해 보자.

- 인구 밀집 지역: '밀집'이라고 표기
- 인구 희박 지역: '희박'이라고 표기

3 인구 분포에 영향을 주는 자연적 요인과 인문 · 사회적 요인을 설명해 보자.

- 자연적 요인:
- 인문 · 사회적 요인:

실력을 키우는 응용 문제

정답과 해설 21쪽

1 **다음 글이 설명하는 용어로 알맞은 것은?**

> 인구 분포가 조밀한 정도를 뜻하는 말로, 보통 1㎢ 당 사람의 수를 나타낸다.

① 인구　② 인구 밀도　③ 인구 분포
④ 인구 성장　⑤ 인구 비율

2 **세계의 인구 분포 특징을 바르게 설명한 것은?**

① 기후가 온화한 고위도에 집중되어 있다.
② 바다가 넓은 중위도에는 인구가 희박하다.
③ 적도를 기준으로 남반구에 많이 분포한다.
④ 사막이 대부분인 내륙 지역에 집중해 있다.
⑤ 교류가 유리한 해안 지역에 인구가 밀집해 있다.

3 **인구가 밀집할 수 있는 지역을 [보기]에서 고른 것은?**

> ㄱ. 평야가 넓은 지역　ㄴ. 교통이 불편한 지역
> ㄷ. 기후가 온화한 지역　ㄹ. 일자리가 부족한 지역

① ㄱ, ㄴ　② ㄱ, ㄷ　③ ㄴ, ㄷ
④ ㄴ, ㄹ　⑤ ㄷ, ㄹ

4 **지도를 참고하여 오늘날 우리나라의 인구 밀집 지역을 [보기]에서 고른 것은?**

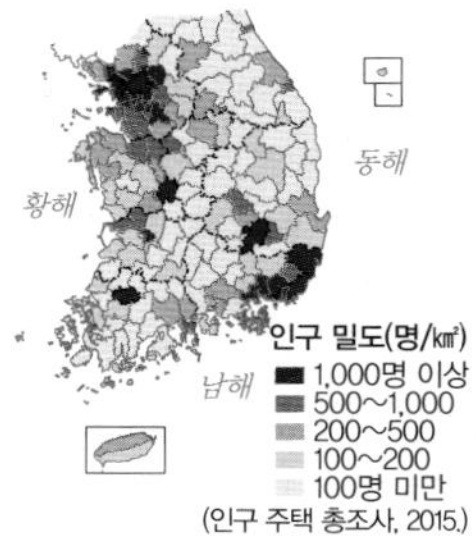

> 보기
> ㄱ. 강원도
> ㄴ. 수도권
> ㄷ. 전라남도
> ㄹ. 남동 임해 지역

① ㄱ, ㄴ　② ㄱ, ㄷ　③ ㄴ, ㄷ
④ ㄴ, ㄹ　⑤ ㄷ, ㄹ

[5-6] 지도는 세계의 인구 분포를 나타낸 것이다. 이를 보고 물음에 답하시오.

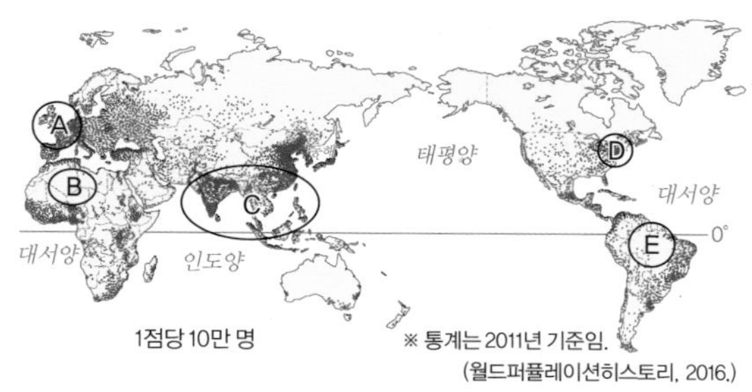

중요

5 **A~E 지역을 인구 밀집 지역과 희박 지역으로 바르게 분류한 것은?**

	인구 밀집 지역	인구 희박 지역
①	A, B	C, D, E
②	B, C	A, D, E
③	A, C, D	B, E
④	B, D, E	A, C
⑤	C, D, E	A, B

중요

6 **A~E 지역의 인구 분포 요인을 바르게 설명한 것은?**

① A는 일찍부터 경제가 성장하여 일자리가 풍부하다.
② B는 계절풍의 영향으로 벼농사가 발달하였다.
③ C는 매우 건조하여 농경과 목축에 불리한 환경이다.
④ D는 일 년 내내 고온 다습한 기후 조건을 가지고 있다.
⑤ E는 세계 경제 및 정치의 중심지로 주거 환경이 쾌적하다.

7 **우리나라의 인구 밀집 지역을 산업화 이전과 오늘날로 구분하여 그 요인과 함께 서술하시오.**

....

....

7-2 인구 이동 (1)

학습 목표 | 인구 이동의 다양한 요인을 제시할 수 있다.

❶ 인구 이동은 왜 발생할까?

1 인구 이동[❶]

1. **의미:** 여러 가지 이유로 사람들이 한 장소에서 다른 장소로 옮겨 가는 현상

2. **종류** → 인구 이동은 대부분 국내 이동이면서 자발적 인구 이동이라고 해요.

이동 범위	국내 이동	한 국가 안에서의 이동
	국제 이동	다른 국가로의 이동
이동 동기	자발적 이동	본인이나 가족이 원해서 하는 이동
	비자발적 이동[❷] (강제적 이동)	전쟁이나 자연재해 등으로 어쩔 수 없이 하는 이동
이동 기간	일시적 이동	여행, 통학, 통근 등 일시적으로 이동했다가 본래의 거주지로 곧 돌아오는 이동
	영구적 이동	이사, 이민 등 한 번 이동하면 한동안 다시 이동하지 않는 이동
이동 목적	경제적 목적의 이동	소득, 일자리 등을 위해 하는 이동
	정치적 목적의 이동	전쟁, 정치적 억압 등에 의해 하는 이동

2 인구 이동의 요인

1. **흡인 요인** → 흡인 요인이 강한 지역은 인구 유입이 활발해서 인구가 늘어나는 경우가 많아요.
   ① 거주 지역에서 인구를 끌어들이는 요인
   ② 예 풍부한 일자리, 높은 임금, 쾌적한 환경, 우수한 교육 및 문화 시설 등

2. **배출 요인** → 배출 요인이 강한 지역은 인구가 유출되어 인구가 감소하는 경우가 많아요.
   ① 거주 지역을 떠나고 싶게 만들어 인구를 밀어내는 요인
   ② 예 열악한 주거 환경, 낮은 임금, 실업, 빈곤, 전쟁이나 분쟁 등

3 인구 유입 지역과 유출 지역[❸]

1. **인구 유입 지역**
   ① 특징: 흡인 요인이 두드러져 다른 지역으로부터 인구가 많이 들어옴.
   ② 사례: 일자리가 많은 산업화 시대의 도시, 생활 환경이 쾌적하며 편의 시설이 많은 지역 등

2. **인구 유출 지역**
   ① 특징: 배출 요인이 두드러져 해당 지역의 인구가 다른 지역으로 주로 빠져 나감.
   ② 사례: 전쟁이 발생한 지역, 환경 오염이 심한 지역, 일자리가 부족한 지역 등

---

❶ 세계의 인구 이동 경향
전 세계 인구 이동의 대부분은 경제적으로 더 나은 삶을 살기 위해 자발적으로 일어난다. 따라서 경제 수준이 낮은 국가에서 일자리가 풍부하고 임금이 높은 선진국으로 이동하는 경우가 많다.

❷ 아프리카계 인종의 이동
16~20세기까지 유럽인이 식민지 개척을 하면서 많은 아프리카계 인종을 아프리카에서 미국 남부, 브라질, 카리브해 주변으로 강제 이동시켰다. 이는 국제 이동이면서 비자발적 이동에 해당된다.

❸ 경제적 목적의 인구 이동
서남아시아와 북부 아프리카에서 서부 유럽으로, 동남아시아에서 한국이나 일본으로 일자리를 찾아 이동하는 경우, 풍부한 일자리는 흡인 요인이 되고, 인구가 유입되는 서부 유럽이나 한국, 일본은 인구 유입 지역이 된다.

간단 체크 정답과 해설 21쪽

알맞은 말 채우기

1 여러 가지 이유로 사람들이 한 장소에서 다른 장소로 옮겨가는 현상을 (　　　) (이)라고 한다.

2 (　　　) 요인이 큰 지역은 인구의 유입이 활발하다.

3 (　　　) 요인에는 열악한 주거환경, 낮은 임금, 실업, 빈곤 등이 해당된다.

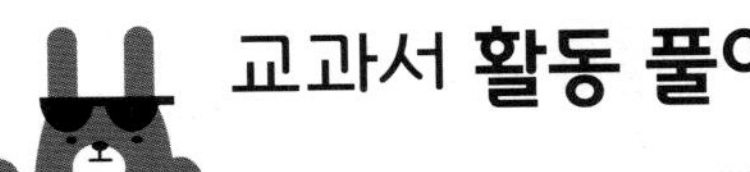

교과서 활동 풀이

교과서 124-125쪽

생각 열기 내가 경험한 인구 이동에는 어떤 것이 있을까?

어디에서 어디로 이동하였나요?	무슨 이유로 이동하였나요?	누가 원해서 한 이동이었나요?
예 전주에서 서울로	예 더 좋은 환경에서 축구를 하기 위해	예 나와 부모님이 함께 결정

질문 1 자신이 이동했던 여행이나 이사 등의 경험을 생각한 후, 물음에 맞게 위의 빈칸을 채워 보자.

질문 2 친구들과 각자의 이동 경험을 이야기해 보고, 학급 내의 통계를 작성해 보자.

이동 범위	인원	이동 범위	인원	이동 범위	인원
국내 이동	예 23명	경제적 목적	19명	원해서 한 이동	16명
국제 이동	7명	교육적 목적	11명	강제로 한 이동	14명

질문 3 전 세계 사람들은 어떤 이유로 이동하는지 이야기해 보자.

예 일자리나 소득을 높이기 위한 경제적 이유로 인해 많은 사람들이 이동할 것 같다.

해결 열쇠

자료 해설

자신이 경험한 인구 이동 중에 다른 사람들과 공유할 만한 사례, 이유와 목적지가 잘 기억나는 사례를 떠올려 적어 본다. 친구들의 인구 이동 경험도 잘 들어 보고, 학급 내의 통계를 내어 어떤 이유로, 어디로 이동하게 되었는지 파악해 본다. 이를 바탕으로 우리나라, 더 넓게는 전 세계의 사람들이 어떤 인구 이동을 하고 있을지 추측해 본다.

활동 인구 이동의 다양한 요인

1 (가)~(마)의 대화 내용과 관계있는 인구 이동을 지도에서 찾아 기호를 쓰고, 아래의 인구 이동 원인 ㉠~㉢과 연결해 보자.

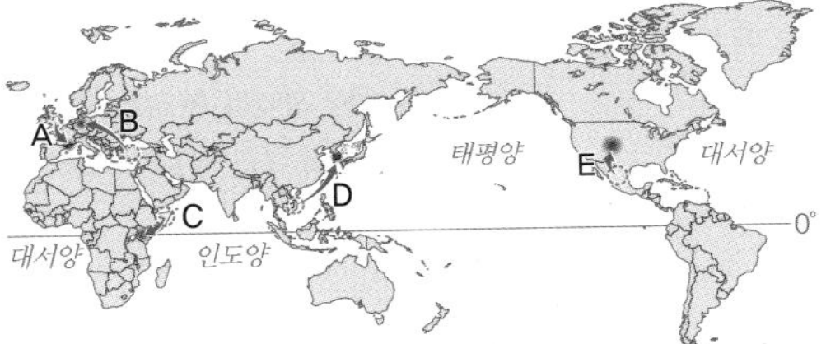

인구 이동 원인

- ㉠ 휴양지를 찾아 일시적으로 이동한 경우
- ㉡ 일자리를 찾아 이동한 경우
- ㉢ 내란이나 기근을 피해 이동한 경우

가 (E) 우리 부모님은 오래전에 멕시코를 떠나 미국의 오렌지 농장으로 일자리를 구하러 오셨대요. 미국에는 우리 가족처럼 라틴 아메리카에서 이민 온 사람들이 많아요. — ㉡

나 (A) 우리 가족은 여름이면 프랑스 남부로 여행을 떠나요. 영국은 흐린 날이 많은데 프랑스의 니스 해변은 경치도 좋고, 맑은 날이 많아서 햇볕을 얼마든지 쬐고 올 수 있거든요. — ㉠

다 (D) 대한민국은 베트남보다 임금이 높아요. 가족과 떨어져 지내는 것은 슬프지만, 제가 열심히 일해서 보내 준 돈으로 가족들이 편안하게 지낼 수 있으니 더 힘내서 근무할 거예요. — ㉡

라 (C) 우리 가족은 내전 때문에 살던 곳을 잃어버리고 어쩔 수 없이 소말리아에서 도망쳐 나 왔어요. 가까운 케냐에 난민촌이 있어서 우리 가족을 받아 주었지요. — ㉢

마 (B) 독일은 튀르키예보다 일자리가 많습니다. 독일까지 오는 길이 쉽지 만은 않았어요. 저는 공사 현장에서 일하고, 아내는 학습 시설에서 아이들을 가르치는 일을 하고 있습니다. — ㉡

자료 해설

지도상에 인구 유출 지역은 동그라미로, 인구 유입 지역은 붉은 색 점으로 이동 방향과 함께 표시되어 있다. A는 영국에서 프랑스의 남부로, B는 튀르키예에서 독일로, C는 소말리아에서 케냐로, D는 베트남에서 대한민국으로, E는 멕시코에서 미국으로 이동하고 있다. 지도에 나타나 있는 각 사례별 인구 이동의 원인은 (가)~(마)를 통해 파악할 수 있다. 그리고 이는 다시 여가를 위한 일시적 이동, 일자리를 위한 경제적 이동, 내전을 피하기 위한 정치적 이동으로 분류해 볼 수 있다.

7-2 인구 이동 (2)

학습 목표 | 세계 인구 이동의 특징과 문제점을 설명할 수 있다.

❷ 세계의 인구는 어떻게 이동하고 있을까?

1 세계의 인구 이동

1. 경제적 목적의 이동

① 세계의 인구 이동에는 경제적 목적의 이동이 많음.

② 경향: 주로 개발 도상국에서 선진국으로 이동함. ─ 경제가 발전한 나라일수록 일자리가 풍부하고, 임금이 높기 때문에 일자리를 구하기 위해 선진국으로 이동하는 사람이 많아요.

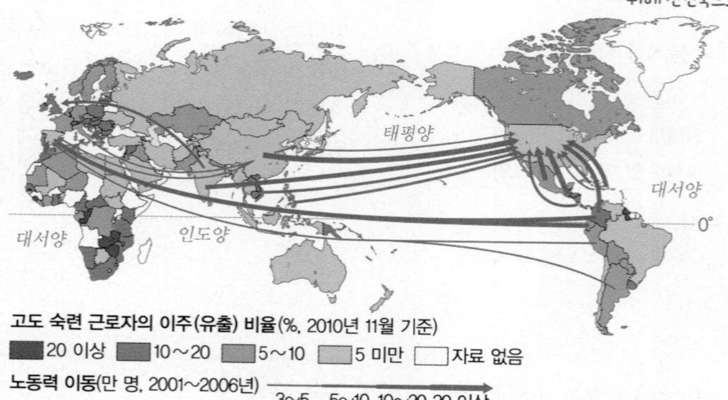

(경제 협력 개발 기구, 2013. / 제국 서원 지리 자료, 2012.)

2. 정치적 목적의 이동❶

① 정치적 불안정으로 인한 분쟁 지역에서 많이 발생함. ─ 민족 탄압이나 독재 정치로 인한 내전 등

② 경향: 주로 아프리카와 서남아시아에서 인구가 유출됨. → 난민❷

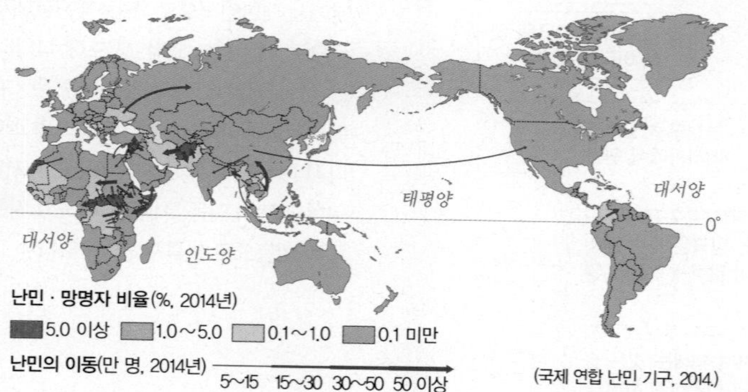

(국제 연합 난민 기구, 2014.)

2 인구 유입 지역과 유출 지역의 문제점

1. 인구 유입 지역: 문화 갈등, 일자리 경쟁 심화 등

2. 인구 유출 지역: 성비 불균형, 노동력 부족 현상 등

---

❶ 정치적 이동의 사례

정치적 이동은 주로 아프리카와 서남아시아 지역에서 발생하고 있다. 남수단, 소말리아, 중앙아프리카 공화국, 시리아 등이 대표적인 인구 유출 지역이며, 이 지역에서 발생한 난민은 주로 가까운 난민촌에 집단 거주하게 된다.

❷ 난민

인종, 종교, 정치적, 사상적 차이로 인한 박해를 피해 외국이나 다른 지방으로 탈출하는 사람들을 말한다. 최근에는 인종적, 사상적 원인과 관련된 정치적 이유로 집단 망명하는 자들을 난민이라고 일컫는다.

간단 체크 정답과 해설 21쪽

알맞은 말 채우기

1 대부분의 국제 이동은 개발 도상국에서 선진국으로 향하는 (　　) 목적의 이동이다.

2 (　　)은(는) 가까운 멕시코나 남아메리카로부터의 인구 유입이 활발한 국가이다.

3 내전이나 분쟁 등 정치적 목적의 국제 이동이 활발한 지역은 서남아시아와 (　　) 이다.

교과서 **활동 풀이**

교과서 126-128쪽

해결 열쇠

생각+ 노동력 유출 지역과 유입 지역을 찾아보고, 유입 지역의 흡인 요인을 이야기해 보자.

예 유럽, 북아메리카 지역은 높은 임금, 풍부한 일자리, 쾌적한 환경, 많은 교육 기회 등이 흡인 요인으로 작용하여 인구 유입이 활발하다.

생각+ 정치적 요인에 따른 인구 이동이 빈번한 지역은 어디인지 찾아보고, 그 이유를 이야기해 보자.

예 정치적 이동은 주로 아프리카와 서남아시아에서 이루어지고 있는데, 그 까닭은 이 지역에서 내전과 분쟁이 자주 발생하기 때문이다.

활동 인구 유입 지역과 유출 지역의 사회 변화

나는 프랑스에 사는 00야. 요즘 프랑스는 외국에서 이주해 온 사람들에 대해서 말이 많아. 부모님 말씀으로는 내가 태어날 때쯤부터 우리 옆 마을에 이슬람교도들이 이사를 왔다고 해. 지금 우리 학교에도 이슬람교도 아이들이 많이 다녀. 여자아이들은 항상 히잡을 착용하고 오지. 학교에서 히잡 착용을 금지했을 때는 정말 동네가 떠들썩했어. 친구들은 프랑스에 지금처럼 외국인 이민자가 많아지면 나중에 우리가 취업하기 더 어려워질 거라고 걱정해. 외국에서 온 다른 친구들과는 대화가 잘 안 통하고 친해지기도 어려워.

나는 알제리에 사는 00야. 우리 가족은 할아버지, 할머니 때부터 친척들과 이곳에서 오랫동안 사셨다고 해. 그런데 언젠가부터 친척들이 하나둘 프랑스로 떠나갔어. 두 달 전에는 우리 아버지도 작은 아버지가 계시는 프랑스로 가셨어. 친구들의 상황도 우리와 비슷해. 동네에는 대부분 여자만 남아 있어. 알제리에는 석유가 생산되지만 일자리가 많지 않고, 임금도 높지 않거든. 아버지께서 생활비를 보내 주시면 우리 가족이 좀 더 편하게 지낼 수 있기는 해. 어머니는 아버지가 프랑스에서 자리를 잡으면 나도 데리고 곧 떠날 거라고 하셔.

1 위 사례를 바탕으로 빈칸에 알맞은 국가를 쓰고, 흡인 요인과 배출 요인을 적어 보자.

인구 유입 지역 프랑스 의 흡인 요인	인구 유출 지역 알제리 의 배출 요인
예 풍부한 일자리, 높은 임금, 쾌적한 근로 환경 등	예 부족한 일자리, 낮은 임금, 열악한 주거 환경 등

2 편지 내용을 참고하여 인구 유입 지역과 인구 유출 지역의 주민들이 겪는 사회 변화를 써 보자.

활동 도우미

프랑스와 알제리의 친구들이 쓴 편지를 읽고 인구 유입 지역과 유출 지역을 구분하여, 각각의 지역에서 나타나는 사회 변화를 알아내는 활동이에요.

2 예 • 인구 유입 지역: 예 다양한 문화를 접할 수 있고, 노동력 부족 문제를 해결할 수 있다. 그러나 새로 들어온 문화와의 문화 갈등이 일어날 수 있고, 일자리 경쟁이 더욱 치열해진다.
• 인구 유출 지역: 예 외국에서 보내주는 경제적인 도움으로 경제적 형편이 나아질 수 있으나 현지의 노동력이 지속해서 유출되고 있다.

함께 배우기 난민 유입에 관한 토론하기

1 4명의 모둠을 구성하고, 찬성과 반대 입장을 2명씩 나누어 맡는다.

2 난민 수용에 관한 자신의 입장을 정한 뒤, 주장을 뒷받침할 수 있는 근거를 다양한 매체를 활용하여 조사한다.

3 모둠 내에서 토론을 진행하고, 각 입장의 근거를 파악하여 토론 내용을 정리한다.

입장	찬성	반대
의견	예 저는 난민 수용에 찬성합니다. 현재 선진국의 저출산이 매우 심각하여 이민을 적극 수용하는 것이 노동력 부족 문제를 해결하는 좋은 방법이기 때문입니다.	예 저는 난민 수용에 반대합니다. 난민을 수용하기보다는 난민 유출 지역의 실제 문제 상황을 해결하여 문화 갈등과 안보 위협 등을 근본적으로 막아야 합니다.

활동 도우미

자신의 입장을 뒷받침하는 근거를 풍부하게 준비하는 것이 좋아요. 인터넷, 신문 등 다양한 매체를 통해 자신의 주장을 논리적으로 뒷받침해줄 수 있는 특정 지역의 사례나 난민 관련 이야기를 조사해 보세요.

스스로 확인하기

1 (1) 흡인 (2) 배출 (3) 유입 2 (1) 유입 (2) 정치적 (3) 개발 도상국, 선진국

개념 노트 만들기

정답과 해설 22쪽

핵심 내용 정리하기 학습한 내용을 기억하면서 다음 글을 완성해 보자.

(제목:)

세계의 인구 이동은 (❶) 목적의 이동이 많고 주로 개발 도상국에서 (❷)(으)로 향한다. 그 예로 미국은 가까운 멕시코나 남아메리카에서, (❸)은(는) 동부 유럽이나 아프리카에서 많은 인구가 들어오고 있다. 내전이나 분쟁에 의한 (❹) 이동은 아프리카와 서남아시아에서 주로 발생하고 있는데, 인구 (❺) 지역에서는 기존의 주민과 이주민의 사회적 갈등이 깊어지는 문제가 나타날 수 있다. 반대로 인구 (❻) 지역에서는 빠져나가는 인구로 인해 노동력이 부족해지는 문제가 나타날 수 있다.

활동 노트 완성하기 학습하면서 기른 역량을 살려 다음 활동 노트를 완성해 보자.

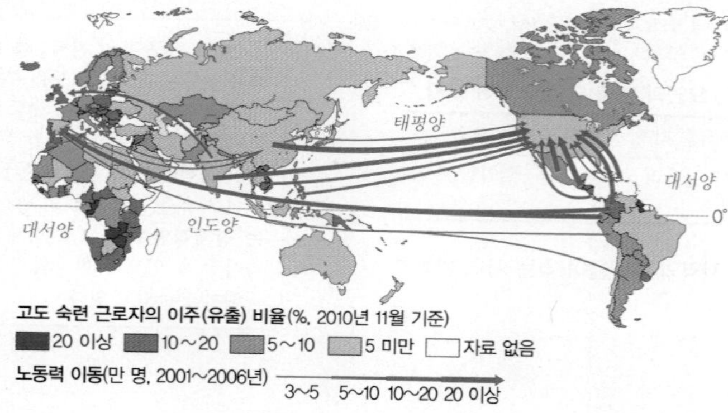

1 지도를 참고하여 경제적 이동에 의한 인구 유입 지역과 유출 지역을 아래 표에 정리해 보자.

인구 유입 지역	인구 유출 지역

2 인구 유입 지역에서 겪을 수 있는 사회적 변화를 긍정적 측면과 부정적 측면으로 나누어 생각해 보자.

• 긍정적 측면:

• 부정적 측면:

실력을 키우는 응용 문제

정답과 해설 22쪽

1 인구 이동 요인을 바르게 짝지은 것은?

	흡인 요인	배출 요인
①	잦은 전쟁	낮은 임금
②	잦은 전쟁	열악한 주거 환경
③	편리한 교통	쾌적한 주거 환경
④	풍부한 일자리	쾌적한 주거 환경
⑤	풍부한 일자리	낮은 임금

중요

2 [보기]의 인구 이동 사례를 이동 동기에 따라 바르게 분류한 것은?

보기
ㄱ. 내전이 일어나 살던 곳을 떠나 온 소말리아인
ㄴ. 일자리가 더 많은 독일로 건너와 취직을 한 터키인
ㄷ. 미국의 오렌지 농장에 일자리를 구하러 간 멕시코인
ㄹ. 임금이 더 높은 우리나라로 취업을 위해 온 베트남인

	정치적 이동	경제적 이동
①	ㄱ	ㄴ, ㄷ, ㄹ
②	ㄱ, ㄹ	ㄴ, ㄷ
③	ㄴ, ㄹ	ㄱ, ㄷ
④	ㄱ, ㄴ, ㄷ	ㄹ
⑤	ㄴ, ㄷ, ㄹ	ㄱ

3 다음의 인구 이동 사례를 바르게 해석한 것은?

우리 가족은 여름이면 프랑스 남부로 여행을 떠나요. 영국은 흐린 날이 많지만 프랑스의 니스 해변은 경치도 좋고, 맑은 날이 많아서 햇볕을 얼마든지 쬘 수 있거든요.

① 일자리를 구하기 위한 이동이다.
② 휴양지를 찾아간 일시적 인구 이동이다.
③ 거주를 목적으로 하는 영구적 인구 이동이다.
④ 분쟁으로 인해 어쩔 수 없이 떠나게 된 이동이다.
⑤ 본인의 의지와 상관없이 행해진 강제적 이동이다.

중요

4 지도를 보고 세계의 경제적 이동에 대하여 해석한 내용으로 옳지 않은 것은?

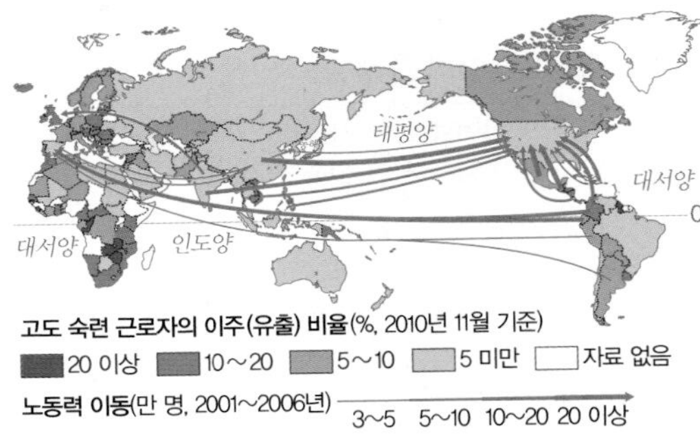

① 서부 유럽은 인구 유입이 활발하다.
② 아프리카는 근로자의 유출 비율이 높은 편이다.
③ 멕시코 근로자가 미국으로 이주하는 경우가 많다.
④ 북아프리카에서는 유럽으로 이주하는 경우가 많다.
⑤ 동남아시아의 근로자는 남아메리카로 이주하는 경우가 많다.

5 지도를 보고 난민 발생 비율이 가장 높을 것으로 예상되는 지역을 고른 것은?

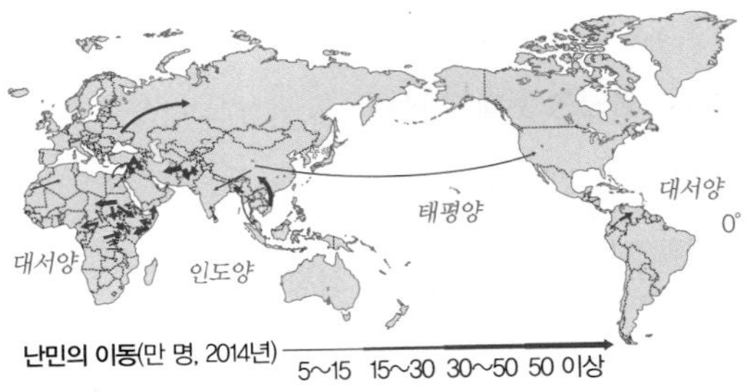

① 서부 유럽 ② 아프리카 ③ 동부 아시아
④ 북아메리카 ⑤ 오세아니아

6 인구 유입이 활발한 지역에서 겪을 수 있는 문제를 한 가지 서술하시오.

....

....

7-3 인구 문제 (1)

학습 목표 | 선진국과 개발 도상국의 인구 문제를 비교하여 설명할 수 있다.

❶ 세계의 인구 문제는 지역별로 어떻게 다를까?

1 선진국의 인구 문제 → 산업화가 일찍 진행된 유럽과 북아메리카, 일본 등

1. 저출산 현상: 낮아진 출생률로 인해 인구가 정체하거나 감소하는 현상

원인	• 자녀에 관한 가치관 변화 • 여성의 사회 진출 증가
문제점	• 청장년층 감소로 인한 노동력 부족 • 경제 성장 둔화 • 외국인 노동자 유입 증가에 따른 사회 갈등 증가

2. 고령화 현상: 전체 인구 중 노인 인구의 비율이 늘어나는 현상❶

원인	• 생활 수준의 향상 • 의학 기술 발달에 따른 평균 수명의 연장
문제점	• 노인 부양을 위한 사회 보장비 지출 증가 • 경제 활동 인구의 세금 부담 증대

2 개발 도상국의 인구 문제

1. 인구의 급격한 증가 문제 → 높은 출생률과 낮은 사망률의 영향으로 급격한 인구 증가가 나타나요.

원인	• 출생률은 여전히 높으며, 근대화 및 산업화로 사망률이 감소❷
문제점	• 식량 부족 문제: 늘어나는 인구에 비해 식량 공급이 원활하지 못함. • 대도시로의 인구 집중: 주택 부족, 교통 혼잡, 실업자 증가, 환경 오염 등의 문제 발생

2. 성비❸ 불균형 문제: 남아 선호 사상으로 성비가 매우 높은 경우(예 중국, 인도), 전쟁 이후 성비가 낮은 경우

핵심 자료 세계의 인구 성장

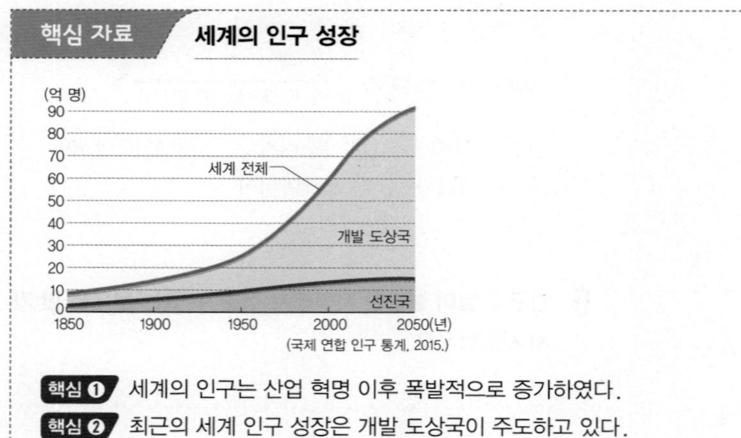

(국제 연합 인구 통계, 2015.)

핵심 ❶ 세계의 인구는 산업 혁명 이후 폭발적으로 증가하였다.

핵심 ❷ 최근의 세계 인구 성장은 개발 도상국이 주도하고 있다.

❶ **고령화 사회**
65세 이상 노인 인구가 7% 이상이면 고령화 사회, 14% 이상이면 고령 사회, 20% 이상이면 초고령 사회라고 한다.

❷ **인구 성장 모형**
출생률은 높게 유지되면서 사망률이 급감하는 시기에는 전체 인구수가 급격히 증가한다. 사망률 감소에는 산업화에 따른 생활 수준의 향상, 의학 기술의 발달 등이 영향을 준다.

❸ **성비**
여자 100명 당 남자의 수로, 100 이상이면 남성이 여성보다 많은 남초이고, 100 이하이면 여성이 남성보다 많은 여초를 뜻한다. 정상적인 출생 성비는 103~107명이다.

간단 체크 정답과 해설 22쪽

알맞은 말 채우기

1 낮아진 출생률로 인해 인구가 정체하거나 감소하는 것을 (　　) 현상이라고 한다.

2 (　　)은(는) 인구 급증으로 인한 식량 부족, 일자리 부족 등을 겪고 있다.

3 일부 개발 도상국에서는 남아 선호 사상에 따라 성비가 매우 높은 (　　　)을(를) 겪고 있다.

교과서 활동 풀이

교과서 130-131쪽

생각 열기 어떤 인구 문제가 있을까?

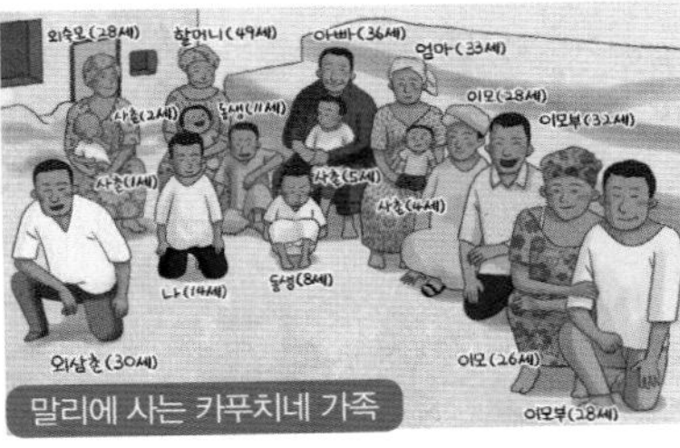

말리에 사는 카푸치네 가족

스웨덴에 사는 마리아네 가족

질문 1 말리와 스웨덴의 가족 구성에서 나타나는 차이점을 비교해 보자.

예 말리의 가족은 한 가족당 아이의 수가 많아 출생률이 높고, 스웨덴의 가족은 한 명의 자녀만 두고 있어 출생률이 말리보다 낮음을 알 수 있다. 말리의 할머니는 스웨덴의 할머니보다 젊고 어머니와 아버지의 나이도 적다. 즉 결혼하고 출산하는 나이가 말리에서 더 빠르다고 추측할 수 있다.

질문 2 질문 1과 같은 가족 구성의 차이가 나타나는 까닭은 무엇인지 이야기해 보자.

예 말리와 같은 개발 도상국의 경우 뒤늦게 산업화를 겪으면서 인구가 급증하였고, 최근에도 높은 출생률을 보인다. 반면에 스웨덴과 같은 선진국은 이미 산업화를 경험하였고, 여성의 사회 진출이 활발하게 이루어지면서 출생률이 낮아져 그림과 같은 가족 구성이 나타난다.

해결 열쇠

자료 해설

말리는 개발 도상국, 스웨덴은 선진국의 가족 구성 사례를 보여주고 있다. 말리의 경우 한눈에 보아도 가족 구성원이 많고, 어린 아이의 수가 많은 것으로 보아 출생률이 높음을 짐작할 수 있다. 말리의 할머니는 40대로 매우 젊은 편이고, 스웨덴의 할머니는 70대인데 자녀가 한 명, 손녀가 한 명인 것으로 나타나 있어 말리와 매우 대비된다.

활동 선진국과 개발 도상국의 인구 문제

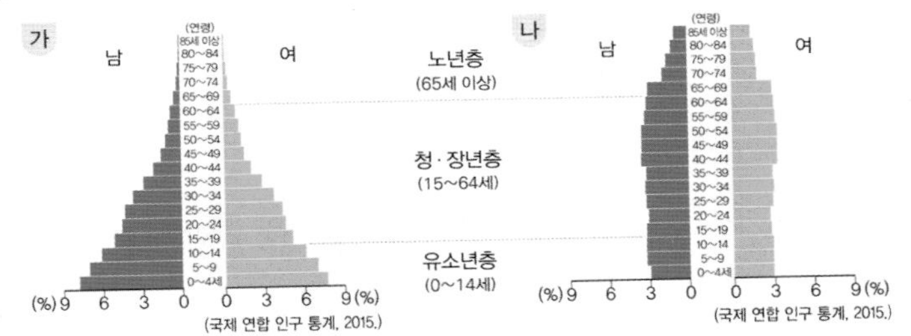

1 (가), (나) 지역의 인구 피라미드를 분석하여 다음 표의 알맞은 말에 ○표해 보자.

(가)	(선진국, **개발 도상국**)	유소년층 비율이 (**높다**, 낮다). / 노년층 비율이 (높다, **낮다**).
(나)	(**선진국**, 개발 도상국)	유소년층 비율이 (높다, **낮다**). / 노년층 비율이 (**높다**, 낮다).

2 (가), (나) 지역에서 나타나는 인구 문제에는 어떤 것이 있을지 [보기]의 제시어를 활용하여 작성해 보자.

보기
• 노동력 부족 • 인구 급증 • 식량 부족 • 고령화 • 저출산 • 대도시 인구 집중

- (가) 지역의 국가에서는 예 인구 급증으로 식량 부족, 빈곤 등의 문제가 발생하고 있으며, 대도시로 인구가 집중하면서 주택 부족, 교통 혼잡, 환경 오염 등의 문제가 발생하고 있다.
- (나) 지역의 국가에서는 예 저출산 현상과 고령화 현상이 심화하면서 노동력이 부족해져 경제가 침체하고, 청장년층의 부담이 증가하고 있다.

자료 해설

인구 피라미드는 특정 지역의 성별, 연령별 인구 구조를 한눈에 파악할 수 있게 해 주는 자료이다. (가)의 경우 유소년층에 해당하는 아랫 부분의 막대그래프가 길고, 노년층에 해당하는 윗 부분의 막대그래프가 짧다. 반면에 (나)의 경우 (가)에 비해 유소년층 막대그래프가 상당히 짧고 청장년층과 비슷하여 앞으로 인구가 감소할 수도 있음을 유추할 수 있다. 따라서 (가)는 개발 도상국, (나)는 선진국의 인구 피라미드임을 파악할 수 있다.

7-3 인구 문제 (2)

학습 목표 | 선진국과 개발 도상국의 인구 문제를 비교하여 분석하고, 그 원인과 대책을 논의한다.

❷ 인구 문제의 해결책은 무엇일까?

1 선진국의 인구 문제 해결 방안

1. 저출산 문제 해결 방안: 출산 장려 정책

① 출산 및 양육 비용 지원

② 양성 평등 문화 정착: 가사와 육아를 공평하게 분담할 수 있는 사회 분위기 마련

③ 육아 휴직 확대, 직장 내 보육 시설 설치 등

2. 고령화 문제 해결 방안

① 노인 일자리 마련, 정년 연장 등 노인의 경제 활동 보장

② 연금 제도 개선 및 복지 제도 정비

2 개발 도상국의 인구 문제 해결 방안

1. 가족계획 사업: 인구 증가 속도를 조절하기 위한 출산 억제 정책 필요 → 다자녀 출산 시 증세, 자녀를 적게 낳자는 표어와 포스터 홍보 등

2. 인구 부양력[1] 증대: 농업의 기계화 등을 통한 농업 생산력 증대, 산업 발전을 통한 일자리 창출 및 경제 발전

3. 대도시의 인구 분산: 주택 부족, 교통 혼잡, 실업자 증가, 환경 오염 등의 문제 해결

4. 양성 평등 문화 정착: 성비 불균형 문제의 해결

3 우리나라의 주요 인구 문제와 해결 노력

	주요 인구 문제	해결 노력
1960~1990년대	인구 급증 문제: 6.25 전쟁 이후 높은 출생률과 낮아진 사망률로 나타남.	가족계획 실시로 출생률이 감소하고 인구 증가 억제
	남아 선호 및 성비 불균형 문제	양성 평등 인식 확산 노력
2000년대~현재	저출산 문제: 여성의 경제 활동 참여 증가 및 자녀 양육에 대한 가치관 변화로 나타남.	출산 장려 정책 실시(출산 휴가 및 육아 휴직 확대, 보육 시설 확충, 각종 지원금 등)
	고령화 문제: 저출산과 평균 수명 증가에 따라 나타남.	노인 복지 시설 확충, 노인의 경제 활동 참여 기회 확대

❶ 인구 부양력
한 나라의 인구가 그 나라의 사용 가능한 자원에 의하여 생활할 수 있는 능력을 의미한다. 즉, 얼마만큼의 인구를 먹여 살릴 수 있는가를 나타내는 척도이다.

간단 체크 정답과 해설 22쪽

알맞은 말 채우기

1 선진국은 인구 성장이 정체되거나 감소하고 있으므로 (　　　)을(를) 시행해야 한다.

2 개발 도상국은 출산을 억제하여 인구 증가 속도를 늦추면서 (　　　)을(를) 높여야 한다.

3 고령화 대책으로는 노인에게 (　　　)을(를) 제공하거나, 정년을 연장하는 등 경제 활동을 보장해 주는 방법이 있다.

교과서 **활동 풀이**

교과서 132-133쪽

활동 세계의 다양한 인구 문제 해결 방법

프랑스에서는 출산을 장려하기 위해 자녀의 출산, 양육, 교육에 드는 비용을 지원하고 보육 시설을 확대해 왔습니다. 또한 가사와 육아를 공평하게 분담할 수 있는 사회 분위기와 휴직 제도를 마련해 왔습니다.

일본은 노인들이 퇴직 후에도 경제적으로 안정적인 삶을 유지할 수 있도록 연금 제도를 개선·확대하고 있습니다. 또한 노인을 위한 편의 시설이나 의료 서비스 개선을 위해 다양한 노력을 하고 있습니다.

나이지리아에서는 인구 성장 속도를 조절하기 위하여 정부 차원에서 출산을 억제하는 표어와 포스터로 홍보하고, 자녀를 많이 낳으면 벌금을 부과하는 방안을 추진 중입니다.

중국에서는 지나친 성비 불균형을 해결하기 위해 남녀 평등 사상을 학교에서부터 지속해서 교육하고 있습니다. 또한 교육이나 보건 등 지역별 생활 수준의 불균형을 해소하는 방안도 구상하고 있습니다.

1 각 국가에서 해결하고자 하는 인구 문제를 적어 보자.

프랑스	일본	나이지리아	중국
예 저출산 문제	예 고령화 현상에 따른 노인 빈곤 문제	예 인구 급증과 낮은 인구 부양력	예 성비 불균형

2 토론·토의 위 자료를 참고하여 우리나라의 인구 문제 해결 방안을 제시해 보자.

예 오늘날 우리나라의 인구 문제는 저출산·고령화 현상 등 선진국에서 주로 발생하는 문제가 나타난다. 낮은 출산율을 높이기 위해서 출산 장려 정책을 시행해야 하고, 고령화 현상을 해결하고 대비하기 위해서 노인 복지 제도를 마련하고 노인 일자리를 확대하는 등 노인 관련 정책을 시행해야 한다.

해결 열쇠

자료 해설

국가별 다양한 인구 정책 프랑스와 일본은 대표적인 선진국형 인구 문제를 겪고 있고, 나이지리아와 중국은 개발 도상국에서 흔히 나타나는 인구 문제를 해결하고자 하고 있다. 프랑스는 일찍부터 심각한 저출산 문제를 겪어 다양한 출산 장려 정책을 추진한 결과 효과를 보고 있다. 일본은 우리나라보다 먼저 고령화 사회로 접어들었으며, 고령화 속도가 빠른 우리나라가 참고할 수 있는 사례 국가라 할 수 있다. 나이지리아는 출산율이 높은 국가로, 인구 성장 속도의 조절과 인구 부양력 증대가 필요하다. 중국은 남아 선호 사상의 영향으로 성비가 높은 대표적인 국가이며, 출산율이 지속적으로 떨어지고 있어 인구 정책의 변화를 꾀하고 있다.

함께 배우기 포스터에 담아 보는 우리나라의 인구 정책

▲ 1970년대

▲ 1980년대

▲ 1990년대

▲ 2000년대

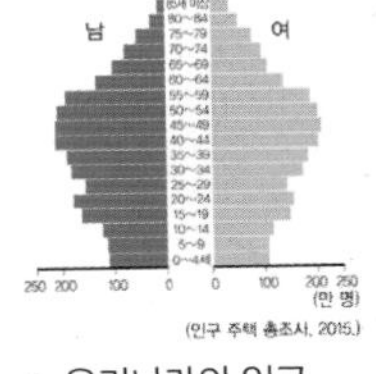

▲ 우리나라의 인구 피라미드(2015년)

1 모둠을 구성하고 우리나라의 시대별 인구 정책 포스터를 통해 인구 문제와 대책이 어떻게 바뀌어 왔는지 살펴본다.

2 현재 우리나라에 필요한 인구 정책을 생각해 보고, 이를 효과적으로 나타낼 수 있는 홍보 문구를 만든다.

인구 정책	홍보 문구
예 • 출산 장려 분위기 조성, 실질적으로 출산과 양육에 도움이 되는 정책 마련 • 고령화 대책 강화, 노인 일자리 마련, 연금과 복지 제도 개선	예 • 낳을수록 희망 가득, 기를수록 행복 가득. 하나는 외롭습니다. • 황혼 취업, 노후를 빛나게 합니다.

활동 도우미

오늘날 우리나라의 인구 피라미드에서는 저출산과 고령화 문제를 엿볼 수 있어요. 이를 해결하기 위해 사람들이 가져야 할 자세나 생각, 인구 문제를 느끼게 할 수 있는 상황 등을 떠올리며 인구 정책 홍보 문구를 만들어 보세요.

1 • 1970년대: 남아 선호 문제, • 1980년대: 출산 붐으로 인한 인구 급증 문제, • 1990년대: 성비 불균형 문제, • 2000년대: 낮은 출생률

스스로 확인하기

1 (1) 고령화 (2) 인구 증가 (3) 성비 불균형 2 (1) ○ (2) ○ 3 고령화

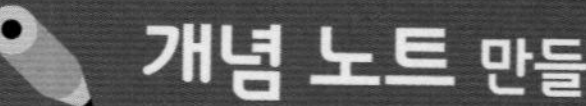

개념 노트 만들기

정답과 해설 22쪽

핵심 내용 정리하기 학습한 내용을 기억하면서 다음 글을 완성해 보자.

(제목:)

선진국과 개발 도상국은 겪고 있는 인구 문제가 다르다. 먼저 (❶)은(는) 저출산과 고령화의 인구 문제를 겪고 있다. 이에 따라 청장년층의 노동력이 (❷)해져 경제 성장이 둔화되고, 노인 복지 비용이 증가한다. 따라서 출산을 장려하고 노인에게 (❸)을(를) 마련하는 등의 인구 대책이 절실하다. 반면 (❹)은(는) 급격한 인구 증가로 식량이 (❺)하고, 실업률이 높은 것이 문제이다. 게다가 인구가 (❻)에 과다하게 집중하면서 발생하는 다양한 문제와 남아 선호 사상으로 인해 (❼)이(가) 불균형해지는 문제도 발생하고 있다. 따라서 가족계획 사업, 식량 증산, 양성 평등 문화 정착 등의 인구 대책이 필요하다.

활동 노트 완성하기 학습하면서 기른 역량을 살려 다음 활동 노트를 완성해 보자.

▲ 1980년대

▲ 2000년대

1 위 포스터를 참고하여 우리나라의 출산율과 인구 정책을 아래 표에 정리해 보자.

	1980년대	2000년대
출산율	(높다 | 낮다)	(높다 | 낮다)
인구 정책		

2 2000년대 이후 우리나라가 겪을 수 있는 인구 문제를 노동력과 관련지어 서술해 보자.

....

....

실력을 키우는 응용 문제

정답과 해설 22쪽

중요

1 그래프는 세계의 인구 성장을 나타낸 것이다. 이를 보고 알 수 있는 내용으로 옳은 것은?

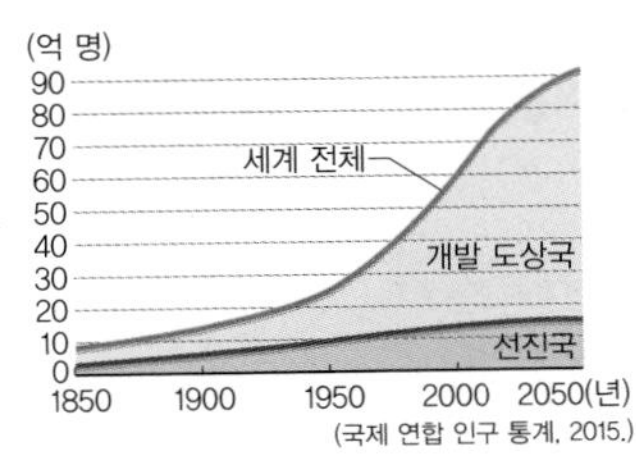

(국제 연합 인구 통계, 2015.)

① 세계 전체 인구는 감소하고 있다.
② 현재 전 세계 인구는 90억 명을 넘어섰다.
③ 세계 인구의 성장 속도는 더 빨라질 것이다.
④ 선진국으로 인해 세계 인구는 정체되고 있다.
⑤ 세계의 인구 성장은 개발 도상국이 주도하고 있다.

2 선진국의 인구 문제를 [보기]에서 고른 것은?

보기
ㄱ. 대도시로 인구가 집중하여 주택이 부족하다.
ㄴ. 늘어나는 인구만큼 식량 공급이 원활하지 못하다.
ㄷ. 전체 인구에서 노인이 차지하는 비율이 높아진다.
ㄹ. 출생률이 점차 낮아져 인구가 정체하거나 감소한다.

① ㄱ, ㄴ ② ㄱ, ㄷ ③ ㄴ, ㄷ
④ ㄴ, ㄹ ⑤ ㄷ, ㄹ

3 개발 도상국에 필요한 인구 대책으로 가장 옳은 것은?

① 출산과 양육에 드는 비용을 적극 지원한다.
② 출산을 장려하는 표어와 포스터를 홍보한다.
③ 육아 휴직을 확대하고 출산 및 양육 비용을 지원한다.
④ 자녀를 많이 낳으면 벌금을 부과하거나 세금을 늘린다.
⑤ 정년을 연장하여 노인의 경제적 활동 기회를 보장한다.

[4-5] 인구 피라미드 A, B를 보고 물음에 답하시오.

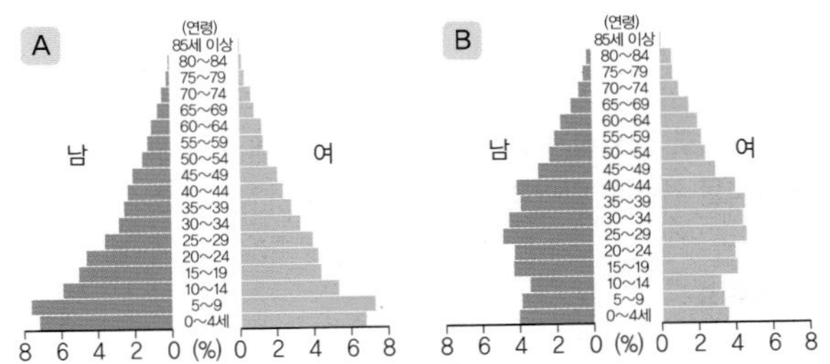

4 어떤 국가의 인구 피라미드가 A에서 B로 변화하였을 때, 출생률과 사망률의 변화를 서술하시오.

....

....

5 B와 같은 상황에 필요한 인구 문제 해결책으로 가장 적절한 것은?

① 직장 내 보육 시설의 확대
② 식량 증산을 통한 인구 부양력 증대
③ 도시의 환경 개선 및 기반 시설 정비
④ 가족계획 사업 실시를 통한 인구 증가 억제
⑤ 양성 평등 문화 확산을 통한 성비 불균형 완화

6 저출산 문제에 대한 다음 보고서의 내용 중 적절하지 <u>않은</u> 것은?

〈저출산 문제 보고서〉
1. **원인**: ㉠ 결혼 및 자녀의 필요성이 약화되었고, ㉡ 양육 비용을 부담스러워 한다.
2. **문제점**: 전체 인구가 점차 감소하면서 ㉢ 청장년층 노동력의 공급이 줄어든다. 이에 따라 ㉣ 외국인 노동자 유입이 감소하여 사회적 갈등이 증가할 수 있다.
3. **해결책**: ㉤ 출산 용품을 공급하거나 자녀를 많이 출산할수록 다양한 혜택을 누릴 수 있도록 해야 한다.

① ㉠ ② ㉡ ③ ㉢ ④ ㉣ ⑤ ㉤

교과서 **창의·융합 활동** 풀이

교과서 129쪽

해결 열쇠

핵심 역량 창의적 사고력

작품에 나타난 우리나라의 인구 이동 모습을 파악해 본 뒤 인구 이동을 소재로 한 문학 작품을 읽고, 독후감을 써 봄으로써 창의적 사고력을 기를 수 있어요.

이렇게 해요

❷ 예 • 괭이부리말 아이들: 1960년대 이후 이촌 향도 현상, 1990년대 대도시 인구 분산

• 국제 시장: 6 · 25 전쟁에 따른 피란, 1960년대 독일 취업

생각하고 적용해요

• 책 제목: 예 그 많던 싱아는 누가 다 먹었을까

• 지은이: 박완서

• 책 속에서 찾아낸 인구 이동의 모습: 일제 강점기와 광복 시기의 이동 모습, 송도에서 서울로 오빠의 교육을 위해 온 가족이 이동해 오는 모습, 오빠가 의용군으로 집을 떠나는 모습, 6 · 25 전쟁으로 인한 피란 모습

• 느낀 점: 본인의 의지와 상관없이 일제 강점기와 광복, 6 · 25 전쟁 등을 온몸으로 겪은 주인공의 삶이 매우 힘들어 보였다. 원하는 것을 선택하며 편안하게 살아가고 있는 지금의 삶에 감사해야겠다는 생각을 했다. 그리고 힘든 상황 속에서도 꿈을 잃지 않은 주인공처럼 미래에 대해 좀 더 구체적인 계획을 세워 열심히 살아야겠다고 다짐했다.

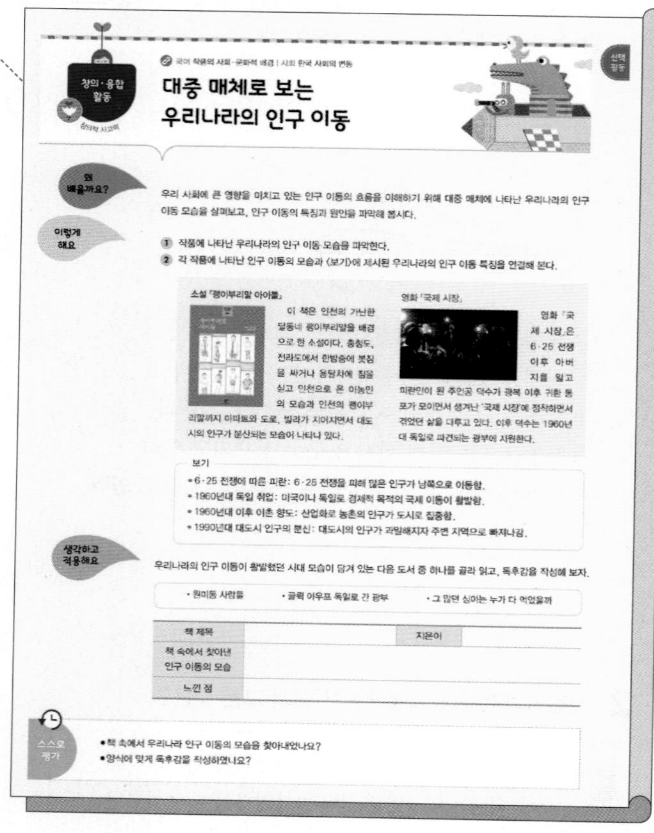

국어 작품의 사회·문화적 배경 | 사회 한국 사회의 변동

창의·융합 활동 / 창의적 사고력 / 선택 활동

대중 매체로 보는 우리나라의 인구 이동

왜 배울까요? 우리 사회에 큰 영향을 미치고 있는 인구 이동의 흐름을 이해하기 위해 대중 매체에 나타난 우리나라의 인구 이동 모습을 살펴보고, 인구 이동의 특징과 원인을 파악해 봅시다.

이렇게 해요

① 작품에 나타난 우리나라의 인구 이동 모습을 파악한다.

② 각 작품에 나타난 인구 이동의 모습과 <보기>에 제시된 우리나라의 인구 이동 특징을 연결해 본다.

소설 「괭이부리말 아이들」

이 책은 인천의 가난한 달동네 괭이부리말을 배경으로 한 소설이다. 충청도, 전라도에서 한밤중에 봇짐을 싸거나 용달차에 짐을 싣고 인천으로 온 이농민의 모습과 인천의 괭이부리말까지 아파트와 도로, 빌라가 지어지면서 대도시의 인구가 분산되는 모습이 나타나 있다.

영화 「국제 시장」

영화 「국제 시장」은 6·25 전쟁 이후 아버지를 잃고 피란민이 된 주인공 덕수가 광복 이후 귀환 동포가 모이면서 생겨난 '국제 시장'에 정착하면서 겪었던 삶을 다루고 있다. 이후 덕수는 1960년대 독일로 파견되는 광부에 지원한다.

보기

• 6·25 전쟁에 따른 피란: 6·25 전쟁을 피해 많은 인구가 남쪽으로 이동함.
• 1960년대 독일 취업: 미국이나 독일로 경제적 목적의 국제 이동이 활발함.
• 1960년대 이후 이촌 향도: 산업화로 농촌의 인구가 도시로 집중함.
• 1990년대 대도시 인구의 분산: 대도시의 인구가 과밀해지자 주변 지역으로 빠져나감.

생각하고 적용해요 우리나라의 인구 이동이 활발했던 시대 모습이 담겨 있는 다음 도서 중 하나를 골라 읽고, 독후감을 작성해 보자.

• 원미동 사람들 • 글뤽 아우프 독일로 간 광부 • 그 많던 싱아는 누가 다 먹었을까

책 제목		지은이	
책 속에서 찾아낸 인구 이동의 모습			
느낀 점			

스스로 평가

• 책 속에서 우리나라 인구 이동의 모습을 찾아내었나요?
• 양식에 맞게 독후감을 작성하였나요?

참고 자료 우리나라의 시기별 인구 이동

우리나라의 국내 인구 이동은 시대별로 다양하게 나타난다. 일제 강점기에는 일자리를 찾아 북부의 광공업 지역으로 인구가 이동하였다. 광복 직후에는 해외에 나가있던 많은 동포가 국내로 돌아오고, 그 인구가 대도시로 유입되어 도시가 팽창하기도 하였다. 6 · 25 전쟁 때에는 피란으로 남부로의 이동이 나타났다. 1960년대 이후에는 산업화와 공업 발달에 따라 농촌 지역에서 대도시와 공업 도시로의 이동이 많이 나타났다. 이 시기에 도시가 많이 발달하게 되었고, 신흥 공업 도시도 새롭게 생겨났다. 1990년대에는 대도시에서 주변의 위성 도시로 인구가 이동하는 역도시화 현상이 발생하였다.

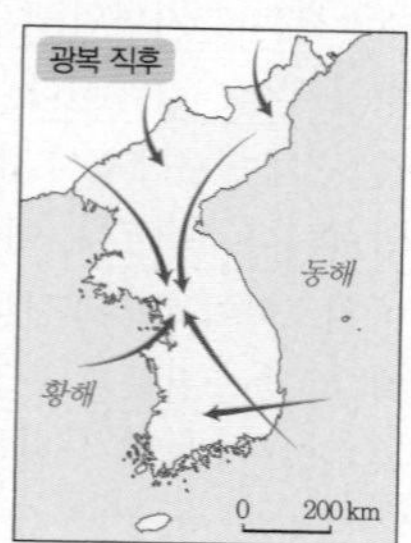

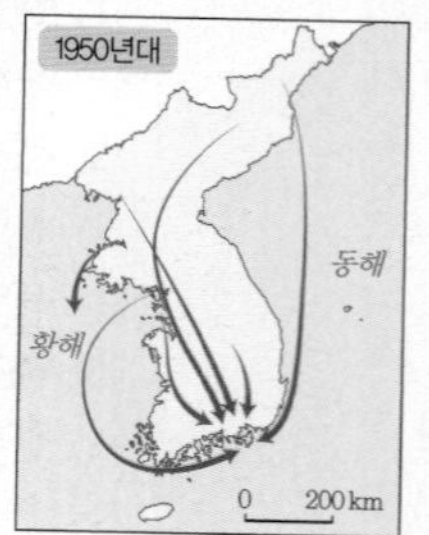

교과서 단원 마무리 풀이

교과서 134-135쪽

단원 한눈에 보기

❶ 밀집 ❷ 희박 ❸ 남동 임해 공업 ❹ 흡인 ❺ 배출 ❻ 경제적 ❼ 노동력

해결 열쇠

교과서 118~133쪽에서 학습한 내용을 떠올리면서 스스로 구조화해 보자.

서술로 사고력 키우기

1 세계의 인구 밀집 지역을 한 곳 제시하고, 그 지역의 자연환경과 인문 · 사회적 환경의 특징을 서술해 보자.

예 서부 유럽 지역은 기후가 온화하고, 평야가 발달하여 농업에 유리하다. 또한 경제가 발달하여 일자리가 많고 주거 환경이 깨끗하여 많은 사람이 모여 산다.

2 최근 전 세계적으로 일어나는 경제적 이동의 일반적인 이동 경향을 서술해 보자.

예 경제적 이동은 임금이 높고 일자리가 많은 지역으로의 이동으로, 개발 도상국에서 선진국으로 이동하여는 경우가 많다.

3 현재 우리나라가 겪고 있는 인구 문제와 그에 대한 대책을 한 가지 이상 서술해 보자.

예 우리나라는 저출산 문제를 겪고 있다. 이를 해결하기 위해서는 양육 비용을 지원하고, 육아 휴직 제도를 확대해야 한다.

채점 기준

❶	상	인구 밀집 지역명과 자연환경 및 인문 환경의 특징을 모두 서술한 경우
	중	인구 밀집 지역명은 바르게 서술하였으나 자연환경 혹은 인문 환경 중 하나만 서술한 경우
	하	인구 밀집 지역만 바르게 서술하고 그 특징을 제시하지 못한 경우
❷	상	개발 도상국에서 선진국으로의 방향과 그 원인을 모두 바르게 서술한 경우
	중	이동 방향 또는 이동 원인 중 한 가지만 서술한 경우
	하	개발 도상국, 선진국이라는 용어 없이 한쪽의 특징만 서술한 경우
❸	상	우리나라의 인구 문제와 그에 맞는 대책을 한 개 이상 서술한 경우
	중	인구 문제를 바르게 서술하였으나 대책이 잘못되었을 경우
	하	문제와 대책 모두 미흡한 경우

서술형 더 풀어보기

정답과 해설 23쪽

1 인구 이동의 흡인 요인을 두 가지 이상 서술해 보자.

2 고령화 현상이 나타나는 원인과 그에 대한 대책을 한 가지 서술해 보자.

수행 평가 해결하기

우리나라의 출산 장려 정책을 조사하여 이를 홍보하는 노래를 만들어 보자.

1 모둠별로 우리나라에서 추진하고 있는 출산 장려 정책을 조사한다.
2 개사할 노래를 한 곡 선정한다.(16마디 정도)
3 노래에 맞게 우리나라의 출산 장려 정책을 소개하고 홍보하는 가사를 작성한다.

예시

▶ 개사할 노래

퐁당퐁당
– 윤석중 작사 –

퐁당퐁당 돌을 던지자.
누나 몰래 돌을 던지자.
냇물아 퍼져라.
널리 널리 퍼져라.
건너편에 앉아서 나물을 씻는
우리 누나 손등을 간질여 주어라.

▶ 출산 장려 송~♬

응애응애
– ○○모둠 개사 –

응애응애 행복한 소리
하하호호 행복 넘쳐요.
출산율 높아져라.
많이 많이 올라라.
세 명, 네 명 다둥이 혜택 많아요.
육아 보육 걱정은 다 접어 두어요.

4 개사한 노래를 모둠별로 부르고, 가사의 내용과 전달력을 평가한다.

이 수행 평가는 ▸▸ 우리나라의 인구 문제인 저출산을 해결하고자 하는 자세를 가지고, 출산 장려에 대한 인식을 확고히 하는 활동이다.

노래 개사 TIP

구체적인 출산 장려 정책의 내용을 담거나 출산을 통해 얻을 수 있는 행복한 느낌이 묻어나도록 개사하면 출산 장려 효과를 거둘 수 있을 거예요. 원곡 가사의 글자 수를 확인하고, 그에 맞게 출산 장려와 관련 있는 문구들을 배열하여 개사해 보세요.

단원을 정리하는 종합 문제

1 인구 분포와 관련된 용어 설명이 바르게 된 것은?

① 인구 희박 지역: 한 나라의 총인구를 총면적으로 나눈 것
② 인구 밀집 지역: 인구가 드물게 분포하여 인구 밀도가 낮은 지역
③ 인구 밀도: 산업화 이후 영향력이 커진 산업, 교통, 문화 등의 요인
④ 자연적 요인: 인구 분포에 영향을 주는 지형, 기후, 토양 등의 요인
⑤ 인문 · 사회적 요인: 많은 인구가 모여 살아 인구 밀도가 높은 지역

2 세계의 인구 분포를 설명한 내용으로 옳은 것은?

① 세계의 인구는 지구상에 고르게 분포한다.
② 과학 기술의 발달로 자연적 요인의 영향을 더 많이 받는다.
③ 남부 아시아는 경제 수준이 높아 예로부터 인구가 집중하였다.
④ 사하라 사막은 불리한 인문 · 사회적 요인으로 인해 인구가 희박하다.
⑤ 서부 유럽, 미국 북동부는 산업화 이후 인구가 밀집한 대표적인 지역들이다.

단원 연계 문항

3 다음의 (가)와 (나)에 대한 설명으로 옳은 것은?

> 전 세계 경제적 인구 이동의 경향은 주로 (가)에서 (나)로 향하는 것이 일반적이다.

① (가)는 고령화의 속도가 매우 빠르다.
② (가)의 임금 수준이 (나)보다 더 높다.
③ (나)는 (가)에 비해 일자리가 풍부하다.
④ (나)는 대도시로의 인구 집중이 문제이다.
⑤ (나)가 전 세계의 인구 성장을 주도하고 있다.

4 다음은 유진이가 작성한 일기의 일부이다. 글을 읽고 해석한 내용으로 옳은 것은?

> 우리 반에 전학생이 왔다. 베트남에서 온 찌에우라고 했다. 찌에우는 부모님이 우리나라에서 일을 하면 더 많은 돈을 벌 수 있다고 하셔서 이민을 결심했다고 한다. 미리 이민을 준비해서 우리나라 말을 굉장히 잘해 신기했다.

① 대한민국은 인구 유출 지역이다.
② 베트남의 낮은 임금은 흡인 요인이다.
③ 찌에우 가족의 이동은 경제적 목적을 위한 것이었다.
④ 유진이는 통학을 하였으므로 영구적 이동을 경험하였다.
⑤ 찌에우 가족의 이민은 가족이 원해서 한 강제적 이동이다.

5 다음 글의 빈칸에 들어갈 말로 적절하지 않은 것은?

> 세계 인구의 경제적 이동은 대부분 개발 도상국에서 선진국으로 향하고 있다. 이는 선진국의 (　　　　) 등이 흡인 요인으로 작용하기 때문이다.

① 높은 임금　② 빈번한 내전　③ 쾌적한 환경
④ 풍부한 일자리　⑤ 우수한 교육 환경

6 인구 유입이 활발한 지역에서 나타나는 변화로 옳지 않은 것은?

① 일자리 경쟁 심화
② 노동력 부족 현상
③ 외국인 범죄 증가
④ 문화 및 사회 갈등 심화
⑤ 다양한 문화 간 교류 확대

중요

7 다음은 두 시기의 지도를 보고 우리나라의 인구 분포를 설명한 글이다. ㉠~㉤에 들어갈 말로 옳지 않은 것은?

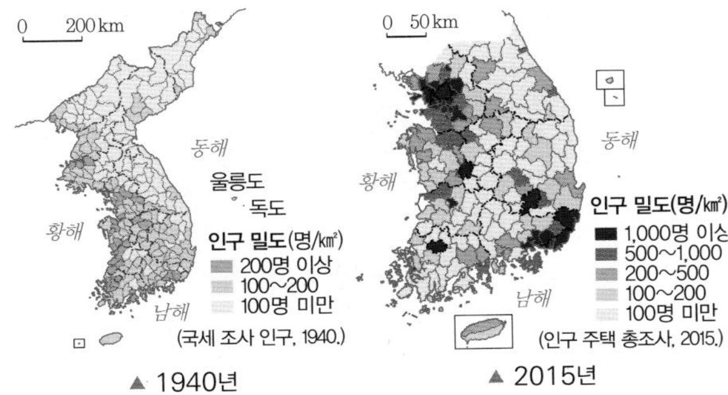

▲ 1940년 ▲ 2015년

> 우리나라는 (㉠) 이후 인구 분포가 크게 달라졌다. 벼농사에 유리한 (㉡)에 집중해 있던 인구는 (㉢)와(과) (㉣)에 집중되었다. 이는 일자리를 찾아 도시로 이동하는 (㉤) 현상에 의해 빠르게 진행되었다.

① ㉠: 산업화 ② ㉡: 남서부 ③ ㉢: 수도권
④ ㉣: 농어촌 ⑤ ㉤: 이촌 향도

8 저출산 문제와 고령화 현상에 대한 인구 정책을 [보기]에서 골라 바르게 연결한 것은?

> 보기
> ㄱ. 출산 지원금 ㄴ. 보육 시설 확대
> ㄷ. 연금 제도 개선 ㄹ. 노인 복지 시설 확충

	저출산 문제	고령화 현상
①	ㄱ, ㄴ	ㄷ, ㄹ
②	ㄱ, ㄷ	ㄴ, ㄹ
③	ㄴ, ㄷ	ㄱ, ㄹ
④	ㄴ, ㄹ	ㄱ, ㄷ
⑤	ㄷ, ㄹ	ㄱ, ㄴ

9 고령화 현상의 직접적인 원인을 [보기]에서 고른 것은?

> 보기
> ㄱ. 산업 혁명의 발생 ㄴ. 의학 기술의 발달
> ㄷ. 생활 수준의 향상 ㄹ. 여성의 사회 진출 증가

① ㄱ, ㄴ ② ㄱ, ㄷ ③ ㄴ, ㄷ
④ ㄴ, ㄹ ⑤ ㄷ, ㄹ

서술형 평가

중요

10 동남아시아와 남부 아시아의 인구 밀집 요인을 한 가지 적고, 자신이 적은 요인이 자연적 요인과 인문 · 환경적 요인 중 어느 쪽에 해당하는지 쓰시오.

11 인구 이동의 흡인 요인과 배출 요인에 대해 예를 들어 서술하시오.

12 그래프는 우리나라의 출산율 변화를 나타낸 것이다. 우리나라의 출산율이 이와 같이 변화한 원인을 두 가지 서술하시오.

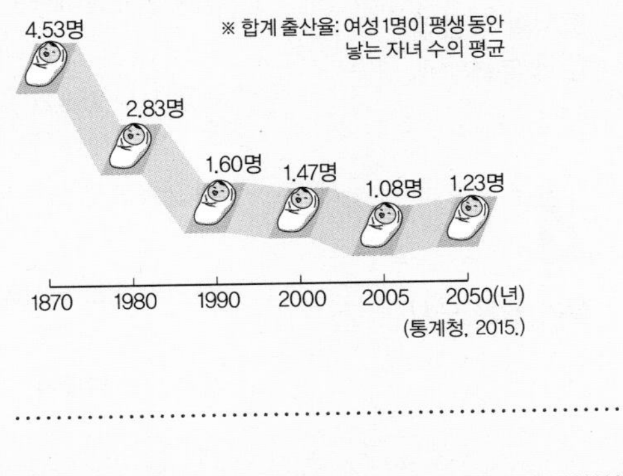

사람이 만든 삶터, 도시

이 단원을 배우면

- 세계적으로 유명하거나 매력적인 도시의 위치와 특징을 설명할 수 있어요.
- 도시 중심부에서 주변 지역으로 나가면서 관찰되는 경관의 변화와 그 원인을 설명할 수 있어요.
- 선진국과 개발 도상국의 도시화 과정 및 도시 문제를 비교하여 설명할 수 있어요.
- 살기 좋은 도시의 특징을 파악하고, 자신이 살고 있는 지역을 더 나은 삶터로 변화시키는 방안을 제안할 수 있어요.

이 단원의 학습 주제

1 세계 여러 도시의 위치와 특징

❶ 세계적인 도시의 위치와 특징은 무엇일까?

❷ 세계 여러 도시는 어떤 매력이 있을까?

개념 노트 만들기 | 실력을 키우는 응용 문제

2 도시 구조와 도시 경관

❶ 도시 내부에는 어떤 모습이 나타날까?

❷ 도시 내부에 지역 분화가 나타나는 까닭은 무엇일까?

개념 노트 만들기 | 실력을 키우는 응용 문제

3 도시화 과정과 도시 문제

❶ 선진국과 개발 도상국의 도시화 과정은 어떻게 다를까?

❷ 선진국과 개발 도상국의 도시 문제는 무엇일까?

개념 노트 만들기 | 실력을 키우는 응용 문제

4 살기 좋은 도시

❶ 살기 좋은 도시는 어떤 특징이 있을까?

❷ 살기 좋은 도시를 만들려면 어떻게 해야 할까?

개념 노트 만들기 | 실력을 키우는 응용 문제

단원을 정리하는 종합 문제

대단원 표지 그림 해설

홍콩의 도시 경관을 나타낸 것이에요. 홍콩은 세계적인 중계 무역항으로 유명해요. 항구 주변의 개성 넘치는 초고층 빌딩들과 이들이 만들어내는 야경은 세계적으로 손꼽히지요. 홍콩은 인구 밀도가 높아 토지를 매우 집약적으로 이용하고 있어요. 그래서 고층 건물도 많고, 경사가 심한 지역에도 높은 건물이 빼곡하게 들어서 있다 보니 홍콩만의 독특한 도시 경관이 형성된 것이랍니다.

스스로 학습 계획 세우기						나의 학습 달성 정도
계획일	월	일	학습일	월	일	
	월	일		월	일	
	월	일		월	일	
	월	일		월	일	
	월	일		월	일	
	월	일		월	일	
	월	일		월	일	
	월	일		월	일	
	월	일		월	일	
	월	일		월	일	
	월	일		월	일	
	월	일		월	일	
	월	일		월	일	

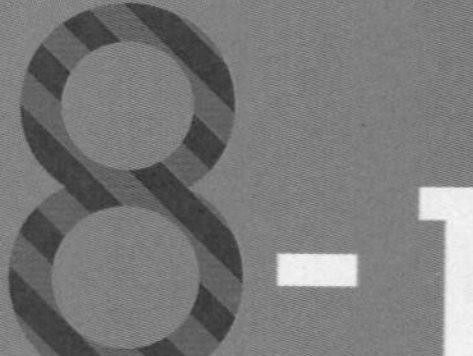

8-1 세계 여러 도시의 위치와 특징 (1)

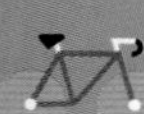

학습 목표 | 세계적으로 유명한 도시의 위치를 지도에서 찾고, 특징을 설명할 수 있다.

❶ 세계적인 도시의 위치와 특징은 무엇일까?

1 도시의 의미와 특징

1. 도시의 의미: **촌락**과 함께 인간이 살아가는 대표적인 거주 공간 ─ 오늘날 세계 인구의 절반 가량이 도시에 거주해요.

	도시	촌락
인구 밀도	높음.	낮음.
주민 구성	**청장년층**이 많음.	**노년층**의 많음.
주요 산업	공업, 서비스업 등 **2, 3차 산업**	농업, 어업, 임업 등 **1차 산업**
토지 이용	주거 시설, 공장, 상업 시설 등	논, 밭, 임야 등
환경의 영향	**인문 환경**의 영향 많이 받음.	**자연환경**의 영향 많이 받음.

2. 도시의 특징

① 높은 **인구 밀도**, 집약적인 토지 이용 → 고층 건물이 많아요.

② 대중교통 발달, 생활 편의 시설 및 **업무 · 상업 기능 발달** → 주변 지역의 중심지 역할을 해요.

③ 정치 · 경제 · 사회 · 문화 중심지로서 새로운 변화와 혁신을 주도

2 세계의 유명 도시

뉴욕	**국제 연합(UN)**❶의 본부 위치, 국제 정치 · 경제 · 사회 · 문화 등 여러 분야에서 영향력이 매우 큼.
도쿄	일본의 수도, 아시아 최대 금융 중심지
브뤼셀	벨기에 수도, **유럽 연합**(EU)의 본부가 위치하는 곳, 유럽 정치 · 경제 · 교통의 중심지
싱가포르	태평양과 인도양의 중간에 위치한 아시아 해상 교통의 중심지
카이로	이집트 수도, **나일강** 하류❷에 위치하며 천 년이 넘는 역사를 간직한 아프리카 최대의 도시 → 이집트 문명의 중심 도시
상파울루	커피 재배와 커피 거래로 성장한 브라질 최대의 도시, 각종 상공업이 발달한 남아메리카 경제의 중심지 → 19세기 중반 이후 커피 재배의 집산지로서 급격히 발전했어요.

❶ 국제 연합(UN)
1945년 제2차 세계 대전 종전 이후 출범한 국제 기구이다. 국제적 안보 공조, 경제 개발 협력 증진, 인권 개선으로 세계 평화를 유지하고자 한다. 본부가 있는 미국 뉴욕에서 매년 총회를 열어 주요 안건을 상정하고 논의한다.

❷ 나일강 하류
이집트를 흐르는 나일강은 하류에 삼각주가 발달해 있다. 이 삼각주는 세계 최대 규모의 삼각주이며, 매우 비옥한 토양이 퇴적되어 있다. 이집트의 9천만 명 인구 대부분이 거주하는 인구 밀집 지역이기도 하다.

간단 체크 정답과 해설 24쪽

O, X 판단하기

1 도시는 촌락에 비해 인구 밀도가 낮은 편이다. ( )

2 도시에서의 토지 이용은 매우 집약적으로 이루어진다. ( )

3 국제 연합(UN)의 본부가 위치하는 브뤼셀은 유럽 정치의 중심지이다. ( )

교과서 활동 풀이

교과서 138-139쪽

생각 열기 세계 여러 도시 중 어느 도시의 모습일까?

㉠ 런던

㉢ 두바이

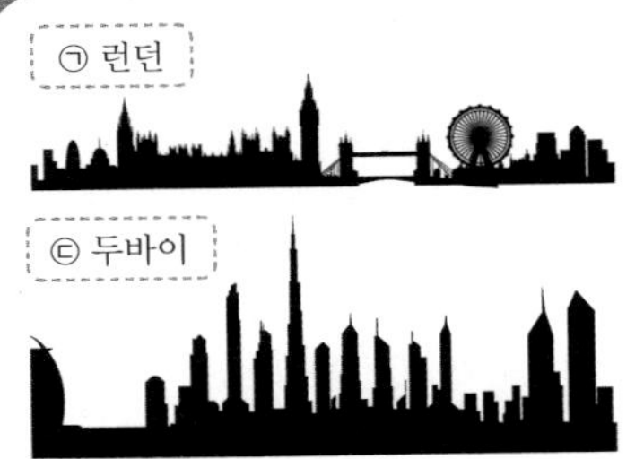

㉡ 파리

㉣ 리우데자이네루

질문 1 도시의 다양한 스카이라 인과 랜드마크를 보고 ㉠~㉣의 도시 이름을 [보기]에서 찾아 적어 보자.

보기

두바이　　런던　　리우데자네이루　　파리

질문 2 그림을 보고 어느 도시인지 알 수 있었던 까닭은 무엇인가?

해결 열쇠

자료 해설

도시의 경관을 구성하는 다양한 건축물 중에서 도시의 특징을 잘 드러내는 건축물을 랜드마크(landmark)라고 한다.

질문 2 예 런던의 빅벤과 타워 브리지, 파리의 에펠탑, 두바이의 부르즈 알 아랍, 리우데자네이루의 예수상 등은 그 도시의 대표적인 랜드마크이기 때문이다.

활동 세계의 유명한 도시 찾아보기

가 국제 연합(UN) 본부가 있는 미국의 (㉠ 뉴욕)은(는) 정치·경제·문화 등 여러 분야에서 세계적으로 큰 영향을 끼치고 있다.

나 일본의 수도 (㉡ 도쿄)에는 증권 거래소를 비롯한 각종 금융 기관이 밀집하여 아시아 최대의 금융 중심지를 이루고 있다.

다 브뤼셀은 벨기에의 정치·경제·문화·교통의 중심지로, 북대서양 조약 기구 (NATO)와 유럽 연합(EU) 본부가 있다.

라 태평양과 인도양을 잇는 관문에 위치한 싱가포르는 위치적 장점을 이용하여 아시아 국제 교통의 허브로 자리 잡았다.

마 나일강 하류에 위치한 이집트의 수도 (㉢ 카이로)은(는) 천 년이 넘는 역사를 간직한 아프리카 최대의 도시이다.

바 커피 재배 및 커피 거래로 성장한 브라질 최대의 도시 상파울루는 각종 상공업이 발달한 남아메리카 경제의 중심지이다.

1 ㉠~㉢에 해당하는 도시의 이름을 적어 보자.

2 (가)~(바) 도시의 위치를 사회과 부도에서 찾아보고, 오른쪽 지도의 ⓐ~ⓕ에 도시 이름을 적어 보자.

3 (가)~(바) 도시의 공통적인 특징을 설명해 보자.

잠깐! 세계의 도시 체계

정치적, 경제적, 문화적인 측면에서 세계적으로 영향력이 큰 도시를 세계 도시(world city 또는 global city)라고 한다. 세계 도시는 영향력의 정도에 따라 최상위 도시, 상위 도시, 하위 도시로 분류한다. 뉴욕, 도쿄, 런던 등은 최상위 도시, 브뤼셀, 상하이, 홍콩, 싱가포르 등은 상위 도시, 서울, 방콕, 시드니, 로마, 샌프란시스코 등은 하위 도시에 해당한다.

2 ⓐ: 브뤼셀, ⓑ: 카이로, ⓒ: 싱가포르, ⓓ: 도쿄, ⓔ: 뉴욕, ⓕ: 상파울루
3 예 (가)~(바) 도시들은 정치·경제·교통·문화 등 각 분야에서 세계적으로 큰 영향력을 행사한다.

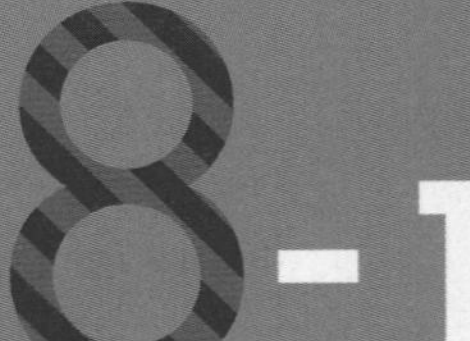

세계 여러 도시의 위치와 특징 (2)

학습 목표 | 세계 여러 도시 중에서 독특한 매력을 가진 도시의 특징을 설명할 수 있다.

❷ 세계 여러 도시는 어떤 매력이 있을까?

1 도시의 매력

1. 도시의 매력 요인

① 지리적 위치: 경도와 위도상의 위치, 해발 고도 등

② 자연 경관: 산, 바다, 호수, 하천 등의 주변 자연환경

③ 인문 경관: 지역의 역사를 간직한 유물 또는 유적

2. 다양한 매력을 지닌 세계 도시들

케이프타운❶	산과 바다가 절경을 이루며, 해변에서 **아프리카 펭귄**을 만날 수 있는 도시 → 케이프타운의 볼더스 비치는 야생 펭귄이 사는 자연 서식지로 유명해요.
이스탄불	아시아와 유럽을 연결하는 교통의 요지, 동양과 서양의 역사 · 종교 · 문화 등이 어우러져 독특한 경관이 나타나는 도시
홍콩❷	개성 있는 초고층 건물들이 만들어 내는 화려한 스카이 라인과 야경이 유명한 항구 도시
옐로나이프	캐나다의 고위도 내륙 지방에 위치한 도시, **오로라** 관측이 가능해 유명한 도시 → 오로라는 주로 위도 60~80° 부근에서 관측할 수 있어요.
쿠스코	안데스산맥의 해발 고도 3,600m에 위치한 고산 도시, 잉카 제국의 수도였으며 **마추픽추**❸와 함께 잉카 문명의 대표적인 유적지
키토	에콰도르의 수도이며, 적도에 위치하여 적도에서 경험할 수 있는 독특한 체험이 가능한 도시 → 에콰도르의 뜻이 '적도'를 의미해요.
로마	이탈리아의 수도, **콜로세움**을 비롯한 고대 로마 시대의 유적을 간직한 역사 도시

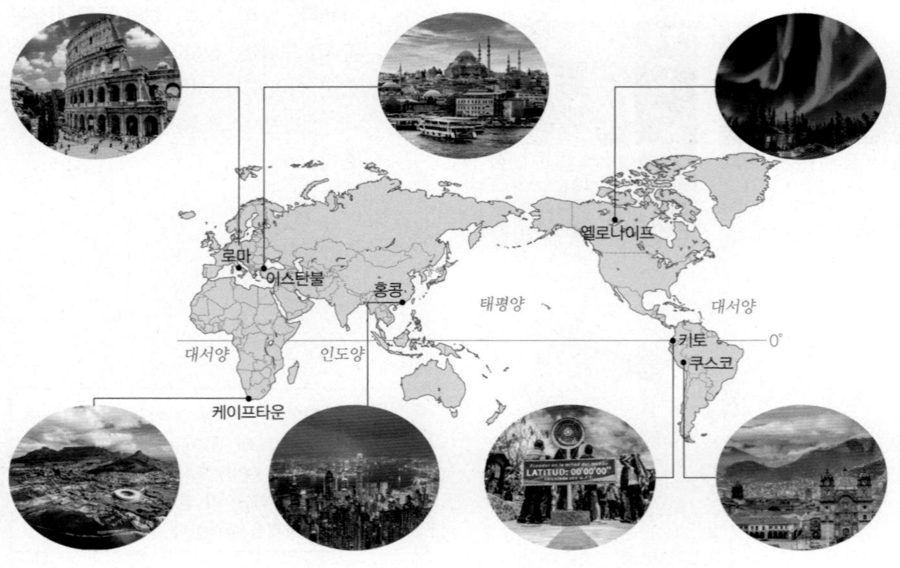

❶ 케이프타운
케이프타운은 남아프리카 공화국의 세 개의 수도 중 하나이다. 케이프타운은 입법 수도이며, 또 다른 수도인 블룸폰테인은 사법 수도, 프리토리아는 행정 수도이다.

❷ 홍콩
아편 전쟁 후 난징 조약의 체결로 영국에게 양도된 홍콩은 19세기 영국의 주요 무역항 역할을 하였다. 영국의 물산 집산지로써 156년 동안 활용되다가 1997년 중국에 반환되었다.

❸ 마추픽추
페루에 있는 잉카 문명의 고대 도시로, 1911년에 발견되었다. '잉카의 잃어버린 도시' 또는 '공중의 누각'이라는 별명을 갖고 있으며, 쿠스코와 함께 1983년에 유네스코 세계 유산에 등재되었다.

간단 체크 정답과 해설 24쪽

O, X 판단하기

1 다양한 도시는 각각의 독특한 매력을 갖고 있다. ( )

2 이스탄불은 아시아와 유럽을 연결하는 교통의 요지에 위치하여, 동양과 서양의 문화를 아우르는 독특함을 가진 도시이다. ( )

3 위도상으로 저위도에 위치한 캐나다의 옐로나이프는 오로라 관측 명소로 유명한 도시이다. ( )

교과서 활동 풀이

교과서 140-141쪽

생각+ 세계 여러 도시 중 유명하거나 매력적인 도시를 선정하고 특징을 조사해 보자.

예 이탈리아 로마. 이탈리아의 수도로 고대 로마의 유적지와 르네상스 시대의 건축물을 간직하고 있다.

함께 배우기 게임으로 떠나는 세계 도시 여행

1 도시 선정하기 | 4명의 모둠을 구성하여 모둠원 각자 6개의 대륙에서 하나씩, 총 6개의 도시를 선택하여 다음 칸에 적는다.

대륙명	도시명	대륙명	도시명
아시아	예 삿포로	북아메리카	워싱턴 D.C
아프리카	카이로	남아메리카	쿠스코
유럽	프라하	오세아니아	시드니

2 도시 카드 만들기 | A4 색지를 4등분 한 후 앞면과 뒷면에 자신이 선택한 도시의 다양한 특징(도시 개요, 언어, 관광 명소, 특이 사항 등)을 조사하여 적고, 도시를 잘 나타낼 수 있는 그림을 그려 모둠별로 총 24장의 도시 카드를 만든다.

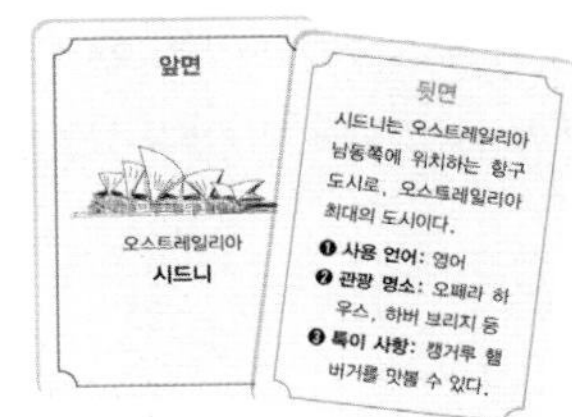

3 게임판 만들기 | 4절지 크기의 종이에 출발 지점을 포함하여 26개의 칸을 만든다. 각 칸에 모둠원들의 도시명을 적고 한 칸에는 여행 시 발생할 수 있는 돌발 상황을 적는다.

4 세계 도시 여행 게임 시작하기

① 각 모둠은 주사위와 말을 준비하고, 출발 순서를 정한다.

② 주사위를 던져 각자의 도시에 다른 모둠원이 걸릴 경우, 걸린 모둠원은 도시의 주인이 내는 문제를 듣고 맞히면 카드를 획득한다.

③ 틀렸을 때는 답을 알려 준 후 계속 게임을 진행한다.

④ 도시 카드를 가장 많이 획득하는 모둠원이 게임의 우승자가 된다.

〈게임판 예시〉

북아메리카 1	북아메리카 2	북아메리카 3	북아메리카 4	남아메리카 1	남아메리카 2	남아메리카 3	남아메리카 4
유럽 4							오세아니아 1
유럽 3							오세아니아 2
유럽 2							오세아니아 3
유럽 1							벌칙
아프리카 4						'세계 도시 여행'	오세아니아 4
아프리카 3	아프리카 2	아프리카 1	아시아 4	아시아 3	아시아 2	아시아 1	← 출발

해결 열쇠

활동 도우미

세계의 여러 도시 중에서 자신이 가 보고 싶은 도시를 대륙별로 선택해 보세요. 모둠별로 보드 게임을 진행해야 하므로 모둠원끼리 상의하여 도시가 겹치지 않게 하면 좋습니다.

게임 학습 TIP

- **게임 학습 과정** 모둠원 간에 도시 선정 시 도시가 중복되지 않도록 하면 좋아요. 도시 카드를 만들고 나면 모둠원의 도시 카드를 대륙별로 분류하고, 도시 카드에 난이도를 1~4로 분류하여 보드판에 도시명을 적어요.

  게임 진행 중에 내가 설정한 도시에 다른 모둠원이 도착하게 되면, 나는 해당 도시 카드에 적힌 내용 중에서 문제를 냅니다. 상대 친구가 정답을 맞히면 도시 카드를 그 친구에게 줍니다. 도시 카드를 친구에게 넘기고 싶지 않다면 난이도가 높은 다양한 내용을 카드에 적어 놓는 것이 좋겠지요?
- **게임 학습 시 유의점** 게임 시작 전에 모둠원의 대륙별 도시 카드를 모두 모아서 함께 학습하는 시간을 가지면 좋아요. 게임 중 친구가 문제의 답을 말하지 못했을 경우에는 꼭 정답을 확인시켜 주세요.

스스로 확인하기

1 (1) 도시 (2) 좁, 집약 **2** (1) ㉡ (2) ㉢ (3) ㉠

개념 노트 만들기

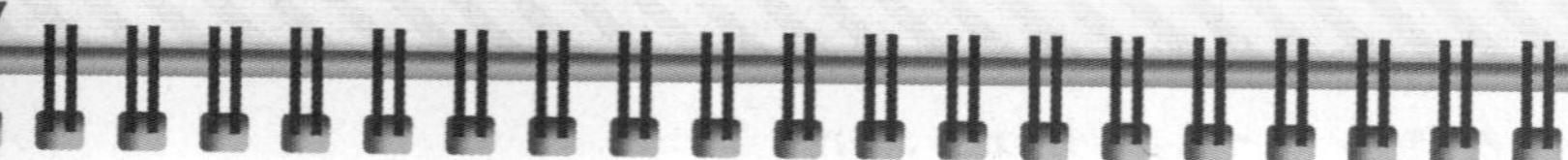

정답과 해설 24쪽

핵심 내용 정리하기 학습한 내용을 기억하면서 다음 글을 완성해 보자.

(**제목:**)

(❶)은(는) 촌락과 함께 인간이 살아가는 대표적인 거주 공간이다. 도시는 촌락에 비해 인구 밀도가 (❷)고, 토지 이용이 (❸)(으)로 이루어진다. 또한 각종 업무나 상업 기능이 발달하여 정치 · 경제 · 사회 · 문화의 중심지를 형성한다. 국제 연합(UN)의 본부가 있는 (❹), 유럽 연합(EU)의 본부가 있는 (❺) 등이 세계적인 도시의 예이다.

이와 같은 세계적인 도시 외에도 독특한 매력을 가진 다양한 도시가 있다. 도시의 자연 경관과 인문 경관이 어우러지면서 그 도시만의 매력을 만들어 내기도 한다. '세계의 배꼽'이라는 뜻을 가진 페루의 (❻)은(는) 잉카 문명을 간직한 역사 도시이다. 캐나다의 내륙 고위도 지방에 위치한 옐로나이프는 (❼) 관광으로 유명한 도시이다. 남아프리카 공화국의 케이프타운은 아름다운 산과 바다가 도시와 조화를 잘 이루고 있는 매력적인 도시이다.

활동 노트 완성하기 학습하면서 기른 역량을 살려 다음 활동 노트를 완성해 보자.

(가)

(나)

㉠ ㉡ ㉢ ㉣ 태평양 대서양 인도양 대서양 0°

1 (가)와 (나)의 랜드마크가 위치하는 도시의 이름을 빈칸에 써 보자.

• (가): ( ) • (나): ( )

2 다음 설명에 해당하는 도시 이름을 바르게 연결하고, 각 도시의 위치를 지도에서 찾아 기호를 써 보자.

① 국제 연합(UN)의 본부가 있는 도시	•	• 뉴욕	( )
② 유럽 연합(EU)의 본부가 있는 도시	•	• 도쿄	( )
③ 일본의 수도이며, 아시아 경제의 중심지인 도시	•	• 브뤼셀	( )
④ 남아메리카 경제의 중심지인 도시	•	• 상파울루	( )

실력을 키우는 응용 문제

정답과 해설 24쪽

1 도시의 의미와 특징으로 옳은 것을 [보기]에서 고르면?

보기
ㄱ. 도시는 1차 산업에 종사하는 인구 비율이 높다.
ㄴ. 도시에는 많은 인구와 건물들이 밀집되어 있다.
ㄷ. 도시는 인문 환경보다 자연환경의 영향을 많이 받는다.
ㄹ. 도시의 중심부에서 멀어질수록 촌락 경관이 뚜렷해진다.
ㅁ. 도시와 촌락은 매우 밀접하면서 상호 보완적인 관계이다.

① ㄱ, ㄴ, ㄷ　② ㄱ, ㄷ, ㄹ　③ ㄱ, ㄹ, ㅁ
④ ㄴ, ㄷ, ㅁ　⑤ ㄴ, ㄹ, ㅁ

중요
2 지도의 ㉠~㉤은 도윤이가 가 보고 싶은 도시를 대륙별로 골라 표시한 것이다. 도시명이 바르게 연결된 것은?

① ㉠ – 뉴욕　② ㉡ – 도쿄　③ ㉢ – 파리
④ ㉣ – 카이로　⑤ ㉤ – 상파울루

3 사진은 쿠스코의 모습이다. 이 도시의 매력을 설명하는 수식어로 가장 어울리는 것은?

① 오로라의 수도
② 잉카 문명의 중심지
③ 동양과 서양이 공존하는 도시
④ 태평양과 대서양을 연결하는 도시
⑤ 고층 빌딩의 야경이 아름다운 항구 도시

4 다음의 빈칸에 들어갈 도시명으로 옳은 것은?

유럽과 아시아에 걸쳐 있는 (　　　　)에는 동서양의 역사 · 종교 · 문화 등이 자연스럽게 어우러져 독특한 경관이 나타난다.

① 홍콩　② 쿠스코　③ 이스탄불
④ 케이프타운　⑤ 옐로나이프

5 사진의 랜드마크가 위치하는 도시를 각각 쓰시오.

(가)

(나)

• (가): (　　　　　　)　• (나): (　　　　　　)

6 다음은 정윤이가 세계의 도시를 설명하기 위해 제작한 카드이다. 카드 뒷면의 ㉠~㉤ 중 옳지 않은 것은?

앞면

▲ 뉴욕

뒷면
• ㉠ 미국의 수도
• ㉡ 세계 정치 · 경제의 중심지
• ㉢ 국제 연합(UN)의 본부 위치
• ㉣ 미국에서 가장 인구가 많은 도시
• ㉤ 대표적인 랜드마크: 자유의 여신상

① ㉠　② ㉡　③ ㉢　④ ㉣　⑤ ㉤

8-2 도시 구조와 도시 경관 (1)

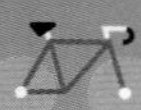

학습 목표 | 도시 중심부에서 주변 지역으로 나가면서 관찰되는 경관의 변화를 설명할 수 있다.

❶ 도시 내부에는 어떤 모습이 나타날까?

1 도시 내부의 모습

1. 경관의 차이

① 도시 중심부에서 주변 지역으로 가면서 건물의 높이가 대체로 낮아짐. (도시에 위치한 다양한 형태의 높은 건물들이 모여 그 도시만의 특색 있는 스카이 라인을 형성해요.)

② 주변 지역에 비해 도시 중심부는 도로망이 발달하였고, 교통량이 많음.

2. 기능의 차이: 위치에 따라 지역의 기능과 역할이 다름. ㉠ 도심, 부도심, 주거 지역, 공업 지역 등

2 도시의 내부 구조

명칭	특징
도심	• 도시의 중심부, 접근성이 뛰어나고 땅값이 비쌈. • 금융 기관, 백화점, 대기업의 본사 등이 모여 **중심 업무 지구(CBD)**❶ 형성 • **인구 공동화 현상**❷ 발생: 주거 기능 약화로 낮 시간에는 많은 유동 인구, 밤 시간에는 적은 상주 인구
부도심❸	주변 지역 중에서 교통이 편리한 곳을 중심으로 형성되어 도심의 기능을 분담 → 도시의 규모가 클수록 부도심의 수도 많아요.
주변 지역	대규모의 아파트 단지, 주택 단지, 학교, 공장 단지 등이 분포
개발 제한 구역	도시의 무질서한 팽창을 방지하고, 녹지 공간을 확보하기 위해 설정하는 공간

개발 제한 구역: 그린벨트(green belt)라고도 해요.

❶ 중심 업무 지구(CBD)
중심 업무 지구(CBD: Central Business District)는 도시에서 업무 및 상업 기능이 집중된 지역을 말한다.

❷ 인구 공동화 현상
도심 낮 시간대의 많은 유동 인구가 밤 시간대에는 주변 지역으로 빠져나가는 현상

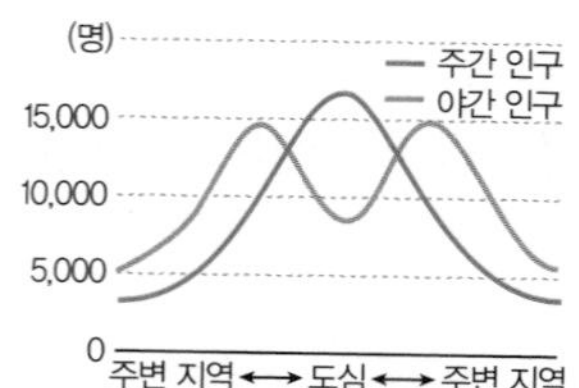

❸ 서울의 도심과 부도심

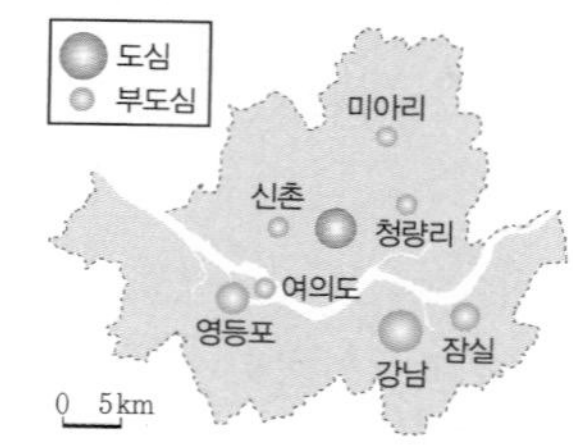

핵심 자료 도심으로 모이는 기능과 도심에서 빠져나가는 기능

유동 인구가 많은 도심으로! / 대기업 본사 / 높은 땅값을 감당하더라도 도심으로! / 관청 / 금융 기관 / 도심 / 쾌적하고 땅값이 싼 외곽으로! / 땅값이 싼 외곽으로! / 주택 / 공장 / 학교 / 주거 지역을 따라 외곽으로!

핵심 ❶ 접근성이 좋은 도심에는 은행이나 대기업 본사와 같은 중심 업무 기능과 백화점 등과 같은 상업 기능이 집중된다.

핵심 ❷ 주택, 아파트, 공장, 학교 등은 땅값이 저렴한 주변 지역으로 빠져나가는 경향이 있다.

간단 체크 정답과 해설 24쪽

알맞은 말 선택하기

1 (도심 | 부도심)은 도시의 중심부로 가장 접근성이 뛰어나고 땅값이 비싼 곳이다.

2 도심은 (주간 | 야간) 인구는 많지만 (주간 | 야간) 인구는 적어서 인구 공동화 현상이 나타난다.

3 서울의 영등포, 잠실, 청량리, 여의도 일대는 (도심 | 부도심)에 해당한다.

교과서 **활동 풀이**

교과서 144-145쪽

생각 열기 도시 중심부와 주변 지역의 경관은 어떻게 달라질까?

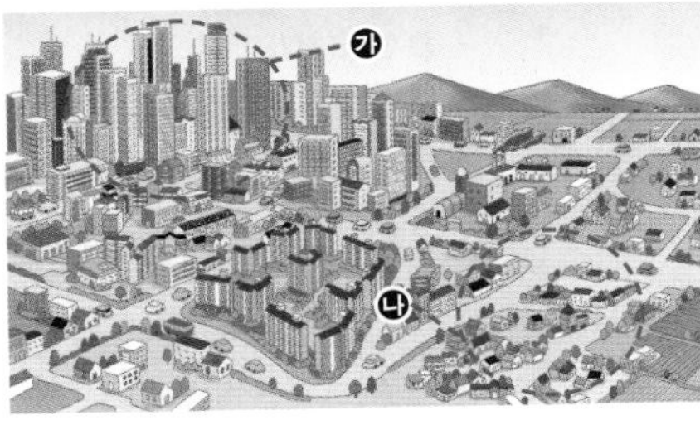

질문 1 ㉮ 지역과 ㉯ 지역 중 도시의 중심부라고 생각하는 지역은 어디이며, 그렇게 생각한 까닭은 무엇인가?

예 도시 중심부는 ㉮ 일대일 것이다. 고층 건물이 많이 밀집해 있고, 차량 통행량도 많기 때문이다.

질문 2 ㉮ 지역과 ㉯ 지역의 경관상의 차이점을 비교하여 이야기해 보자.

예 ㉮ 지역은 고층 빌딩이 많고, 차량 통행량도 많다. ㉯ 지역은 건물의 높이가 낮은 편이고, 차량 통행량도 많지 않다.

해결 열쇠

자료 해설

(가) 지역에는 고층 건물이 밀집해 있고, (나) 지역에는 주택 단지가 형성되어 있다. 그 외곽으로는 밭이 일부 나타나기도 하고, 공장 지대가 나타나기도 한다.

활동 도시의 다양한 경관

가 행정, 금융, 상업 등의 기능이 모여 있는 도시의 중심지로 고층 빌딩이 밀집해 있다.

다 도시의 주변 지역에는 대규모 주택 단지나 아파트 단지가 조성되기도 하고, 지역에 따라 규모가 큰 공장이 들어서기도 한다.

상계동 종로 여의도 내곡동 0 5km

나 도심 주변으로 도심의 기능과 역할을 분담하는 부도심이 형성된다. 부도심은 주변 지역 중에서 교통이 편리한 곳에 형성된다.

라 도시의 무분별한 팽창을 막고 주변 지역과의 조화로운 발전을 위해 도시 주변에 개발 제한 구역을 설정하기도 한다.

1 (가) 지역과 (다) 지역의 경관상의 특징을 설명해 보자.

예 (가) 지역은 대기업 본사, 주요 관청, 호텔, 백화점 및 고급 상점 등이 입주해 있는 고층 빌딩이 많지만, (다) 지역은 넓은 부지에 대규모 주거 단지가 분포한다.

2 (가)와 (나) 지역의 기능과 위치상의 특징을 비교해 보자.

- 기능상의 특징: (가) 지역은 대기업의 본사, 금융, 관공서, 백화점 등이 모여 있어 중심 업무 지구를 이루고 있으며, (나) 지역은 (가) 지역의 기능을 분담하고 있다.
- 위치상의 특징: (가)는 도심으로 도시의 중심부에 형성되지만, (나)는 부도심으로 주변 지역 중 교통이 편리한 곳에 형성된다. 도시 규모가 작으면 부도심의 수가 적지만, 도시 규모가 커짐에 따라 부도심의 수도 늘어난다.

3 (라)를 설정하지 않으면 어떤 문제점이 발생할 수 있을지 추측하여 발표해 보자.

자료 해설

- (가): 서울의 경우 중구와 종로구 일대가 도심, 즉 중심 업무 지구에 해당한다.
- (나): 여의도를 비롯하여 곳곳에 부도심이 발달하였다.
- (다): 서울의 외곽에는 주거 지역이 넓게 분포한다.
- (라): 우리나라에서는 1971년 서울의 무제한 팽창을 방지하기 위해 개발 제한 구역을 지정하였다.

잠깐! 부도심은 도시에 몇 군데 형성되나요?

부도심의 수는 정해져 있는 것이 아닙니다. 도시의 규모에 따라 달라지지요. 도시의 규모가 클수록 부도심의 개수도 많을 확률이 높아요.

3 예 개발 제한 구역은 대도시 주변에 설정된다. 개발 제한 구역이 설정되지 않으면 도시가 무질서하게 팽창하여 녹지 공간을 확보하기 어려울 수도 있다.

8-2 도시 구조와 도시 경관 (2)

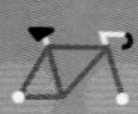

학습 목표 | 도시 내부의 다양한 지역들이 공간적으로 나누어지는 원인을 설명할 수 있다.

❷ 도시 내부에 지역 분화가 나타나는 까닭은 무엇일까?

1 도시 내부의 지역 분화

1. 의미: 도시가 성장함에 따라 도시 내부 각 지역의 기능과 역할에 따라 지역이 나누어지는 현상 → 소도시보다는 대도시에서 지역 분화 현상이 더 뚜렷하게 나타난답니다.

2. 특징

① 비슷한 기능끼리 한 지역에 모이는 현상 발생

② 도심에 중심 업무 기능과 상업 기능이 입지하고, 도시의 중심부에서 멀어지면서 주거 지역, 공업 지역 등이 나타남.

2 도시 내부 지역 분화의 원인

1. 접근성

① 도시의 어느 지점으로부터 얼마만큼 쉽게 그 지역에 도달할 수 있는가의 정도

② 도시의 중심부일수록 접근성이 높고, 교통이 편리한 곳의 접근성이 높음.

2. 땅값(지가)[1]

① 토지 구입 비용 또는 토지를 이용한 대가로 지급하는 비용 (예 건물 임대료)

② 접근성이 좋은 지역일수록 땅값이 높음.

③ 높은 땅값을 지불할 수 있는 기능은 도심에 모이고, 높은 땅값을 지불하기 어려운 기능은 주변 지역으로 입지 └ 예 높은 수익을 낼 수 있는 상업·업무 기능 └ 예 주거 기능, 공업 기능

핵심 자료 땅값과 도시 내부의 지역 변화

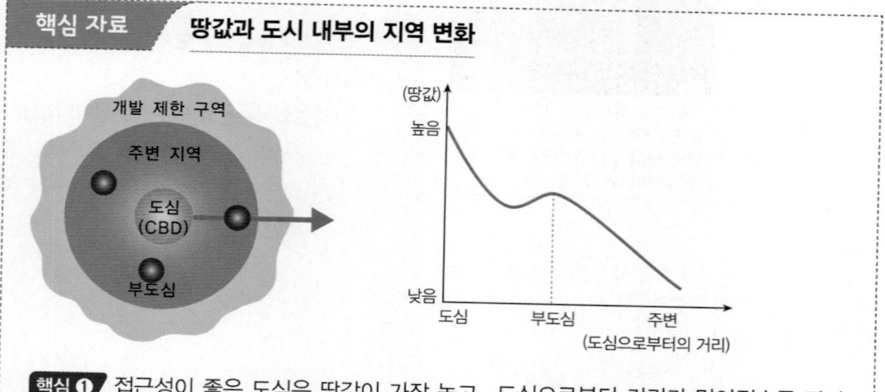

핵심 ❶ 접근성이 좋은 도심은 땅값이 가장 높고, 도심으로부터 거리가 멀어질수록 땅값(지가)이 낮아진다.

핵심 ❷ 땅값이 비싼 도시의 중심부에는 높은 임대료를 지불할 능력이 있는 상업·업무 기능이 입지하고, 그렇지 못한 주거 기능은 주변 지역에 입지한다.

---

❶ 땅값(지가)
대체로 도시에서 땅값은 도심에서 가장 높고, 주변부로 갈수록 낮아진다. 접근성이 높은 부도심도 땅값이 높은 편이다.

간단 체크 정답과 해설 24쪽

O, X 판단하기

1 대체로 접근성이 좋은 지역일수록 땅값이 비싼 편이다. ( )

2 땅값이 비싼 지역일수록 주거 기능이 강화되고, 상업 기능이 약화된다. ( )

3 도시 내부의 위치에 따라 그 지역의 기능과 역할이 달라진다. ( )

교과서 활동 풀이

교과서 146-147쪽

활동 도시 내부 지역 분화의 원인 분석하기

1 (가) 방향으로 가면서 나타나는 땅값의 변화를 그래프로 간략하게 그려 보고, 변화의 원인을 설명해 보자.

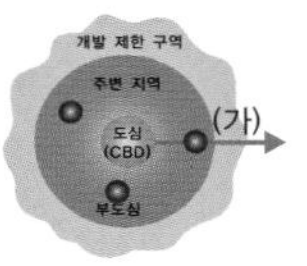

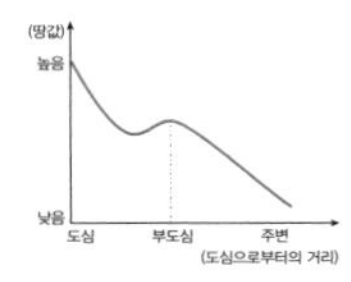

예 도시의 땅값은 도심에서 가장 높고, 주변부로 갈수록 낮아지며 부도심에서 다시 높게 나타난다.

2 다음 시설들이 위 지역에 들어선다면 어디가 좋을지 써 보자.

시청	대규모 아파트 단지	중학교	은행 본점	대형 할인점
예 도심	주변 지역	주변 지역	도심	주변 지역

3 〈보기〉의 제시어를 사용하여 도시 내부 지역의 특징을 정리해 보자.

보기
인구, 땅값, 접근성, 상업 기능, 주거 기능

	특징
도심	예 도심은 교통이 편리하여 접근성이 뛰어난 지역으로, 땅값이 비싸고 상업 기능이 강하다. 이에 따라 고층 건물이 밀집해 있다. 또한 주간에는 사람이 많이 모이지만, 야간에는 한산해지는 인구 공동화 현상이 나타난다.
부도심	예 부도심은 도심과 주변 사이의 교통이 편리한 지역에 형성되며, 도심과 비슷한 기능을 분담하는 곳이다.
주변 지역	예 주변 지역에는 넓은 부지와 싼 땅값을 원하는 학교, 대규모 주택 단지, 아파트 단지, 공업 단지 등이 주로 분포하며, 주거 기능과 공업 기능이 주를 이룬다.

해결 열쇠

자료 해설

대체로 도시의 땅값은 도심에서 가장 높고, 주변 지역으로 가면서 점차 낮아지다가 부도심 일대에서 높게 나타난다. 우리나라 서울의 땅값을 살펴보면 도심부인 명동 일대가 가장 비싸고, 주변 지역으로 가면서 점차 낮아지다가 부도심에 해당하는 지역에서 높게 나타난다.

잠깐! 도심에 위치하던 오랜 역사의 학교들이 왜 도심을 떠날까요?

경기고, 경기여고, 서울고, 수도여고 등은 일찌감치 도심에서 이전한 학교들이다. 최근에도 몇몇 학교들이 이전을 준비 중이다. 이는 서울 도심의 인구가 크게 줄면서 입학생이 감소하여 학교 운영이 어려워졌기 때문이다.

함께 배우기 도시 내부 지역의 특징 분석하기

1 4명의 모둠원이 각자 도심, 부도심, 주거 지역, 공업 지역을 조사하고, 조사한 내용을 종합하여 모둠의 보고서를 완성한다.

〈 예 서울의 내부 구조 분석 보고서 〉
1. 도심
   ① 중구, 종로구 일대
   ② 접근성이 뛰어나고 교통이 편리하여 땅값이 매우 비쌈. 중심 업무 지구(CBD) 형성, 인구 공동화 현상 발생
2. 부도심
   ① 여의도, 영등포, 청량리, 신촌, 강남, 잠실 일대
   ② 도심보다 규모는 작지만 도심과 유사한 역할 수행, 주변 지역 중에서 교통이 편리한 곳을 중심으로 형성, 도시의 규모가 확대됨에 따라 부도심의 수와 규모도 확대
3. 주거 지역
   ① 상계동, 목동 등 대규모 아파트 단지 또는 주택 단지
   ② 주택 또는 아파트가 넓게 분포, 곳곳에 학교도 함께 분포
4. 공업 지역
   ① 영등포 일부, 구로 디지털 단지 일부
   ② 서울의 공업 지역은 지방으로 많이 이전하여 과거보다 축소됨.

전문가 학습 Tip

모둠원이 도시 내부의 각각 다른 지역을 맡아 특징을 조사하고 학습하여 자신의 모둠원에게 설명해 줌으로써 모둠원에 도시의 다양한 지역에 대하여 빠른 시간 안에 자세히 학습합니다. 모둠원은 각각 자신이 맡은 지역에 대하여 책임감을 가지고 적극적으로 학습에 임해야 합니다.

스스로 확인하기

1 (1) 도심 (2) 부도심 (3) 접근성 **2** (1) 주거 기능, 상업 기능 (2) 낮아진다 (3) 낮, 밤

개념 노트 만들기

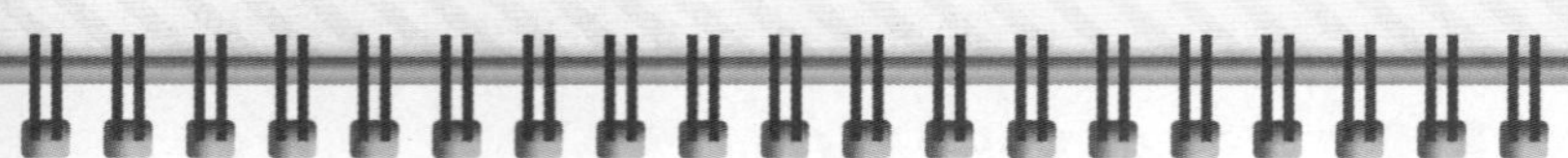

정답과 해설 24쪽

핵심 내용 정리하기 **학습한 내용을 기억하면서 다음 글을 완성해 보자.**

(**제목:**)

도시의 중심부에는 (❶)이(가) 형성된다. 이곳은 교통이 편리하여 (❷)이(가) 뛰어나고, 대기업의 본사, 백화점, 관공서 등이 모여 (❸)을(를) 형성한다. 도심과 주변 지역 사이의 교통이 편리한 지역에는 도심의 기능을 분담하는 (❹)이(가) 형성된다. 일부 대도시는 도시의 무분별한 팽창을 막기 위해 외곽에 (❺)을(를) 설정하기도 한다. 도시 중심부인 도심은 상업·업무 기능이 강하지만, 주변 지역으로 갈수록 주거·공업 기능이 강해진다. 이와 같은 지역 분화가 나타나는 원인은 지역의 접근성이 다르고 이에 따라 (❻)이(가) 달라지기 때문이다.

활동 노트 완성하기 **학습하면서 기른 역량을 살려 다음 활동 노트를 완성해 보자.**

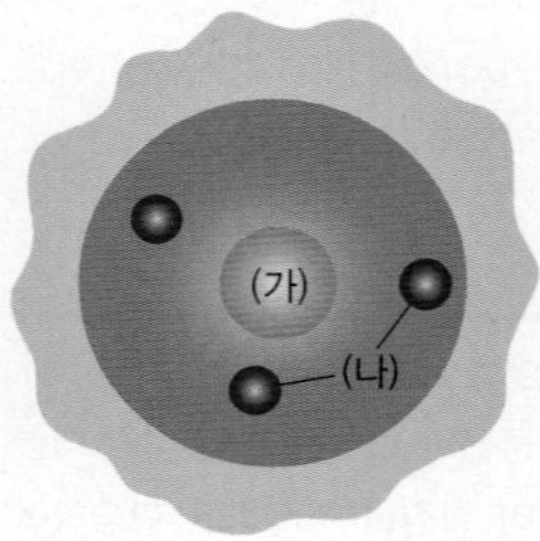

▲ 도시의 내부 구조 모식도

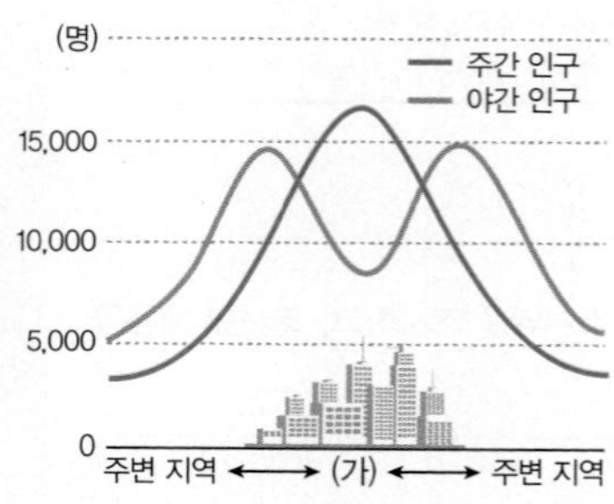

▲ 도시의 주간 인구와 야근 인구

1 자료의 (가), (나)에 해당하는 명칭을 써 보자.

• (가): ……………………………………　• (나): ……………………………………

2 자료에 나타난 지역 중 땅값이 가장 높은 지역을 쓰고, 그 까닭을 설명해 보자.

……………………………………………………………………………………

3 오른쪽 그래프와 같이 (가) 일대에서 주간 인구와 야간 인구가 다른 까닭을 써 보자.

……………………………………………………………………………………

……………………………………………………………………………………

실력을 키우는 응용 문제

정답과 해설 24쪽

 중요

1 도심의 특징으로 옳은 것을 [보기]에서 고른 것은?

보기
ㄱ. 인구 공동화 현상이 나타난다.
ㄴ. 중심 업무 지구를 형성하고 있다.
ㄷ. 부도심에 비해 접근성이 떨어진다.
ㄹ. 상업 기능보다 주거 기능이 강하다.

① ㄱ, ㄴ ② ㄱ, ㄷ ③ ㄴ, ㄷ
④ ㄴ, ㄹ ⑤ ㄷ, ㄹ

2 그림에서 A와 B를 일컫는 명칭을 각각 쓰시오.

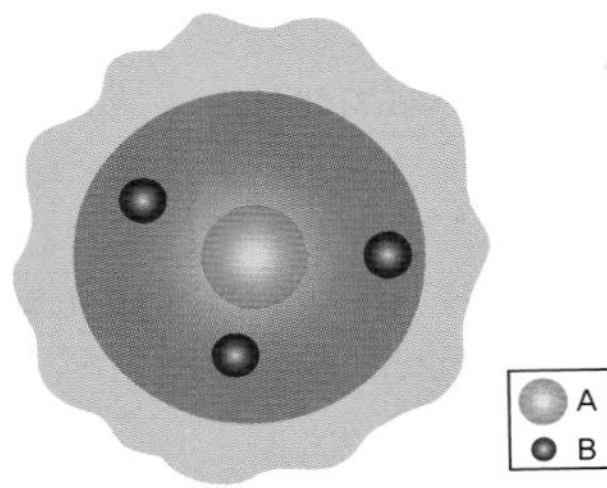

▲ 도시 내부 구조 모식도

• A: .... • B: ....

3 다음은 도시의 (가) 지역을 답사한 후 작성한 보고서이다. ㉠~㉤ 내용 중 옳지 않은 것은?

도시 답사 보고서

• 지역: (가)
• 지역의 특징
㉠ 높은 건물이 많음.
㉡ 비싼 땅값과 임대료
㉢ 대규모의 아파트 단지
㉣ 낮 시간대의 많은 사람들
㉤ 지하철 노선 및 버스 노선 집중
• 주요 시설: 시청, ○○ 기업 본사, ◇◇ 백화점 본점, □□ 신문사 본사, ☆☆ 은행 본점 등

① ㉠ ② ㉡ ③ ㉢ ④ ㉣ ⑤ ㉤

4 다음의 분류가 옳지 않은 것은?

• 도심으로 모이는 시설: ㉠ 시청, ㉡ 초등학교, ㉢ 은행 본점
• 도시 주변 지역으로 빠져나가는 시설: ㉣ 대형 할인 마트, ㉤ 대규모 아파트 단지

① ㉠ ② ㉡ ③ ㉢ ④ ㉣ ⑤ ㉤

5 그래프는 도심에서 주변 지역으로 이동하면서 나타나는 어떤 지표의 변화를 나타낸다. 이와 유사한 변화가 나타나지 않는 것은?

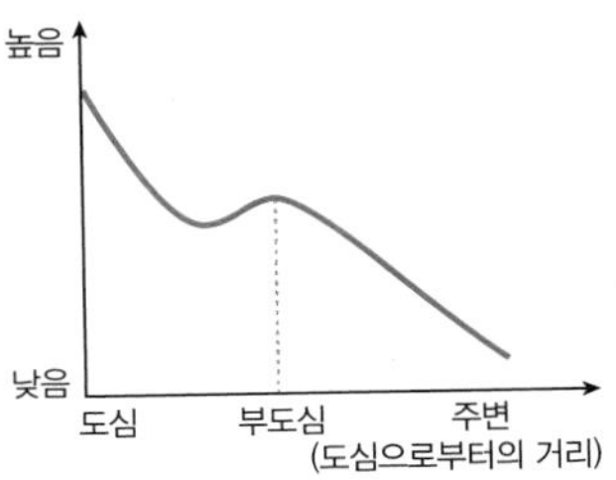

① 땅값 ② 교통량 ③ 접근성
④ 야간 인구 ⑤ 스카이 라인

 중요

6 그래프는 도시의 주간 · 야간 인구 분포를 나타낸 것이다. 이와 같은 인구 분포의 차이가 도심에서 나타나는 까닭을 [보기]의 용어를 이용하여 설명하시오.

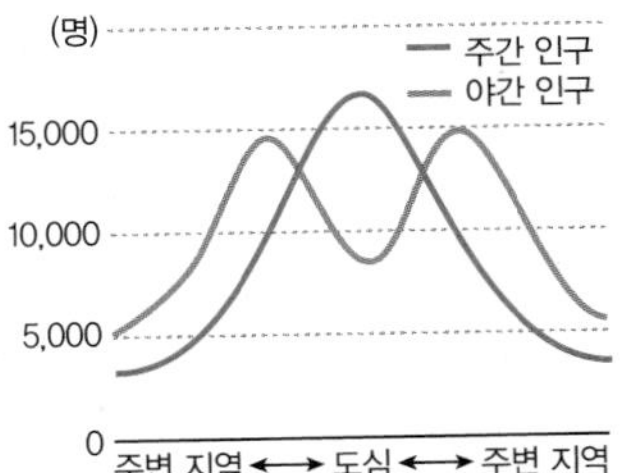

보기
상업 · 업무 기능, 주거 기능, 땅값, 주간 인구, 야간 인구

....

8-3 도시화 과정과 도시 문제 (1)

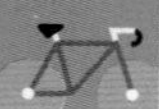

학습 목표 | 선진국과 개발 도상국의 도시화 과정을 비교하여 설명할 수 있다.

❶ 선진국과 개발 도상국의 도시화 과정은 어떻게 다를까?

1 도시화의 의미와 과정

1. **도시화의 의미:** 전체 인구 중 도시 인구 비율이 증가하고, 도시적 생활 양식이 확대되는 과정 → 오늘날 전 세계 인구의 약 50%가 도시에 거주해요.

2. **도시화의 과정❶**
   ① 초기 단계: 낮은 도시화율, 인구가 전 국토에 걸쳐 고르게 분포, 농업 중심 사회 (예) 우리나라 1960년대 이전)
   ② 가속화 단계: **이촌 향도 현상**으로 도시 인구 급증, 도시화가 빠르게 진행(예) 우리나라 1960년대 이후)
   ③ 종착 단계: 높은 도시화율, 도시화의 진행 속도가 둔화됨, **역도시화 현상❷** 발생 (예) 우리나라 1990년대 이후) → 대도시의 비싼 집값과 생활비, 산업의 지방 이전, 교통과 통신의 발달이 원인으로 작용해요.

2 선진국과 개발 도상국의 도시화

1. **오늘날 세계의 도시화❸를 주도하는 도시들:** 아시아 대륙과 아프리카 대륙의 도시들

2. **선진국과 개발 도상국의 도시화 과정 비교**

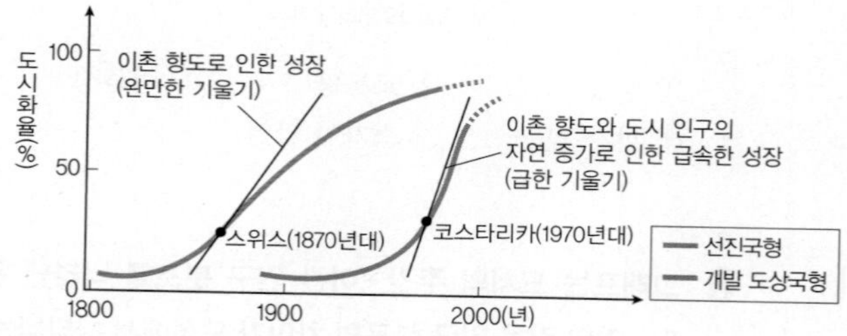

	선진국	개발 도상국
가속화 단계 진입 시기	19세기 후반 → 산업 혁명 이후	20세기 후반 → 제2차 세계 대전 이후
도시화 진행 속도	100년 이상의 오랜 기간에 걸쳐서 서서히 진행	50년 정도의 짧은 기간 동안 빠르게 진행
도시화 곡선의 기울기	완만한 기울기	급한 기울기

① 스위스를 비롯한 선진국의 도시화는 19세기 후반에 시작되어 오랜 기간에 걸쳐 종착 단계에 접어들었다.
② 코스타리카를 비롯한 개발 도상국의 도시화는 20세기 후반에 시작되어 빠른 속도로 진행되고 있다.

❶ 도시화 곡선

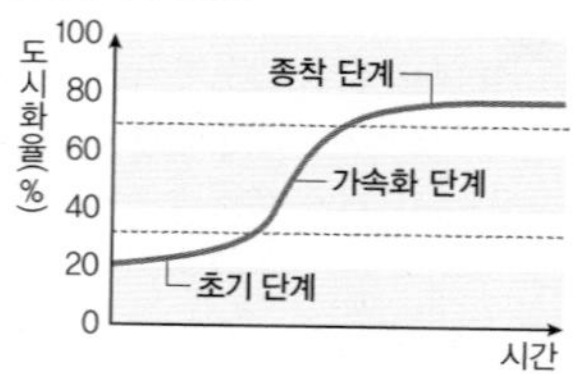

도시화의 과정을 3단계로 구분한 그래프이다. 가속화 단계에서는 인구가 도시로 모여들면서 도시화가 빠르게 진행되고, 도시화 곡선의 기울기는 급하게 나타난다.

❷ 역도시화 현상

'도시화'의 반대 개념으로, 대도시의 인구가 주변의 촌락이나 중소도시로 이동하여 대도시의 인구가 정체 혹은 감소하는 현상이다.

❸ 세계의 도시화율 전망

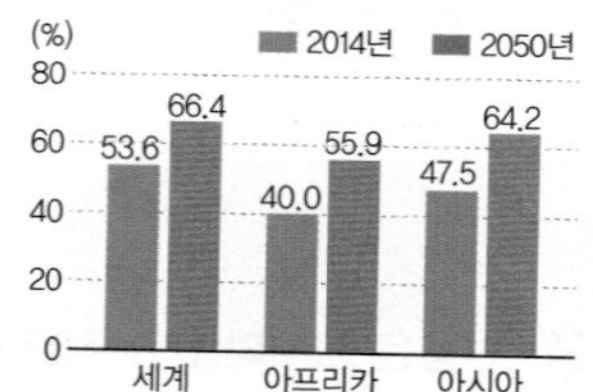

간단 체크 정답과 해설 25쪽

알맞은 말 선택하기

1 (선진국 | 개발 도상국)은 19세기 후반부터 오랜 기간에 걸쳐 도시화가 진행되었다.

2 오늘날 선진국들의 도시화 단계는 대체로 (가속화 | 종착) 단계에 해당한다.

3 도시화 과정 중 가속화 단계에서는 (촌락 | 도시)에서 (촌락 | 도시)(으)로의 인구 이동이 활발히 일어난다.

교과서 148-149쪽

생각 열기 세계의 대도시들은 어디에 분포할까?

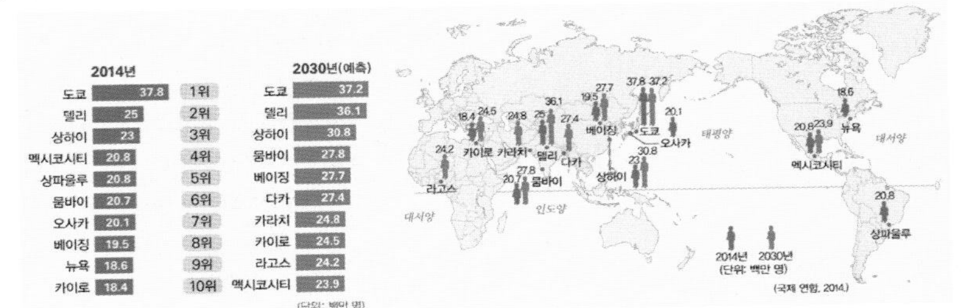

▲ 세계 도시 인구 순위 ▲ 세계 도시 인구 순위 지도

질문 1 세계의 대도시들이 주로 분포하는 대륙은 어디인가?

예 2014년에는 10개 도시 중에 6개 도시가 아시아 대륙에 분포하고, 2030년에는 10개 도시 중에 7개 도시가 아시아 대륙에 분포한다.

질문 2 2030년 세계 도시 인구 예측 순위 10위에 빠진 도시와 새롭게 등장한 도시들을 찾아보고, 새롭게 등장한 도시들의 특징을 적어 보자.

10위 밖으로 밀려난 도시	상파울루, 오사카, 뉴욕
10위 안으로 진입한 도시	다카, 카라치, 라고스

예 10위 안으로 진입하리라고 예상되는 도시 중 방글라데시의 다카, 파키스탄의 카라치는 아시아 대륙에 위치하며, 나이지리아의 라고스는 아프리카 대륙에 위치한다. 이는 오늘날 아시아 대륙과 아프리카 대륙의 도시들이 빠르게 성장하고 있다는 것을 보여준다.

해결 열쇠

자료 해설

국제 연합의 자료에 따르면 2014년 세계 도시 인구는 약 35억 명이지만, 2045년이 되면 60억 명 이상이 도시에 거주할 것으로 예측하고 있다. 또한 인구 1천만 명 이상인 28개 도시 중 16개는 아시아에 있으며, 앞으로 도시 인구의 증가는 아시아와 아프리카가 주도할 것으로 내다보고 있다.

활동 선진국과 개발 도상국의 도시화 과정 비교하기

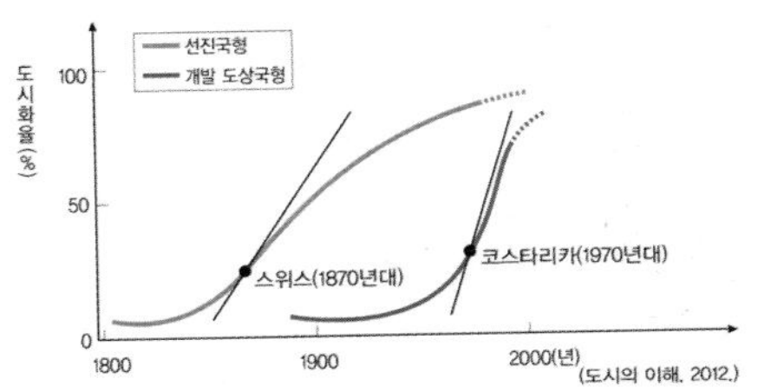

1 위 그래프를 참고하여 선진국과 개발 도상국의 도시화 과정을 비교하여 설명해 보자.

	가속화 단계 진입 시기	도시화 곡선의 기울기	도시화 진행 속도
선진국	1870년대	완만한 기울기	100여 년에 걸친 느린 속도
개발 도상국	1970년대	급한 기울기	50여 년에 걸친 빠른 속도

2 선진국과 개발 도상국의 도시화 과정이 다르게 나타나는 까닭을 설명해 보자.

예 선진국은 산업 혁명과 함께 19세기 후반부터 도시화가 시작되어 오랜 기간에 걸쳐 도시화가 진행되었다. 하지만 개발 도상국은 제2차 세계 대전 이후 급속도로 도시화가 진행되고 있다. 오늘날 선진국은 대체로 종착 단계에 해당하며, 개발 도상국은 대체로 가속화 단계에 해당한다.

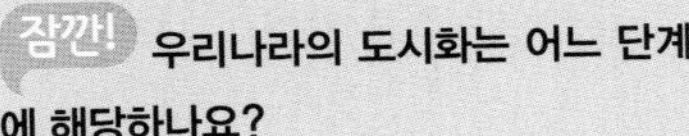

잠깐! 우리나라의 도시화는 어느 단계에 해당하나요?

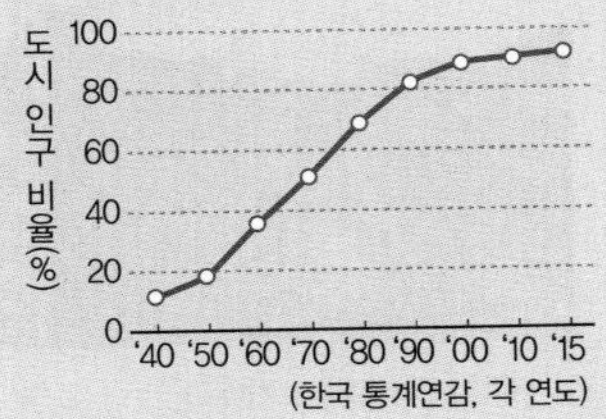

1960년대 이전까지는 도시 인구 비율이 낮은 초기 단계에 해당하고, 1960년대 이후 산업화가 진행되면서 가속화 단계가 진행되었다. 1990년대 이후부터는 도시화의 속도가 둔화되기 시작하여 종착 단계에 접어들었다.

8-3 도시화 과정과 도시 문제 (2)

학습 목표 | 선진국과 개발 도상국의 도시 문제를 탐구하여 차이점을 설명할 수 있다.

❷ 선진국과 개발 도상국의 도시 문제는 무엇일까?

1 도시 문제

1. 원인

① 도시 과밀화: 도시화 과정에서 발생한 인구와 기능의 지나친 도시 집중

② 급격한 도시 인구 성장과 부족한 기반 시설

③ 선진국과 개발 도상국의 도시 문제 원인과 유형은 조금 다름.

2. 종류: 일자리 부족, 주택 부족, 교통 혼잡, 환경 오염, 쓰레기 문제 등

2 개발 도상국과 선진국의 도시 문제

1. 개발 도상국의 도시 문제

① **이촌 향도** 현상: 도시화의 가속화 단계에 접어들면서 특정 도시로의 급격한 인구 집중 현상 진행

② **종주 도시화**[1] 현상으로 인한 불균형적인 도시 체계: 특정 도시에만 인구와 기능이 집중되어 도시 간 격차 심화

③ 도시의 인구가 급증하면서 발생하는 문제: 주택 부족, 교통 혼잡, 쓰레기 급증, 교통 시설이나 상하수도 시설 등 도시 기반 시설 부족으로 도시 기능 약화, 무허가 주택이나 **불량 주거 지역**이 대규모로 형성 (도시 빈민들의 거주 지역)

④ 불량 주거 지역의 사례

▲ 케냐 나이로비의 키베라

▲ 인도 뭄바이의 다라비

▲ 브라질 리우데자네이루의 파벨라

2. 선진국의 도시 문제

① **역도시화** 현상: 도시화가 종착 단계에 접어들면서 도시 인구의 증가 속도 정체 및 도시 인구의 유출 진행

② 균형적인 도시 체계: 오랜 기간에 걸쳐 중소도시 위주의 고른 도시 성장

③ 소득 수준이 높은 고급 주택 지역은 도심에서 멀리 떨어진 도시 외곽 지역에 분포, 도심 일대에는 빈민들이 집단으로 거주하는 **슬럼(slum)**[2] 형성 → 예 뉴욕의 할렘

---

❶ 종주 도시화
인구가 가장 많은 1위 도시의 인구 규모가 2위 도시의 인구 규모에 비해 두 배 이상 차이가 나는 경우를 말한다. 즉, 1위 도시에 인구, 각종 기반 시설 등이 지나치게 집중되어 나타나는 현상이다.

❷ 슬럼(slum)
도시 빈민들이 모여 거주하는 지역으로 삶의 질이 낮고 오염된 쇠락한 도시 혹은 도시의 일부 지역을 말한다.

간단 체크 정답과 해설 25쪽

O, X 판단하기

1 개발 도상국에서는 몇몇 대도시로의 과도한 인구 집중 현상이 나타나고 있다. ( )

2 종착 단계에 접어든 선진국의 도시들은 기반 시설이 부족하여 도시의 기능이 매우 약하다. ( )

3 선진국과 개발 도상국에서 나타나는 도시 문제는 매우 유사한다. ( )

교과서 **활동 풀이**

교과서 150-151쪽

활동 선진국과 개발 도상국의 도시 문제

1 (가)와 (나)의 인구 이동 방향을 선진국과 개발 도상국으로 분류해 보고, 이와 같은 인구 이동이 나타나는 까닭을 말해 보자.

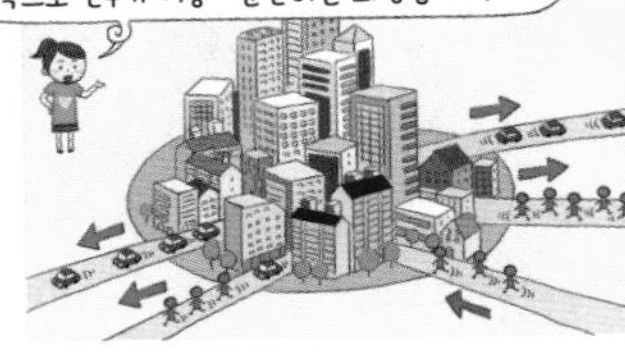

2 선진국과 개발 도상국의 도시 문제를 예측해 보고, 선진국과 개발 도상국의 도시 문제가 다르게 나타나는 까닭을 도시화 과정 및 인구 이동과 연관 지어 설명해 보자.

예 • 선진국: 도시화의 종착 단계에 접어든 선진국은 오랜 기간 도시화가 진행되면서 도심의 과도한 땅값 상승, 낡고 오래된 기반 시설 등의 도시 문제를 안고 있다. 이에 따라 역도시화 현상이 진행되면서 낡고 오래된 건물을 중심으로 슬럼이 형성된다.

• 개발 도상국: 도시화의 가속화 단계에 있는 개발 도상국은 짧은 기간 내에 급격한 도시화를 겪고 있다. 개발 도상국에서는 도시의 부양 능력에 비해 지나치게 많은 인구가 도시로 집중되면서 주택, 상하수도 등 도시 기반 시설 부족과 환경 오염 등의 도시 문제가 발생한다.

해결 열쇠

자료 해설

우리나라의 이촌 향도 현상은 1960년대 서울을 중심으로 산업화와 도시화가 급속히 진행되면서 나타났다. 그 결과, 서울의 인구가 급속도로 증가하였으며 1990년대 분당과 일산 등의 신도시가 경기도에 건설되면서 서울 인구 증가 속도가 둔화되었다.

1 예 (가)는 선진국의 모습으로, 도심의 땅값 상승과 도심의 주거 기능 약화로 도시 인구가 도시를 벗어나는 역도시화 현상이 나타난다. (나)는 개발 도상국의 모습으로, 도시화와 산업화가 빠르게 진행되면서 촌락의 인구가 도시로 집중하는 이촌 향도 현상이 나타난다.

함께 배우기 도시 문제 특집, 국제 뉴스 제작하기

1 4명의 모둠을 구성한 후, 모둠별로 〈보기〉의 세계 여러 도시 중 한 곳을 선정한다.

2 모둠원들끼리 역할을 분담하여 다음 조사 항목을 조사한다.

조사 항목: • 도시의 위치 및 면적 • 도시 인구수 및 인구 밀도 • 도시 문제 • 기타

3 인터넷으로 조사한 내용을 모아 뉴스 대본을 작성한다.

순서	역할(이름)	대본(기사 내용)
1	아나운서 (김○○)	□□□ 뉴스를 시작하겠습니다. 오늘은 특집으로 세계 여러 도시의 도시 문제를 보도해 드리도록 하겠습니다. 첫 번째로는 브라질 리우데자네이루의 도시 문제를 집중적으로 보도합니다. 이○○ 특파원 나와 주세요.
2	특파원 (이○○)	네, 여기는 리우데자네이루입니다. 혹시 '파벨라'라고 들어보셨나요? 파벨라는 브라질의 빈민촌을 일컫는 말인데요. 오늘은 파벨라가 어떤 곳인지 직접 가 보도록 하겠습니다.
3	아나운서	파벨라, 그곳은 치안이 매우 불안하다고 들었습니다. 괜찮습니까?
4	특파원	네, 지난 2016년 월드컵을 계기로 많이 개선되었습니다. 주민 한 분과 인터뷰해 보겠습니다.
5	지역 주민 (최○○)	예전에는 수돗물도 안 나오고, 전기 · 난방 시설도 전혀 없었답니다. 낮에도 총성이 울려 퍼질 정도로 치안이 불안했는데, 지금은 많이 나아졌어요.

자료 해설

카이로는 이집트, 뉴델리는 인도, 멕시코시티는 멕시코, 런던은 영국, 리우데자네이루는 브라질, 마닐라는 필리핀, 베이징은 중국, 뉴욕은 미국, 나이로비는 케냐의 도시이다. 뉴욕, 런던에서는 선진국형 도시 문제가 나타날 것이며, 그 외 도시들에서는 개발 도상국형 도시 문제가 발생할 것이다.

잠깐! 필리핀 쓰레기 마을 '톤도'

필리핀 마닐라에 있는 톤도 파놀라 지역은 케냐의 키베라, 브라질의 파벨라와 함께 세계 3대 빈민촌으로 알려져 있다. 마닐라의 파식강을 따라 형성되어 있으며, 1979년부터 1987년까지 쓰레기 매립장으로 사용된 지역이다. 주민 대다수가 쓰레기 더미에서 재활용 자원을 찾아 살아가고 있다.

스스로 확인하기

1 (1) 도시화 (2) 이촌 향도 **2** (1) 종착, 가속화 (2) 선진국

개념 노트 만들기

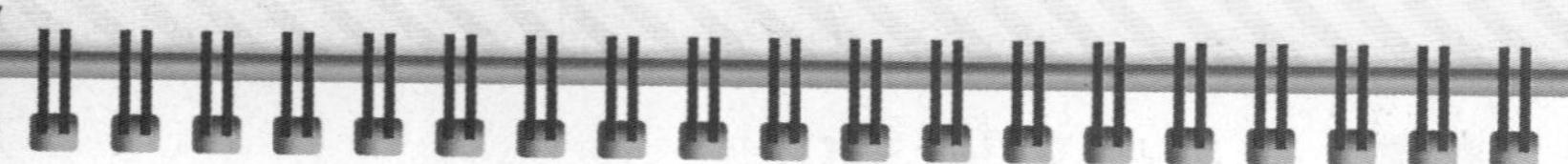

정답과 해설 25쪽

핵심 내용 정리하기 학습한 내용을 기억하면서 다음 글을 완성해 보자.

(제목:)

도시의 인구가 증가하면서 도시의 규모가 커지고 도시적 생활 양식이 확대되는 과정을 (❶)(이)라고 한다. (❷)의 도시화는 19세기 후반부터 시작되어 100년이 넘는 기간에 걸쳐 서서히 진행되어 왔다. 반면, (❸)의 도시화는 20세기 후반부터 시작되어 빠르게 진행되고 있다.

도시에 많은 사람들이 거주하다 보면 교통 혼잡, 주택 부족, 환경 오염 등의 다양한 도시 문제가 발생하게 된다. 특히 짧은 시간 동안 도시화가 급격하게 진행되고 있는 개발 도상국의 경우 이러한 도시 문제가 더욱 심각하게 나타난다. 특정 도시로의 지나친 인구 집중으로 인해 주택, 교통, 상하수도 시설 등과 같은 (❹) 시설이 부족해진다. 한편, 오랜 기간 도시화가 진행된 선진국의 도시에서는 도심 과밀화에 따른 과도한 (❺) 상승, 도심의 낡고 오래된 기반 시설로 인한 슬럼 형성 등의 문제가 발생한다.

활동 노트 완성하기 학습하면서 기른 역량을 살려 다음 활동 노트를 완성해 보자.

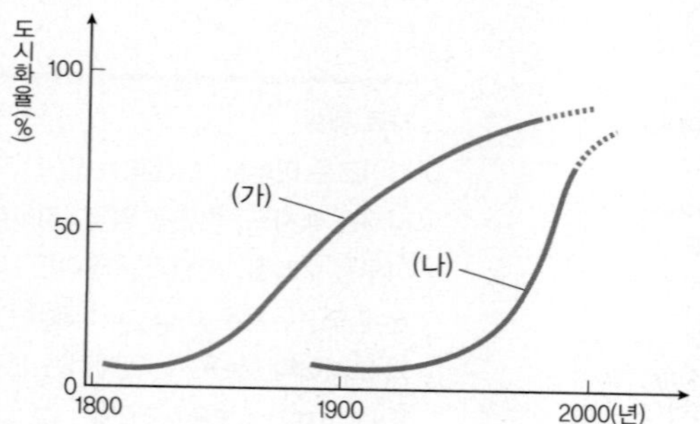

1 (가)와 (나)의 그래프는 선진국과 개발 도상국 중 어디에 해당하는지 써 보자.

• (가): ………………………………

• (나): ………………………………

2 선진국과 개발 도상국의 도시화 과정을 비교하여 설명해 보자.

……………………………………………………

……………………………………………………

3 오늘날 개발 도상국의 도시화 단계에서 발생하는 인구 이동과 도시 문제를 설명해 보자.

……………………………………………………

……………………………………………………

실력을 키우는 응용 문제

정답과 해설 25쪽

[1-2] 그래프는 도시화 과정을 나타낸 것이다. 이를 보고 물음에 답하시오.

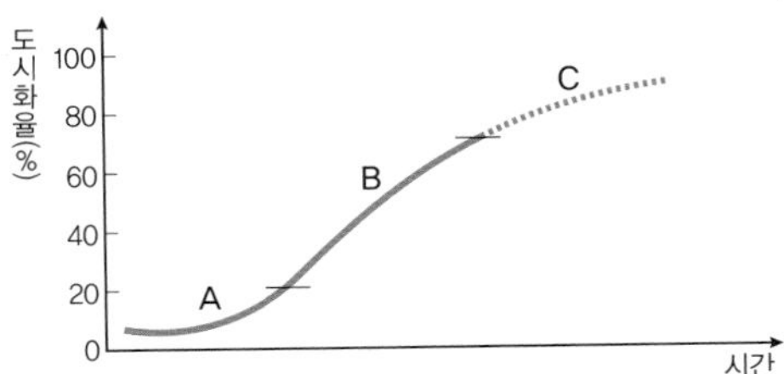

1 그래프의 A~C에 알맞은 단계를 쓰시오.

• A: ....

• B: ....

• C: ....

2 그래프의 각 단계에 대한 설명으로 옳지 않은 것은?

① A 단계는 도시 인구 비율이 낮다.
② A 단계에서는 이촌 향도 현상이 나타난다.
③ B 단계는 도시의 산업 발달과 관련이 있다.
④ C 단계에 접어들면 역도시화 현상이 나타난다.
⑤ C 단계는 도시 인구 거주 비율이 70%를 넘어선다.

중요

3 그림은 도시에서의 인구 이동 방향을 보여준다. (가)와 (나)에 대한 설명으로 옳은 것은?

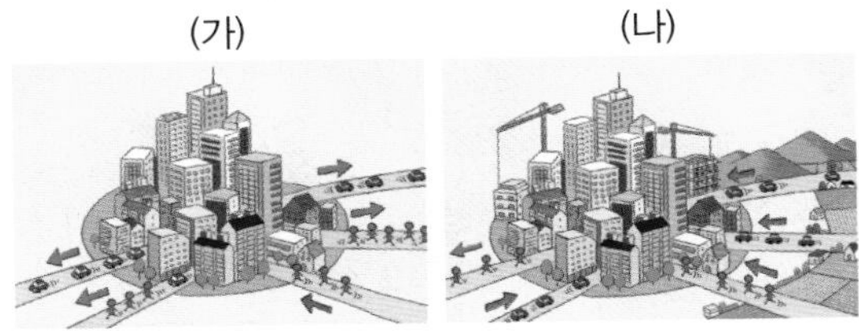

① (가)는 도시화 과정의 초기 단계에서 나타난다.
② (가)는 19세기 후반 선진국에서 주로 발생하였다.
③ (가)는 오늘날 개발 도상국에서 주로 발생하고 있다.
④ (나)는 도시화 과정의 가속화 단계에서 나타난다.
⑤ (나)는 오늘날 우리나라에서 본격적으로 진행되고 있다.

4 다음은 지연이가 수업 시간에 개발 도상국의 도시 문제에 대하여 정리한 것이다. ㉠~㉤ 내용 중 옳지 않은 것은?

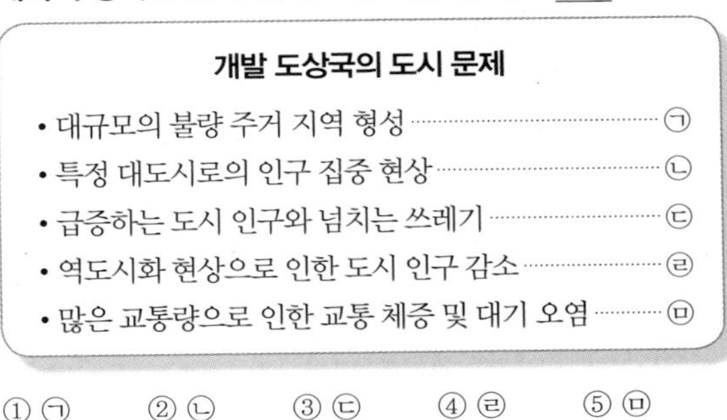

개발 도상국의 도시 문제

• 대규모의 불량 주거 지역 형성 ……… ㉠
• 특정 대도시로의 인구 집중 현상 ……… ㉡
• 급증하는 도시 인구와 넘치는 쓰레기 ……… ㉢
• 역도시화 현상으로 인한 도시 인구 감소 ……… ㉣
• 많은 교통량으로 인한 교통 체증 및 대기 오염 ……… ㉤

① ㉠ ② ㉡ ③ ㉢ ④ ㉣ ⑤ ㉤

[5-6] 그래프는 도시화 과정을 나타낸 것이다. 이를 보고 물음에 답하시오.

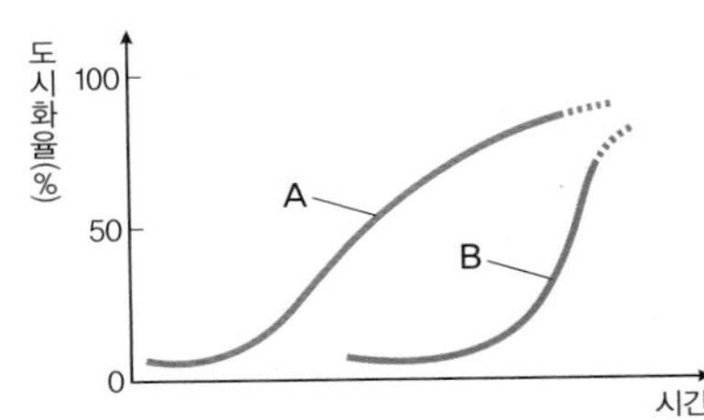

5 A, B 그래프는 각각 선진국과 개발 도상국 유형 중 어디에 해당하는지 쓰시오.

• A: .... • B: ....

6 도시화 곡선의 A, B 유형 중 사례 국가의 연결이 옳지 않은 것은?

① A – 영국 ② A – 스위스 ③ B – 프랑스
④ B – 멕시코 ⑤ B – 코스타리카

7 선진국과 개발 도상국의 도시화 과정을 비교하여 서술하시오.

....

....

8-4 살기 좋은 도시 (1)

학습 목표 | 세계의 살기 좋은 도시에는 어떤 도시들이 있는지 살펴보고, 살기 좋은 도시의 특징을 설명할 수 있다.

❶ 살기 좋은 도시는 어떤 특징이 있을까?

1 살기 좋은 도시의 의미

1. 삶의 질이 높은 도시

① **삶의 질**❶: 사람들이 생활하면서 느끼는 만족감 또는 행복의 정도, 객관적인 측정은 불가능함.

② 삶의 질이 높은 도시일수록 살기 좋은 도시로 손꼽힘. ─ 도시의 경제적 수준과 반드시 비례하지는 않아요.

2. 살기 좋은 도시의 조건: 아름다운 자연환경, 적정한 인구 규모, 체계적인 의료 · 교육 · 복지 제공, 쾌적한 환경, 잘 갖추어진 기반 시설, 여유롭고 안전한 생활 환경 등

3. 살기 좋은 도시 측정 사례: 삶의 질 순위(Quality of Living), 더 나은 삶의 질 지수(Better Life Index), 안전한 도시 지수, 세계 종합 도시 경쟁력 지수 등 다양한 기관에서 다양한 지표로 도시 순위 발표

2 살기 좋은 도시의 사례

멜버른	오스트레일리아에 위치, 매년 살기 좋은 도시 상위권에 드는 도시, 인구 규모 약 450만 명, 의료 및 도시 기반 시설 잘 갖추어져 있으며, 도시 곳곳에 공원과 녹지 공간 분포 → 2011년부터 계속 살기 좋은 도시 1위
빈	오스트리아의 수도, 인구 규모 약 2백만 명, 박물관과 오페라 하우스 등 문화 시설 발달, 범죄 발생률 매우 낮아 안전한 생활 가능 → 모차르트의 도시
밴쿠버	다양한 인종의 사람들이 함께 살고 있는 **다문화 도시**, 인구 규모 약 60만 명, 산과 바다가 조화를 이룬 아름다운 자연환경과 더불어 사회 기반 시설도 잘 갖추어짐.
헬싱키	핀란드의 수도, 인구 규모 약 1백만 명, **도시 농업**❷ 장려, 도시와 자연의 공존을 추구하는 자연 친화적인 도시

→ 그 외에도 애들레이드(오스트레일리아), 캘거리(캐나다), 시드니(오스트레일리아), 퍼스(오스트레일리아), 오클랜드(뉴질랜드), 취리히(스위스) 등의 살기 좋은 도시가 있어요.

❶ **삶의 질(quality of life)**
사람들의 복지나 행복의 정도를 말한다. 생활 수준과 달리 삶의 질은 직접적인 측정이 불가능하다.

❷ **도시 농업**
도시의 다양한 공간을 활용한 농업 형태이다. 활용도가 낮은 자투리땅이나 건물의 베란다, 옥상, 상자 텃밭 등 도시의 다양한 공간을 활용할 수 있다.

간단 체크 정답과 해설 25쪽

O, X 판단하기

1 경제적 수준이 높은 도시일수록 살기 좋은 도시에 해당한다. ( )

2 살기 좋은 도시의 인구 규모는 대체로 천만 명 정도의 대도시들이 대부분이다. ( )

3 살기 좋은 도시는 도시에서 살아가는 사람들의 삶에 대한 만족도, 즉 삶의 질이 높다. ( )

교과서 활동 풀이

교과서 152-153쪽

생각 열기 살기 좋은 도시는 어떤 도시일까?

자료 1 세계 도시 경제 순위

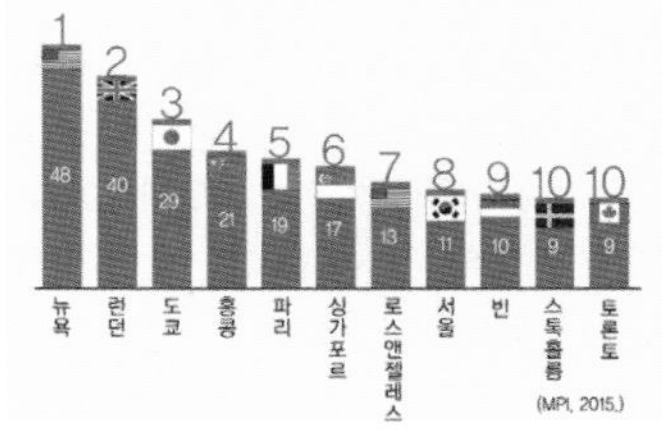

자료 2 세계의 살기 좋은 도시 순위

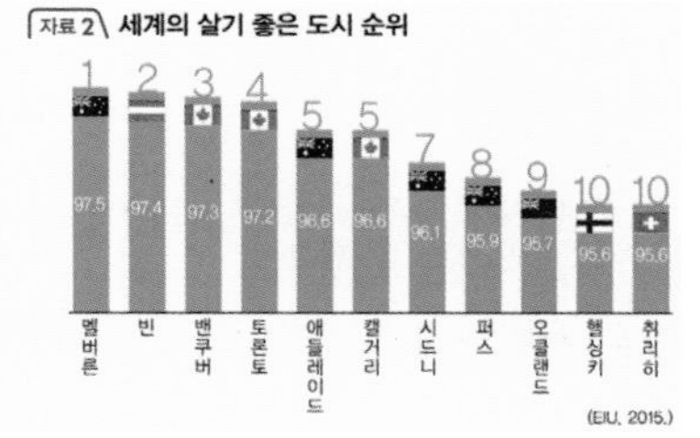

질문 1 자료 1과 자료 2 처럼 세계 도시의 경제 순위와 세계의 살기 좋은 도시 순위는 일치하지 않는다. 그 이유는 무엇일지 이야기해 보자.

예 경제 발전 수준이 높은 도시가 반드시 삶의 질이 높은 도시라고 할 수 없기 때문이다. 살기 좋은 도시는 도시의 기반 시설이 잘 갖추어져 있고, 안전하며, 교육, 문화 및 환경, 의료 서비스가 잘 갖추어진 도시이다.

질문 2 내가 사는 도시의 항목별 살기 좋은 도시 평가 점수를 빈칸에 적어 보고, 친구와 비교해 보자.

예 세계 살기 좋은 도시 항목 평가표 • 국가: 대한민국, • 도시: ○○

평가 항목	교육 (10점)	안전성 (25점)	기반 시설 (20점)	문화 및 환경 (25점)	의료 (20점)	종합 점수 (100점)
점수	9	23	18	23	17	90

해결 열쇠

자료 해설

세계 도시 경제 순위와 살기 좋은 도시 순위는 일치하지 않는다. 이를 토대로 살기 좋은 도시가 경제 수준에 의해 결정되는 것이 아님을 알 수 있다. 살기 좋은 도시는 다양한 지표를 종합하여 선정한다.

활동 세계 여러 지역의 살기 좋은 도시

(가) 오스트레일리아의 멜버른은 전 세계에서 가장 살기 좋은 도시로 손꼽힌다. 인구는 약 450만 명으로, 의료 및 도시 기반 시설이 잘 갖추어져 있다. 또한 도시 곳곳에 공원과 녹지 공간이 있어 시민들의 생활을 풍요롭게 한다.

(나) 오스트리아의 수도 빈의 인구 규모는 약 2백만 명이다. 빈은 박물관, 오페라 하우스 등 문화 시설이 발달하였고, 도시 교통 시스템이 잘 갖추어져 있다. 범죄 발생률도 매우 낮아 편리하고 안전하게 생활할 수 있다.

(다) 캐나다 밴쿠버는 인종, 언어, 종교와 관계없이 모든 시민의 평등을 실현해 나가는 대표적인 다문화 도시이다. 인구는 약 60만 명이고, 산, 바다, 숲이 조화를 이룬 아름다운 자연환경과 더불어 사회 기반 시설도 잘 갖추고 있다.

(라) 핀란드의 수도 헬싱키는 인구 규모 약 백만 명의 도시이다. 헬싱키는 자투리땅을 이용한 도시 농업을 장려하는 등 도시와 자연의 공존을 통해 자연 친화적인 도시, 자연과 더불어 살아가는 도시를 추구하고 있다.

1 (가)~(라)의 살기 좋은 도시가 갖는 특징을 찾아 정리해 보자.

예 (가)~(라) 도시들은 대체로 경제 수준이 높은 선진국에 해당하며, 도시 곳곳에 공원과 녹지 공간이 있어 쾌적한 생활을 할 수 있다. 또한 범죄 발생률도 낮은 편이고, 의료, 교육 등의 복지 시스템도 잘 갖추고 있다.

2 내가 사는 도시가 '살기 좋은 도시'가 되기 위해서는 어떤 노력이 필요할지 이야기해 보자.

예 내가 사는 도시가 살기 좋은 도시가 되기 위해서는 범죄 발생률을 낮추어 더욱 안전한 생활이 가능한 도시로 만들어야 한다. 환경적인 측면에서도 녹지 공간을 확보하고 미세 먼지 등 대기 오염 상태를 개선하는 등 쾌적한 환경을 갖추어야 한다. 또한 의료 시설과 복지 시설의 확대 및 보급도 더 많이 이루어져야 한다.

잠깐! 살기 '안 좋은' 도시는 어떤 도시들인가요?

이라크의 바그다드를 비롯해 5년째 내전이 이어지고 있는 시리아의 다마스쿠스와 중앙아프리카 공화국의 방기, 예멘의 사나 등은 살기 안 좋은 도시로 손꼽힌다.

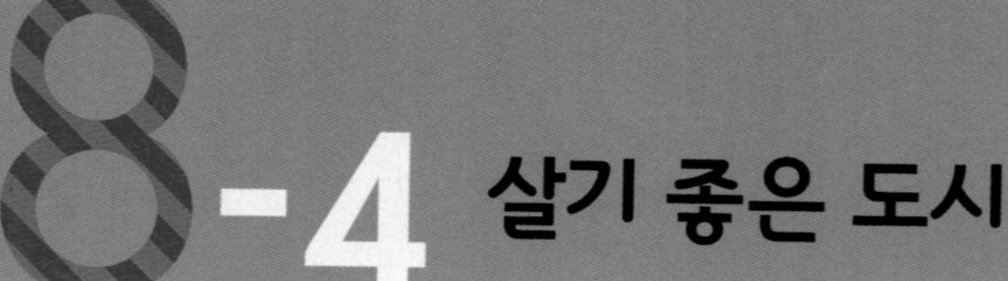

살기 좋은 도시 (2)

학습 목표 | 도시 문제를 해결하는 다양한 방법을 파악하여 이를 토대로 살기 좋은 도시가 갖추어야 할 조건을 제안할 수 있다.

❷ 살기 좋은 도시를 만들려면 어떻게 해야 할까?

1 살기 좋은 도시를 만들기 위한 노력

1. 도시 문제를 해결하기 위한 노력

① 도시 문제: 주택 부족, 교통 혼잡, 대기 오염, 쓰레기 문제 등 (과도한 인구 집중으로 인해 발생하는 문제들)

② 해결 주체: 도시 문제를 해결하려는 정부와 시민들의 자발적이고 지속적인 노력 필요

③ 해결 방향: 삶의 질을 높이고, 행복감과 삶의 만족도를 향상하는 방안 모색

2. 다양한 노력을 통해 살기 좋은 도시로 변화한 사례

미국 채터누가	• 심각한 대기 오염을 극복하고 쾌적한 환경을 되찾음. • 환경과 경제 발전을 양립시킨 도시로 인정받음. • 정부와 시민의 노력으로 대기 오염 물질 감소
브라질 쿠리치바	• 급속한 인구 증가, 환경 오염, 교통 체증 등의 도시 문제를 해결하고 오늘날 모범적인 **생태 도시**로 손꼽힘. → '꿈의 생태 도시'라고 불려요. • 대중교통 시스템 혁신과 시민의 보행권을 우선으로 하는 교통 정책
덴마크 코펜하겐	• 2014년 **유럽의 녹색 수도❶**로 선정됨. • 보행자와 자전거에 우선순위를 두는 정책을 시행하여 자전거의 도시로 거듭남.
독일 프라이부르크	• 시민들이 주체가 되어 원전 건설 반대 및 석탄 · 석유 절약 운동을 추진하여 만들어진 친환경 도시 → 독일의 환경 수도 • 도시 내 차량 진입 금지, 신 · 재생 에너지 적극 활용
스웨덴 예테보리	• 공업 도시로 심각했던 대기 오염을 극복하고 세계에서 가장 선진적인 환경 도시 건설을 위해 지속적인 노력 • 석유 의존률을 1%대로 낮추는 에너지 정책
일본 미나마타	• 1950년대 **미나마타병❷** 사건으로 자연과 환경의 중요성을 깨닫고, 자연과 공생하는 환경 도시로 거듭나기 위해 노력 • 기업의 환경 파괴에 대한 반성과 환경의 중요성 재고

→ 이 외에도 네덜란드 아메르스포르트, 독일 슈투트가르트, 미국 포틀랜드, 일본 기타큐슈, 스위스 취리히 등의 도시가 있어요.

❶ 유럽의 녹색 수도
유럽 연합(EU)에서 높은 수준의 환경 질을 달성한 도시를 격려하고 모범 사례를 제시하기 위해 2010년부터 우수 환경 도시를 선정하여 '유럽 녹색 수도상'을 시상하고 있다.

❷ 미나마타병
1956년 일본 구마모토현의 미나마타시에서 메틸수은이 포함된 어패류를 먹은 주민들에게서 집단적으로 발생하면서 사회적으로 큰 문제가 되었다. 문제가 되었던 메틸수은은 인근의 화학 공장에서 바다에 방류한 것으로 밝혀졌고, 2001년까지 공식적으로 2,265명의 환자가 확인되었다.

간단 체크 정답과 해설 25쪽

O, X 판단하기

1 살기 좋은 도시가 되기 위해서는 정부의 정책과 시민들의 자발적인 노력이 병행되어야 한다. ( )

2 미국의 채터누가는 오늘날 심각한 대기 오염으로 악명 높은 도시이다. ( )

3 브라질의 쿠리치바는 여러 도시 문제를 해결하고 오늘날 모범적인 생태 도시로 손꼽힌다. ( )

교과서 활동 풀이

교과서 154-155쪽

활동 살기 좋은 도시를 만들기 위한 노력

자료 1 채터누가의 대기 오염 해결 노력

채터누가는 1969년까지 미국에서 대기 오염이 가장 심한 도시로 악명 높았다. 인근 공장에서 날아온 오염 물질 때문에 차량은 한낮에도 전조등을 켜고 다녔으며, 폐렴 환자는 미국 평균의 세 배를 넘었다. 그러나 27년 후인 1996년 국제 연합(UN)으로부터 '환경과 경제 발전을 양립시킨 도시'로 인정받았다. 채터누가는 정부와 시민들의 노력으로 대기 오염 물질을 줄이면서 테네시강도 살려내었다. 또 차량 정체를 줄이고, 배기가스를 억제하기 위해 시내로 들어가는 입구에 주차장을 설치하고 시내에서는 전기 셔틀버스를 운행하고 있다.

자료 2 쿠리치바의 교통 문제 해결 노력

브라질 쿠리치바는 1950년대부터 급속한 인구 증가와 환경 오염, 교통 체증 등으로 심각한 위기에 처하였다. 그러나 1970년대 들어와 정부와 시민들의 노력으로 도시 문제를 해결해 나가기 시작하였다. 그 중에서도 버스를 중심으로 하는 대중교통 시스템과 시민의 보행권을 우선으로 하는 교통 정책은 오늘날 세계적인 모범 사례로 손꼽힌다. 이중 굴절 버스는 한 번에 많은 인원을 태울 수 있으며 친환경 연료를 사용하여 매연도 절감시켰다.

1 자료 1, 자료 2 도시들이 살기 좋은 도시로 변화할 수 있었던 공통점을 찾아 이야기해 보자.

2 〈보기〉의 지역들은 도시 문제를 어떻게 해결해 나가고 있는지 한 개의 도시를 정하여 조사하고, 다른 지역을 조사한 친구들과 조사 내용을 공유해 보자.

- 덴마크 코펜하겐: 예 도시 내에 설치된 자전거 도로가 400km가 넘는다. 1970년대 대중교통 이용률이 줄어들고 자가용 이용률이 늘어나자 덴마크 정부는 300%에 이르는 부가 가치세를 부과하였고, 보행자와 자전거에 우선순위를 두는 정책을 시행하였다.
- 독일 프라이부르크: 예 1970년대 초반 주변의 원전 건설 반대 운동과 석탄 · 석유 절약 운동에서 출발하여 만들어진 도시이다. 도심에 차량 진입이 금지되며, 태양 에너지를 비롯한 신 · 재생 에너지를 적극 활용하고 있다.
- 스웨덴 예테보리: 예 중화학 공업 중심의 산업 도시로 1960~1970년대 대기 오염의 도시로 악명 높았던 예테보리는 오늘날 석유에서 벗어난 에너지 정책으로 석유 의존율을 1%대로 낮추는 획기적인 개선을 이루었다. 휘발유를 사용하지 않는 생태 자동차를 운행하고 있으며 쓰레기 재활용률을 높였다.
- 일본 미나마타: 예 1950년대 일본의 미나마타병 사건은 기업의 환경 파괴와 무고한 희생자 발생, 연안 어업의 파괴 등으로 일본과 전 세계에 충격을 주었다. 그 후, 주민들은 미나마타병 자료관을 운영하면서 환경의 중요성을 되새기고 있으며 쓰레기를 22종류로 구분하여 분류 배출하고 있다.

해결 열쇠

자료 해설

미국의 채터누가와 브라질의 쿠리치바는 과거 환경 오염이 심각했던 도시이지만 정부와 주민의 노력으로 오늘날 살기 좋은 도시로 거듭났다. 이러한 사례를 통해 우리가 사는 도시를 더 살기 좋은 도시로 만들기 위해 어떤 노력을 할 수 있을지 알 수 있다.

1 예 도시 문제의 심각성을 깨닫고 정부는 다양한 정책을 마련하였으며, 시민들은 직접적인 참여와 적극적인 노력으로 도시 문제를 해결해 나갔다.

함께 배우기 살기 좋은 도시 만들기 프로젝트

1. 6개의 모둠을 구성하여 모둠별로 ○○시의 시장 후보를 정한다.
2. 각 모둠원은 시장 후보인 □□□ 후보를 지지하는 사람들이다. □□□ 시장 후보가 당선되어 우리 도시가 '살기 좋은 도시'가 될 수 있도록 선거 공약을 개발한다.

공약1	예 자전거 통행이 안전하게 이루어질 수 있도록 자전거 전용 도로를 만들겠습니다.
공약2	예 쓰레기의 재활용률을 90%까지 높이도록 하겠습니다.

3. 각 모둠의 시장 후보는 돌아가면서 '살기 좋은 도시'를 만들기 위한 선거 공약을 발표한다.
4. 유권자들은 살기 좋은 도시를 만들 수 있는 후보의 선거 공약을 평가한다.

활동 도우미

모둠별로 우리 지역의 삶의 질을 평가해 보고, 어떤 점이 개선되면 좋을지 생각해 보세요. 무리한 공약보다는 실제로 실현 가능한 공약을 세워 직접 동참해 보는 것도 좋아요.

스스로 확인하기

1 (1) ○ (2) × (3) × 2 (1) 채터누가 (2) 쿠리치바

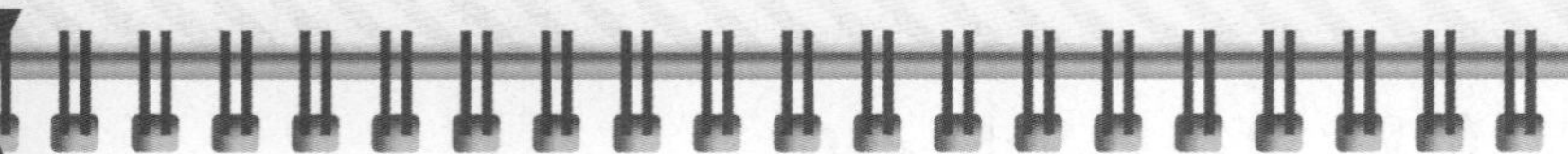

개념 노트 만들기

정답과 해설 26쪽

핵심 내용 정리하기 학습한 내용을 기억하면서 다음 글을 완성해 보자.

(제목:)

살기 좋은 도시는 그 도시에 살고 있는 사람들의 삶에 대한 만족도, 즉 (❶)이(가) 높다. 오스트레일리아의 멜버른, 오스트리아의 수도 (❷), 캐나다의 밴쿠버 등이 살기 좋은 도시로 손꼽힌다. 이 도시들은 적정한 인구 규모에 각종 편의 시설과 기반 시설이 잘 갖추어져 있으며, 자연과의 조화를 잘 이루고 있다.

이 외에도 심각했던 도시 문제를 해결해 나가면서 점차 살기 좋은 도시로 변화하는 사례도 있다. 미국에서 대기 오염이 심각하기로 악명 높았던 (❸)은(는) 정부와 시민들의 노력으로 대기 오염 물질도 줄이고 테네시강도 살려냈다. 브라질의 (❹)은(는) 급속한 인구 증가에 따른 심각한 교통 체증을 해결하기 위해 획기적인 대중교통 시스템을 도입한 모범 사례이다. 이처럼 도시 문제를 해결하고 살기 좋은 도시를 만들어 나가기 위해서는 정부의 체계적인 정책뿐만 아니라 시민들의 자발적인 노력도 요구된다.

활동 노트 완성하기 학습하면서 기른 역량을 살려 다음 활동 노트를 완성해 보자.

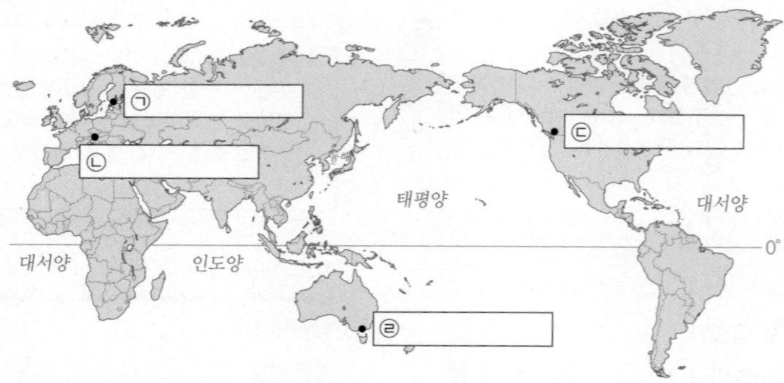

1 다음은 살기 좋은 도시로 손꼽히는 도시들이다. 지도의 ㉠~㉣ 빈칸에 알맞은 도시명을 써 보자.

• 멜버른 • 빈 • 밴쿠버 • 헬싱키

2 살기 좋은 도시가 갖추어야 할 조건을 3가지 써 보자.

....

....

정답과 해설 26쪽

1 [보기]에서 삶의 질이 높으며 살기 좋은 도시로 손꼽히는 도시를 고른 것은?

보기
ㄱ. 미국 뉴욕　　ㄴ. 영국 런던
ㄷ. 오스트리아 빈　　ㄹ. 캐나다 토론토

① ㄱ, ㄴ　② ㄱ, ㄷ　③ ㄴ, ㄷ
④ ㄴ, ㄹ　⑤ ㄷ, ㄹ

중요

2 다음은 살기 좋은 도시 10위권 안에 드는 도시들이다. 이들의 공통적인 특징을 [보기]에서 고른 것은?

• 캐나다 밴쿠버　　• 핀란드 헬싱키
• 뉴질랜드 오클랜드　　• 오스트레일리아 멜버른

보기
ㄱ. 자연과의 조화가 잘 어우러져 있다.
ㄴ. 도시 경제 순위에서도 10위권 안에 든다.
ㄷ. 편의 시설과 기반 시설이 잘 갖추어져 있다.
ㄹ. 인구 규모가 1,000만 명을 넘는 대도시이다.

① ㄱ, ㄴ　② ㄱ, ㄷ　③ ㄴ, ㄷ
④ ㄴ, ㄹ　⑤ ㄷ, ㄹ

3 다음 글의 빈칸에 들어갈 도시로 알맞은 것은?

브라질의 (　　　)은(는) 1950년대부터 급속한 인구 증가, 환경 오염, 교통 체증, 문화 유적 훼손 등으로 인해 도시 전체가 심각한 위기 상태였으나 정부와 시민들의 적극적인 노력으로 오늘날 교통 선진 도시이자 '꿈의 생태 도시'로 거듭나게 되었다.

① 쿠리치바　② 채터누가　③ 예테보리
④ 미나마타　⑤ 코펜하겐

4 다음과 같은 도시 문제가 발생하는 근본적인 원인은 무엇인지 간단히 설명하시오.

교통 혼잡, 주택 부족, 환경 오염

....

5 다음은 가상의 서울 시장 후보 공약 중 살기 좋은 도시를 만들기 위한 내용이다. 공약으로 적절하지 않은 것은?

• 기호 1: 대중교통 이용률이 높아지도록 교통 시스템을 정비하겠습니다.
• 기호 2: 도시 인구를 두 배로 늘려 세계 최대 규모의 도시를 만들겠습니다.
• 기호 3: 미세 먼지와 대기 오염을 줄임으로써 깨끗한 공기를 마실 수 있도록 하겠습니다.
• 기호 4: 소중한 문화유산을 잘 지켜나가면서 역사를 잘 보존한 도시가 되도록 하겠습니다.
• 기호 5: 자투리 공간을 녹지 공간으로 최대한 활용하여 1인당 녹지 비율을 높이도록 하겠습니다.

① 기호 1　② 기호 2　③ 기호 3
④ 기호 4　⑤ 기호 5

6 사진은 어느 도시의 모습이다. 이 사진을 통해 파악할 수 있는 도시 문제를 쓰고, 이를 해결하고 살기 좋은 도시를 만들기 위한 대책을 한 가지 제시하시오.

....

....

교과서 **창의·융합 활동** 풀이

교과서 142~143쪽

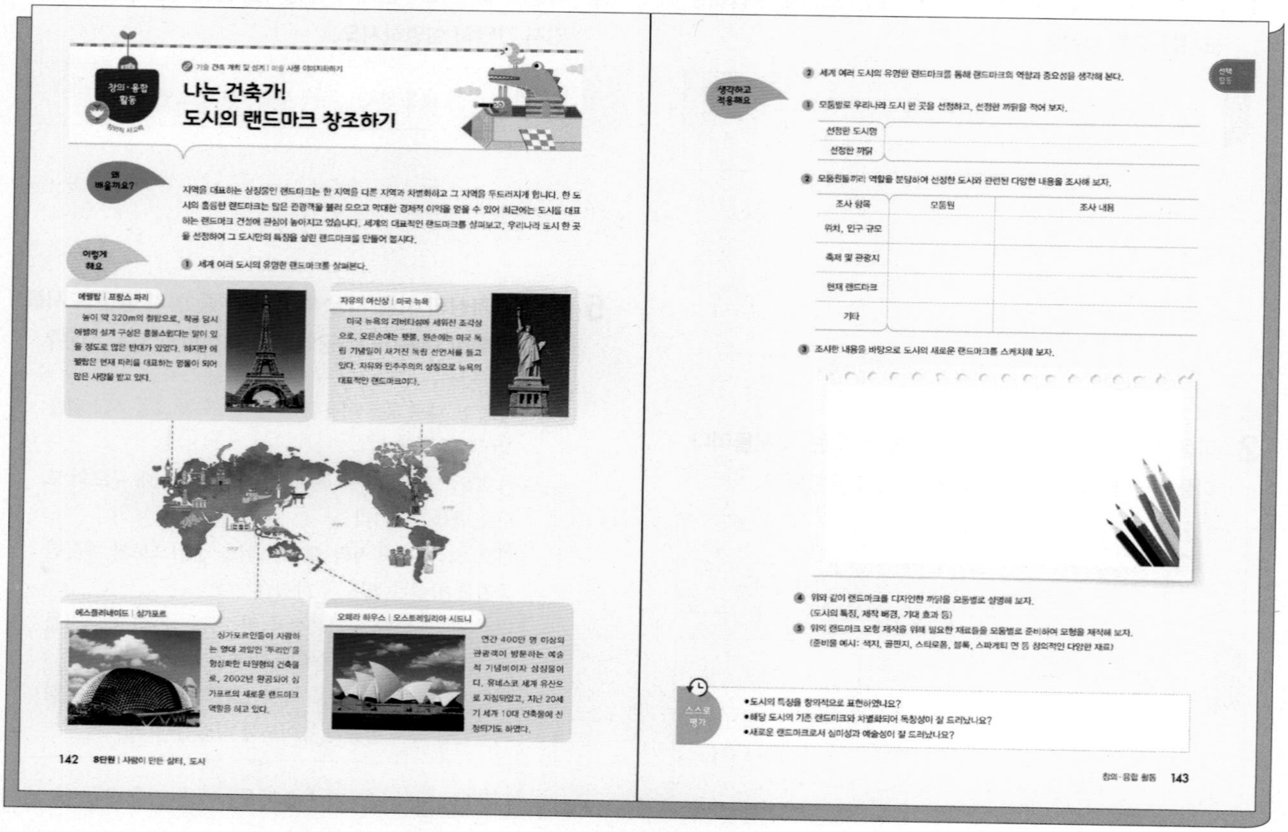

창의·융합 활동 | 창의적 사고력

기술 건축 계획 및 설계 | 미술 사물 이미지화하기

나는 건축가! 도시의 랜드마크 창조하기

왜 배울까요?

지역을 대표하는 상징물인 랜드마크는 한 지역을 다른 지역과 차별화하고 그 지역을 두드러지게 합니다. 한 도시의 훌륭한 랜드마크는 많은 관광객을 불러 모으고 막대한 경제적 이익을 얻을 수 있어 최근에는 도시를 대표하는 랜드마크 건설에 관심이 높아지고 있습니다. 세계의 대표적인 랜드마크를 살펴보고, 우리나라 도시 한 곳을 선정하여 그 도시만의 특징을 살린 랜드마크를 만들어 봅시다.

이렇게 해요

① 세계 여러 도시의 유명한 랜드마크를 살펴본다.

에펠탑 | 프랑스 파리

높이 약 320m의 철탑으로, 착공 당시 에펠의 설계 구상은 흉물스럽다는 말이 있을 정도로 많은 반대가 있었다. 하지만 에펠탑은 현재 파리를 대표하는 명물이 되어 많은 사랑을 받고 있다.

자유의 여신상 | 미국 뉴욕

미국 뉴욕의 리버티섬에 세워진 조각상으로, 오른손에는 횃불, 왼손에는 미국 독립 기념일이 새겨진 독립 선언서를 들고 있다. 자유와 민주주의의 상징으로 뉴욕의 대표적인 랜드마크이다.

에스플러네이드 | 싱가포르

싱가포르인들이 사랑하는 열대 과일인 '두리안'을 형상화한 타원형의 건축물로, 2002년 완공되어 싱가포르의 새로운 랜드마크 역할을 하고 있다.

오페라 하우스 | 오스트레일리아 시드니

연간 400만 명 이상의 관광객이 방문하는 예술적 기념비이자 상징물이다. 유네스코 세계 유산으로 지정되었고, 지난 20세기 세계 10대 건축물에 선정되기도 하였다.

142 8단원 | 사람이 만든 삶터, 도시

생각하고 적용해요 (선택 활동)

② 세계 여러 도시의 유명한 랜드마크를 통해 랜드마크의 역할과 중요성을 생각해 본다.

① 모둠별로 우리나라 도시 한 곳을 선정하고, 선정한 까닭을 적어 보자.

선정한 도시명	
선정한 까닭	

② 모둠원들끼리 역할을 분담하여 선정한 도시와 관련된 다양한 내용을 조사해 보자.

조사 항목	모둠원	조사 내용
위치, 인구 규모		
축제 및 관광지		
현재 랜드마크		
기타		

③ 조사한 내용을 바탕으로 도시의 새로운 랜드마크를 스케치해 보자.

④ 위와 같이 랜드마크를 디자인한 까닭을 모둠별로 설명해 보자.
(도시의 특징, 제작 배경, 기대 효과 등)

⑤ 위의 랜드마크 모형 제작을 위해 필요한 재료들을 모둠별로 준비하여 모형을 제작해 보자.
(준비물 예시: 색지, 골판지, 스티로폼, 블록, 스파게티 면 등 창의적인 다양한 재료)

스스로 평가

- 도시의 특성을 창의적으로 표현하였나요?
- 해당 도시의 기존 랜드마크와 차별화되어 독창성이 잘 드러났나요?
- 새로운 랜드마크로서 심미성과 예술성이 잘 드러났나요?

창의·융합 활동 143

해결 열쇠

핵심 역량 창의적 사고력

세계 여러 도시의 유명 랜드마크를 살펴보면서 도시에서 랜드마크의 역할과 중요성을 생각해 보고, 도시의 특징을 잘 반영한 랜드마크를 개발해 보는 활동이에요. 이 활동을 통해 우리 도시의 특징을 생각해 볼 수 있어요. 나아가, 도시의 특징을 반영한 랜드마크를 제작해 보는 과정을 통해 여러분들의 창의성을 발휘할 수 있어요.

활동 도우미

랜드마크는 그 자체의 미적인 아름다움도 중요하지만, 도시의 주변 경관과 조화를 이루는 것도 매우 중요하답니다. 도시의 특징을 잘 살린 랜드마크는 도시의 관광 명소 역할을 하며, 도시에 새로운 활력소가 될 수 있다는 점을 생각하면서 모둠원과 아이디어를 나누어 보세요.

이렇게 해요

❷ 예 싱가포르의 에스플러네이드처럼 도시의 특징을 잘 반영한 랜드마크를 창조함으로써 도시의 경관이 새로워지고, 관광객 증가로 관광 수입이 증가할 수 있다.

생각하고 적용해요

❶ 예

선정한 도시명	대전광역시
선정한 까닭	우리나라의 광역시 중 한 곳인 대전광역시에서 도심의 랜드마크라고 할 수 있는 목척교 주변을 정비하여 서울의 청계천처럼 새롭게 거듭나기 위해서

❷ 예

조사 항목	모둠원	조사 내용
위치, 인구 규모	최○○	대한민국의 중앙부에 위치, 인구는 약 150만 명
축제 및 관광지	정△△	유성 온천 문화 축제, 견우직녀 축제, 계족산 맨발 축제 등
현재 랜드마크	손□□	한빛탑
기타	강◉◉	대전천, 유등천, 갑천 주변으로 잘 조성된 산책로와 자전거 도로

교과서 단원 마무리 풀이

교과서 156-157쪽

단원 한눈에 보기

❶ 중심지 ❷ 도심 ❸ 교통 ❹ 지역 분화 ❺ 땅값 ❻ 선진국 ❼ 개발 도상국

해결 열쇠

교과서 136~155쪽에서 학습한 내용을 떠올리면서 스스로 구조화해 보자.

서술로 사고력 키우기

1 다음과 같은 현상이 나타나는 까닭을 서술해 보자.

> 도심에는 금융 기관, 행정 기관, 대기업의 본사 등이 모여 중심 업무 지구(CBD)를 형성하고, 주변 지역에는 주거 지역과 공업 지역이 분포한다.

예 도심과 주변 지역의 접근성과 땅값이 다르기 때문이다. 접근성이 뛰어난 도심은 땅값이 비싸며, 비싼 땅값을 감당하기 어려운 주거 기능과 공업 기능은 주변 지역으로 빠져나가게 된다.

2 오른쪽 그래프를 보고 선진국과 개발 도상국의 도시화 과정의 차이점을 비교하여 서술해 보자.

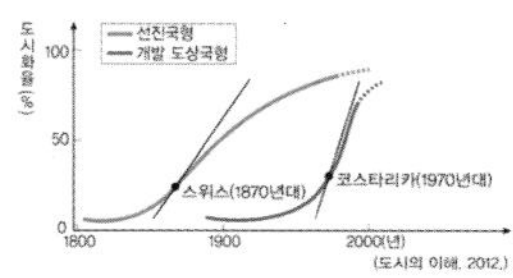

(도시의 이해, 2012.)

예 선진국은 19세기 후반부터 오랜 기간에 걸쳐 도시화가 진행되어 오늘날 종착 단계에 접어들었으며, 개발 도상국은 20세기 중반 이후부터 도시화가 급속도로 진행되어 오늘날 가속화 단계에 머무르고 있다.

3 살기 좋은 도시가 갖추어야 할 조건을 두 가지 제시해 보자.

예 잘 갖추어진 기반 시설, 쾌적한 환경, 낮은 범죄 발생률, 깨끗한 공기 등

채점 기준

❶	상	도시화 현상을 접근성와 땅값의 개념을 사용하여 바르게 설명한 경우
	중	도시화 현상은 설명하였으나, 접근성과 땅값의 개념을 사용하지 못한 경우
	하	도시화 현상을 설명하지 못한 경우
❷	상	선진국과 개발 도상국의 도시화 과정을 알고, 차이점을 비교하여 서술한 경우
	중	선진국과 개발 도상국 중 한쪽만 서술한 경우
	하	선진국과 개발 도상국의 도시화 과정을 모두 서술하지 못한 경우
❸	상	살기 좋은 도시가 갖추어야 할 조건을 두 가지 이상 제시한 경우
	중	살기 좋은 도시가 갖추어야 할 조건을 한 가지만 제시한 경우
	하	살기 좋은 도시가 갖추어야 할 조건을 제시하지 못한 경우

서술형 더 풀어보기

정답과 해설 26쪽

1 도시 내부에서 접근성이 가장 좋은 곳은 어디이며, 그 까닭은 무엇인지 서술하시오.

2 과도한 인구 집중에 따라 도시에서 발생하는 문제를 세 가지 제시하시오.

수행 평가 해결하기

우리 도시를 홍보하는 영상을 제작해 보자.

1 4명으로 구성된 모둠원들끼리 각자 역할 분담을 하여 우리 도시에 관한 다음 내용을 조사해 보자. (조사 내용: 유명 랜드마크, 관광 명소, 대표 음식, 대표 축제 등)
   1) 우리 도시를 대표하는 유명한 요소들이 포함될 수 있도록 한다.
   2) 다른 지역 사람들에게 덜 알려져 크게 유명하지는 않지만, 소개하고 싶은 것을 포함해도 좋다.

2 문헌 자료, 사진 자료, 영상 자료 등을 수집하여 모둠원들이 이를 돌아가면서 소개하는 동영상을 제작한다.

소개 지역	주제 | 대표 음식	주제 | 관광 명소
• 전주	• 비빔밥 • 떡갈비	• 한옥 마을 • 전동 성당

3 모둠별로 제작한 홍보 영상을 돌아가면서 시청하고, 이에 대한 동료 평가를 한다.

이 수행 평가는 ▸▸ 우리가 살고 있는 도시를 객관적으로 조사해 보고, 홍보하는 영상을 제작해 보는 활동이다. 이를 통해 자신이 사는 지역에 관심을 가지고, 자부심을 기를 수 있다.

활동 도우미

홍보 영상에 도시를 대표하는 요소들이 잘 반영되도록 합니다. 영상에 주인공과 관련된 이야기를 담으면 더 재미있게 도시를 홍보할 수 있어요.

단원을 정리하는 종합 문제

1 다음 설명에 해당하는 도시의 위치를 지도에서 고른 것은?

- 커피 재배 및 커피 거래로 성장한 브라질 최대의 도시
- 각종 상공업이 발달한 남아메리카 경제의 중심지

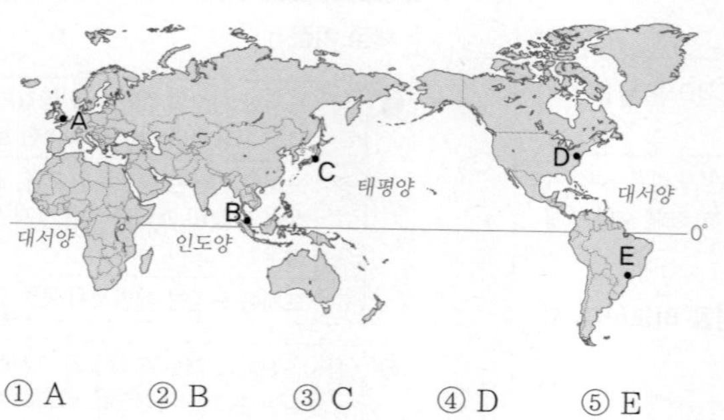

① A ② B ③ C ④ D ⑤ E

2 세계의 매력적인 도시에 대한 설명으로 옳은 것은?

① 케이프타운은 잉카 문명의 유물과 유적을 잘 간직하고 있는 도시이다.
② 고위도에 위치하는 옐로나이프는 오로라 관측의 명소로 유명해졌다.
③ 홍콩은 아시아 대륙과 유럽 대륙의 경계에 위치하여 동양과 서양의 문화가 공존한다.
④ 쿠스코는 산과 그 아래로 펼쳐진 도시, 그 앞의 바다가 어우러지는 아름다운 풍경으로 유명하다.
⑤ 이스탄불은 세계적인 중계 무역항으로 항구 주변의 고층 빌딩이 만들어내는 야경이 아름답기로 유명하다.

3 인구 공동화 현상에 대한 설명으로 옳은 것은?

① 도심보다 주변 지역에서 뚜렷하게 나타난다.
② 야간 인구에 비해 주간 인구가 적은 현상을 말한다.
③ 접근성이 좋고 땅값이 비싼 곳에서 발생하는 현상이다.
④ 상업 · 업무 기능보다 주거 기능이 강한 곳에서 나타난다.
⑤ 출근 시간이면 도심에서 주변 지역으로 이동하는 사람들이 많다.

[4-5] 지도를 보고 물음에 답하시오.

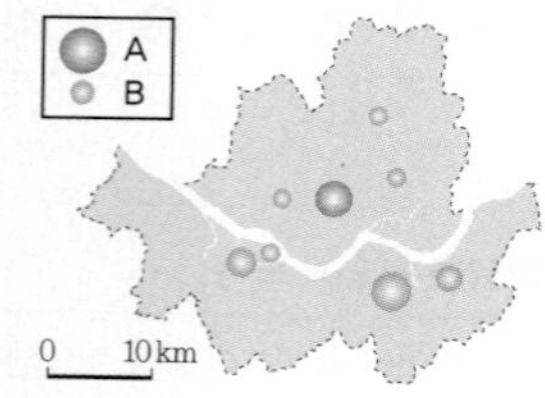

◀ 서울의 도시 내부 구조 모식도

중요

4 A 지역에 대한 학생들의 설명 중 옳지 않은 것은?

① 윤지: 땅값이 가장 비싼 곳이야.
② 지수: 접근성이 가장 좋은 곳이지.
③ 성준: 야간 인구보다 주간 인구가 많아.
④ 준하: 중심 업무 지구를 형성하고 있어.
⑤ 민국: 대규모 주거 지역과 학교가 분포해.

5 B 지역에 대한 설명으로 옳은 것을 〈보기〉에서 고르면?

보기
ㄱ. 도심의 기능을 분담한다.
ㄴ. 교통이 편리한 곳에 형성된다.
ㄷ. 서울 주변의 위성 도시에 해당한다.
ㄹ. 명동, 시청, 광화문 일대가 이에 해당한다.

① ㄱ, ㄴ ② ㄱ, ㄷ ③ ㄴ, ㄷ
④ ㄴ, ㄹ ⑤ ㄷ, ㄹ

6 다음은 도시화 단계를 나타낸 그래프이다. 이에 대한 설명으로 옳은 것은?

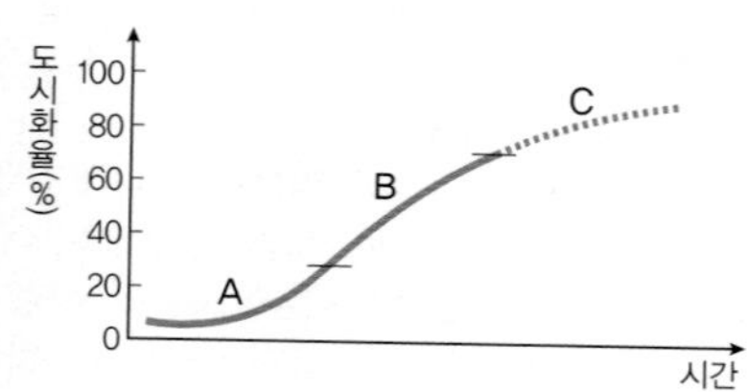

① 우리나라는 현재 A 단계에 해당한다.
② 선진국들은 대체로 B 단계에 해당한다.
③ A 단계에서는 도시 인구 비율이 80%를 넘는다.
④ B 단계에서는 이촌 향도 현상이 빠르게 진행된다.
⑤ C 단계에 접어들수록 대도시의 인구 증가 속도가 빨라진다.

7 다음의 ㉠~㉤ 중 옳지 않은 것은?

> 인도 뭄바이의 다라비, 케냐 나이로비의 키베라, 브라질 리우데자네이루의 파벨라 등은 대표적인 불량 주거 지역이다. 이러한 곳은 ㉠ 도시 인구의 급격한 증가로 인해 형성된다. 즉, ㉡ 지방에서 올라온 사람들이 도시 외곽에 모여 살면서 만들어진 곳이다. ㉢ 대체로 무허가 주택인 경우가 대부분이며, ㉣ 전기, 가스 시설 및 상하수도 시설 등의 도시 기반 시설이 미비한 경우가 많다. 따라서, ㉤ 위생 상태도 매우 열악하여 질병에 쉽게 노출된다.

① ㉠ ② ㉡ ③ ㉢ ④ ㉣ ⑤ ㉤

8 살기 좋은 도시의 특징을 [보기]에서 고른 것은?

보기
ㄱ. 개발 도상국의 도시들이 주로 해당한다.
ㄴ. 인구 규모가 1천만 명 이상의 큰 도시들이다.
ㄷ. 거주하는 사람들의 삶에 대한 만족도가 높다.
ㄹ. 범죄율이 낮고 사회적으로 안정적인 생활이 가능하다.

① ㄱ, ㄴ ② ㄱ, ㄷ ③ ㄴ, ㄷ
④ ㄴ, ㄹ ⑤ ㄷ, ㄹ

9 다음을 읽고 분석한 내용으로 옳은 것은?

> 채터누가는 1969년까지 미국에서 대기 오염이 가장 심한 도시로 악명 높았다. 그러나 정부와 시민의 노력으로 27년 후인 1996년 국제 연합(UN)으로부터 '환경과 경제 발전을 양립시킨 도시'로 인정받았다.

① 도시의 환경 수준과 주민들의 건강 수준은 상관관계가 없다.
② 오늘날 살기 좋은 도시들은 과거에도 살기 좋은 도시들이었다.
③ 경제 발전과 환경 보존을 동시에 이루어내는 것은 불가능하다.
④ 심각한 대기 오염 문제를 해결하는 것은 현실적으로 불가능하다.
⑤ 살기 좋은 도시를 만들기 위해서는 정부와 시민의 공동의 노력이 중요하다.

서술형 평가

10 촌락과 비교하여 도시의 인구 밀도와 토지 이용 특징을 서술하시오.

....

....

중요

11 다음을 읽고 물음에 답하시오.

> 인구가 증가하고 도시가 성장하면서 도시 내부는 사람들이 많이 모여 일하는 중심 업무 지역, 물건을 사고파는 활동이 주로 이루어지는 상업 지역, 주택과 아파트가 많은 주거 지역, 다양한 제품이 만들어지는 공업 지역 등으로 나뉜다. 이와 같이 도시 내부에서 토지 이용이 달라지는 것은 지역에 따라 접근성과 (㉠)이(가) 다르기 때문이다.

(1) 빈칸의 ㉠에 알맞은 용어를 쓰시오.

....

(2) ㉠이 지역에 따라 달라지는 이유를 설명하시오.

....

단원 연계 문항

12 그림을 보고 (가), (나) 인구 이동을 각각 무엇이라고 하는지 적고, 각 인구 이동은 도시화의 어느 단계에 주로 발생하는지 서술하시오.

(가) (나)

....

....

글로벌 경제 활동과 지역 변화

이 단원을 배우면

- 농업 생산의 기업화와 세계화가 지닌 의미와 배경을 알고, 이를 바탕으로 지역 주민의 생활이 어떻게 변할지 설명할 수 있어요.
- 다국적 기업의 공간적 분업을 바탕으로 기업의 입지 변화와 경제 활동의 변화에 대해 사례를 들어 설명할 수 있어요.
- 서비스업의 세계화 사례를 제시하고 정보화에 따라 세계의 서비스업이 어떻게 변할지 설명할 수 있어요.
- 스스로가 서비스의 생산자인 동시에 소비자임을 깨닫고 미래의 변화에 주체적인 자세로 참여해요.

이 단원의 학습 주제

1 농업 생산의 기업화와 세계화

❶ 농업의 기업화와 세계화는 왜 나타나게 되었을까?

❷ 농업 생산의 기업화는 생산 지역과 소비 지역에 어떤 영향을 줄까?

개념 노트 만들기 | 실력을 키우는 응용 문제

미국에서도 우리나라에서 생산한 농산물로 만든 음식을 먹을 수 있을까?

2 다국적 기업의 공간적 분업 체계

❶ 다국적 기업의 공간적 분업은 어떻게 나타날까?

❷ 다국적 기업은 생산 공간에 어떤 영향을 미칠까?

개념 노트 만들기 | 실력을 키우는 응용 문제

H 회사의 본사가 이곳에 있었구나. 그럼 생산 공장도 여기에 있을까?

3 서비스업의 세계화

❶ 정보화는 서비스업을 어떻게 변화시킬까?

❷ 서비스업의 세계화가 지역과 주민 생활에 미친 영향은 무엇일까?

개념 노트 만들기 | 실력을 키우는 응용 문제

이제는 외국 제품을 사러 직접 가지 않아도 된대. 어떻게 가능해졌을까?

단원을 정리하는 종합 문제

대단원 표지 그림 해설

미국 뉴욕의 번화가인 타임스 스퀘어를 보여주고 있어요. 이곳은 세계적인 도시로서 미국의 상품뿐만 아니라 세계 여러 곳에서 온 다양한 상품과 광고를 접할 수 있어요. 이렇게 세계 여러 곳의 상품을 한 곳에서 접할 수 있는 것은 세계화와 정보화의 영향 때문이죠.

스스로 학습 계획 세우기						나의 학습 달성 정도
계획일	월	일	학습일	월	일	
	월	일		월	일	
	월	일		월	일	
	월	일		월	일	
	월	일		월	일	
	월	일		월	일	
	월	일		월	일	
	월	일		월	일	
	월	일		월	일	
	월	일		월	일	

농업 생산의 기업화와 세계화 (1)

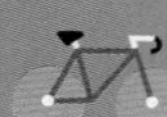

학습 목표 | 농업 생산의 기업화와 세계화의 의미와 배경을 설명할 수 있다.

❶ 농업의 기업화와 세계화는 왜 나타나게 되었을까?

1 농업 생산의 세계화

1. 배경

냉동선으로 농산물을 신선하게 운반할 수 있게 되었고, 정보 통신의 발달로 전 세계 농산물의 생산 조절이 가능해졌어요.

① 교통과 통신의 발달: 농산물 운송 기술 발달로 운송 비용 하락, 농업에 정보 통신 기술을 활용

② WTO 체제 출범 및 FTA 체결❶: 자유 무역의 강화로 경제 활동이 세계화됨. (WTO는 국제적인 무역에, FTA는 국가 간 무역에서 자유 무역을 추구)

③ 생활 수준 향상: 전 세계 다양한 농산품에 대한 수요 증가

2. 특징

채소, 과일, 화훼 따위를 집약적으로 재배하는 농업

① 상업적 농업❷의 발달: 농업 생산물의 판매 시장이 확대되면서 수익을 얻기 위한 농업 확대 → 낙농업, 원예 농업, 대규모 곡물 재배 및 목축업 등

② 농업 생산의 다각화: 원예 작물, 기호 작물 등 다양한 작물 재배

커피, 차, 카카오처럼 독특한 맛과 향을 즐기기 위한 작물

③ 농업의 기업화: 대규모 기업농들이 등장하여 수익성 있는 작물을 대량 생산함.

열대 지역의 플랜테이션은 농업의 기업화를 보여주는 대표적인 사례예요.

2 농업 생산의 기업화

1. 기업적 농업

의미	많은 자본과 기술을 투입하여 대량으로 작물을 재배하는 농업
특징	• **상업적 이익의 극대화**: 넓은 토지, 대형 농기계, 품종 개량 등을 통해 생산 비용을 낮추면서도 보다 많은 양을 생산할 수 있게 됨. • 신속한 운송: 자체 운송 시스템(저장 창고, 운송 선박 등)을 갖춰 신속하고 신선한 농산물 운송이 가능해짐. • 세계적 생산 및 소비: 정보 · 통신 기술을 바탕으로 세계 전역의 농산물 생산과 소비를 실시간으로 분석하고, 생산 및 판매를 최적화하려 함.

2. 기업적 농업의 방식

① 상업적 목축 및 곡물 농업: 넓은 땅에서 대형 농기계, 대규모 설비 등을 이용하여 이루어짐. → 미국, 아르헨티나, 오스트레일리아 등

② 플랜테이션: 열대 기후 지역에서 저렴한 노동력을 바탕으로 선진국의 자본과 기술이 결합한 농업 방식 → 재배 · 유통하는 기업들은 선진국에 본사를 둔 다국적 기업❸인 경우가 대부분임.

상업적 목축 및 곡물 농업은 신대륙에서 많이 이루어지고, 플랜테이션은 과거 식민지를 경험한 열대 기후 지역 국가에서 많이 이루어져요.

❶ **WTO와 FTA**
WTO(세계 무역 기구)는 World Trade Organization의 줄임말로, 무역 분쟁을 조정하고 관세와 같은 무역 장벽을 완화하거나 제거하여 자유 무역을 강화하는 기능을 한다. FTA(자유 무역 협정)는 Free Trade Agreement의 줄임말로, 특정 국가끼리 보다 자유로운 무역을 하기 위해 관세를 없애는 등의 노력을 하고 있으며, 협정을 맺은 국가 간에만 적용된다.

❷ **상업적 농업**
과거에는 스스로 먹을 작물을 재배하는 '자급적 농업'이 대부분이었던 반면, 세계화 이후에는 시장에 판매하기 위한 목적으로 작물을 재배하는 '상업적 농업'이 발달하게 되었다.

❸ **4대 곡물 메이저**
세계 곡물 수출의 80%를 차지하고 있는 4개 기업을 일컫는다. 이들은 세계 각지의 농산물을 사들이며 종자 개량, 농약 개발, 농산물의 운송과 저장 등 곡물과 관련된 다양한 분야에 큰 영향력을 행사하고 있다.

간단 체크 정답과 해설 27쪽

알맞은 말 선택하기

1 (WTO | FTA) 체제의 출범으로 농업 생산의 세계화가 이루어질 수 있었다.

2 농업의 세계화로 인해 시장 판매를 목적으로 하는 (상업적 | 자급적) 농업이 더욱 발달하게 되었다.

3 열대 기후 지역에는 다국적 기업에 의한 (상업적 목축 | 플랜테이션)이 발달하였다.

교과서 활동 풀이

교과서 160-161쪽

생각 열기 먼 나라에서 온 우리의 먹을거리

질문 1 여러분이 가장 최근에 먹은 농산물 중 외국에서 온 것을 써 보고, 외국에서 생산한 농산물을 선택한 까닭을 적어 보자.

품목	원산지	외국에서 온 농산물을 선택한 이유
예 오렌지	미국	우리나라에서 생산되지 않음.
청포도	칠레	저렴하고 당도가 높음.
바나나	필리핀	열대 지역의 과일임에도 저렴하고 많이 공급됨.

질문 2 예전에는 쉽게 찾아보기 어렵던 외국산 과일을 최근 많이 먹을 수 있게 된 것은 무엇 때문일까?

해결 열쇠

자료 해설
최근 조사 결과 국내 대형 마트에서 가장 많이 팔리는 과일로 바나나가 뽑혔다. 토종 과일도 아닌 바나나가 이처럼 많이 팔릴 수 있었던 것에는 농업의 세계화가 큰 영향을 끼쳤다. 세계적으로 상업적 농업이 발달하고 이를 생산·공급하는 다국적 기업들의 성장이 있었기 때문이다.

질문 2 예 과일의 품질과 신선도를 유지해 주는 운송 수단과 기술이 발달하였고, 무역이 과거에 비해 자유롭고 활발하게 이루어지기 때문이다.

활동 세계적인 농업 회사의 생산과 판매 시스템

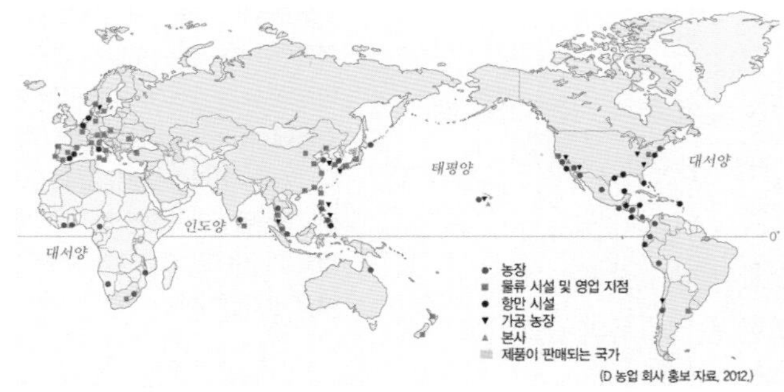

▲ D 농업 회사의 글로벌 네트워크와 제품 판매

D 농업 회사는 온두라스, 콜롬비아, 에콰도르, 필리핀 등지에 바나나 농장과 파인애플 농장을 가지고 있다. 이 농장에서의 과일 생산은 고도의 재배 기법을 통해 이루어지고, 생산된 과일은 회사 소유의 공장에서 포장 및 가공 처리된다. 또 특유의 냉장 운반 시스템을 이용하여 세계 각지의 소비자들에게 신선한 열대 과일을 제공하고 있다.

1 D 농업 회사의 농장들이 주로 위치한 나라들의 특징(기후, 경제 수준 등)을 써 보자.

예 D 농업 회사의 농장이 위치한 곳은 주로 적도 주변의 열대 기후 지역이고, 농산물에 대한 경제적 의존도가 큰 국가들이 대부분이다.

2 D 농업 회사의 농장이 위치하고 있지 않지만, D 농업 회사의 제품을 소비하는 국가들의 공통점을 쓰고, 이처럼 생산 없이도 소비가 가능한 이유를 농업의 기업화 및 세계화와 연관 지어 설명해 보자.

3 제시된 사례와 유사한 기업과 생산 제품을 조사해 보자.

자료 해설
다국적 기업의 생산 농장은 신대륙이나 열대 지역에 집중되어 있다. 보통 신대륙에서는 곡물 생산이나 목축에 집중하는 반면, 열대 지역에서는 주로 기호 작물 생산에 집중한다. 기호 작물의 소비지는 생활 수준이 높은 선진국인 경우가 많다.

2 예 유럽, 북아메리카, 동아시아 등으로 주로 경제적 수준이 높다는 공통점이 있다. 이 국가들은 경제력을 바탕으로 세계 농산물의 주요 소비국이 되었다. 농업의 기업화와 세계화에 따라 열대 지역의 농장에서 대량 생산되는 농산물을 신선하면서도 저렴하게 운송할 수 있게 되었다.
3 예 델몬트, 제스프리, 치키타 등이 생산하는 바나나, 키위, 파인애플 등

농업 생산의 기업화와 세계화 (2)

학습 목표 | 농업 생산의 기업화가 생산 지역과 소비 지역에 미친 영향을 분석할 수 있다.

❷ 농업 생산의 기업화는 생산 지역과 소비 지역에 어떤 영향을 줄까?

1 생산 지역의 변화

1. 긍정적 변화

지역 경제의 활성화	**세계적 농업 기업**의 진출, 농산물의 국제 교역 증가
일자리 증가	상품 작물의 대규모 재배를 위한 일자리 증가
지역 이미지 부각	세계적인 농산물 생산지로서 국제적 이미지 상승, 관광업 발달

(농업 기업: 시장에 내다 팔 목적으로 생산하는 농작물 — 상품 작물)

2. 부정적 변화

환경 오염 및 생태계 교란	대규모 재배를 위한 농약 사용 증가, 경작지 확보를 위한 삼림 파괴
경제적 불안정성 증가	단일 작물[❶]을 재배하면서 **국제 가격 변화**에 지역 경제가 요동침.
식량 작물의 생산 감소	상품 작물 재배에 경작지와 노동력이 쏠리면서 기존의 식량 생산이 줄어들고, 이로 인해 부족하게 된 식량을 **수입에 의존**하게 됨.
자영농의 감소	세계적인 다국적 기업의 진출로 소규모 농가는 감소하거나 사라지게 되고 대부분 다국적 기업이 운영하는 농장의 임금 노동자가 됨.

(자영농: 자신의 땅을 가지고 농사를 짓는 사람)

2 농업 소비 특성의 변화

1. 식생활의 변화: 음식 문화의 다양화로 외국 식품 및 농산물 수입 증가, 육류 소비량 급증, 기호 작물의 소비 증가(차, 커피, 카카오 등 기호 작물의 수입 증가)

2. 농업의 변화

① 전통 농업의 쇠퇴: 식생활 변화로 인한 전통적인 농산물의 생산 감소

② 농업 소득 감소: 저렴한 수입 농산물과의 경쟁으로 인한 농업 소득의 감소

③ 식량 자급률[❷] 하락: 자국 농업의 쇠퇴와 수입 농산물에 대한 의존도 증가

핵심 자료 **농업의 세계화로 인한 우리나라의 농업 변화**

연도	1970	1980	1990	2000	2010	2015(년)
1인당 쌀 소비량(kg)	136.4	132.4	119.6	93.6	72.8	62.9

(통계청, 2016.)

▲ 1인당 쌀 소비량의 변화

연도	2005	2007	2009	2011	2013	2015(년)
식량 자급률(%)	53.6	51.5	56.2	45.2	47.5	50.2

(농림 축산 식품부, 2016.)

▲ 식량 자급률의 변화

핵심 ❶ 식생활의 다양화로 1인당 쌀 소비량은 지속적으로 감소하고 있다.

핵심 ❷ 수입 농산물의 증가와 농업 인구 감소로 식량 자급률이 낮아졌다.

---

❶ 단일 작물 재배에 따른 피해
바나나를 주로 생산하는 미국의 대기업들은 엘살바도르, 벨리즈, 과테말라, 온두라스 등의 중남미 국가에 대규모 농장을 운영하였다. 이 기업들은 막대한 자본을 바탕으로 농장이 있는 국가의 정치를 좌지우지하였고, 이를 통해 저렴한 바나나를 생산하여 엄청난 이익을 챙기게 되었다. 이렇게 다국적 기업에 휘둘린 나라들을 '바나나 공화국'이라 부르기도 한다.

❷ 식량 자급률
식량 자급률은 한 국가의 식량 소비량 중에서 국내 생산으로 공급되는 정도를 나타내는 지표이다. 식량 자급률이 낮은 경우 수입에 의존하는 비중이 높기 때문에 국제 곡물 가격 변동에 따라 큰 영향을 받을 수 있다. 우리나라의 식량 자급률은 2015년 기준 약 50% 정도로, 경제 협력 개발 기구(OECD) 34개 회원국 중에서 하위권이다.

간단 체크 정답과 해설 27쪽

O, X 판단하기

1 농업의 세계화는 생산 지역의 일자리를 증가시킬 수 있다. ( )

2 단일 작물의 재배로 생태계에 긍정적인 효과를 줄 수 있다. ( )

3 수입 농산물의 증가로 우리나라의 식량 자급률은 지속적으로 높아지고 있다. ( )

교과서 **활동 풀이**

교과서 162-163쪽

활동 농업 생산의 기업화와 세계화의 영향

해결 열쇠

자료 1 팜유 생산 농장

인도네시아는 팜유 생산량 세계 1위 국가이다. 과자, 세제, 화장품 등에 사용되는 팜유는 최근 바이오 에너지로서의 가치까지 주목받고 있다. 이러한 까닭으로 세계적 농업 기업들이 인도네시아에 투자를 시작하면서 팜유는 인도네시아의 경제 성장을 이끌고 있다.

자료 2 팜유 농장 개발로 인한 열대 우림 파괴

인도네시아는 팜유 생산을 위해 우리나라 면적 정도의 열대 우림을 파괴하였다. 이 과정에서 다량의 이산화 탄소가 발생하였고, 수질 및 토양 오염 등의 문제도 나타났다. 또한 오랑우탄을 비롯한 다양한 생물 종이 사라질 위기에 놓이게 되었다.

자료 해설

인도네시아 팜유 생산의 사례를 통해 농업의 세계화, 농업의 기업화가 지역에 어떤 영향을 미치는지 보여주고 있다. 팜유를 비롯한 다양한 기호 작물은 대부분 외국에서 소비되며, 대규모 경작이 이루어진다. 이 과정에서 지역의 경제가 발전하기도 하지만 한편으로는 환경 오염, 외국에 대한 경제적 의존 심화, 식량 생산 감소 등의 문제도 발생하고 있다.

1 자료 1, 자료 2를 보고, 팜유 생산이 인도네시아에 주는 영향을 정리해 보자.

긍정적 영향	예 일자리 증가, 지역 경제 활성화 등
부정적 영향	예 열대 우림(생태계) 파괴, 환경 오염 등

2 팜유의 생산을 지속할지, 중단할지에 관한 생각을 인도네시아 농민의 입장에서 말해 보자.

- 계속 생산한다: 예 이미 팜유가 인도네시아 농업에서 차지하는 부분이 커서 이를 중단하면 인도네시아 경제가 심각하게 침체될 수 있다.
- 중단한다: 예 현재의 경제 성장보다 미래의 환경을 지키는 것이 더욱 중요하다.

함께 배우기 농업의 세계화에 따른 소비 특성의 변화 알아보기

우아! 우리나라에 오는 수입 농산물들은 정말 긴 시간을 이동해서 오는구나. 이렇게 와도 안전한 거야?

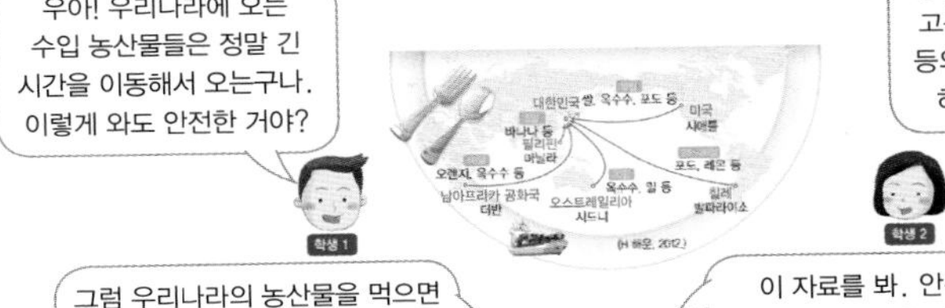

학생 1

냉장 수송 기술이 발달했다고는 하지만 방부제, 농약 등의 위험에서 완전히 안전하다고 보기는 어려워.

학생 2

그럼 우리나라의 농산물을 먹으면 되겠네. 슈퍼마켓에 가 보니 제주산 열대 과일도 팔더라고.

학생 3 학생 4

이 자료를 봐. 안전한 먹을거리인 것은 맞지만, 가격이 수입 농산물보다 비싼 것은 사실이야. 그리고 국내 생산량만으로 많은 소비량을 충족하기는 어려워.

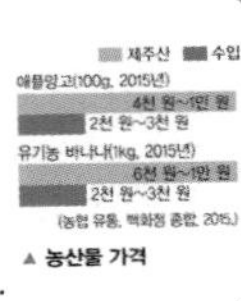

▲ 농산물 가격

활동 도우미

정답이 정해져 있는 활동이 아니므로 다양한 가능성을 열어 두고 토론을 진행해 보세요. 우리가 흔히 접하는 농산물들이 어떤 과정을 통해 우리 식탁에 도달하게 되는지 조사하고, 그 과정에서 나타나는 우리 농업과 식문화의 변화가 우리에게 어떤 영향을 미치는지에 대해 비판적으로 생각해 봅시다.

1 2인 이상의 모둠을 구성한 후 다음 내용을 바탕으로 국내산 농산물과 수입 농산물이 국내 소비자에게 주는 이익과 문제점을 정리한다.

	국내산 농산물	수입 농산물
이익	예 • 재배지와 소비지가 가깝다. • 안전성이 높다.	• 종류가 다양하다. • 가격이 저렴하다.
문제점	• 다양하지 못하다. • 가격이 비싸다.	• 장거리를 이동한다. • 안전성이 불분명하다. • 방부제가 많이 사용된다.

2 정리된 내용을 바탕으로 두 입장으로 나누어 모둠별 토론을 진행한다.

2 예 • 농업의 세계화는 필요하다는 입장: 우리나라에서 생산되지 않은 다양한 농산물을 접할 수 있으며, 더욱 저렴하게 농산물을 구입할 수 있다.
• 농업의 세계화는 위험하다는 입장: 안전성이 낮은 식품을 먹게 되거나 이동 과정에서 환경 오염이 발생할 수 있다.

스스로 확인하기

1 (1) 세계화 (2) 기업화 2 (1) ○ (2) ×

개념 노트 만들기

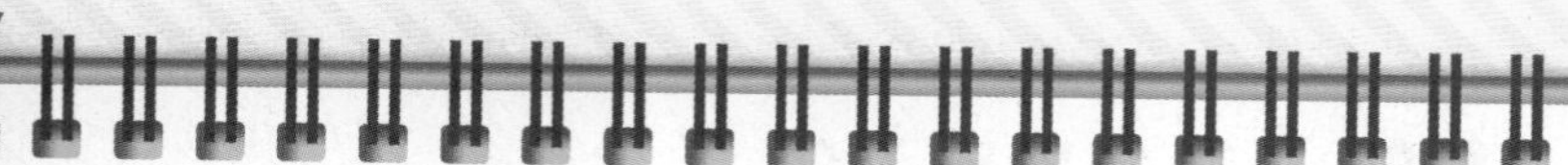

정답과 해설 27쪽

핵심 내용 정리하기 학습한 내용을 기억하면서 다음 글을 완성해 보자.

(제목:)

교통 · 통신의 발달과 (❶) 체제의 출범, FTA(자유 무역 협정) 체결 등으로 농업의 세계화가 급속히 이루어지게 되었다. 세계화에 따라 세계 시장을 대상으로 하는 기업들이 등장하였고, 기업이 많은 자본과 기술을 투자하는 농업의 (❷) 현상도 확대되었다. 이러한 변화는 지역 경제에도 큰 변화를 일으켰다. 세계화된 작물의 재배 지역에서는 (❸)이(가) 증가하고 지역 경제가 활성화되지만, (❹)이(가) 심화되고 외국에 대한 경제적 의존이 커진다. 소비 지역에서는 다양한 농산물을 수입하여 (❺)이(가) 다양해지지만 (❻)이(가) 낮아지는 문제점도 나타나게 된다.

활동 노트 완성하기 학습하면서 기른 역량을 살려 다음 활동 노트를 완성해 보자.

안녕, 나는 필리핀에 사는 마일드라고 해. 우리나라에서는 바나나를 많이 생산해. 바나나 농장은 해외의 유명 기업들이 (㉠) 방식으로 운영하고 있어. 이런 방식이 우리나라에만 있는 것은 아니야. 열대 지역에서는 바나나를 비롯해 커피, 카카오 등의 다양한 (㉡) 작물을 대규모로 재배하고 있지.

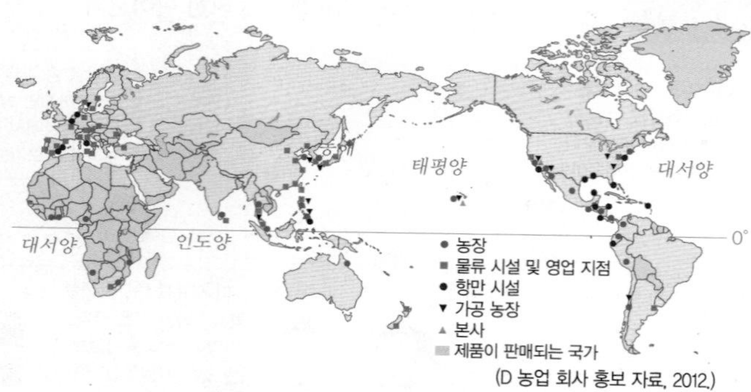

▲ D농업 회사의 글로벌 네트워크와 제품 판매

1 마일드의 설명 중 빈칸 ㉠, ㉡에 알맞은 말을 써 보자.

• ㉠: ....

• ㉡: ....

2 지도와 같이 이 기업의 주요 농장이 열대 지역에 많은 까닭을 설명해 보자.

....

....

3 열대 지역에서 생산한 작물이 세계 여러 곳으로 판매될 수 있는 까닭을 설명해 보자.

....

....

실력을 키우는 응용 문제

정답과 해설 27쪽

1 다음 글의 빈칸에 알맞은 말을 순서대로 나열한 것은?

> 농업의 세계화로 자급적 농업의 비중은 급속도로 줄어들고, 시장 판매를 목적으로 하는 (　　　) 농업의 비중이 높아지게 되었다. 이러한 변화는 더 큰 수익을 노리는 대규모 자본과 기술력의 투입을 유도했고 결국 세계 농업은 (　　　) 현상을 겪게 되었다.

① 상업적, 정보화　② 상업적, 기업화
③ 자족적, 세계화　④ 자족적, 정보화
⑤ 이동식, 기업화

중요

2 다음과 같은 변화의 원인으로 옳은 것을 [보기]에서 있는 대로 고른 것은?

> 산들이는 마트에 가서 망고, 파인애플 등의 열대 과일을 샀다. 원산지를 확인해 보니 필리핀, 인도네시아, 타이 등 동남아시아 열대 지역에서 온 것들이었다. 겨울에도 이렇게 다양한 열대 과일을 먹을 수 있어 놀라웠다.

보기
ㄱ. 교통과 통신의 발달　ㄴ. WTO 체제의 출범
ㄷ. FTA 체결의 감소　ㄹ. 생활 수준의 향상

① ㄱ, ㄴ　② ㄱ, ㄴ, ㄷ　③ ㄱ, ㄴ, ㄹ
④ ㄴ, ㄷ, ㄹ　⑤ ㄱ, ㄴ, ㄷ, ㄹ

중요

3 다음 상황에 따른 변화로 옳지 <u>않은</u> 것은?

> 지역 간 교류가 증가하면서 전 세계를 대상으로 농작물의 생산과 소비가 이루어지는 농업의 세계화가 진행되고 있다.

① 상업적 농업이 발달하게 되었다.
② 곡물의 소규모 재배가 증가하였다.
③ 농업 생산의 다각화가 이루어지게 되었다.
④ 다양한 종류의 기호 작물을 재배하는 경우가 많아졌다.
⑤ 농업 활동을 대규모로 하는 기업들이 등장하기 시작했다.

4 다음 상황을 바라보는 태도가 다른 사람은?

① 현아: 사람들의 식문화가 다양해지고 있어.
② 영일: 이런 과일을 생산하는 지역에는 일자리가 증가했을 거야.
③ 정현: 그런 지역들의 경제는 기존에 비해 엄청나게 활성화될 거야.
④ 유진: 해당 작물로 인해 지역의 국제적 이미지도 더 좋아졌을 걸.
⑤ 민주: 작물의 국제 가격 변화는 지역의 경제적 불안도 가져다 주지.

5 다음 설명에 해당하는 용어는?

> 한 나라의 식량 소비량 중 국내에서 생산되고 있는 비율을 나타낸다. 이 비율이 낮아지게 되면 그만큼 수입 농산물에 대한 의존도가 커져 장기적으로 식량 부족 위기에 놓일 가능성이 높아진다.

① 식량 안보　② 식량 자급률　③ 수출 대체성
④ 수입 의존성　⑤ 식량 자립도

6 다음과 같은 상황이 지속될 경우 우리나라에서 나타날 수 있는 문제를 서술하시오.

> 저렴한 외국 농산물의 수입은 소비자에게 경제적 이득을 주기도 하였다. 하지만 농부들은 수입 농산물과의 가격 경쟁에 밀려 기존 작물의 수확량을 줄이거나 농업을 포기하는 경우가 많아졌다. 이에 따라 수입 농산물의 비중이 높아지고, 우리나라에서 생산한 작물의 비중이 감소하는 현상이 나타나고 있다.

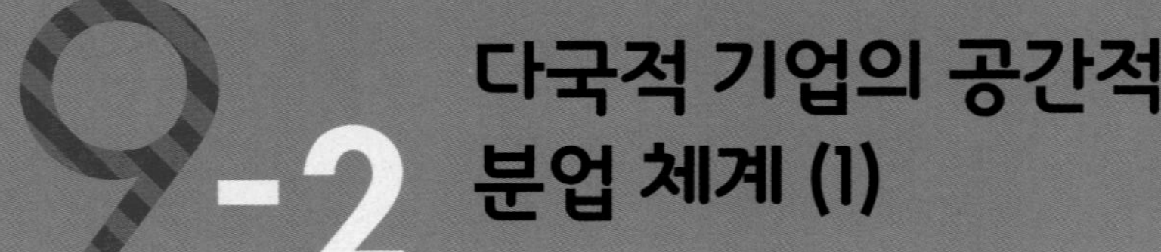

9-2 다국적 기업의 공간적 분업 체계 (1)

학습 목표 | 다국적 기업의 뜻을 이해하고, 다국적 기업의 공간적 분업 체계를 설명할 수 있다.

❶ 다국적 기업의 공간적 분업은 어떻게 나타날까?

1 다국적 기업의 성장❶

1. 다국적 기업의 의미와 등장 배경

① 의미: 세계 각지에 지점이나 생산 공장을 운영하며, 전 세계를 대상으로 생산과 판매 활동을 하는 기업

② 등장 배경: **교통 · 통신의 발달**, **WTO 체제 출범**으로 자유 무역이 활성화되고 국제적인 투자를 유도하는 분위기가 형성됨. (외국의 자본을 유치하기 위해 각종 제한을 없애고 혜택을 주는 국가도 많아졌어요.)

③ 장점: 생산과 판매를 가장 적합한 장소에서 하려 함. → 전 세계의 다양한 생산 요소를 활용하여 생산 비용을 낮추면서 제품을 다양화시키는 효과

2. 성장 과정

① 국내에서만 생산과 판매를 진행함.

② 기업이 성장하면서 해외 판매를 모색하며 해외 영업 지점을 세우게 됨.

③ 해외에 생산 공장까지 만들게 되며, 무역 장벽❷까지 극복하게 됨.

2 다국적 기업의 공간적 분업 체계

본사	• **의사 결정**을 내리는 곳으로, **정보 수집과 자본 확보가 유리**한 곳에 입지 • 주로 기업이 시작된 출신 국가에 위치(선진국의 비중이 높음.)
연구소	• 연구 및 개발을 담당하는 곳으로, **전문 인력의 확보가 유리한 곳**을 선호 • 전문 인력과 고급 정보를 얻을 수 있는 세계적인 도시나 연구소와 유명 대학들이 밀집된 지역에 주로 입지 → 주로 선진국에 있으며, 대표적으로 미국의 실리콘 밸리가 있어요.
생산 공장	• **생산 비용**을 아끼기 위해 인건비와 땅값, 원자재 가격 등이 **저렴한 개발 도상국**에 입지하는 경우가 많음. • **무역 장벽을 회피**하기 위해 선진국에 직접 진출하거나, 판매 시장을 개척하려는 국가와 FTA를 체결한 인근 국가로 진출하는 경우도 있음.
판매 지점	• 해당 제품을 많이 팔 수 있는 지역으로 입지하며, 제품의 가격이 높거나 기술력이 많이 필요한 제품일수록 소비 수준이 높은 국가에 입지하려 함.

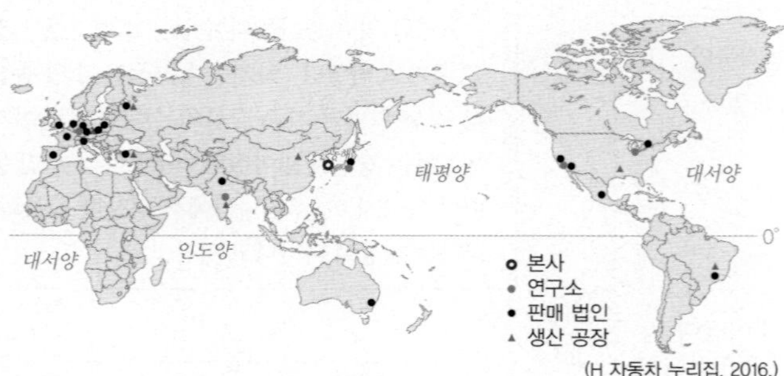

(H 자동차 누리집, 2016.)

▲ ○○ 다국적 기업의 해외 진출 현황

❶ **다국적 기업의 성장**
다국적 기업의 규모는 한 국가의 총생산액과 맞먹거나 그보다 큰 경우가 많다. 다국적 기업이 한 국가의 경제를 좌지우지 할 수 있다는 평가도 있다. 이러한 다국적 기업의 수는 매년 증가하고 있으며 그 분야도 제조업을 넘어 자원 개발, 금융, 관광, 유통, 의료, 교육 등으로 활동 범위를 넓혀가고 있다.

❷ **무역 장벽**
무역이 자유롭게 이루어질 경우 산업이 덜 발달된 국가에서는 많은 공업 제품들을 수입에 의존하게 된다. 이를 막기 위해 특정 제품이나 산업에 대해 수입을 제한하는 조치를 취하게 되는데 이를 무역 장벽이라고 한다. 보통 수입품에 관세를 부과하거나 수입하는 양을 제한하는 쿼터제를 사용하여 자유로운 수입을 막는 경우가 대부분이다.

간단 체크 정답과 해설 28쪽

알맞은 말 채우기

1 (　　)은(는) 세계 각지에 지점과 생산 공장을 운영하여 생산의 효율성을 끌어올리고자 한다.

2 다국적 기업의 (　　)은(는) 주로 전문 인력과 고급 정보가 풍부한 곳에 입지한다.

3 (　　)을(를) 회피하기 위해 선진국에 직접 생산 공장을 짓기도 한다.

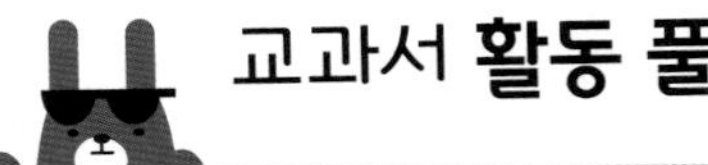

교과서 **활동 풀이**

교과서 164-165쪽

생각 열기 어느 나라에서 만든 물건일까?

질문 1 (가), (나)의 내용을 바탕으로 자신이 가지고 있는 물건 중 다국적 기업의 제품을 찾아보고, 본사의 위치와 제조국을 적어 보자.

제품명	예 A 회사의 운동화, S 전자의 휴대 전화
본사의 위치	독일, 한국, 미국 등(주로 선진국)
제조국	인도네시아, 베트남, 중국 등(주로 개발 도상국)

질문 2 (가), (나) 제품은 제품을 기획·디자인한 본사와 제품을 생산한 제조국이 다르다. 그 까닭을 추측해 보자.

한국, 독일에서 기획·디자인된 까닭	예 본사가 위치한 곳이며, 연구에 필요한 고급 인력과 시설, 정보 등이 풍부하다.
중국, 베트남에서 제조된 까닭	예 인건비와 시설 유지비, 기타 비용 등이 저렴하여 제품 생산비를 낮출 수 있다.

질문 3 (가), (나) 제품처럼 여러 국적을 지닌 제품이 과거보다 급격히 증가하고 있는 까닭은 무엇일까?

해결 열쇠

자료 해설
우리 생활에 다국적 기업이 얼마나 깊이 들어와 있는지를 보여주기 위한 그림이다. 각 제품이 어떤 나라의 것이라고 명확히 말하기가 어렵고, 그만큼 우리 생활도 다양한 국가와 연결되어 있다.

질문 3 예 교통 및 통신 기술의 발달, 자유 무역을 허용하는 국제적 분위기 등으로 경제 활동의 영역이 전 세계로 넓어지게 되었다. 이를 바탕으로 판매 시장을 확장하고, 생산 비용을 낮출 수 있는 곳을 찾아 기업들이 자유롭게 이동하게 되었다.

활동 다국적 기업의 공간적 분업 체계

(가)

(나)

1 다국적 기업의 본사, 연구소, 판매 지점의 입지 조건은 서로 다르다. 다음 그림의 ㉠~㉢에 들어갈 알맞은 말을 써 보자.

고급 인력이 풍부하고, 교육 및 연구 시설이 잘 갖추어진 지역에 (㉠ 연구소)을(를) 두는 것이 좋아요.

인구가 많거나 소득이 높아 제품을 많이 구매할 것으로 예상되는 지역에 (㉡ 판매 지점)을(를) 위치시키고 있어요.

(㉢ 본사)은(는) 다양한 정보를 수집하고 자본을 확보하는 데 유리한 지역에 있는 것이 좋아요.

2 ○○ 기업의 조립 공장은 (가), (나)와 같이 지역에 따라 설립 배경이 다르다고 한다. 그림의 말풍선을 참고하여 각각의 지역에 조립 공장을 설립한 까닭을 설명해 보자.

3 최근 다국적 기업이 급증하고 있는 까닭을 생산 비용과 연관 지어 설명해 보자.
예 기업의 최고 목표는 이윤 창출이다. 시장을 세계로 넓혀 제품의 판매량을 늘리고 제품 생산 비용을 최소화하기 위해 해외 지점과 해외 생산 공장을 설립한다. 이에 따라 기업의 각 기능을 세계의 가장 적합한 곳에 위치시키는 다국적 기업이 증가하는 것이다.

자료 해설
교통과 통신의 발달로 운반 비용과 해외 공장 관리에 대한 부담이 줄어들게 되자, 다국적 기업은 생산 비용을 낮출 수 있는 곳이면 어디든 생산 공장을 세우려 하고 있다. 한편, 개발 도상국에서는 일자리 창출과 지역 경제 활성화를 위해 다국적 기업의 생산 공장을 유치하려 노력하고 있다. 선진국들은 인건비가 높다는 단점이 있지만, 무역 장벽 회피와 소비 시장 확보, 다양한 인센티브 제공 등의 이점을 강조하여 다국적 기업들의 생산 공장을 유지하기 위해 노력하고 있다.

2 • (가): 예 풍부하고 저렴한 노동력을 이용하기 위해서
• (나): 예 무역 장벽 극복, 현지인 고용 및 지역 경제 성장을 통한 기업의 이미지 향상

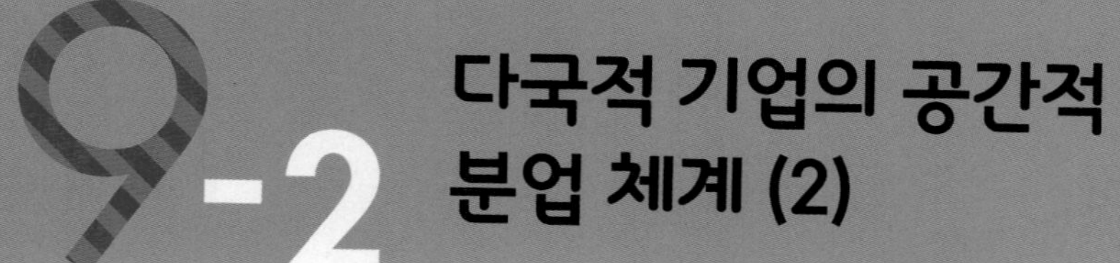

9-2 다국적 기업의 공간적 분업 체계 (2)

학습 목표 | 다국적 기업이 생산 공간에 미친 영향과 이에 따라 생겨난 변화를 설명할 수 있다.

❷ 다국적 기업은 생산 공간에 어떤 영향을 미칠까?

1 다국적 기업의 생산 공장이 들어가는 지역에 미치는 영향❶

1. 긍정적 영향

① 일자리 증가: 생산 공장의 진출로 일자리가 많아지게 됨.

② 지역 경제 활성화: 관련 산업이 발달하면서 지역 경제가 성장하게 됨.

③ 기술 습득: 생산 공장을 통해 해당 산업과 관련된 기술을 습득하여 **장기적인 발전을 모색**할 수 있게 됨.

2. 부정적 영향

비숙련 단순 노동직의 증가	다국적 기업이 창출한 일자리 대부분은 기술이 필요 없는 비숙련 단순 노동직 → 지역의 산업 발전에 큰 도움이 되지 않는 경우가 많음.
노동 착취	근로자들의 **저임금 장시간 노동** 문제, 아동 노동 문제
환경 오염	선진국에 비해 **환경 규제가 적다는 점**을 노려 진출한 경우 → **유해 물질을 배출**하는 공장이 입지하여 지역 환경 악화
본사 중심의 이익 배분	생산으로 발생된 이익이 본사가 있는 선진국으로 대부분 돌아가고 지역으로 재투자되지 않을 경우 → 지역 경제에 큰 도움이 되지 못함.

2 다국적 기업의 생산 공장이 나가는 지역에 미치는 영향

1. 긍정적 영향

① 환경 오염 감소: 생산 공장의 해외 이전으로 유해 물질 배출이 감소하게 됨.

② 고차 산업의 발달: 단순 제조업 대신 의료, 교육, 금융 등의 서비스업, 기술 집약형 산업 등이 발달하면서 보다 높은 부가 가치를 추구할 수 있게 됨.

2. 부정적 영향

① 산업 공동화 현상❷: 지역의 기반을 이루던 산업이 다른 지역으로 이전하면서 해당 산업이 쇠퇴

② 일자리 감소: 실업자 증가로 소비 능력이 줄어들고, 국내 시장의 규모와 비중이 줄어들게 됨.

③ 지역 경제 쇠퇴: 국내 경제가 전반적으로 침체되는 분위기가 형성됨.
→ 최근 국내 경제를 살리기 위해 해외에 나간 공장들을 자국으로 다시 불러들이는 국가들도 생기고 있어요.

❶ 다국적 기업이 개발 도상국에 미치는 영향
2013년 4월 방글라데시에 위치한 다국적 기업의 의류 공장이 붕괴되면서 1,100명이 사망하는 사고가 발생하였다. 이 사고로 이곳의 열악한 노동 환경이 주목받았다. 하루 10시간, 한 달 중 25일을 일하고 이들이 받는 월급은 5만원이었다. 하지만 다국적 기업이 방글라데시에 악영향만 준다고 할 수는 없다. 의류 산업은 방글라데시 수출의 80%를 차지하고 있으며, 빈곤율을 낮추고 여성들의 사회 진출 확대와 교육 수준 향상을 이루어냈기 때문이다.

❷ 산업 공동화 현상
미국의 디트로이트는 한때 자동차 산업으로 번성하였던 도시다. 하지만 자동차 산업이 생산비 절감을 목적으로 국외로 이전하면서 디트로이트의 경제는 급속도로 나빠졌고, 범죄율 증가, 전기 공급 차질, 교사 임금 체납으로 휴교 등의 극심한 후유증을 겪게 되었다.

간단 체크 정답과 해설 28쪽

O, X 판단하기

1 다국적 기업의 생산 공장이 진출하게 되면 지역 경제에 장기적으로 긍정적 영향만 주게 된다. ( )

2 개발 도상국에 진출한 다국적 기업의 생산 공장들은 저임금의 단순 노동직만 증가시킨다는 비판을 받고 있다. ( )

3 산업 공동화 현상이 나타나게 되면 지역 경제가 더욱 활성화 된다. ( )

교과서 활동 풀이

교과서 166-167쪽

활동 다국적 기업의 이동과 생산 지역의 변화

자료 1 글로벌 생산 기지, 중국 떠나 베트남으로

글로벌 생산 기지가 중국에서 베트남으로 이동 중인 것으로 분석되었다. 중국의 인건비가 계속 상승하고, 아세안 경제 공동체(APEC) 출범 등 국제 통상 환경이 변화하면서 베트남의 매력이 높아지고 있기 때문이다.

대한 무역 투자 진흥 공사는 「국제 통상 환경 변화와 글로벌 생산 기지 변화 동향」 보고서에서 27개 글로벌 기업의 공장 이전 및 이전 추진 31건을 분석한 결과, 베트남으로 생산 기지를 이전하는 기업이 가장 많고, 유출 기업이 가장 많은 나라는 중국이었다고 밝혔다.

자료 2 베트남에 몰리는 외국인 직접 투자

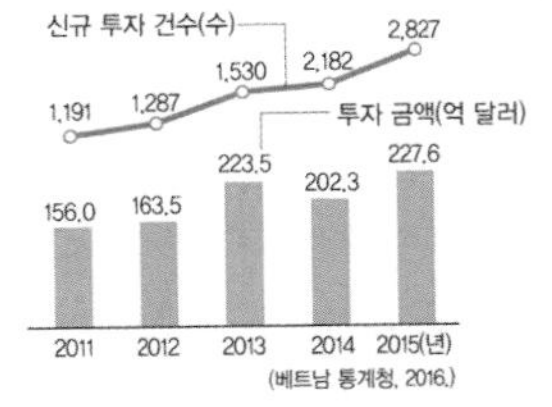

▲ 베트남 신규 투자 건수와 투자 금액 변화

1 자료 1, 자료 2를 참고하여 다국적 기업의 생산 공장이 중국에서 베트남으로 이동하는 까닭을 설명해 보자.

2 생산 공장의 이동이 중국과 베트남에 어떤 영향을 미칠지 예측해 보자.

생산 공장이 철수하는 곳(중국)	생산 공장이 들어오는 곳(베트남)
예 실직자 증가, 지역 경제 침체, 환경 오염 감소	예 일자리 증가, 지역 경제 활성화, 환경 오염 발생, 관련 기술 발전

해결 열쇠

자료 해설

다국적 기업은 생산 비용 절감을 위해 인건비가 더 저렴한 곳을 찾아 이동하는 경향이 있다. 외국 기업을 유치하기 위해 토지를 무상으로 제공하거나 세금을 깎아 주는 정책이 시행될 경우 다국적 기업들은 이해득실을 따져 이동을 검토하기도 한다. 환경 오염의 우려가 큰 산업은 환경 관련 규제가 적은 나라로 이동하기도 한다.

1 예 중국의 임금 상승으로 생산비가 증가하게 되었다. 중국과 인접한 베트남의 무역 환경이 좋아졌고, 저렴한 인건비가 주목받으면서 다국적 기업이 베트남으로 이동하는 경우가 많아졌다.

함께 배우기 생산 공장 이전을 둘러싼 역할극 및 타협안 만들기

1 4~5명의 모둠을 만들고, 다음 자료에 제시된 상황을 확인한다.

○○ 기업 생산 공장의 상황
- ○○ 기업은 청바지를 생산하는 기업으로 임금이 저렴한 지역을 찾고 있다.
- 현재 공장이 있는 지역의 임금 상승과 더욱 엄격해진 환경 기준 때문에 공장을 □□ 지역으로 옮기려고 한다.

□□ 지역의 상황
- 주력 업종이었던 광물 채취가 5년 전부터 중단되면서 지역 경제가 빠르게 침체되었다.
- 광물 채취로 오염되었던 하천과 산지가 점차 깨끗해지면서 올해 청정 지역으로 선정되었다.

2 ○○ 기업 대표, □□ 지역 주민(취업 준비생), 환경 관련 시민 단체, □□ 지역 관광업 종사자로 역할을 나누어 다음 주제를 논의한다.

3 □□ 지역의 대표로서 ○○ 기업의 생산 공장 이전과 관련하여 어떤 타협안을 제시할 수 있을까? 위의 논의를 정리하고, 이를 바탕으로 적절한 타협안을 제시해 본다.

○○ 기업의 생산 공장 이전 찬성 의견	○○ 기업의 생산 공장 이전 반대 의견
• 지역의 일자리가 증가하고 경제가 성장할 것이다. 또한 청바지 산업의 중심지로 주목받을 것이다. • 일자리 증가는 곧 지역의 소비가 증가하는 것이다. 지역 인구가 증가하면 지역이 예전처럼 활기를 찾게 될 것이다.	• 공장에서 발생하는 오염 물질 때문에 환경이 매우 나빠지며 이는 주민들의 건강 악화로 이어지면서 삶의 질을 떨어뜨릴 것이다. • 환경 오염으로 관광객이 줄고 관광업 종사자들이 일자리를 잃게 되어 지역 경제는 더욱 나빠질 것이다.

활동 도우미

이와 비슷한 일이 최근에 없었는지 관련 기사를 찾아보는 것도 좋은 방법입니다. 환경 보호가 당연히 중요하다고 윤리적으로만 판단하는 것은 사회 문제를 제대로 이해하지 못하는 것입니다. 그럼에도 불구하고 지역을 개발하고 공장을 유치하려는 사람들의 의도가 무엇인지 곰곰이 생각해보려는 노력이 먼저 이루어져야 합리적인 타협안이 제시될 수 있습니다.

3 예 타협안
- ○○ 기업은 정화 시설을 설치하고, □□ 지역은 이 시설의 설치와 운영 비용을 일부 부담한다.
- □□ 지역은 ○○ 기업 청바지를 관광객이 직접 만들어 보는 관광 상품을 만들어 그 수익으로 환경 보존에 힘쓴다.

스스로 확인하기

1 (1) 다국적 기업 (2) 공동화 2 (1) × (2) × (3) ○

개념 노트 만들기

정답과 해설 28쪽

핵심 내용 정리하기 학습한 내용을 기억하면서 다음 글을 완성해 보자.

(**제목:**)

(❶) 기업은 교통 · 통신의 발달, WTO 체제의 출범 등을 바탕으로 세계적으로 급격히 증가했다. 다국적 기업은 (❷)을(를) 줄이고 시장을 개척하기 위해 세계 각지에 생산 공장과 판매 지점을 분산시킨다. 이러한 과정을 다국적 기업의 (❸)(이)라고 한다. 다국적 기업의 본사와 연구소는 고급 정보와 자본, 전문 인력 등이 풍부한 (❹)에 입지하려 한다. 반면, 생산 공장은 인건비가 저렴하고 노동력이 풍부한 (❺)에 주로 입지하지만, (❻)을(를) 회피할 목적으로 선진국에 직접 진출하거나 그 나라와 FTA를 체결한 주변 국가에 입지하기도 한다.

활동 노트 완성하기 학습하면서 기른 역량을 살려 다음 활동 노트를 완성해 보자.

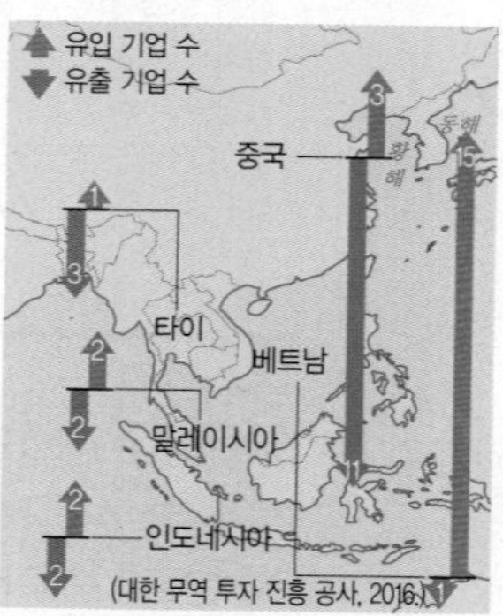

▲ 글로벌 생산 기지의 이동

▲ 준영

최근 중국의 공장들이 베트남으로 많이 이동하고 있대. 다국적 기업의 생산 공장이 ㉠ 개발 도상국으로 많이 진출하는 이유와 연관된 변화 때문이겠지? 이러한 현상이 지속되면 생산 공장의 유출 지역은 (㉡) 현상을 겪게 될 수 있어. 반면 생산 공장이 유입된 지역의 경제에는 큰 도움이 되겠지.

▲ 수영

맞아. 하지만 장기적으로 본다면 꼭 그렇지도 않아. 결국 특별한 기술이 필요 없는 단순한 제조업만 생산비를 아끼려고 이동하는 거니까. 그 외에도 생산 공장 유입 지역에는 ㉢ 부정적 영향이 많을 수밖에 없지.

1 준영이의 설명 중 밑줄 친 ㉠과 같은 중국의 변화를 다국적 기업의 생산 공장이 개발 도상국에 진출하는 주요 이유와 연관 지어 설명해 보자.

2 준영이의 말에서 ㉡에 알맞은 용어를 써 보자.

3 수영이의 설명 중 밑줄 친 ㉢ 부정적 영향이 무엇일지 설명해 보자. (단, 이미 설명한 단순 제조업의 진출 이외의 내용을 작성할 것)

실력을 키우는 응용 문제

정답과 해설 28쪽

1 **다국적 기업의 성장 배경을 [보기]에서 있는 대로 고른 것은?**

보기

ㄱ. 교통과 통신의 발달
ㄴ. 세계 무역 기구(WTO)의 출범
ㄷ. 자유 무역 협정(FTA)의 체결
ㄹ. 점차 어려워지는 국가 간 이동

① ㄱ, ㄴ ② ㄴ, ㄹ ③ ㄱ, ㄴ, ㄷ
④ ㄱ, ㄷ, ㄹ ⑤ ㄴ, ㄷ, ㄹ

2 **다국적 기업에 대한 설명이 옳지 않은 것은?**

① 판매 시장 개척을 통해 더 많은 이익을 확보하려 한다.
② 다국적 기업은 생산비 절감을 위해 세계 각지에 생산 공장을 세우고 있다.
③ 보통 초기 단계의 기업일 때부터 생산 공장과 판매 지점을 해외에 세우려 한다.
④ 기업이 점차 성장하여 규모가 커지게 되면 세계 여러 곳으로 공간적 분업을 하게 된다.
⑤ 다국적 기업은 무역 장벽조차 극복하고 전 세계 모든 지역에서 생산과 판매를 진행하려 한다.

중요

3 **다음의 ㉠~㉢에 들어갈 말이 바르게 연결된 것은?**

- [㉠]은(는) 기술과 정보를 갖춘 고급 인력들이 풍부하고, 교육 시설이 잘 갖춰진 지역에 입지하려 한다.
- [㉡]은(는) 다양한 정보를 수집하고 자본을 확보하는 것이 유리한 지역에 입지하려 한다.
- [㉢]은(는) 생산비를 절감하기 위해 인건비, 임대료 등이 저렴한 지역에 입지하려 한다.

	㉠	㉡	㉢
①	본사	연구소	판매 지점
②	본사	판매 지점	연구소
③	연구소	본사	생산 공장
④	연구소	판매 지점	본사
⑤	생산 공장	본사	연구소

4 **다음은 다국적 기업의 생산 지역과 관련된 사례이다. 빈칸에 들어갈 내용을 간략히 서술하시오.**

- 베트남: 인건비가 저렴한 노동력을 쉽게 구할 수 있어서 다국적 기업의 공장이 많이 진출하였다.
- 미국: 인건비가 세계적으로 비싼 편에 속하지만 (   ). 그래서 우리나라의 유명 자동차 기업인 ○○ 자동차 생산 공장도 미국에 입지한 사례가 있다.

5 **다음 내용의 빈칸에 알맞은 용어는?**

최근 중국에 있던 생산 공장들이 베트남으로 이동하는 사례가 증가하고 있다. 최근 중국의 인건비가 급격히 상승한 것과 더불어 베트남의 적극적인 해외 투자 유치가 이루어지면서 이러한 변화가 발생한 것이다. 생산 공장의 이전으로 중국의 공장 유출 지역에서는 (   ) 현상이 발생할 것이라는 우려가 나오고 있다.

① 도시화 ② 산업화 ③ 산업 집중
④ 산업 공동화 ⑤ 일자리 증가

6 **다국적 기업이 생산 공간에 미치는 영향으로 옳지 않은 것은?**

① 생산 공장이 입지한 지역의 일자리를 증가시킨다.
② 기술을 배울 수 있어 지역의 발전에 도움을 줄 수 있다.
③ 단순 노동에 한정된 일자리만 증가시키는 경우가 많다.
④ 생산 공장이 다른 곳으로 이동해도 지역 경제는 발전한다.
⑤ 생산 공장에서 발생한 이익이 지역에 투자되지 않기도 한다.

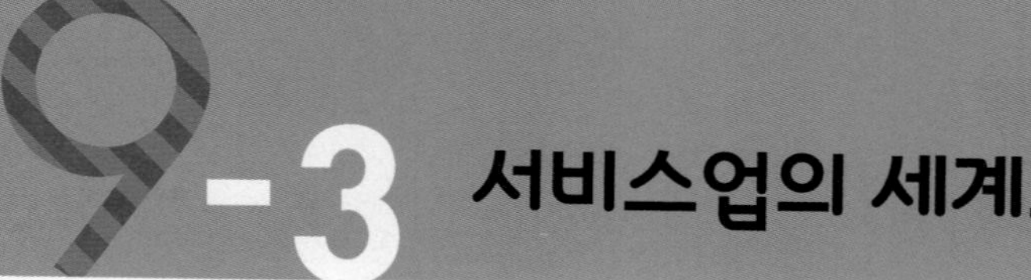

9-3 서비스업의 세계화 (1)

학습 목표 | 세계화에 따른 서비스업의 변화 모습을 설명할 수 있다.

❶ 정보화는 서비스업을 어떻게 변화시킬까?

1 서비스업의 세계화

1. 정보화❶가 서비스업에 미친 영향

① **직접적인 접촉 없이**도 서비스❷ 제공 가능 → 기존 서비스업은 사람과 사람이 직접 만나야 했지요.

② **전자 상거래 증가**: 교통과 통신의 발달로 국경을 직접 넘지 않고도 세계의 다양한 서비스를 받을 수 있게 됨.

③ **물류❸ 산업 발달**: 전자 상거래와 연관하여 폭발적으로 성장, 제품의 국제 배송 증가, 택배 산업 발달

④ 다양한 소비자 서비스의 등장: **생활 수준의 향상**으로 세계의 다양한 서비스를 제공받고 싶어 하는 사람들의 수요 증가 → 여행, 교육 등 서비스의 세부 사항을 소비자가 직접 결정하는 상품의 등장

2. 서비스업의 정보화 사례

▲ 인터넷 예약

▲ 전자 상거래와 물류 산업의 발달

▲ 원격 강의

3. 서비스업의 입지 변화

① 기존의 서비스업은 서비스 특성에 따라 구매자가 많을 것으로 예상되는 지역에 입지함. → 최근에는 구매자와의 접촉보다는 교통 및 통신의 발달, 많은 정보를 얻을 수 있는 곳 등을 더 선호함. ─ 하지만 정보·통신 설비가 갖춰진 대도시에 집중된다는 점에서 완벽한 입지의 자유라고 보기는 어려워요.

② 인터넷 기반 서비스업: 네트워크를 통한 간접 접촉으로 **입지가 자유로워짐**.

③ 상품 배송에 유리한 교통 요지에 물류 창고 입지 → 물류 창고를 기업이 직접 만들거나 여러 회사가 대형 물류 창고를 공유

④ 제품을 판매하는 장소의 불필요: 인터넷 결제 시스템의 발달로 세계 어디서나 제품 구입을 편리하게 할 수 있음. → 오프라인 매장 없이 온라인 쇼핑몰만을 통해 상품의 판매와 구입이 이루어질 수 있음.

---

❶ 정보화
정보 통신 기술의 발달로 정보와 지식의 중요성이 높아지는 현상을 말한다.

❷ 서비스업의 발달
정보 통신 기술의 발달과 함께 제조업의 비중은 점차 낮아지고, 서비스업의 비중이 증가하는 모습이 전 세계적으로 나타나고 있다. 이러한 변화를 '탈공업화 현상'이라고 한다. 선진국의 상당수는 이미 서비스업이 전체 고용의 70% 이상을 차지한다. 특히 이 중 고부가 가치를 창출하는 지식 기반 서비스업의 비중이 많이 증가하고 있다.

❸ 물류
재화과 공급자로부터 소비자에게 전달되거나 소비자로부터 회수되어 폐기될 때까지 이루어지는 운송·보관·하역 등과, 이에 부가되어 가치를 창출하는 가공·조립·분류·포장 등을 말한다.

간단 체크 정답과 해설 28쪽

알맞은 말 채우기

1 (　　)은(는) 서비스업의 세계화를 가능하게 했다.

2 전자 상거래의 증가로 상품을 소비자에게 전달하는 (　　) 산업도 발달하게 되었다.

3 인터넷을 기반으로 한 서비스업은 기존 서비스업에 비해 (　　)이(가) 자유롭게 되었다.

교과서 **활동 풀이**

교과서 168-169쪽

생각 열기 외국에서 파는 제품을 국내에서 살 수 있을까?

	상품 고르기	가격 지불하기	상품 가져오기
민수 아버지의 제품 구매	해외 상점에 직접 방문	현지의 돈으로 바꿔 지급	직접 비행기를 타고 가져옴.
㉠			
수민이의 제품 구매	예 해외 인터넷 쇼핑몰의 이미지로 선택	예 신용 카드로 결제	예 배송 업체를 통해 집으로 배달됨.

질문 1 민수 아버지와 수민이의 제품 구매 과정에는 어떤 차이가 있었는지 위의 빈칸에 정리해 보자.

질문 2 ㉠의 변화가 수민이의 외국 제품 구매를 가능하게 하였다. ㉠에 적합한 변화의 내용은 무엇일까?

예 교통과 통신의 발달, 정보화, 세계화 등 서비스업의 세계화가 이루어졌기 때문이다.

해결 열쇠

자료 해설

정보화와 서비스업의 세계화 해외에서 상품을 직접 구입하는 '해외 직구'는 이제 흔히 볼 수 있는 일상적인 모습이다. 인터넷 쇼핑몰을 통해 제품을 고르고, 전자 결제 시스템을 통해 간단하게 가격을 지불하면, 항공이나 배를 통해 상품이 우리나라로 오게 된다. 상품은 다시 택배로 가정에 배달된다. 이 모든 과정이 1~3주 내에 진행된다. 물건을 구입하기 위해 직접 이동하게 될 경우 발생하는 교통비, 시간, 해당 국가 지폐로의 환전, 다시 운반에 드는 비용 등 여러 가지 불편함이 쉽게 해결된 것이다. 상품 구입 이외에도 정보화를 바탕으로 다양한 서비스를 손쉽게 접근하고 이용할 수 있게 된 점이 서비스의 세계화를 가능하게 하였다.

활동 정보화와 서비스업의 변화

	A사	W 마트
시가 총액(달러)	2,670억	2,335억
매출액 (달러, 2014년)	890억	4,763억
임직원 수(명)	15만	220만

(조선닷컴, 2015.)

▲ A사와 W 마트의 비교

'온라인의 정복자' A사가 '오프라인의 절대 강자' W 마트를 제치고 미국 유통 업계 시가 총액 1위에 등극하였다. (중략) A사의 작년 매출은 890억 달러로 W 마트(4,763억 달러)의 19% 수준에 불과하다. 임직원 수에서도 A사는 W 마트와 큰 격차를 보인다. 하지만 W 마트 매출은 세계 금융 위기 이후 6년간 20% 늘어나는 데 그쳤지만, A사는 같은 기간 거의 4배 성장하였다. ㉠ A사가 10년 이내에 W 마트 매출액을 추월할 것이라는 전망이 우세하다.

1 오프라인 매장이 거의 없는 A사는 세계적인 회사가 되었다. A사가 이렇게 성장할 수 있었던 까닭을 추측해 보자.

예 온라인 쇼핑몰은 전 세계의 모든 사람이 쉽게 접속할 수 있고 상품의 검색이 편리하다. 그리고 대규모 자동 물류 센터를 통해 구매한 상품을 빠르게 받을 수 있어 많은 소비자가 쉽고 편리하게 이용할 수 있다.

2 밑줄 친 ㉠과 같이 전망하는 까닭을 추측해 보자.

예 온라인 쇼핑몰은 네트워크 서비스가 가능한 모든 도구(컴퓨터, 스마트폰 등)를 이용할 수 있어 접근이 편리하고, 오프라인 매장보다 상품 전시 공간을 자유롭게 확보할 수 있어 더욱 다양하고 많은 상품을 판매할 수 있다. 유통 기술의 발달로 상품이 소비자에게 도달하는 시간도 더욱 단축할 수 있으며, 온라인 쇼핑몰이 오프라인의 장점인 즉각적 구매도 갖출 수 있을 것으로 보인다.

자료 해설

오프라인 대형 매장과 온라인 쇼핑몰의 비교 미국 최대 소매 유통업체 W 마트는 종업원이 약 220만 명인 세계 최고의 기업이다. 27개국에 매장을 운영하면서 매주 1억 명 가량의 고객이 방문한다. 하지만 최근 세계 최대 전자 상거래 업체 A사의 급부상으로 그 명성이 무색해지고 있다. 공간적 제약이 거의 없는 온라인 쇼핑몰은 적은 종업원으로 세계의 더 많은 소비자를 끌어들이고 있다. A사의 종업원은 W 마트 종업원의 1/10도 안 되는 15만 명이지만 185개국에 제품을 판매하고 있다. 전자 상거래의 발달로 결국 W 마트도 온라인 유통 진출을 고려하게 되었다.

9-3 서비스업의 세계화 (2)

학습 목표 | 서비스업의 세계화가 지역 경제 공간과 주민 생활에 미친 영향을 평가할 수 있다.

❷ 서비스업의 세계화가 지역과 주민 생활에 미친 영향은 무엇일까?

1 서비스업의 입지 변화와 영향

1. 서비스업의 입지 변화

① 자유로운 입지❶: 정보 · 통신 설비가 갖춰진 곳이라면 어디든 입지 가능 → 임대료와 물가가 비싼 대도시를 떠나 보다 쾌적한 환경이 있는 곳으로 회사를 옮길 수 있게 됨.

② 기능 분산 및 소규모화: 거대한 건물에 모든 기능이 모여 있을 필요가 없으므로 기능이 분산되고, 재택 근무를 통한 업무 수행도 가능

2. 입지 변화로 인한 영향

① 서비스의 외부화: 다국적 기업의 본사는 핵심 업무에만 집중하고, 중요도는 낮지만 반드시 수행해야 하는 서비스 관련 업무를 외부 업체에 맡기는 현상

기업 입장	본래의 업무에 더욱 집중 → 생산 효율성 향상, 생산비 절감
기업의 일부 기능을 수행하는 입장	• 긍정적 영향: 일자리 증가, 관련 인프라 구축 및 서비스업 성장 • 부정적 영향: 비용이 더 저렴한 다른 국가로 이전하기 쉬워 경제적 불안감이 항상 존재하고, 외부 기업에 더욱 의존하게 됨.

② 대표적인 사례: **콜센터** → 임금이 저렴한 지역(인도, 필리핀 등)에 쉽게 설치 가능하여 서비스업이 해외로 이전하는 경우 발생

2 관광 산업의 변화

1. 정보화에 따른 관광 형태의 변화 → 과거보다 다양해진 소비자의 욕구를 충족시켜 주고 있어요.

① 개인이 여행사를 통하지 않고 직접 정보를 찾고, 스스로 예약하여 여행함.

② 인터넷 지도 서비스를 통한 길찾기와 인터넷 번역 서비스가 가능해지면서 가이드 없는 여행의 증가

③ 지역 주민과 직접 연결하여 숙소나 식당을 예약할 수 있게 됨.

2. 관광 산업 발달에 따른 영향

긍정적 영향	• 관광객의 더욱 자유로운 여행 가능 • 세계 여러 지역에 대한 세계인의 관심과 이해 증가 • 지역 주민은 직접 숙박과 음식을 제공함으로써 관광 이익 상승
부정적 영향	• 과도한 가격 경쟁으로 관광 수익 감소 • 고유문화와 환경의 훼손 → 관광 산업이 지역에 미치는 부정적인 영향을 최소화하기 위해 '공정 여행❷' 등장

❶ 산업별 입지 분포
산업은 보통 생산 효율성이 가장 높은 곳에 입지하게 된다. 농업, 수산업과 같은 1차 산업은 자원을 직접 구할 수 있는 곳에 위치하고, 제조업과 같은 2차 산업은 제품의 특징에 따라 자원 산지나 시장이 가까운 곳, 제품 운송이 유리한 곳에 입지한다. 서비스업과 같은 3차 산업은 소비자를 직접 만날 수 있는 도시에 입지하는 경향을 가지지만 정보화를 바탕으로 다양한 곳에 입지할 수 있게 되었다.

❷ 공정 여행
지역 내에서 생산되는 제품만 이용하고 합당한 대가를 치러 지역 주민들의 안정된 수입까지 보장하는 것은 물론, 고유문화와 환경에 대한 훼손이 발생되지 않도록 하기 위한 모든 노력을 포함한 개념이다.

간단 체크 정답과 해설 28쪽

알맞은 말 채우기

1 정보화로 인해 서비스업은 (   ) 설비만 갖춰졌다면 어디든 입지 가능하게 되었다.

2 다국적 기업들은 자신들의 서비스업의 한 영역인 (   )을(를) 인도나 필리핀 등에 설치하여 생산의 효율성을 높이고 있다.

3 정보화로 인해 (   ) 산업의 소비자인 관광객과 생산자인 지역 주민이 직접 연결될 수 있게 되었다.

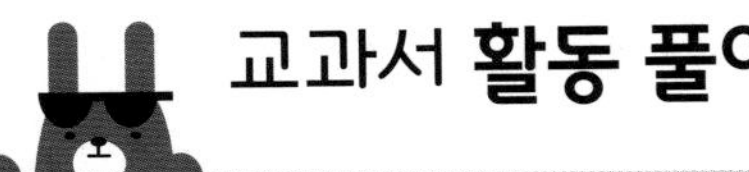

교과서 활동 풀이

교과서 170-171쪽

활동 전 세계 콜센터의 메카, 필리핀

미국 ○○ 기업에서 24시간 운영하는 콜센터에 걸려오는 전화는 미국이 아닌 필리핀으로 연결된다. 필리핀은 미국보다 노동비가 저렴하면서 영어에 능통하고, 미국 문화에 대한 친밀도가 높아서 미국의 다국적 기업들이 필리핀에 콜센터를 설치한 것이다. 이것은 정보 통신의 발달로 원거리 서비스 대행 시스템이 가능해지면서 서비스 산업이 자유롭게 공간을 이동할 수 있게 된 대표적 사례이다.

1 영어를 사용하는 국가 중에는 영국, 캐나다, 오스트레일리아 등도 있지만, 다국적 기업들은 인도와 필리핀에 콜센터를 운영하는 것을 더 선호한다. 그 까닭을 설명해 보자.

예 영어를 사용하는 국가 중 상대적으로 인건비가 저렴한 지역에 위치한다. 또한 미국의 다국적 기업은 낮과 밤이 반대로 나타나는 지역에 콜센터를 위치시켜 24시간 서비스 제공이 가능하게 만들기도 한다.

2 위 내용을 바탕으로 콜센터의 이동이 필리핀에 미치는 긍정적 영향과 부정적 영향을 추측해 보자.

긍정적 영향	부정적 영향
예 일자리 증가, 지역 경제 활성화, 외국 기업의 투자를 통한 정보 · 통신 설비 구축 등	예 저임금 단순 노동력 양산, 외국 기업에 종속적인 경제 관계 형성, 자유롭게 다른 나라로 콜센터를 옮길 수 있어 고용 불안정 등

3 콜센터 이외에 세계 여러 지역에 자유롭게 회사를 세울 수 있는 서비스업을 더 찾아보자.

예 인터넷 쇼핑몰, 인터넷 은행, 유명 대학의 캠퍼스(인터넷 강의), 게임 회사, 영화 배급사 등

해결 열쇠

자료 해설

필리핀 경제를 이끄는 BPO 산업 BPO는 Business Process Outsourcing의 줄임말로, 다국적 기업의 각종 업무를 대신 처리하는 산업을 의미한다. 여기에는 콜센터를 비롯해 데이터 입력, 소프트웨어 개발 등이 포함되는데, 주로 다국적 기업 본사의 지시에 맞추어 업무를 진행하므로 '영어 구사'가 필수적이다. 미국의 유명한 금융 회사와 IT 업체, 커피 업체 등이 인건비가 저렴하며 미국식 영어를 구사하는 필리핀에 서비스 업무를 분담하고 있다. 필리핀의 BPO 산업은 2020년에 연 매출 480억 달러(약 54조 원) 정도를 벌어들일 것으로 예상한다.

함께 배우기 관광 산업의 세계화에 따른 지역의 변화 알아보기

1 4명의 모둠을 구성하고, 사진 속 지역에 대한 질문에 답해 본다.

(1) 서울 명동에 중국어와 일본어가 쓰인 간판과 홍보물이 많은 까닭은 무엇일까?

예 명동은 쇼핑 목적의 관광객이 집중되는 곳으로 일본, 중국 관광객들의 방문이 매우 많다. 이들에게 편의를 제공하고 소비를 촉진하기 위해 일본어와 중국어에 능통한 직원을 고용하거나 해당 언어로 표시된 간판을 설치하는 경우가 많다.

(2) 제주특별자치도에 외국 회사의 이름을 딴 거리가 생겼던 까닭은 무엇일까?

예 제주시 연동에 위치한 바오젠 거리는 중국인 관광객이 많던 찾는 곳이다. 중국의 바오젠 그룹 직원들이 방문한 이후 중국인 관광객이 증가하면서 중국인 관광객을 더욱 많이 유치하고, 다양한 서비스를 제공하기 위해 거리의 이름을 바오젠 거리로 정하였다. 현재는 누웨마루 거리로 명칭이 바뀌었다.

(3) 위와 같은 현상이 두 지역에서 나타나게 된 까닭은 무엇일까?

예 면세점, 의류와 화장품 상점, 식당 등이 밀집하여 관광객들이 쇼핑과 식사를 해결하기 편리하고, 한류 드라마에 해당 지역이 자주 등장하여 일본과 중국 관광객들에게 꼭 방문하고 싶은 곳으로 떠오르게 되었다.

2 위와 같은 현상이 지역의 경제 공간과 주민 생활에 미친 영향을 주제로 토의해 본다.

활동 도우미

과정 ❶에서 제시된 사진의 지역이 현재 어떤 상황에 놓였는지, 또는 제시된 장면과 다른 상황에 놓였던 적이 최근에 없었는지를 알아보고, 이를 바탕으로 새로운 대답을 해 보는 것도 좋습니다.

2 • 지역 경제 공간의 변화: 예 상권 성장 및 부동산 가치 상승, 일자리 증가, 지역 경관의 변화(외국어 간판 등)
• 지역 주민 생활의 변화: 예 주민 직업 변화(관광업 관련 직업), 임대료 상승에 따른 기존 상인들의 부담 증가, 외국인 범죄 우려 증가

스스로 확인하기

1 (1) 전자 상거래 (2) 콜센터 2 (1) ○ (2) ○ (3) ×

개념 노트 만들기

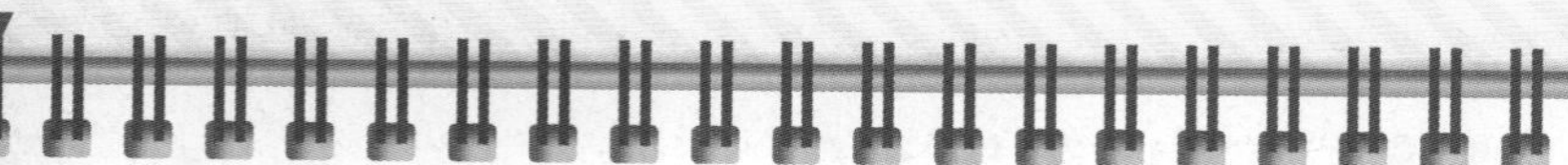

정답과 해설 29쪽

핵심 내용 정리하기 학습한 내용을 기억하면서 다음 글을 완성해 보자.

(제목:)

서비스업은 (❶)을(를) 바탕으로 빠르게 세계화 되었다. 이전의 서비스업과는 달리 사람들 사이의 직접적인 접촉이 없어도 서비스를 제공할 수 있게 되면서 서비스업의 (❷)은(는) 매우 자유롭게 되었다. 이 과정에서 가장 크게 성장한 것이 바로 (❸) 상거래이다. 물건을 직접 구입하기 위해 외국에 나가지 않아도 집에서 편하게 제품을 받아볼 수 있게 된 것이다. 이에 따라 제품을 집으로 배송해 주는 (❹) 산업 또한 크게 성장하였다. 그 밖에도 교육, 의료, 관광업 등이 정보화를 바탕으로 크게 성장하였고 매우 다양해졌다. 다국적 기업들도 이러한 변화에 발맞추어 인터넷을 통한 서비스 제공에 힘쓰기 시작했고, 회사의 일부 기능은 외부의 다른 회사에 분산시키는 서비스의 (❺)을(를) 적극적으로 실시하고 있다.

활동 노트 완성하기 학습하면서 기른 역량을 살려 다음 활동 노트를 완성해 보자.

〈자료 1〉 해외 직접 구입 이용 현황

(만 달러)
100,000
80,000
60,000
40,000
20,000
0

2010: 2억 4,200만
2011: 4억 3,100만
2012: 6억 4,200만
2013*: 9억
(년)

(*2013년은 추정치, 관세청)

〈자료 2〉 해외 직접 구입 과정

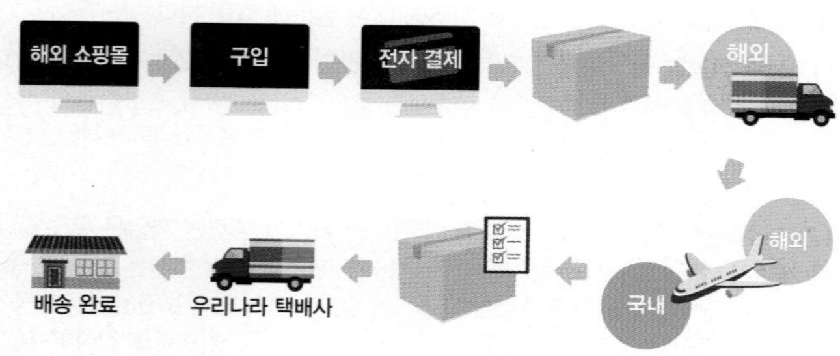

1 〈자료 1〉과 같이 해외 직접 구입이 증가하는 까닭을 〈자료 2〉를 바탕으로 설명해 보자.

....

....

2 위 자료들을 바탕으로 최근 서비스업의 입지가 과거와 어떻게 달라지고 있는지 설명해 보자.

....

....

실력을 키우는 응용 문제

정답과 해설 29쪽

중요

1 다음과 같은 상황에 대한 설명으로 옳은 것은?

① 서비스업 생산자는 가까운 지역의 소비자만 만날 수 있다.
② 물건을 직접 매장에서 구입하는 비중이 앞으로 계속 증가할 것이다.
③ 서비스업의 변화는 물류 산업의 발달에 큰 영향을 끼치고 있다.
④ 다국적 기업의 생산 공장이 자유롭게 입지하기에 가능한 상황이다.
⑤ 정보 · 통신의 발달은 서비스업에는 큰 영향을 끼치지 못하고 있다.

2 다음 그림과 같은 변화를 가능하게 한 ㉠으로 가장 적합한 것은?

▲ 인터넷 예약 ▲ 전자 상거래와 물류 산업의 발달 ▲ 원격 강의

① 정보 통신의 발달 ② 보호 무역의 증가
③ WTO 체제의 출범 ④ FTA 체결의 증가
⑤ 다국적 기업의 증가

3 다음에서 설명하는 용어를 쓰시오.

> 인터넷을 통해 상품을 주고받는 행위를 말한다. 오프라인에서 이루어지던 기존의 상거래와 달리 온라인을 통해 이루어지는 것이 특징이다.

....

4 다음 기사에 나타난 변화에 대한 설명으로 옳지 않은 것은?

> '온라인의 정복자' A사가 '오프라인의 절대 강자' W 마트를 제치고 미국 유통업계 시가 총액 1위에 등극하였다. … (중략) … A사의 작년 매출은 890억 달러로 W 마트(4,763억 달러)의 19% 수준에 불과하다. 임직원 수에서도 A사는 W 마트와 큰 격차를 보인다. 하지만 W 마트의 매출은 세계 금융 위기 이후 6년간 20% 늘어나는 데 그쳤지만, A사는 같은 기간 동안 4배 가까이 성장하였다. 향후 A사가 10년 이내에 W 마트 매출액을 추월할 것이라는 전망이 우세하다.
>
> - ○○ 신문, 2015. 7. 25. -

① 물류 산업의 비약적인 성장도 예상할 수 있다.
② 정보화에 따른 서비스업의 변화를 잘 보여주고 있다.
③ 인구가 많은 지역을 중심으로 A사의 매장이 많이 개설될 것이다.
④ W 마트는 오프라인 매장 확대보다는 인터넷 쇼핑 사업 진출을 고려하게 될 것이다.
⑤ 이러한 변화는 의료, 교육, 관광 산업 등 다양한 서비스업에 나타나게 될 것이다.

5 미국의 다국적 기업이 다음과 같이 콜센터를 필리핀에 설치할 수 있게 된 기술적 배경과 경제적 까닭을 서술하시오.

> 미국 ○○ 기업이 24시간 운영하는 콜센터로 걸려오는 전화는 미국이 아닌 필리핀으로 연결된다. 영어에 능통하고, 미국 문화에 대한 친밀도가 높은 필리핀이 콜센터 운영에 유리하다고 판단한 미국 기업이 인도보다는 필리핀을 더욱 선호하게 된 것이다.

(1) 기술적 배경: ....

....

(2) 경제적 까닭: ....

....

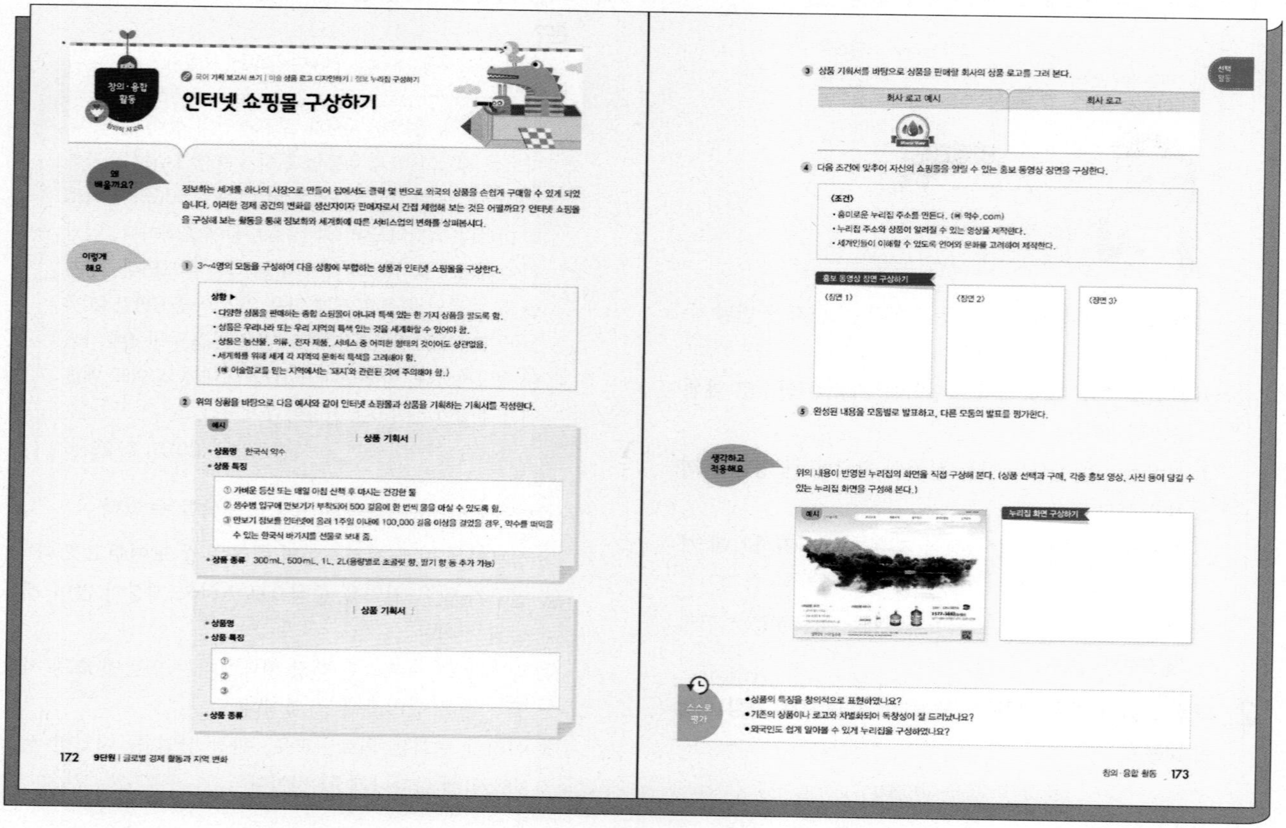

교과서 창의·융합 활동 풀이

교과서172-173쪽

창의·융합 활동

창의적 사고력

국어 기획 보고서 쓰기 | 미술 상품 로고 디자인하기 | 정보 누리집 구성하기

인터넷 쇼핑몰 구상하기

왜 배울까요?

정보화는 세계를 하나의 시장으로 만들어 집에서도 클릭 몇 번으로 외국의 상품을 손쉽게 구매할 수 있게 되었습니다. 이러한 경제 공간의 변화를 생산자이자 판매자로서 간접 체험해 보는 것은 어떨까요? 인터넷 쇼핑몰을 구상해 보는 활동을 통해 정보화와 세계화에 따른 서비스업의 변화를 살펴봅시다.

이렇게 해요

1 3~4명의 모둠을 구성하여 다음 상황에 부합하는 상품과 인터넷 쇼핑몰을 구상한다.

상황 ▶
- 다양한 상품을 판매하는 종합 쇼핑몰이 아니라 특색 있는 한 가지 상품을 팔도록 함.
- 상품은 우리나라 또는 우리 지역의 특색 있는 것을 세계화할 수 있어야 함.
- 상품은 농산물, 의류, 전자 제품, 서비스 중 어떠한 형태의 것이어도 상관없음.
- 세계화를 위해 세계 각 지역의 문화적 특색을 고려해야 함.
  (예 이슬람교를 믿는 지역에서는 '돼지'와 관련된 것에 주의해야 함.)

2 위의 상황을 바탕으로 다음 예시와 같이 인터넷 쇼핑몰과 상품을 기획하는 기획서를 작성한다.

예시

| 상품 기획서 |

- 상품명 한국식 약수
- 상품 특징

① 가벼운 등산 또는 매일 아침 산책 후 마시는 건강한 물
② 생수병 입구에 만보기가 부착되어 500 걸음에 한 번씩 물을 마실 수 있도록 함.
③ 만보기 정보를 인터넷에 올려 1주일 이내에 100,000 걸음 이상을 걸었을 경우, 약수를 떠먹을 수 있는 한국식 바가지를 선물로 보내 줌.

- 상품 종류 300mL, 500mL, 1L, 2L(용량별로 초콜릿 향, 딸기 향 등 추가 가능)

| 상품 기획서 |

- 상품명
- 상품 특징

①
②
③

- 상품 종류

172 9단원 | 글로벌 경제 활동과 지역 변화

선택 활동

3 상품 기획서를 바탕으로 상품을 판매할 회사의 상품 로고를 그려 본다.

회사 로고 예시	회사 로고

4 다음 조건에 맞추어 자신의 쇼핑몰을 알릴 수 있는 홍보 동영상 장면을 구상한다.

〈조건〉
- 흥미로운 누리집 주소를 만든다. (예 약수.com)
- 누리집 주소와 상품이 알려질 수 있는 영상을 제작한다.
- 세계인들이 이해할 수 있도록 언어와 문화를 고려하여 제작한다.

홍보 동영상 장면 구상하기

〈장면 1〉 〈장면 2〉 〈장면 3〉

5 완성된 내용을 모둠별로 발표하고, 다른 모둠의 발표를 평가한다.

생각하고 적용해요

위의 내용이 반영된 누리집의 화면을 직접 구상해 본다. (상품 선택과 구매, 각종 홍보 영상, 사진 등이 담길 수 있는 누리집 화면을 구성해 본다.)

예시

누리집 화면 구성하기

스스로 평가
- 상품의 특징을 창의적으로 표현하였나요?
- 기존의 상품이나 로고와 차별화되어 독창성이 잘 드러났나요?
- 외국인도 쉽게 알아볼 수 있게 누리집을 구성하였나요?

창의·융합 활동 173

해결 열쇠

활동 도우미

이렇게 해요 ❶에서 조건을 확인하고, ❷~❸을 통해 인터넷 쇼핑몰을 구상해 보세요. 쇼핑몰을 구상할 때에는 현재 오픈 중인 여러 인터넷 쇼핑몰을 방문하여 참고할 수 있어요. 이를 바탕으로 모둠원의 의도가 잘 드러나도록 하는 표현 방법을 생각해 보세요. ❹에서는 예상 스케치와 구상을 구체적으로 하여 영상을 제작하도록 합니다. 미리 모둠원과 논의하고 장면을 설정해 두어야 촬영 시간을 줄이고, 결과물의 완성도도 높아진답니다. 소비자의 입장이 아닌 생산자 혹은 판매자의 입장에서 생각한 후 세계를 대상으로 하는 인터넷 쇼핑몰을 구상해 보세요.

핵심 역량 창의적 사고력

인터넷 쇼핑몰을 직접 구상해 봄으로써 서비스업의 정보화와 세계화를 실감하고, 오늘날의 상황에 맞추어 쇼핑몰의 구성 요소를 기획하는 과정을 통해 창의적 사고력을 발휘해 봅시다.

이렇게 해요

❶ 물건뿐만 아니라 다양한 서비스도 상품이 될 수 있음을 고민해 보도록 합니다. 정보화로 직접 대면 없이도 서비스를 제공할 수 있다는 점을 반영할 수 있도록 합니다.

❷ 다양한 방식으로 상품의 특성을 고민해 보도록 합니다. 상품의 형태나 독특한 사용 방법, 제품에 대한 정보를 얻을 수 있는 홈페이지 등에 대해서도 고민해 보세요.

❸ 로고는 누가 봐도 알아볼 수 있는 단순하고 명확한 것이 좋아요. 로고에 제품의 특성이 드러난다거나, 상징적인 색상, 글씨를 그림처럼 변형하여 상징성을 드러내는 등의 방법도 가능하답니다.

❹ 만화, 뮤직비디오, 드라마 형태 등으로 다양하게 구성할 수 있어요.

교과서 단원 마무리 풀이

교과서174-175쪽

단원 한눈에 보기

❶ 상업적 농업 ❷ 선진국 ❸ 개발 도상국 ❹ 무역 장벽 ❺ 산업 공동화 ❻ 정보화

해결 열쇠

교과서 158~173쪽에서 학습한 내용을 떠올리면서 스스로 구조화해 보자.

서술로 사고력 키우기

1 오른쪽은 필리핀의 바나나 수출액 변화를 보여 주는 것이다. 필리핀은 쌀농사를 줄이고 바나나 재배를 늘리는 변화를 선택하였다. 이러한 선택을 한 까닭과 이러한 변화 때문에 겪을 수 있는 문제점을 농업의 세계화와 연관 지어 서술해 보자.

예 곡물인 쌀 대신 기호 작물인 바나나를 재배하는 것이 수익이 크다고 판단한 것이다. 그러나 바나나 재배가 늘어나면서 식량 부족 문제가 발생할 가능성이 커졌고, 바나나의 국제 가격 변화에 필리핀 경제가 크게 흔들릴 수 있게 되었다.

2 다국적 기업의 생산 공장이 주로 개발 도상국에 위치하는 까닭을 서술해 보자.

예 저렴하고 풍부한 노동력을 얻기 위해서이다. 각종 자원을 얻는 비용이 저렴하기 때문이다. 땅값을 비롯한 각종 시설비가 저렴하기 때문이다. 환경 관련 규제가 미비한 경우가 많아 환경 오염이 심한 산업이 입지하기 유리하기 때문이다.

3 정보화에 따른 서비스업의 변화를 전자 상거래 및 물류 산업과 연관 지어 서술해 보자.

예 정보화에 따라서 소비 문화가 전자 상거래를 통해 집에서 주문하고 받는 방식으로 변하고 있다. 물류 산업은 전자 상거래의 확대와 함께 급속히 성장하게 되었다.

채점 기준

❶	상	바나나 생산을 늘린 이유를 명확히 설명하고 이로 인한 부작용에 대해서도 정확하게 서술한 경우
	중	바나나 생산을 늘린 이유를 명확히 설명하였으나 이로 인한 문제점에 대한 설명이 부족한 경우
	하	인구 밀집 지역만 바르게 서술하고 그 특징을 제시하지 못한 경우
❷	상	예시 답안에 해당하는 내용 중 하나를 정확히 설명한 경우
	중	예시 답안의 내용에 해당하지 않지만 합당한 근거를 들어 자신의 생각을 서술한 경우
	하	이유에 대한 설명이 부족한 경우
❸	상	전자 상거래와 물류 산업의 발전을 잘 연결하여 설명한 경우
	중	전자 상거래의 증가만 제대로 설명한 경우
	하	두 가지 모두 설명하지 못한 경우

서술형 더 풀어보기

정답과 해설 29쪽

1 농업의 세계화로 우리 식탁 위 음식들의 위험성이 높아진다는 말이 자주 나온다. 생산이 아닌 소비의 입장에서 농업의 세계화에 따른 문제점을 서술해 보자.

수행 평가 해결하기

1 4명의 모둠을 구성한 후 모둠별로 먹을거리 담당, 전자 제품 담당, 의류 담당, 생활용품 담당으로 역할을 나눈다.

2 주변 사람들이 사용하는 제품들의 생산 국가를 각자 조사한 후, 모둠 구성원 전체가 공유한다.

3 우리가 상품을 통해 접하는 국가들을 살펴보고, 우리의 생활이 얼마나 세계화되었는지 발표해 본다.

4 우리의 소비 활동을 세계 여러 지역과의 관련성 속에서 분석해 보는 반성적 저널을 작성한다.

예시

나의 생활은 얼마나 세계화되어 있는가?

우리의 먹을거리와 흔히 사용하고 있는 전자 제품, 의류, 생활용품 중에는 외국에서 만들어진 것이 많다. 만약 우리 생활 속 모든 제품이 국내에서 생산된다면 가격도 비싸질 것이고, 다양성이 떨어질 수 있다. 세계화는 피할 수 없는 흐름이며, 국가 간 교류는 이미 일상화되었다. 따라서 우리는 이를 받아들이고 제품의 질과 가격 등을 꼼꼼히 살펴보는 현명한 소비 활동을 할 필요가 있다.

이 수행 평가는 ▸▸ 생활 속 제품과 먹을거리의 생산국을 조사해 봄으로써 우리와 세계 여러 지역의 사람들이 얼마나 깊이 연관되어 있는지를 파악하는 활동이다.

활동 도우미

조사 시 원산지를 알기 어려운 제품이 많이 있을 거예요. 이때 제품을 막연히 '국산'이라고 생각하지 말고 '출처 미상'이라고 정리해 보세요. 원산지를 표시하기 어려운 제품이 많다는 것은 그만큼 세계화가 우리 생활에 복잡하게 개입되어 있다는 의미이기도 하답니다.

단원을 정리하는 **종합 문제**

중요

1 농업 생산의 기업화와 세계화에 관련된 설명으로 옳은 것을 [보기]에서 고르면?

보기
ㄱ. 자급적 농업의 비중이 증가하였다.
ㄴ. 기업적 농업은 선진국에서만 이루어지고 있다.
ㄷ. 농업 생산의 다각화가 이루어지는 경우가 많다.
ㄹ. 시장 판매를 목적으로 하는 농업의 비중이 증가하였다.

① ㄱ, ㄴ ② ㄱ, ㄷ ③ ㄴ, ㄷ
④ ㄴ, ㄹ ⑤ ㄷ, ㄹ

2 다음과 같은 변화에 대해 가장 바르게 이해한 사람은?

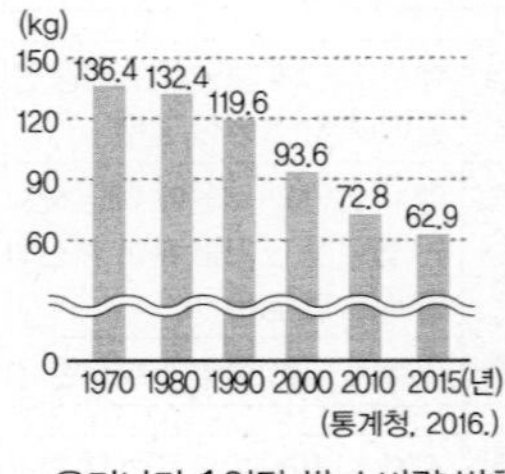

(통계청, 2016.)
▲ 우리나라 1인당 쌀 소비량 변화

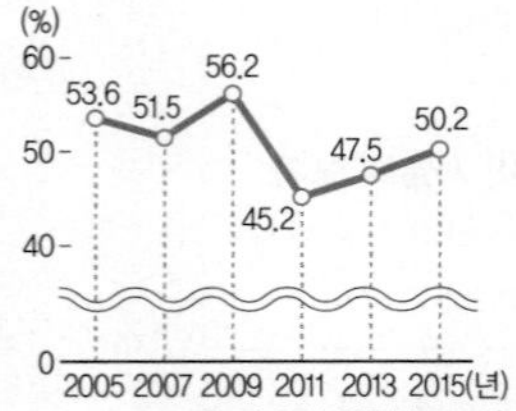

(농림 축산 식품부, 2016.)
▲ 우리나라 식량 자급률의 변화

① 장미: 육류 소비의 비중이 줄어들고 있어.
② 성철: 기호 식품의 소비가 늘어나고 있어.
③ 지현: 국산 농산물을 이용하려는 사람들이 증가하고 있어.
④ 준성: 수입 농산물의 가격 상승에 따른 영향을 깊이 고민할 필요가 있겠어.
⑤ 아린: 우리의 식량 생산 능력 향상으로 식량 자급률은 지속적으로 상승할 수밖에 없어.

3 농업 생산의 기업화와 세계화로 나타난 지역의 변화로 볼 수 없는 것은?

① 상품성이 높은 작물을 주로 재배하게 된다.
② 단일 작물의 재배로 환경 오염이 감소한다.
③ 수입 지역의 음식 문화가 더욱 다양하게 변화한다.
④ 육류와 기호 식품의 소비량이 증가하는 모습이 나타난다.
⑤ 식량 자급률의 지속적인 감소로 식량 부족 문제가 발생할 수 있다.

4 다국적 기업의 성장 과정을 순서대로 바르게 나열한 것은?

(가) 국내에서만 생산과 판매를 진행함.
(나) 해외에 생산 공장까지 만들게 되며, 무역 장벽까지 극복하게 됨.
(다) 기업이 성장하면서 해외 판매를 모색하며 해외 판매 지점을 세우게 됨.

① (가)-(나)-(다) ② (가)-(다)-(나)
③ (나)-(가)-(다) ④ (나)-(다)-(가)
⑤ (다)-(가)-(나)

중요

5 다국적 기업의 공간적 분업에 관한 설명으로 옳지 않은 것은?

① 본사는 다양한 정보를 얻기 쉬운 곳에 입지한다.
② 연구소는 고급 인력과 교육 기관이 많은 곳에 입지한다.
③ 판매 지점은 제품 구매력이 높은 지역에 입지하려 한다.
④ 생산 공장은 노동력이 풍부하고 인건비가 저렴한 곳에 입지한다.
⑤ 생산 공장은 선진국을 피해 개발 도상국에만 입지하려는 경향이 있다.

6 다국적 기업의 생산 공장이 입지하기에 유리한 조건을 갖춘 곳을 모두 고르면?

① 인건비가 저렴한 지역
② 전문 인력이 풍부한 지역
③ 인구가 적고 환경이 깨끗한 지역
④ 정보 통신 설비와 교육 시설이 부족한 지역
⑤ 소비자는 많지만 수입품에 대한 관세가 높은 지역

7 다국적 기업의 생산 공장이 철수하는 지역에서 생길 수 있는 변화를 [보기]에서 고른 것은?

보기
ㄱ. 일자리가 증가한다.
ㄴ. 기술 이전이 이루어진다.
ㄷ. 산업 공동화 현상이 나타난다.
ㄹ. 환경 오염의 위험성이 줄어든다.

① ㄱ, ㄴ
② ㄱ, ㄷ
③ ㄴ, ㄷ
④ ㄴ, ㄹ
⑤ ㄷ, ㄹ

8 **서비스업의 세계화에 관한 설명으로 옳지 않은 것은?**

① 정보화를 바탕으로 급격히 진전되었다.
② 전자 상거래의 증가가 대표적인 사례이다.
③ 사람의 직접적인 접촉 없이도 가능해지고 있다.
④ 상대적으로 물류 산업은 위축되는 모습을 보인다.
⑤ 교육, 의료 등 다양한 영역으로 발전해 나가고 있다.

9 **서비스업의 세계화 사례로 적절한 것을 [보기]에서 고른 것은?**

보기
ㄱ. 외국 대학의 수업을 듣기 위해서는 직접 그곳에 가야 한다.
ㄴ. 외국에 직접 가지 않고 인터넷으로 상품 구매가 가능하다.
ㄷ. 대형 마트를 방문하는 사람의 수가 급격히 증가하면서 인근 지역의 교통 체증이 심각해졌다.
ㄹ. 관광 회사를 통하지 않고도 외국의 숙박 시설과 항공편을 직접 예약하여 나만의 여행을 계획할 수 있게 되었다.

① ㄱ, ㄴ ② ㄱ, ㄷ ③ ㄴ, ㄷ
④ ㄴ, ㄹ ⑤ ㄷ, ㄹ

10 **다음 내용과 관련된 설명으로 가장 옳은 것은?**

W 마트는 세계적인 오프라인 쇼핑 센터이다. 하지만 근래에 온라인 쇼핑몰인 A사의 추격에 심각한 위기를 느끼고 있다. 최근 조사된 시가 총액에서는 A사가 W마트를 이기는 모습까지 보이고 있다. 세계적으로 10만 개가 넘는 매장을 지닌 W 마트가 왜 A사에 고전하는 모습을 보이는 것일까?

① A사의 물류 센터는 인구가 많은 곳에 생기게 된다.
② W 마트보다 A사에 고용된 직원이 더 많을 것이다.
③ A사보다 W 마트가 세계의 더 많은 소비자와 만날 수 있다.
④ W 마트는 A사를 이기기 위해 더 많은 매장을 만들 것이다.
⑤ A사와 같은 회사의 성장은 물류 산업의 성장도 이끌어 낸다.

서술형 평가

11 **다음은 농업 생산의 기업화와 세계화가 지역에 미치는 영향에 대해 정리한 것이다. 부정적 영향을 두 가지 제시하여 글을 완성하시오.**

세계적 농산물 기업들이 진출한 지역에서는 바나나, 커피, 팜유 등 상품성이 높은 작물을 대규모로 재배하는 모습을 쉽게 볼 수 있다. 이러한 농업은 지역 농민들에게 새로운 일자리를 제공하고, 해당 작물의 국제적 판매가 증가하여 지역 경제를 활성화 할 수 있다. 하지만

중요

12 **다음은 다국적 기업의 생산 공장이 지역에 미치는 부정적 영향이다. 이를 참고하여 긍정적 영향을 서술하시오.**

- 유해 물질의 배출로 환경을 오염시킨다.
- 공장이 유출되면 지역 경제가 위기를 겪을 수 있다.
- 단순 노동에 한정된 고용으로 지역의 장기적 성장에는 큰 도움이 되지 않을 수 있다.

단원 연계 문항

13 **다음을 참고하여 최근 서비스업의 입지 특성이 농업과 공업의 입지 특성과 어떻게 다른지 비교하여 서술하시오.**

온라인 쇼핑몰 회사인 A사는 세계 어디에도 오프라인 매장을 두지 않고 운영되고 있다. 이들은 오직 전자 상거래만을 하고 있으며 빠른 물류 체계를 바탕으로 상품을 소비자에게 보내고 있다.

환경 문제와 지속 가능한 환경

이 단원을 배우면

- 기후 변화의 원인과 그에 따른 지역 변화를 설명할 수 있어요.
- 기후 변화 해결을 위한 지역적 · 국제적 측면의 노력을 평가하고, 지속 가능한 발전을 위해 노력하는 자세를 가져요.
- 환경 문제 유발 산업의 국가 간 이동 경향을 알고, 환경 문제 유발 산업의 이동이 지역에 미친 영향을 설명할 수 있어요.
- 환경 이슈의 의미와 생활 속 환경 이슈를 둘러싼 다양한 의견을 비교하여 설명할 수 있어요.

이 단원의 학습 주제

우리가 겪고 있는 기후 변화는 왜 일어나는 것일까?

환경 문제를 유발하는 산업의 이동은 해당 지역에 어떤 영향을 미칠까?

우리 주변에서 나타나는 환경 이슈에는 어떤 것들이 있을까?

찬성 반대

대단원 표지 그림 해설

환경 오염이 일어나지 않은 녹지에서 자전거를 타는 학생의 행복한 모습과 환경 오염이 심각한 공장 및 도시 지역에서 마스크를 쓰고 출근하는 직장인의 모습이 대비되어 나타나 있어요.

스스로 학습 계획 세우기						나의 학습 달성 정도
계획일	월	일	학습일	월	일	
	월	일		월	일	
	월	일		월	일	
	월	일		월	일	
	월	일		월	일	
	월	일		월	일	
	월	일		월	일	
	월	일		월	일	
	월	일		월	일	

10-1 기후 변화의 원인과 해결 노력 (1)

학습 목표 | 기후 변화와 지구 온난화의 원인과 영향을 알고, 그에 따른 지역 변화를 설명할 수 있다.

❶ 기후 변화의 원인과 영향은 무엇일까?

1 기후 변화의 발생

1. **원인**: 과거에는 자연적 요인이 주된 원인이었으나 최근에는 인간 활동이 주된 원인
2. **기후 변화로 나타나는 대표적인 환경 문제**: 지구 온난화
3. **기후 변화에 따른 영향**: 전 지구적으로 나타남.
   - 기후 변화는 세계 곳곳에서 발생하고, 그 영향을 전 지구적으로 미치기 때문에 세계인 모두가 관심을 가지고 함께 해결해 나가야 해요.

2 지구 온난화

1. **의미**: 지구의 평균 기온이 점점 높아지는 현상
2. **원인**
   - 온실 효과는 지구 기온을 인간이 살기 좋은 상태로 유지해 주어 꼭 필요하지만, 과도해질 경우 지구 온난화를 유발해요.

   ① 대기 중 온실가스❶ 증가에 따른 과도한 온실 효과

   ② 화석 연료❷ 사용 증가, 농경지 개발, 도시화에 따른 삼림 파괴 등
   - 이산화 탄소를 비롯해 다양한 온실가스를 배출해요.
3. **영향**

   ① 지구의 평균 기온이 높아져 기후 변화와 해수면 상승에 영향을 줌.

   ② 자연재해가 더 넓은 지역에서 발생하고 피해 규모도 커짐.

❶ 온실가스
온실 효과를 일으키는 이산화 탄소, 메탄, 아산화 질소 등의 기체로, 이산화 탄소는 전체 온실 가스의 절반 이상(약 77%)을 차지하는 지구 온난화의 주범이다.

❷ 화석 연료
지각에 묻힌 동식물의 유해가 오랜 시간에 걸쳐 화석화되어 만들어진 연료를 부르는 말로, 석탄 · 석유 · 천연가스 등이 해당한다. 오늘날 우리가 이용하는 에너지 대부분이 화석 연료에 속한다. 석탄은 산업 혁명 시기에 본격적으로 사용되기 시작하였고, 이후 석유와 천연가스가 발굴되면서 사용량이 급증하였다.

핵심 자료 온실 효과

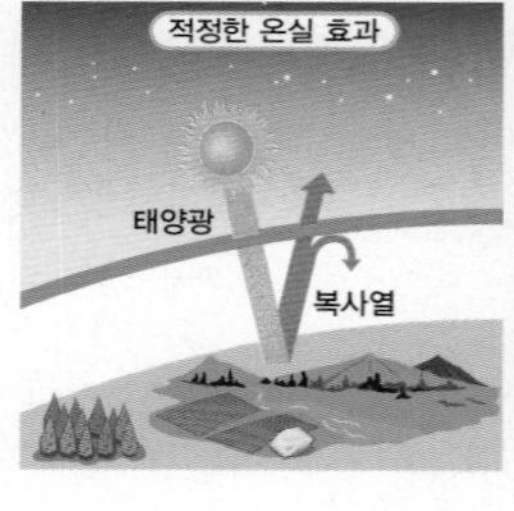

온실 효과 태양으로부터 방출된 열에너지는 지구에 도달하였다가 다시 우주로 방출된다. 그러나 지구에서 복사되는 열이 온실가스에 막혀 지구 밖으로 나가지 못하고 지구로 다시 흡수되어 대기와 지표면 온도를 높이는 현상을 말한다.

핵심 ❶ 적정한 온실 효과가 나타나면 태양 복사 에너지와 지구 복사 에너지 간 균형이 이루어져 지구의 평균 기온이 오르거나 내리지 않고 일정하게 유지된다. 반면 과도한 온실 효과가 나타나면 균형이 깨지면서 지구 온난화의 원인이 된다. 오른쪽 그림에서처럼 지구 밖으로 나가는 복사열이 줄어들고, 다시 지표면으로 반사되는 복사열이 증가하여 지구 평균 기온이 높아지게 된다.

핵심 ❷ 온실 효과는 녹지의 면적이 줄고, 자동차 배기가스나 공장에서 배출되는 매연 등이 증가하면서 과도해지고, 지구 온난화를 유발하게 된다.

간단 체크 정답과 해설 30쪽

알맞은 말 선택하기

1 과거의 기후 변화는 (자연적 요인 | 인간 활동)이 주된 원인이었다.

2 지구 온난화는 화석 연료의 사용이 (증가 | 감소)함에 따라 가속화된다.

3 만년설이 녹으면 지구 평균 해수면이 (상승 | 하강)하게 된다.

교과서 **활동 풀이**

교과서 178-179쪽

생각 열기 북극에서는 지금 무슨 일이 일어나고 있는 것일까?

여름에 해가 지지 않고, 겨울에 해가 뜨지 않는 곳, 북극. 신비로운 미지의 동물이 있고, 황홀한 오로라가 펼쳐지는 곳이 북극이죠. 그런데 수억 년 동안 녹지 않고 늘 그 자리에 있을 것 같던 북극의 빙하가 녹아내리고 있어 우리 다음 세대의 아이들은 이런 절경을 보지 못할 지도 몰라요.

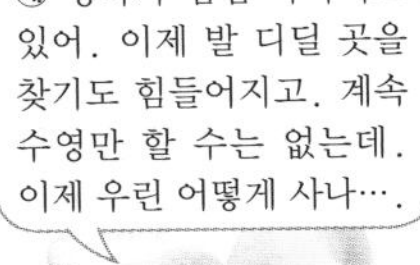

질문 1 북극의 빙하가 줄어드는 까닭은 무엇일까?

예 지구 온난화의 영향으로 지구 평균 기온이 상승하여 빙하가 융해되었기 때문이다.

질문 2 북극의 빙하가 녹으면 이곳에서 생활하는 북극곰은 어떻게 될지 북극곰의 입장에서 말풍선을 채워 보자.

질문 3 북극의 빙하가 녹으면 지구의 다른 지역에서는 어떤 변화가 나타날까?

예 해수면 상승으로 해발 고도가 낮은 저지대나 일부 섬나라가 침수 피해를 입는다.

해결 열쇠

자료 해설

'여름에 해가 지지 않는'이라는 표현은 고위도 지역의 여름에 나타나는 백야를 의미하고, '겨울에 해가 뜨지 않는'이라는 표현은 겨울에 나타나는 극야를 의미한다. 사진은 1980년과 2015년 북극해 연안과 그린란드 지역의 빙하 면적 변화를 보여준다. 약 35년간 진행된 지구 온난화로 빙하 면적이 크게 감소하였음을 확인할 수 있다. 빙하 면적의 감소는 해수면 상승으로 이어져 세계 여러 지역에 다양한 부작용을 초래하고 있다.

생각+ 과도한 온실가스 배출이 지구 온난화의 원인이 되는 까닭을 설명해 보자.

예 지구에서 복사되는 열이 온실가스에 막혀 지구 밖으로 나가지 못하고 다시 흡수되어 대기와 지표면 온도를 높이는 역할을 하기 때문이다.

활동 지구 온난화에 영향을 주는 요인

자료 1 온실가스 배출 요인

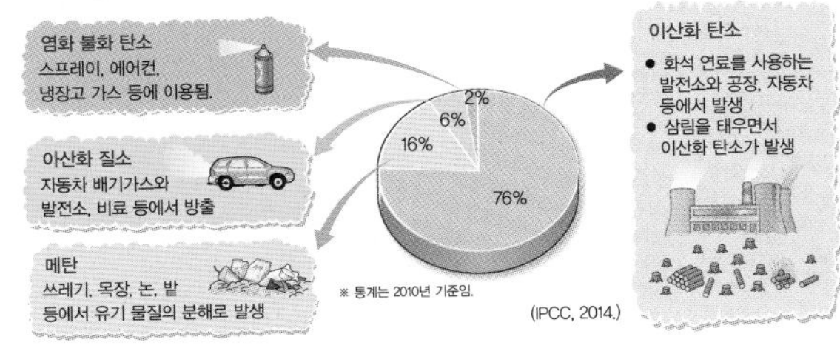

자료 2 이산화 탄소 평균 농도와 지구 평균 기온

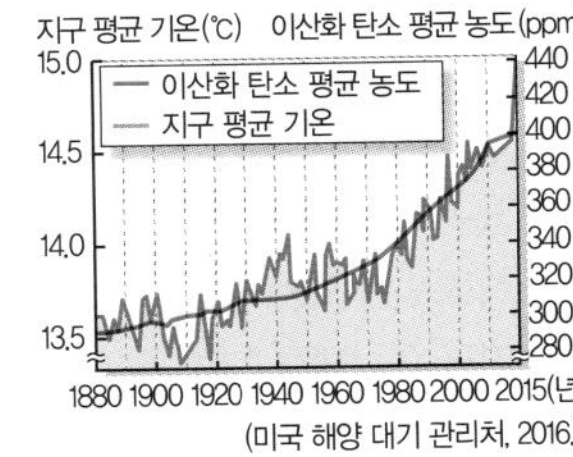

(미국 해양 대기 관리처, 2016.)

1 자료 1을 보고 온실가스를 발생시키는 인간 활동에는 어떤 것들이 있는지 말해 보자.

예 자동차 배기가스, 공장이나 발전소의 화석 연료 사용, 농업 및 목축업 등

2 자료 2를 보고 이산화 탄소 평균 농도와 지구 평균 기온의 연관성을 설명해 보자.

예 대기 중 이산화 탄소 농도가 높아질수록 지구 평균 기온도 함께 상승하고 있다.

자료 해설

염화 불화 탄소(CFCs)는 프레온 가스라고도 부르며, 냉장고나 에어컨의 냉매로 활용된다. 오존층 파괴의 원인이 되는 물질로 오존 홀을 발생시켜 피부암이나 백내장 같은 질환에 영향을 주기도 한다.

잠깐! 과거 겨울철 한강의 모습은 오늘날과 왜 다를까요?

과거에는 한강이 꽁꽁 얼어 얼음을 채취하기도 하고, 한강 위에서 스케이트를 타기도 했다. 이와 같은 모습은 언제부터인가 사라졌는데, 지구 온난화가 이에 한몫했다고 한다. 세계적인 지구 온난화의 영향으로 우리나라의 겨울철 평균 기온이 과거에 비해 상승하였고, 오늘날은 겨울 중 한파가 몰아치는 며칠 동안에만 한강 변을 따라 유빙을 볼 수 있는 정도이다.

기후 변화의 원인과 해결 노력 (2)

학습 목표 | 지구 온난화의 영향으로 세계 곳곳에 나타나는 변화를 설명할 수 있다.

3 지구 온난화에 따른 지역 변화와 피해

1. 배경: 지구 온난화는 전 지구적으로 다양한 환경 문제에 영향을 줌.

2. 양상

① 자연재해가 더 넓은 지역에서 더 강력하게 발생하며, 피해 규모도 커짐.
→ 보다 강력한 태풍, 보다 집중되며 많은 양의 강수, 지속적인 가뭄과 사막화

② 극지방의 빙하, 고산 지역의 만년설이 녹으면서 지구의 평균 해수면❶이 상승함.
→ 해발 고도가 낮은 일부 섬나라 및 해안 저지대 침수 위험

3. 피해 사례

국가	내용
방글라데시	• 특징: 수많은 강과 저지대로 이루어진 국가 • 피해: 해수면 상승과 빈번한 강수 → 하천 유량 증가로 하천 주변 저지대의 홍수 피해 심화
투발루	• 특징: 남태평양에 위치한 산호초섬으로 이루어진 국가로 평균 해발 고도가 3m ┌투발루는 국토가 침수되면서 주변 국가에 국민을 이민자로 받아줄 것을 호소하고 있어요. • 피해: 해수면 상승으로 침수 피해 심화, 국가 존립 위기
스위스	• 특징: 알프스산맥에 위치하며 관광 산업이 발달 • 피해: 겨울에도 기온이 많이 내려가지 않아 스키장 운영에 어려움을 겪음. 알프스산맥의 빙하 감소
미국 알래스카	• 특징: 미국 고위도 지역으로 영구 동토층❷이 분포 ┌영구 동토층이 녹으면 물기가 많고 유동성이 강해요. • 피해: 기온 상승으로 영구 동토층이 녹음. → 건물 및 시설 붕괴 피해
페루	• 특징: 안데스산맥에 위치, 하천은 고지대의 빙하에서 물을 공급받음. • 피해: 빙하 감소로 전 국가적으로 물 부족 심화
오스트레일리아	• 특징: 대륙 내부의 건조 지역에서 대규모 목축과 농업이 이루어짐. • 피해: 남동부 지역의 지속적인 가뭄, 목초지 황폐화 → 사막화, 목축 생산량 감소

4 지구 온난화에 따른 유리한 점

1. 배경: 지구 온난화는 전 지구적으로 다양한 피해를 주지만, 일부 측면에서는 유리한 점으로 작용하기도 함.

2. 사례

① 북극 항로 개척: 북극의 빙붕❸이 녹으면서 새로운 항로 개척 → 항해 거리와 시간이 단축됨.

② 농업 가능 지역의 확대: 평균 기온이 높아지면서 농업 가능 지역이 고위도 쪽으로 넓어지며, 재배 가능한 작물에도 변화가 생김.

③ 새로운 산업 등장: 지구 온난화에 대비하는 새로운 분야의 산업이 성장함.

---

❶ 평균 해수면
해수면의 평균적인 높이를 의미한다. 바다의 수위는 해류나 조차, 날씨의 영향 등을 받아 조금씩 변화하는데, 평균 해수면은 그 평균을 산출하여 나타낸다. 평균 해수면으로부터의 고도를 해발 고도라고 한다.

❷ 영구 동토층
땅의 온도가 일 년 내내 0℃ 이하로 얼어 있는 부분을 말한다. 대체로 평균 기온이 6개월 이상 영하로 나타나는 고위도 지역에 분포한다.

❸ 빙붕
바다에 떠 있는 얼음 덩어리를 말한다. 본래 바다이지만 연중 얼음으로 덮여 있다. 얼음의 두께가 300~900m에 이른다.

간단 체크 정답과 해설 30쪽

O, X 판단하기

1 지구 온난화로 자연재해가 더 넓은 지역에서 더 강력하게 발생하게 되었다. ( )

2 빙하와 만년설이 녹으면서 평균 해수면이 상승하고, 해발 고도가 낮은 지역은 침수 피해를 입게 되었다. ( )

3 지구 온난화로 입는 피해는 일부 지역에 국한된다. ( )

교과서 활동 풀이

교과서 180쪽

활동 기후 변화에 따른 세계 여러 지역의 변화

가
최근 방글라데시 주변의 해수면 상승과 빈번한 강수, 하천 유량의 증가로 홍수 피해가 심해지고 있다.

나
스위스 남부 지역은 12월에도 기온이 내려가지 않아 스키장의 일부 슬로프만 인공 눈으로 운영하고 있다.

다
최근 방글라데시 주변의 해수면 상승과 빈번한 강수, 하천 유량의 증가로 홍수 피해가 심해지고 있다.

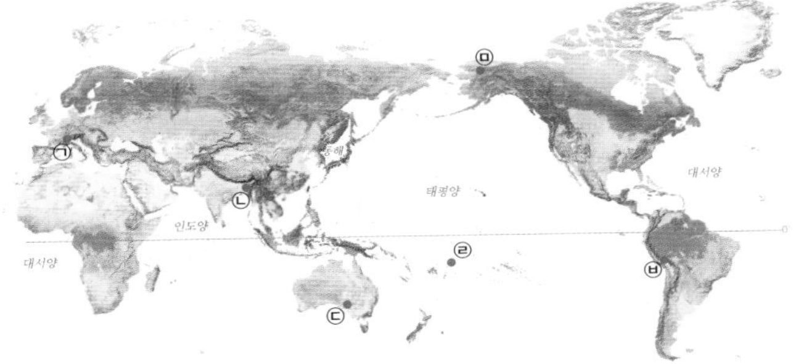

라
태평양의 해수면이 빠르게 상승하여 해발 고도가 낮은 섬 국가인 투발루는 국토 대부분이 물에 잠기고 있다.

마
오스트레일리아의 남동부 지역은 지속적인 가뭄에 시달리고 있다. 목초지가 황폐해지면서 목축업 생산량이 감소하고 있다.

바
페루의 하천들은 안데스산맥 고지대의 빙하에서 물을 공급받는다. 그러나 이 빙하가 줄어들면서 페루는 물 부족에 시달리고 있다.

1 (가)~(바)의 국가 또는 지역을 지도의 ㉠~㉥ 중에서 찾아보고, 기후 변화 때문에 나타나는 환경 문제를 설명해 보자.

- (가): ㉡, (나): ㉠, (다): ㉤, (라): ㉣, (마): ㉢, (바): ㉥
- 기후 변화 때문에 나타나는 환경 문제: 예 홍수, 가뭄 등 피해 증가, 지구 온난화로 강설량 감소, 영구 동토층 융해로 인한 가옥 붕괴, 일부 섬나라 및 해안 저지대 침수, 사막화로 인한 가뭄 피해 증가, 물 부족 현상 발생 등

2 기후 변화로 침수 위기에 놓인 국가들의 공통점을 찾아보고, 비슷한 문제를 겪고 있는 다른 국가들을 찾아보자.

예 해발 고도가 낮거나 해안 저지대에 위치한 섬나라로, 몰디브, 투발루, 키리바시 등에서 비슷한 피해가 나타나고 있다.

3 선택 활동 지구 온난화가 우리 생활에 미친 영향을 조사해 보자.

예 여름이 더 덥고 길어짐, 냉방 관련 제품 판매량 증가, 열대 또는 아열대 작물의 재배 면적 확대, 난류성 어종의 서식지 확대, 한류성 어종의 서식지 감소, 겨울 스포츠 산업의 상대적 쇠퇴, 야생 동물의 서식지 변화 등

해결 열쇠

자료 해설

- (가): 방글라데시와 인도 북동부는 연 강수량이 3,000m를 넘는 세계 최다우지이다. 인도양으로부터 불어오는 습윤한 바람이 히말라야산맥을 타고 올라가면서 엄청나게 많은 비를 뿌리기 때문이다. 원래 강수량이 많은 이 지역은 기후 변화로 인해 홍수 피해가 더욱 빈번해지고 있다.
- (나): 알프스산맥에 위치한 스위스는 세계적인 관광지이자 겨울 스포츠의 메카이다. 하지만 지구 온난화의 영향으로 눈이 많이 내리지 않아 겨울 스포츠 산업이 위축되고 있다. 인공눈을 사용하면서 비용이 발생하기 때문이다.
- (다): 미국 알래스카는 한대 기후가 나타나는 지역으로, 이 지역 주민들은 가옥이 기울어지거나 붕괴되는 것을 막기 위해 영구 동토층까지 기둥을 박아 고상 가옥을 지었다. 하지만 최근 지구 온난화의 영향으로 영구 동토층의 일부가 녹아 가옥이 기울어지거나 붕괴되는 사례가 증가하고 있다.
- (라): 투발루는 남태평양 중앙에 위치한 섬나라로, 최고 해발 고도가 5m 정도이다. 9개의 섬 중 2개의 섬이 해수면 상승으로 침수되자 2001년 국토 포기 선언을 하였고, 국토 전체가 물에 잠길 것에 대비해 주민들은 뉴질랜드로 이민을 가고 있다.
- (마): 오스트레일리아는 최근 기후 변화로 남동부 지역에 가뭄이 지속되고, 사막화 현상이 나타나고 있다.
- (바): 안데스산맥의 해발 고도가 높은 곳은 기온이 낮아 만년설과 빙하가 나타나는데, 지구 온난화가 심화됨에 따라 점차 녹아내려 그 양이 점차 줄어들고 있다.

기후 변화의 원인과 해결 노력 (3)

학습 목표 | 기후 변화 해결을 위한 지역적 · 국제적 측면의 노력을 평가하고, 지속 가능한 발전을 위해 노력하는 자세를 가진다.

❷ 기후 변화 해결을 위해 어떤 노력을 하고 있을까?

1 지속 가능한 발전

1. **의미:** 미래 세대가 그들의 필요를 충족할 능력을 저해하지 않으면서 현재 세대의 필요를 충족시키는 발전
2. **배경:** 1987년 환경과 개발에 관하여 세계 위원회가 발표한 「우리의 미래 보고서」에서 확립 → 1992년 브라질 국제 연합 환경 개발 회의(UNCED)에서 일반화

2 전 지구적인 환경 문제를 해결하기 위한 노력

1. **개인적 차원의 노력:** 에너지 절약 실천으로 탄소 배출량 줄이기, 전 지구적 환경 문제에 관심 가지기, 각종 시민 단체에 소속되어 활동하기, 환경 캠페인 하기 등
2. **국가적 차원의 노력**
   ① 우리나라는 녹색 성장 정책 추진 → 환경 보존과 경제 성장의 두 가지 가치가 조화를 이루는 개념
   ② 탄소 배출권❶ 거래 제도 시행: 기업의 자발적인 탄소 배출량 감소 유도
3. **국제적 차원의 노력**
   ① 온실가스 규제에 관한 주요 협약

기후 변화 협약	• 1992년 브라질의 리우데자네이루에서 합의 • 온실가스의 인위적인 배출을 규제하기 위한 협약
교토 의정서❷	• 1997년 일본의 교토에서 합의 • 기후 변화 협약에 따른 온실가스 감축 목표에 관한 의정서(선진국의 온실가스 감축 목표치 규정)
파리 협정❸	• 2015년 프랑스의 파리에서 채택한 협정 • 국제 연합 기후 변화 협약 당사국 총회(COP21)에서 195개 협약 당사국이 온실가스 감축 목표에 합의

   ② 한계: 전 지구적 합의를 이끌어내기 어려움. – 각국의 이해관계 및 산업 구조, 기술 수준이 다르기 때문이에요.

핵심 자료 국가별 이산화 탄소 배출 비율

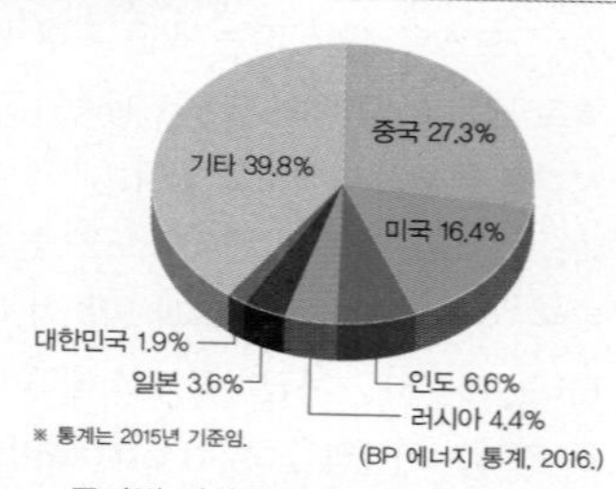

▲ 국가별 이산화 탄소 배출 비율

핵심 ❶ 세계 인구 순위 1~3위에 해당하는 중국, 인도, 미국의 이산화 탄소 배출 비율이 매우 높다.

핵심 ❷ 우리나라와 일본처럼 인구 규모는 작지만 제조업이 발달한 국가 역시 화석 연료 소비량이 많아 이산화 탄소 배출량이 매우 높게 나타난다.

❶ 탄소 배출권
일정 기간 동안 이산화 탄소(CO_2), 메탄(CH_4), 아산화 질소(N_2O), 과불화 탄소(PFCs), 수소 불화 탄소(HFC), 육불화 황(SF_6)의 6대 온실가스의 일정량을 배출할 수 있는 권리를 의미한다. 탄소 배출권은 국제 연합 기후 변화 협약에서 발급하며 주식이나 채권처럼 매매가 가능하다.

❷ 교토 의정서(1997)
기후 변화 협약의 수정안으로 교토 의정서 인준국은 6종류의 온실가스 배출을 감축하며 배출량을 줄이지 않는 국가에는 비관세 장벽을 적용하게 된다.

❸ 파리 협정(2015)
2015년 국제 연합 기후 변화 회의에서 채택된 조약으로 교토 의정서를 대체할 신 기후 체제이다. 그러나 2017년 미국의 탈퇴로 파리 협정은 큰 위기에 처해 있다.

간단 체크 정답과 해설 30쪽

O, X 판단하기

1. 현 세대의 필요를 최대한 충족시키는 발전을 지속 가능한 발전이라고 한다. ( )
2. 교토 의정서는 개발 도상국에도 온실가스 배출 감축 의무를 지게 한다. ( )
3. 이산화 탄소 배출을 가장 많이 하는 국가는 미국이다. ( )

교과서 **활동 풀이**

교과서 181-182쪽

활동 기후 변화 해결을 위한 노력

세계의 많은 국가는 온실가스 배출량 감축에는 동의하지만, 나라마다 어느 정도 줄여야 하는지는 의견이 다릅니다. 각국의 다양한 생각을 들어 보도록 하겠습니다.

우리는 산업화를 통한 경제 성장이 시급하여 온실가스 배출량을 의무적으로 감축하는 데에는 어려움이 있습니다. 지구 온난화에 책임이 있는 선진국이 먼저 의무적으로 온실가스를 감축해야 합니다.

우리는 온실가스를 오랫동안 배출해 왔고, 현재도 배출량이 많은 것에 책임감을 느낍니다. 그러나 최근 개발 도상국의 배출량도 많으므로 온실 가스 감축에 동참해야 합니다. 선진국만 부담 의무를 지는 것에는 반대합니다.

1 위 그림을 참고하여 선진국과 개발 도상국의 입장이 서로 다른 까닭을 설명해 보자.

예 선진국은 자신들의 온실가스 배출량이 많은 것을 인정하지만, 선진국만 감축 부담 의무를 지는 것에는 반대하고 개발 도상국도 동참해야 한다고 주장한다. 반면, 현재 경제 성장이 시급한 개발 도상국에서는 온실가스 감축의 취지는 동의하지만 선진국을 중심으로 감축이 이루어져야 한다고 주장하기 때문에 서로 입장이 다르다.

2 가속화되고 있는 기후 변화를 해결하기 위해 개발 도상국과 선진국은 어떤 노력을 해야 하는지 이야기해 보자.

예 선진국과 개발 도상국은 서로 다른 입장으로 대립하고 있지만, 기후 변화 해결을 위한 온실가스 감축은 세계인의 공통 과제임을 인식하고 모두 동참하고 적극적으로 협력하는 태도를 가져야 한다.

3 전 지구적으로 발생하고 있는 기후 변화에 대응하기 위해 우리나라에서는 어떤 노력을 하고 있는지 더 조사해 보자.

예 우리나라 정부는 기후 변화 종합 대책을 마련해 추진 중에 있으며, 탄소 배출량이 적은 청정 에너지, 친환경 에너지를 개발하고, 녹색 기술 연구 개발을 지원하는 등 지속 가능한 발전을 추구하고 있다.

해결 열쇠

활동 도우미

선진국과 개발 도상국이 처한 상황을 객관적으로 고려하면서 양측 주장의 타당성을 중립적인 시각에서 살펴봅니다. 그리고 온실가스 감축에 개발 도상국이 참여해야 하는지, 참여한다면 어느 정도 부담을 담당해야 하는지에 대해 생각해 보세요. 모두가 함께 사는 지구라는 사실을 잊지 마세요.

자료 해설

개발 도상국은 온실가스 감축에 소극적인 태도를 보이고 있다. 이미 경제가 발달한 선진국이 배출한 온실가스로 인한 피해를 전 지구인이 겪고 있으므로, 개발 도상국이 함께 온실가스 감축 부담을 지는 것은 부당하다고 생각한다. 반면, 선진국은 온실가스 감축에 적극인 태도를 보이고 있는 것처럼 보이나, 중요한 것은 자신들만 감축 의무를 질 수 없다는 입장이다.

함께 배우기 마인드맵으로 배우는 지구 온난화

1. 4~5명의 모둠을 구성한다.
2. 모둠별로 지구 온난화의 원인과 지역 변화, 이를 해결하기 위한 노력에 관해 자유롭게 이야기해 본다.
   - 원인: 예 화석 연료 사용 증가, 삼림 파괴, 농경지 개발 등으로 대기 중의 온실가스 증가
   - 지역 변화: 예 자연재해가 더욱 넓은 지역에서 발생하고 피해 규모도 커지는 경향, 빙하나 만년설이 녹아 평균 해수면 상승, 해발 고도가 낮은 저지대의 침수 위기 등
   - 해결 노력: 예 개인적인 노력, 기후 변화 협약에 합의, 교토 의정서와 파리 협정 채택, 지속 가능한 발전 모색 등
3. 8절지에 이야기한 것을 정리하고 마인드맵을 그려 본다.
4. 자신들이 그린 마인드맵을 다른 모둠에 설명하며 서로 비교해 본다.
5. 마인드맵을 완성하여 발표하고 교실에 전시한다.

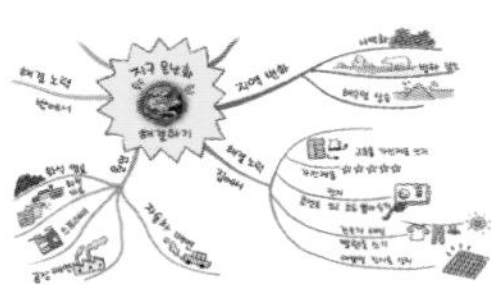

활동 도우미

모둠원과 지구 온난화의 원인, 지역 변화, 해결 노력 등에 대해 자유롭게 이야기 나눈 후, 내용을 논리 정연하게 정리합니다. 그리고 그림에서 어떻게 표현할 것인지 아이디어를 짜 봅니다.

마인드맵 작성 TIP

지구 온난화에 대한 자유로운 토론을 진행하면서, 구성원 중 1명은 다양하게 제시된 의견을 간단히 메모하는 역할을 합니다. 메모를 할 때에는 의견 전체 내용을 받아 적는 것이 아니라, 키워드를 중심으로 메모하고, 핵심 키워드는 마인드맵의 주요 가지로 활용하도록 합니다.

스스로 확인하기

1 (1) 지구 온난화 (2) 지속 가능한 **2** (1) × (2) ○ (3) ×

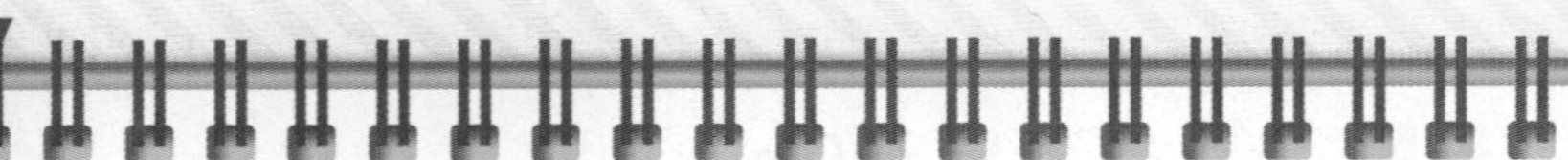

개념 노트 만들기

정답과 해설 30쪽

핵심 내용 정리하기 **학습한 내용을 기억하면서 다음 글을 완성해 보자.**

(**제목:**)

기후 변화는 과거에는 자연적 요인이 주된 원인이었지만 최근에는 (❶)이(가) 주된 원인이다. (❷)은(는) 대기 중 온실가스의 농도가 증가함에 따라 지구의 평균 기온이 점점 높아지는 현상으로, 빙하나 만년설을 녹게 하여 평균 (❸)을(를) 상승시키므로 해발 고도가 낮은 섬나라나 해안 저지대는 침수 피해를 입을 수 있다. 이와 같은 전 지구적 차원의 환경 문제를 해결하기 위해서는 에너지 절약 실천과 같은 개인적 차원의 노력 이외에도, 녹색 성장 정책 추진, (❹) 거래 제도 시행, 국제 조약 및 합의와 같은 국가적·국제적 차원의 노력이 필요하다. 1997년 합의한 (❺)은(는) 기후 변화 협약의 수정안으로, 선진국의 온실가스 감축 목표치를 규정하였다. 이후 2015년 채택한 (❻)은(는) 국제 연합 기후 변화 회의에서 채택된 신 기후 체제로, 선진국뿐만 아니라 개발 도상국도 온실가스 감축의 대상이 된다.

활동 노트 완성하기 **학습하면서 기른 역량을 살려 다음 활동 노트를 완성해 보자.**

※ 다음은 미국 지리 학회에서 '만약 이 땅의 모든 빙하가 녹아버리면 어떤 일이 벌어질까?'라는 주제로 그린 지도이다.

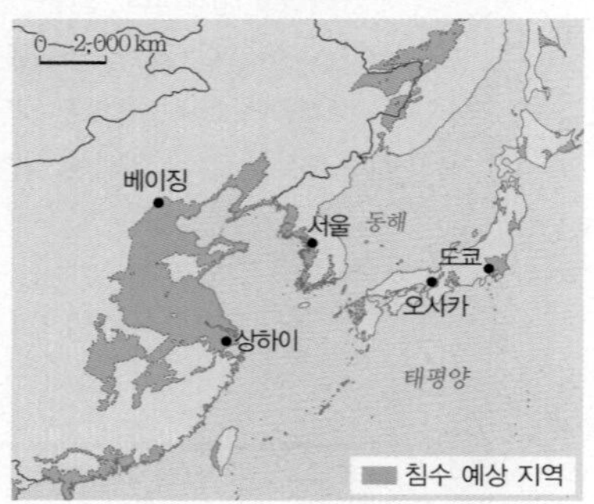

◀ 지구상의 얼음이 모두 녹아 바다로 흘러들어간 뒤 해수면이 약 66m 상승한 동아시아 지역

1 동아시아 3개국 중 가장 침수 피해가 큰 국가는 어디이며, 그 까닭은 무엇일까?

• 가장 침수 피해가 큰 국가:

• 침수 피해가 큰 까닭:

2 우리나라에서 침수가 예상되는 지역은 어디인가?

3 이러한 현상을 방지하기 위한 국가 및 국제적 차원의 노력을 서술해 보자.

실력을 키우는 응용 문제

정답과 해설 30쪽

1 다음의 빈칸에 들어갈 환경 문제로 옳은 은 것은?

> (　　　)은(는) 대기 중 온실가스 농도가 높아짐에 따라 지구의 평균 기온이 상승하는 현상을 의미한다.

① 사막화 ② 산성비 ③ 오존층 파괴
④ 지구 온난화 ⑤ 생물 종 다양성 감소

2 그림은 온실 효과를 나타낸 것이다. (가), (나)에 대한 설명으로 옳은 것은?

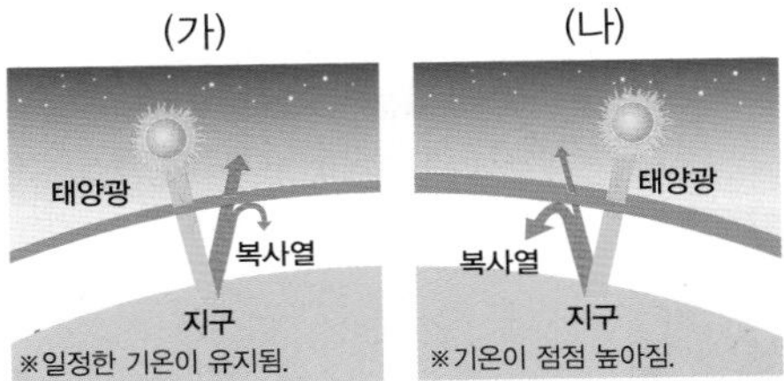

① (가)에서는 지구 복사 에너지가 모두 우주로 방출되고 있다.
② (나)에서는 적정한 온실 효과가 이루어지고 있다.
③ (가)는 (나)보다 온실가스의 배출량이 더 적을 것이다.
④ (나)는 (가)보다 녹지의 면적이 더 넓게 나타날 것이다.
⑤ 인간 활동의 영향은 (나)보다 (가)에서 더 많이 받을 것이다.

3 다음의 '이것'에 해당하는 환경 문제 해결 노력으로 알맞은 것은?

> '이것'은 일정 기간 동안 이산화 탄소(CO_2), 메탄(CH_4), 아산화 질소(N_2O), 과불화 탄소(PFCs), 수소불화 탄소(HFC), 육불화 황(SF_6)의 일정량을 배출할 수 있는 권리로, 국제 연합 기후 변화 협약에서 발급하고, 매매도 가능하다.

① 교토 의정서 채택
② 에너지 절약 실천
③ 녹색 성장 정책 추진
④ 기후 변화 협약 합의
⑤ 탄소 배출권 거래 제도 시행

[4-5] 다음은 1980년과 2015년에 촬영된 북극 지역의 위성 사진이다. 이를 보고 물음에 답하시오.

중요

4 A, B에 대한 옳은 설명을 [보기]에서 고른 것은?

> 보기
> ㄱ. A는 B보다 최근 촬영된 것이다.
> ㄴ. B 시기에 북극곰의 생존이 보다 위협받고 있다.
> ㄷ. A 시기 평균 해수면은 B 시기보다 높을 것이다.
> ㄹ. B 시기는 A 시기보다 화석 연료의 사용이 더 많아졌을 것이다.

① ㄱ, ㄴ ② ㄱ, ㄷ ③ ㄴ, ㄷ
④ ㄴ, ㄹ ⑤ ㄷ, ㄹ

5 위와 같은 현상이 가속화 될 때, 다음의 (가), (나) 현상이 잘 나타나는 지역을 바르게 연결한 것은?

> (가) 영구 동토층이 녹아 주택이 붕괴됨.
> (나) 해수면 상승으로 국토의 대부분이 물에 잠김.

	(가)	(나)
①	방글라데시	페루
②	방글라데시	투발루
③	미국 알래스카	페루
④	미국 알래스카	투발루
⑤	오스트레일리아 남동부	방글라데시

6 다음에 해당하는 국제 협정의 이름을 쓰고, 이 협정의 내용이 교토 의정서와 비교해 달라진 점을 서술하시오.

> 이 협정은 2015년 국제 연합 기후 변화 회의에서 195개국의 합의로 채택되었다.

• 국제 협정: ....
• 교토 의정서와의 차이점:
....

10-2 환경 문제 유발 산업의 이동 (1)

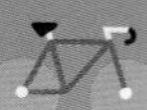

학습 목표 | 환경 문제 유발 산업의 의미를 알고, 해당 산업의 국가 간 이동 경향을 설명할 수 있다.

❶ 환경 문제 유발 산업은 어디로 이동할까?

1 환경 문제 유발 산업

1. 의미

① 제품 생산 과정에서 많은 양의 오염 물질을 배출하는 산업

② 폐기물을 처리하는 과정에서 환경 문제를 일으키는 산업

2. 종류

① 공해 유발 공장: 석면 생산 공장, 염색 공장 등

② 전자 쓰레기❶ 처리 산업: 전자 폐기물을 분해하여 부품의 성격별로 분류하는 공정

③ 화훼 산업 → 광장히 많은 물이 필요하고, 농장에서 사용하는 화학 비료나 농약이 환경 오염을 유발해요.

④ 섬유 · 의류 · 패스트 패션❷ 산업 등 → 옷을 만드는 데에 다양한 환경 오염이 발생해요.

▲ 전자 쓰레기 처리

▲ 화훼 산업

▲ 염색 공장

2 환경 문제 유발 산업의 이동 (공해 수출❸)

1. 이동 경향: 선진국에서 개발 도상국으로 이동, 환경 오염에 대한 사회적 인식이 높은 나라에서 낮은 나라로 이동

2. 원인: 개발 도상국의 저렴한 노동비, 각종 세제 혜택, 인권 및 환경에 대한 적은 규제

기업 입장	• 본국의 엄격한 공해 규제에 대응하여 공해 유발 산업을 개발 도상국에 진출시킴. → 친환경을 앞세우는 선진국들을 피하여 입지 • 공해 유발 공장 등을 해외로 이전하면서 본국의 환경 유지 → 정부에서도 자국민의 쾌적한 생활을 위해 권장하는 분위기
개발 도상국 입장	• 공해 문제보다 빈곤 문제의 해결이 우선 • 공해 산업의 입주를 환영하는 분위기

3. 사례

① 개발 도상국으로의 전자 쓰레기 이동, 아프리카로 이전한 유럽의 화훼 산업 등

② 환경 문제 유발 산업이 들어선 개발 도상국에 각종 환경 오염 문제와 지역 주민의 건강 문제 발생

③ 빈곤에서 벗어나기 위해 어린 아이까지 노동에 투입되는 부작용 등이 발생

---

❶ 전자 쓰레기(e-waste)
사용자가 가치가 없다고 판단하여 버리거나 기부한 낡고 수명이 다한 전자 제품을 통칭한다.

❷ 패스트 패션(fast fashion)
최신의 유행이나 트랜드를 따르면서 저렴한 가격에 대량 생산한 의류를 판매하는 세계적인 패션 브랜드와 그 업종을 의미한다.

❸ 공해 수출
선진국의 기업들이 본국의 엄격한 공해 규제에 대응하여 개발 도상국에 진출하고, 해당 국가에 공해를 발생시키는 과정을 의미한다.

간단 체크 정답과 해설 31쪽

알맞은 말 채우기

1 제품 생산 과정에서 많은 양의 오염 물질을 배출하는 산업을 (　　　) 산업이라고 한다.

2 (　　　)은(는) 노동력이 저렴하고, 환경에 대한 규제가 적다.

3 수명이 다한 낡은 전자 제품을 (　　　)(이)라고 한다.

교과서 **활동 풀이**

교과서 184-185쪽

생각 열기 내가 버린 휴대 전화는 어떻게 될까?

자료 1 스마트폰 평균 15개월 만에 바꾼다

정보 통신 정책 연구원의 2015년 조사에 따르면 국내 소비자들은 스마트폰을 평균 1년 2개월 만에 교체한다고 밝혔다. 연령별로는 10대 미만의 평균 사용 기간이 10개월로 가장 짧았고, 10~40대도 1년 2개월~1년 5개월로 길지 않았다. 하지만 50대는 1년 9개월, 60대는 2년 5개월, 70대는 2년 10개월로 나이가 많을수록 사용 기간도 늘어났다.

자료 2 컴퓨터가 수명을 다하면 가는 곳

유엔 대학의 보고서에 따르면 2014년 전 세계에 4,100만 톤의 전자 쓰레기가 버려졌다고 한다. 수명을 다한 텔레비전과 컴퓨터는 가나의 아그보그블로시와 같은 매립지에 버려지는데, 이는 주로 선진국에서 발생한 것들이다. 버려진 전자 쓰레기를 처리하고 해체하는 과정에서 납과 수은, 비소 등의 수많은 오염 물질이 유출된다.

질문 1 나의 휴대 전화 및 컴퓨터 교체 주기를 점검해 보자.

항목 \ 교체 주기	고장 나지 않아도 새 제품이 나오면 바로 사요	평균 수준(약 14개월)으로 전자 제품을 사용하고 있어요	고장 나서 더는 고칠 수 없을 때까지 사용해요
휴대 전화	○		
컴퓨터			○

질문 2 휴대 전화 및 컴퓨터 교체 주기와 환경과는 어떤 관계가 있을까?

예 휴대 전화 및 컴퓨터의 교체 주기가 짧을수록 전자 쓰레기 배출량이 늘어나 환경 문제가 증가한다. 또한 전자 쓰레기를 처리하고 해체하는 과정에서 납, 수은, 비소 등 오염 물질이 유출될 수 있다.

해결 열쇠

자료 해설

서아프리카에 위치한 가나는 농업 및 광업 국가이지만 최근 3차 산업을 빠르게 발달시키고 있는 개발 도상국이다. 가나에는 세계 각지에서 온 전자 폐기물을 처리하는 매립지가 있어, 폐기물을 해체하는 과정에서 수은, 비소 등이 발생하게 된다. 수은은 대표적인 중금속으로 중독의 위험성이 있으며, 비소는 농약, 제초제, 살충제 등의 원료가 되는 금속으로 독성이 매우 크다. 이는 인체에 매우 유해하여 지역 주민의 건강과 삶을 위협하고 있다.

활동 전자 쓰레기 이동 경향

1 전자 쓰레기의 주요 발생 지역과 처리 지역 2~3곳을 적어 보자.

발생 지역	예 미국, 캐나다, 북서 유럽, 오스트레일리아, 한국, 일본 등
처리 지역	예 멕시코, 브라질, 중국, 인도, 파키스탄, 이집트, 동유럽 국가, 나이지리아, 가나, 세네갈 등

2 전자 쓰레기 발생 지역의 특징과 처리 지역의 특징을 정리해 보고, 전자 쓰레기의 이동 경향을 설명해 보자.

발생 지역의 특징	예 서부 유럽, 북아메리카, 오세아니아, 한국, 일본 등 선진국
처리 지역의 특징	예 아프리카, 동남아시아, 남부 유럽, 동유럽 등 개발 도상국
이동 경향	예 선진국에서 개발 도상국으로 이동

3 위와 같이 전자 쓰레기가 전 세계적으로 이동하는 까닭을 추론해 보자.

예 선진국은 환경 오염에 대한 사회적 인식이 높고, 환경 관련 규제가 까다로운 반면, 개발 도상국은 환경 오염에 대한 사회적 인식이 비교적 낮고, 경제 성장에 초점을 두고 있으며, 환경에 대한 규제가 적고, 다양한 세제 혜택이 많기 때문에 개발 도상국으로 이동한다.

활동 도우미

사회과 부도를 참고하여 전자 쓰레기 발생 지역과 처리 지역에 해당하는 국가를 찾아 적고, 각각의 그룹에 속한 국가들의 경제 발달 수준, 산업 특성, 국민 소득, 국내 총생산 등을 알아보세요. 그룹 간 공통점을 유추해 봄으로써, 전자 쓰레기의 국제 이동 경향을 추론해 볼 수 있어요.

자료 해설

미국, 캐나다, 한국, 일본, 오스트레일리아, 북서 유럽 국가 등 경제 발달 수준이 높은 국가들은 주로 전자 쓰레기를 배출하는 국가이고, 브라질, 멕시코, 중국, 인도, 파키스탄, 아프리카 및 동유럽 국가 등 경제 발달 수준이 낮은 개발 도상국들은 대체로 전자 쓰레기 처리 지역에 해당한다. 유해 폐기물의 불법 이동을 제한하고자 하는 바젤 협약이 1989년 채택되어 있다.

10-2 환경 문제 유발 산업의 이동 (2)

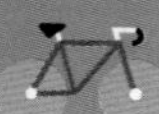

학습 목표 | 환경 문제를 유발하는 산업의 이동이 해당 지역 환경에 미친 영향을 설명할 수 있다.

❷ 환경 문제 유발 산업의 이동은 지역 환경에 어떤 영향을 끼칠까?

1 환경 문제에 대한 인식

1. 선진국

① 환경 문제의 중요성을 깨닫게 됨. → 일찍이 산업화와 도시화를 겪었기 때문이에요.

② 환경 문제 유발 산업에 대해 규제하고, 환경세를 부과함.

2. 개발 도상국

① 아직 환경 문제에 대한 인식 부족

② 환경 보전보다 경제 성장 및 개발을 중시 ─ 개발 도상국은 환경 파괴를 어느 정도 감수하더라도 경제 성장을 이루고 싶어 해요.

2 환경 문제 유발 산업의 이동으로 인한 영향

1. 선진국

① 긍정적 영향: 환경 오염 감소, 생활 환경 개선

② 부정적 영향: 산업의 해외 이전으로 국내 총생산❶ 및 일자리 감소

2. 개발 도상국에 미치는 영향

① 긍정적 영향: 새로운 일자리 생성

② 부정적 영향: 환경 오염 발생, 주민들의 건강 및 생활에 위협
→ 개발 도상국의 환경 문제는 선진국과의 관계 속에서 불가피하게 발생한다고 볼 수 있어요.

핵심 자료 **네덜란드 화훼 산업❷의 이동에 따른 변화**

▲ 네덜란드 화훼 기업의 수와 재배 면적 변화

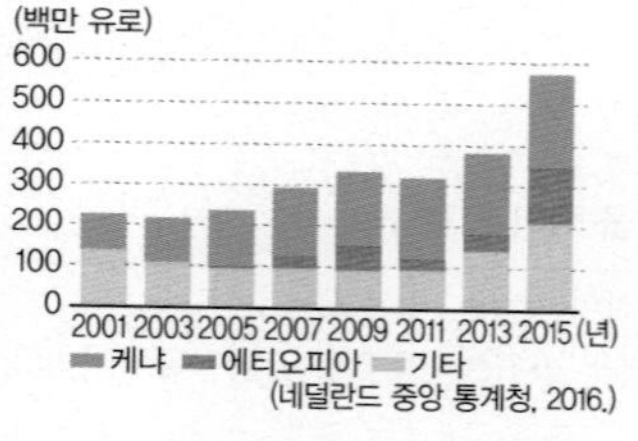

▲ 네덜란드의 화훼 수입액 변화

핵심 ❶ 네덜란드의 '화훼 재배 면적'과 '화훼 기업의 수'는 지속적으로 감소하고 있다. 네덜란드에서 사라진 화훼 기업들은 대부분 환경에 대한 인식 및 규제가 약한 개발 도상국으로 이전한 것으로 추정된다.

핵심 ❷ 네덜란드의 화훼 재배 면적과 업체 수는 줄어들었지만, 화훼 수입액은 꾸준히 증가하였다. 케냐, 에티오피아 등 아프리카에 위치한 개발 도상국에서 주로 화훼를 수입하고 있으며, 네덜란드 화훼 기업이 이들 지역으로 이전하여 수익을 내고 있는 것으로 추정된다.

---

❶ 국내 총생산(GDP)
보통 1년 동안 한 국가에서 생산된 재화와 용역의 시장 가치를 합하여 나타내는 개념이다.

❷ 네덜란드 화훼 산업
화훼 산업이란 관상용으로 재배되는 모든 식물을 생산하는 산업이다. 네덜란드의 연간 꽃 생산 규모는 8억 유로 이상으로, 유럽 전체 생산 규모(약 20억 유로)의 절반에 이른다. 과거에는 네덜란드에서 직접 화훼 산업이 이루어졌으나 오늘날에는 생산비가 저렴한 국가로 상당수가 이전하였다.

간단 체크 정답과 해설 31쪽

O, X 판단하기

1 환경 문제 유발 산업은 주로 선진국에서 개발 도상국으로 이동하고 있다. ( )

2 선진국에서는 환경 문제 유발 산업의 이동으로 국내 총생산과 일자리가 증가하고 있다. ( )

3 개발 도상국은 환경 문제 유발 산업의 이동으로 새로운 일자리가 생성되지만 심각한 환경 오염을 겪게 되었다. ( )

교과서 활동 풀이

교과서 186-187쪽

활동 화훼 산업의 이동

자료 1 네덜란드 화훼 산업의 이동

네덜란드는 유럽 화훼 생산의 중심지였지만, 최근 유럽 시장에 공급되는 장미꽃의 약 70%는 케냐에서 생산된다. 네덜란드의 화훼 농가들은 약 10년 전부터 기후 변화와 탄소 배출 비용 절감 등의 이유로 기후가 따뜻하면서 비용이 적게 드는 동아프리카 지역으로 이전하고 있다.

자료 2 케냐의 지역 변화

우리나라의 화훼 산업은 관광, 차 산업 다음으로 가장 큰 외화 수입원이에요. 케냐 경제에서 가장 빠르게 성장하는 산업 중 하나죠.

나이바샤 호수는 원래 수질이 좋고 물고기도 많이 잡혔어요. 하지만 장미를 키우는 데 사용되는 화학 물질과 농약 때문에 호수가 오염되고 물고기도 줄었어요.

장미 농장에서 나이바샤 호수에 펌프를 대고 물을 뽑아가기 때문에 우리는 마음대로 물을 사용할 수 없어요.

1 **자료 1**을 보고 화훼 산업이 네덜란드에서 동아프리카 지역으로 이전하고 있는 까닭을 적어 보자.

예 동아프리카 지역은 네덜란드에 비해 기후가 따뜻하고, 탄소 배출 비용을 절감할 수 있다.

2 **자료 2**를 보고 화훼 농장이 케냐로 이전하면서 생기는 케냐의 변화를 정리해 보자.

긍정적 변화	부작용
예 일자리 창출, 외화 수입 증가, 경제 성장의 원동력	예 화학 물질 및 농약에 의한 호수 오염, 어획량 감소, 생활용수 부족 문제 발생

해결 열쇠

자료 해설

케냐 남서부에 위치한 나이바샤 호수에는 작은 하천이 흘러들어가고 있지만 이곳에서 흘러나가는 하천은 없다. 열대어, 물새, 하마, 붉은 플라밍고 등 다양한 동물들의 서식지로 유명한 곳이다. 하지만 주변 지역에 선진국의 화훼 기업들이 입지함에 따라 호수는 급격히 오염되었고, 지역 주민들은 이에 따른 어획량 감소, 생활용수 부족 등의 심각한 부작용을 겪고 있다.

함께 배우기 의류 산업의 국가 간 이동의 영향 분석하기

1. 4명으로 모둠을 구성하고 역할을 분담한다.
2. 자료를 참고하여 의류 산업의 이동이 지역 환경에 미치는 영향을 파악한다.
3. 수행해야 할 활동 과제를 확인하고, 모둠별 인터넷 조사 및 토의·토론을 통해 과제를 수행한다.

   예 1. 생산 과정에서 인체에 유해한 화학 물질을 배출하여 환경 오염의 원인이 되는 의류 산업을 독성 패션이라고 한다.
   2. 미국(본사) → 인도(생산 시설), 유럽(본사) → 방글라데시·중국(생산 시설)
   3. 개발 도상국이 선진국에 비해 노동력이 저렴할 뿐만 아니라 환경에 대한 인식과 규제가 적기 때문이다.
   4. 제품 생산 과정에서 유독성 물질이 배출되어 환경 오염의 원인이 되고 지역 주민들의 건강을 위협한다.
4. 수행한 과제의 결과를 발표한다.
5. 대형 의류 제품 공장의 유출 지역과 유입 지역의 공통적인 특징을 분석해 보고, 환경 문제의 지역적 불평등을 주제로 논의한다.

활동 도우미

의류 산업이 해당 지역의 환경에 어떤 영향을 미치는지 정리해 본 후, 환경 문제 유발 산업의 이동과 그로 인해 발생되는 지역적 불평등을 명확하게 인식해야 합니다.

잠깐! 공해 수출로 인한 피해 사례

1984년 인도 보팔 지역에서 화학 약품을 제조하는 미국 다국적 기업의 현지 공장에서 가스 누출 사고가 발생하였다. 이 사고로 농약 원료인 유독 가스가 42톤 가량 누출되었으며, 2,800여 명의 인근 주민이 사망하고 20만 명 이상의 피해자가 발생하였다. 이 지역의 자연 생태계가 크게 훼손됨은 물론, 주민들이 마시는 물에서 12가지의 유독 물질이 검출되었다.

스스로 확인하기

1 (1) 환경 문제 유발 (2) 전자 쓰레기
2 (1) 선진국, 개발 도상국 (2) 환경 오염 (3) 개발 도상국

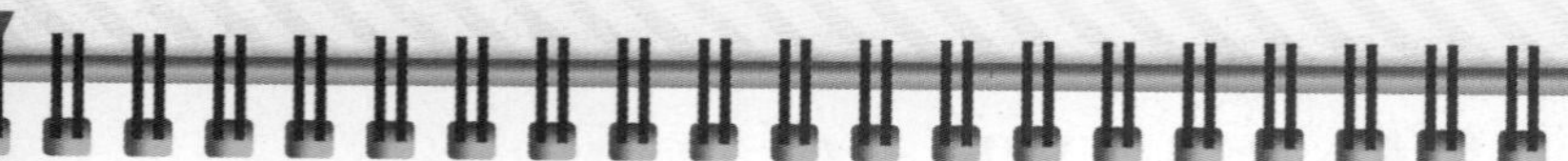

개념 노트 만들기

정답과 해설 31쪽

핵심 내용 정리하기 학습한 내용을 기억하면서 다음 글을 완성해 보자.

(제목:)

공해 유발 공장, 전자 쓰레기 처리 산업, 화훼 산업 등과 같이 생산 과정에서 많은 양의 오염 물질을 배출하거나 (❶)을(를) 처리하는 과정에서 환경 문제를 일으키는 산업을 (❷) 산업이라고 한다. 최근 이 산업은 저렴한 (❸)와(과) 각종 세제 혜택, 인권과 환경에 대한 규제가 상대적으로 적은 (❹)(으)로 이동하고 있으며, 섬유 · 의류 · 화훼 산업이 대표적이다. 환경 문제 유발 산업의 이동으로 선진국은 환경 오염이 감소되었지만 산업의 해외 이전으로 국내 총생산 및 (❺)이(가) 감소되는 문제가 발생하고 있으며, 개발 도상국은 새로운 일자리가 생겨났지만, (❻)이(가) 발생해 주민 생활과 건강을 위협하고 있다.

활동 노트 완성하기 학습하면서 기른 역량을 살려 다음 활동 노트를 완성해 보자.

※ 다음은 전자 쓰레기의 국제 이동을 나타낸 지도이다. 이를 보고 물음에 답하시오.

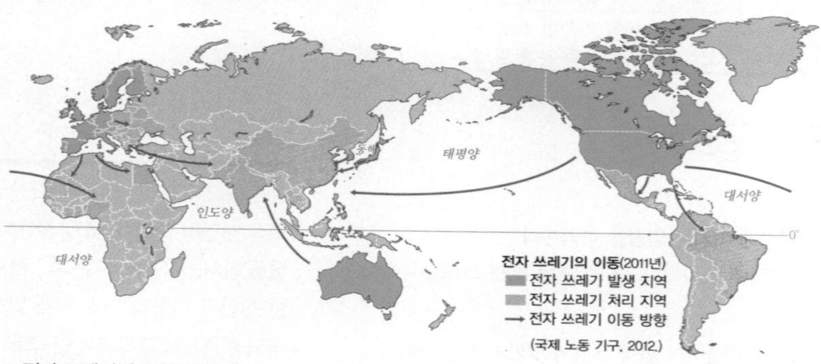

▲ 전자 쓰레기의 국제 이동

1 전자 쓰레기의 주요 유입 국가는 어디인가?

....

2 문항 1에서 답한 국가에 모인 전자 쓰레기의 발생 지역은 어디인가?

....

3 전자 쓰레기 처리 지역에서 나타날 수 있는 문제점을 두 가지 쓰시오.

....

....

실력을 키우는 응용 문제

정답과 해설 31쪽

1 다음 사진에 대한 설명으로 옳지 않은 것은?

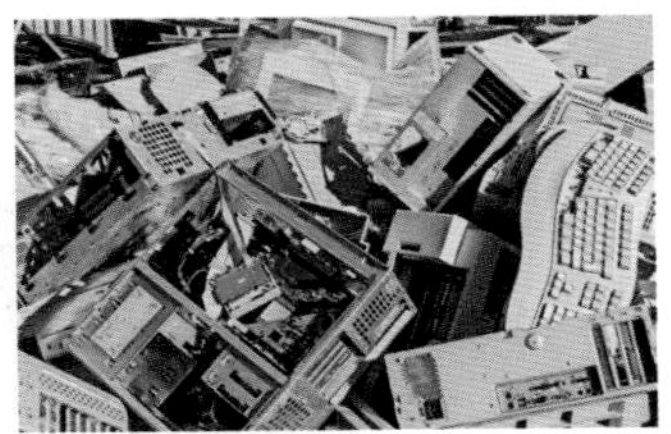

① 수명을 다한 전자 제품이다.
② 사용자가 가치 없다고 판단한 것이다.
③ 주로 선진국으로 이동하여 폐기 처리된다.
④ 사용자가 버리거나 기부한 것도 포함된다.
⑤ 폐기물 처리 과정에서 환경 문제를 유발한다.

[2-3] 지도는 전자 쓰레기의 이동 경향을 나타낸 것이다. 이를 보고 물음에 답하시오.

2 전자 쓰레기의 주요 발생 지역으로 볼 수 없는 곳은?

① 영국 ② 브라질 ③ 캐나다
④ 대한민국 ⑤ 오스트레일리아

3 위 지도의 전자 쓰레기 처리 지역에서 나타나는 일반적인 특성을 [보기]에서 고른 것은?

보기
ㄱ. 환경 관련 규제가 까다롭다.
ㄴ. 기업에 다양한 세제 혜택을 제공한다.
ㄷ. 환경 오염에 대한 사회적 인식이 낮은 편이다.
ㄹ. 경제 발달로 일찌감치 선진국으로 발돋움하였다.

① ㄱ, ㄴ ② ㄱ, ㄷ ③ ㄴ, ㄷ
④ ㄴ, ㄹ ⑤ ㄷ, ㄹ

중요

4 자료는 한 유럽 국가의 화훼 산업 현황을 나타낸 것이다. 이 산업이 이전된 케냐 지역의 변화 모습을 추론한 것으로 옳지 않은 것은?

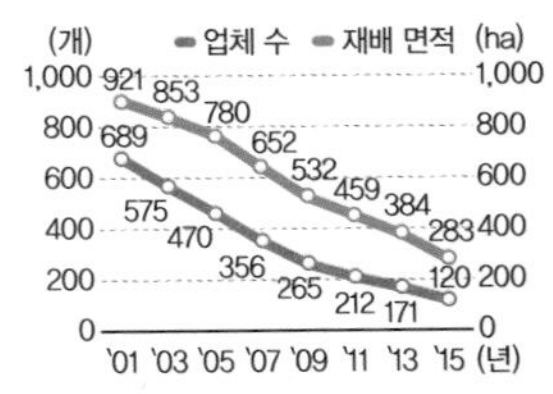

▲ 화훼 기업 수 및 재배 면적 변화

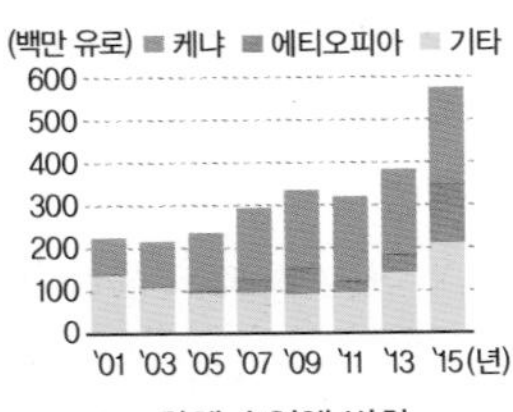

▲ 화훼 수입액 변화

① 생활용수의 부족 문제가 나타나게 되었다.
② 일자리가 줄어들어 경기 침체 현상이 나타났다.
③ 화훼 산업은 케냐의 중요한 경제 성장 동력이다.
④ 농약과 화학 물질로 인한 호수의 오염이 심각해졌다.
⑤ 호수 주변에 거주하는 어민들의 어획량이 줄어들었다.

5 다음은 개발 도상국으로 이전하는 대형 의류 산업에 대한 설명이다. 빈칸에 알맞은 개념을 쓰시오.

> 환경 문제 유발 산업인 대형 의류 공장들은 다른 나라로 이전하면서 해당 지역의 수질 오염을 악화시키고 있다. 대형 의류 공장이 이전한 초기에는 관개 시설이 정비되어 많은 사람들이 깨끗한 물을 사용할 수 있게 되었다. 하지만 시간이 흐르면서 저수지의 물은 화학 약품, 염분, 중금속으로 가득 차 더 이상 농업용수로 사용할 수 없게 되었다. 이처럼 생산 과정에서 인체에 유해한 독성 물질과 화학 물질을 배출하여 환경 오염의 원인이 되는 의류 산업을 (   )(이)라고 한다.

6 환경 문제 유발 산업의 이동이 선진국에 미치는 긍정적 영향과 부정적 영향을 간단히 서술하시오.

10-3 생활 속의 환경 이슈 (1)

학습 목표 | 환경 이슈의 의미와 생활 속 환경 이슈를 둘러싼 다양한 의견을 비교하여 설명할 수 있다.

❶ 생활 속의 환경 이슈에는 어떤 것들이 있을까?

1 환경 이슈

1. 의미: 일상생활에서 접하는 환경 문제 중 각자의 이해관계, 가치관 등의 차이로 해결 방향을 쉽게 정하지 못하고 있는 환경 문제 → 어느 쪽이 옳다고 쉽게 판단할 수 없는 문제들이에요.

2. 특성

① 어느 한쪽이 옳다고 할 수 없는 문제가 대부분임.

② 환경 이슈를 둘러싼 가치의 대립과 갈등이 계속해서 나타남.

3. 종류

① 세계 수준의 환경 이슈

아마존 열대 우림❶ 개발 문제	지구의 환경과 생태계 보호를 위해 보존하자는 입장과 개발을 통해 국가의 발전을 이루고자 하는 브라질 간의 갈등
생물 종 다양성 문제	인간 활동으로 생물 종 다양성이 낮아지고 있으므로 이를 적극적으로 보호해야 한다는 입장과 그렇지 않다는 입장 간의 갈등

② 국가 및 지역 수준의 다양한 환경 이슈 → 일상 생활에서 뉴스를 통해 자주 접할 수 있는 문제들이에요.

국립 공원의 케이블카 설치 문제	• 건설 과정에서 국립 공원의 생태계와 자연 경관이 파괴될 수 있으므로 케이블카 설치를 반대하는 입장 • 관광객의 편의를 제공하여 더 많은 관광객이 찾아오게 되고, 지역 경제 활성화를 이룰 수 있으므로 케이블카 설치를 찬성하는 입장
간척 사업 (갯벌 매립) 문제	• 간척 사업이 주변 환경과 생태계를 파괴하고 지역 주민의 생계와 관련된 어업 소득을 감소시킨다는 입장 • 간척 사업을 통해 이용 가능한 토지를 늘려 장기적으로 많은 이득을 가져온다는 입장
하천 개발과 운하 건설 문제	• 하천 개발 또는 운하를 건설함으로써 환경 및 생태계의 파괴가 발생한다는 입장 • 개발이 환경에 큰 영향을 미치지 않으며 개발에 따른 다양한 경제적 이득 또한 발생한다는 입장
신공항 건설 문제	• 공항 건설로 인한 주변 환경 파괴와 소음 공해를 우려하는 입장 • 신공항 건설을 통해 지역 경제 발전과 국가 소득을 창출할 수 있다는 입장
원자력 발전소 건설 문제	• 원자력 발전소의 위험성을 우려하여 건설을 반대하는 입장 • 원자력 발전소의 안전성은 문제가 없으며 화석 연료 부족에 따른 에너지 문제를 해결할 수 있다는 입장
쓰레기 소각장 건설 문제	도시의 쓰레기 처리를 위해 소각장을 건설해야 하지만, 도시 밖의 다른 지역에 소각장을 건설하고자 하면서 발생하는 갈등
하수 처리장 건설 문제	하수 처리장 건설에 따른 주변 환경 오염과 냄새 등을 걱정하는 주민과 그 안전성과 쾌적한 환경을 보장한다는 입장 간의 갈등

❶ 아마존 열대 우림

남아메리카 대륙의 아마존강 유역에 분포하는 열대 우림으로, 지구 전체 산소의 20% 이상을 생산하여 '지구의 허파'라고도 불린다. 전 세계 동식물의 10% 이상이 이 지역에 서식하고 있으며, 멸종 위기에 처한 희귀 동물도 많이 서식하여 그 중요성이 더욱 높다. 그러나 최근 들어 개발을 위한 벌목, 화전 농업, 플랜테이션 농장 개간 등으로 연간 17만km^2 가량의 열대 우림이 파괴되고 있다.

간단 체크 정답과 해설 32쪽

알맞은 말 채우기

1 일상생활에서 접하는 환경 문제 중 각자의 이해관계, 가치관 등의 차이로 해결 방향을 쉽게 정하지 못하고 있는 환경 문제를 (　　)(이)라고 한다.

2 환경 이슈에는 다양한 가치의 (　　)이(가) 계속해서 나타난다.

3 지구의 허파라고 불리는 아마존 (　　)은(는) 개발과 보존을 둘러싼 갈등이 끊임없이 발생하고 있다.

교과서 활동 풀이

교과서 188-189쪽

생각 열기 **국립 공원에 케이블카 설치, 어떻게 생각하세요?**

우리나라의 ○○ 국립 공원은 경치가 빼어나 이곳을 찾는 관광객이 많다. 그런데 최근 ○○ 국립 공원에 케이블카 설치와 관련하여 논란이 일고 있다.

찬성	반대
• 신체적 약자도 관광을 즐길 수 있다. • 등산객이 분산되어 등산로 훼손이 줄어든다. • 관광 소득이 늘어나고 지역 경제가 활성화된다. • 환경친화적 개발을 통해 환경 파괴를 최소화한다.	• 생태계와 자연 경관이 파괴된다. • 무분별한 개발을 유발할 수 있다. • 케이블카 설치 주변 지역에만 이익이 돌아간다. • 관광객이 늘면 자연 훼손이 더 심각해질 수 있다.

질문 1 국립 공원에 케이블카를 설치하는 것에 관한 자신의 의견을 써 보자.

• 찬성 의견: 예 국립 공원에 케이블카를 설치하면 관광객 증가로 지역 경제가 활성화되며, 등산객이 분산되어 오히려 등산로 훼손이 줄어들 수 있다는 긍정적 효과가 있다. 또한 신체적 약자도 케이블카를 이용해 관광을 즐길 수 있게 되는 등 다양한 부가 효과가 있으므로 환경친화적 개발을 통해 환경 파괴를 최소화 하는 방식으로 케이블카를 설치해야 한다.

• 반대 의견: 예 국립 공원에 케이블카를 설치함으로써 무분별한 개발을 유발할 위험이 있고, 이로 인해 생태계와 자연 경관이 파괴될 수 있다. 또한 관광 수입이 지역 경제 활성화에 도움이 되지 못하고, 케이블카 주변 지역에만 한정될 가능성이 있다. 그리고 케이블카 설치 이후 이 지역의 관광객이 더 증가하게 되면, 자연 훼손이 더 심각해질 위험성이 커 국립 공원의 케이블카 설치는 금지되어야 한다.

질문 2 자신의 주변에서 경험하게 되는 다른 환경 관련 이슈를 이야기해 보자.

예 원자력 발전소 건설 문제, 쓰레기 소각장 건설 문제, 하수 처리장 건설 문제, 갯벌 간척 사업 문제 등

해결 열쇠

자료 해설

국립 공원 케이블카 설치는 찬성하는 측과 반대하는 측이 명확히 구분되는 환경 이슈이다. 왼쪽의 그림 자료는 신체적 약자를 비롯한 일반 사람들이 쾌적하고 편리하게 등산을 즐길 수 있다는 점을 보여 주고 있다. 오른쪽 그림 자료는 환경 단체의 케이블카 설치 반대 운동을 나타낸 것이다. 환경 단체는 환경을 오염시키거나 파괴를 초래할 수 있는 활동에 대해 캠페인 활동과 같은 다양한 감시 역할을 수행한다.

잠깐! 원자력 발전의 장단점과 우리나라의 원자력 발전소 현황

원자력 발전은 온실가스를 거의 배출하지 않아 지구 온난화에 미치는 영향이 적다. 또한 화력 발전, 태양광 발전, 수력 발전 등에 비해 발전 비용도 저렴하다. 하지만 초기 건설 비용이 많이 들고, 발전 중 배출되는 방사능 폐기물의 처리 문제, 수명이 다한 원전 시설의 철거 문제, 발전 시 발생하는 고열에 주변 생태계가 영향을 받는 등의 문제가 지속되고 있다. 또한 원전 사고가 나면, 막대한 피해가 발생할 수 있어 원자력 발전 시설의 건설에 대해 지속적인 문제 제기가 이루어지고 있다. 한편 우리나라는 1978년 4월 최초로 고리 원자력 발전소를 건설하였고, 2017년에는 24기가 운영 중이며 5기가 건설 중이다. 원자력 발전은 현재 우리나라 전체 전력의 약 30%를 공급하고 있다. 한편, 최근 정부의 탈 원전 정책에 따라 지역 주민, 관련 기관, 시민 단체 등의 갈등이 고조되고 있다.

10-3 생활 속의 환경 이슈 (2)

학습 목표 | 생활 속 환경 이슈를 둘러싼 다양한 의견을 설명하고, 그에 대한 자신의 입장을 정할 수 있다.

1 식품과 관련된 환경 이슈의 등장

1. **등장 배경:** 최근 '웰빙(참살이)❶'에 대한 관심 증가
2. **범위:** 식품을 생산 · 운송 · 소비하는 과정에서의 안정성 확보 및 환경에 미치는 영향

2 식품과 관련된 주요 환경 이슈

1. **유전자 재조합 농산물(GMO)** → Genetically Modified Organism의 약자

① 의미: 특정한 목적에 맞도록 유전자 일부를 변형하여 만든 농산물 → 토마토, 콩, 옥수수, 감자 등

② 유전자 재조합 농산물에 대한 상반된 입장

찬성 입장	• 병충해에 강하고 열매를 많이 맺어 적은 노동력과 비용으로 많은 양 수확 가능 • 대량 수확이 가능하여 농가 소득이 증대되고, 세계 농산물 가격의 급격한 상승에 대응할 수 있음. • 식량 가격을 낮추어 세계 식량 문제 해결에 기여할 수 있음. • 안전성이 검증된 경우에만 실제 작물에 적용하므로 믿을 수 있음.
반대 입장	• 유전자 재조합 농산물과 식품의 안전성 여부가 아직 검증되지 않음. • 가공 식품일 경우 재료에 유전자 재조합 농산물 사용 여부가 표기되지 않아 소비자에게 선택권이 없음.(예 간장의 재료로 사용되는 콩, 전분의 재료인 감자 등) • 세계 식량 부족 문제는 식량 분배 구조를 개선하여 해결할 수 있음. • 처음에는 병충해에 강했으나, 면역이 생긴 더 강한 병충해가 발생

2. **로컬 푸드 운동** → 로컬 푸드는 지역의 먹을거리, 지역 식품, 지역 농산물, 근거리 먹을거리를 통칭하는 말이에요.

① 의미: 푸드 마일리지❷가 높은 식품 대신 가까운 지역에서 생산된 것을 그 지역에서 소비하자는 운동

② 특성: 생산지에서 소비지까지의 거리를 최대한 줄임으로써 먹을거리의 안전성을 확보하고 환경적 부담을 경감시킴.

③ 장점

소비자 측면	식품의 신선도 및 안정성 확보
생산자 측면	농민들의 안정적 소득 확보, 지역 유통 업체 및 농민들의 수익 증가
환경적 측면	이동 과정에서 발생되는 온실가스 감소

핵심 자료 푸드 마일리지와 로컬 푸드

연어 8,180 킬로미터 노르웨이
양파, 마늘 907 킬로미터 중국
명태 1,474 킬로미터 일본
오렌지 9,549 킬로미터 미국
바나나 2,598 킬로미터 필리핀
쇠고기 8,283 킬로미터 오스트레일리아
포도 20,361 킬로미터 칠레
대서양
인도양
태평양
대서양
0°
※ 2010년 기준임.

핵심 ❶ 같은 무게의 식품이 우리나라로 수입될 경우 가장 멀리서 운송되는 식품의 푸드 마일리지가 가장 높다.

---

❶ 웰빙(well-being)
원래 복지 수준이나 행복의 정도를 의미하는 개념이었으나, 오늘날에는 건강한 삶을 위한 생활 방식을 가리키는 유행어로 사용되고 있다. 국립 국어원에서는 웰빙의 순화어로 '참살이'를 제시하고 있다.

❷ 푸드 마일리지
식품이 생산자의 손을 떠나 최종 소비자의 식탁에 오르기까지의 총 이동 거리(km)와 식품의 무게(t)를 곱한 값이다. 푸드 마일리지가 높은 먹을거리일수록 방부제와 살충제 사용량이 높고, 이산화 탄소 배출량도 많아 환경에 부정적 영향을 미친다.

간단 체크 정답과 해설 32쪽

알맞은 말 채우기

1 GMO는 특정한 목적에 맞게 농산물의 (　　)을(를) 일부 변형한 것이다.

2 (　　)에 대한 관심이 커지면서 식품과 관련된 환경 이슈가 등장하였다.

3 로컬 푸드 운동을 통해 푸드 (　　)을(를) 줄일 수 있다.

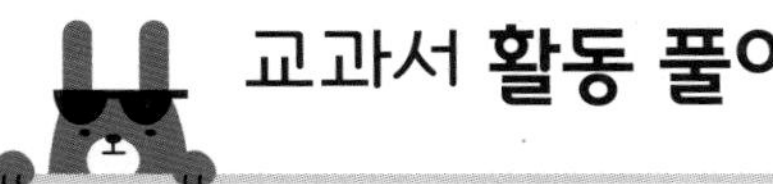

교과서 **활동 풀이**

교과서 190-191쪽

함께 배우기 유전자 재조합 농산물(GMO)에 관한 찬반 토론하기

다음은 최근 이슈가 되고 있는 유전자 재조합 농산물(GMO)에 관련된 자료이다. 이를 토대로 유전자 재조합 농산물 섭취에 관한 자신의 입장을 정하고 토론해 보자.

1 다음 자료를 읽어 보고, 유전자 재조합 농산물에 관한 다양한 입장을 파악한다.

자료 1 식용 유전자 재조합 농산물 수입 세계 1위, 대한민국

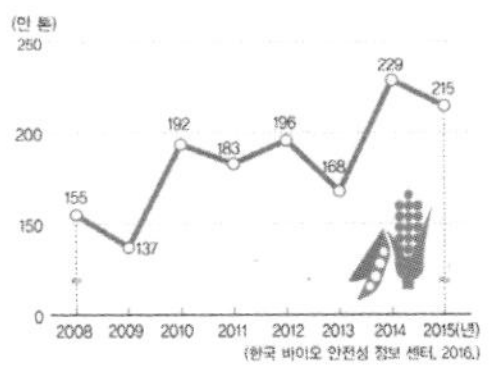

▲ 식용 유전자 재조합 농산물(GMO) 수입량

우리나라의 유전자 재조합 농산물 수입량은 1,000만 톤을 넘은 지 오래되었으며, 2015년 기준 식용 유전자 재조합 농산물 수입량(200만 톤 이상)은 세계 1위다. 유전자 재조합 식품의 원조 생산국인 미국의 1인당 연평균 소비량이 약 62㎏인데 비하여 우리나라의 1인당 연평균 소비량은 42㎏에 육박한다. 유전자 재조합 식재료(주로 옥수수와 콩, 캐놀라, 감자, 면화 등)로 만들어진 각종 외국산 가공 식품과 첨가물의 수입량만도 별도로 120여 만 톤에 달한다.

– 한국 농어민 신문, 2016. 3. 8. –

자료 2 유전자 재조합 농산물에 대한 상반된 입장

유전자 재조합 농산물은 노동력과 비용을 적게 들이고도 많은 양을 수확할 수 있습니다. 아직 유전자 재조합 농산물이 인체에 유해하다는 연구 결과는 한 번도 보고된 적이 없습니다.

유전자 재조합 농산물은 유전자를 변형하여 병충해에 강하고 열매를 많이 맺도록 만든 농산물입니다. 대량 생산이 가능하여 식량 가격을 낮출 수 있고, 세계 식량 문제 해결에 도움을 줄 수 있습니다.

유전자 재조합 농산물은 아직 안전성 여부가 밝혀지지 않았습니다. 단일 농작물 재배에 따른 병충해 피해를 예측하기 어렵고, 종자를 가진 국제 곡물 도매상에게 많은 돈을 지급해야 하는 문제도 있습니다.

동물에게 유전자 재조합 농산물을 먹인 여러 실험에서 그 부작용이 증명되고 있습니다. 유전자 재조합 농산물은 새로운 생물체를 인위적으로 만들어 내는 것이기 때문에 위험합니다.

2 자료를 참고하여 유전자 재조합 농산물에 대한 자신의 입장을 정하고 그 까닭을 써 본다.

- 찬성 입장: 예 유전자 재조합 농산물은 병충해에 강하고, 많은 열매를 생산할 수 있어 적은 노동력과 비용으로 많은 양의 열매를 얻을 수 있다. 세계 농산물 가격은 상승하고 곡물 수요는 증가하는 상황에서 유전자 재조합 농산물은 세계적인 식량 부족 문제를 해결하는 데 큰 도움을 줄 것이며 농가 소득 증대로 이어질 것이다. 유전자 재조합 농산물의 안전성 논란에 대해서는 과학자들이 연구를 통해 안전성이 확보된 경우에만 재배를 하므로 문제가 없다.
- 반대 입장: 예 유전자 재조합 농산물이 식량 문제 해결에 도움을 줄 수 있고, 아직까지 문제점이 발견되지 않았다 해도 그것만으로 안전성을 담보할 수는 없다. 또한 유전자 재조합 농산물이 처음에는 병충해에 강했지만 점차 더 강한 병충해가 발생함으로써 앞으로의 생산량도 보장할 수 없다. 세계 식량 부족 문제는 농업 생산량의 문제라기보다는 잘못된 식량 분배 구조에 의한 것이므로 GMO를 통해 식량 문제를 해결한다는 생각은 잘못된 것이라 할 수 있다.

3 유전자 재조합 농산물 섭취에 관한 자신의 입장을 토대로 찬반 토론을 해 본다.

해결 열쇠

활동 도우미

유전자 재조합 농산물에 대한 다양한 입장을 분석하여 찬성과 반대 이유를 균형 있게 이해하고, 자신의 의사 결정을 할 수 있도록 해요. GMO에 반대하는 환경 단체의 의견이나 GMO에 찬성하는 정부 또는 기업의 의견을 두루 살펴보고, 각자 비판적으로 판단해 보세요.

자료 해설

우리나라의 유전자 재조합 농산물 수입량은 상당하다. 특히 콩은 참기름, 간장, 된장, 두부 등을 만드는 데 활용하고, 옥수수는 식용유, 빵, 과자, 올리고당, 통조림 등의 가공 식품을 만드는 데 활용하고 있다. 이는 소비자 개인이 GMO 식품에 반대하더라도 자신이 모르는 사이에 GMO 식품을 섭취하는 일로 이어진다. 유전자 재조합 농산물의 식품 활용 비중이 높은 만큼 인체에 유해성이 없다는 안정성 확보가 필수적이다.

찬반 토론 학습 Tip

유전자 재조합 농산물에 관한 문제는 어떤 쪽이 옳다고 단정할 수 없는 환경 이슈입니다. 따라서 다양한 입장을 고루 살펴본 후 토론에 참여하는 것이 좋습니다. 기업 입장, 정부 입장, 농부 입장, 환경 단체 입장, 과학자 입장, 소비자 입장 등으로 나누어 살펴본 후 자신의 입장을 정하세요. 자신과 다른 의견을 제시하는 친구들이 있더라도 상대의 의견을 존중하도록 합니다.

스스로 확인하기

1 (1) 환경 이슈 (2) 푸드 마일리지 (3) 로컬 푸드 **2** (1) ○ (2) ○ (3) ×

개념 노트 만들기

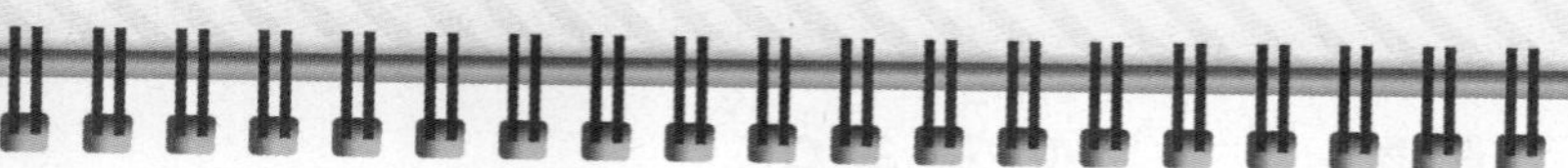

정답과 해설 32쪽

핵심 내용 정리하기 학습한 내용을 기억하면서 다음 글을 완성해 보자.

(제목:)

(❶)은(는) 일상생활에서 접하는 환경 문제 중, 이해관계 및 가치관의 차이로 해결 방향을 쉽게 결정하지 못하고 있는 환경 문제를 의미한다. 세계적 차원의 환경 이슈로는 브라질 (❷) 열대 우림 개발 문제 등이 있으며, 국가 및 지역적 수준의 이슈로는 원자력 발전소, 신공항, 쓰레기 소각장, 하수 처리장 건설 등과 같은 환경 문제가 포함된다. 최근 웰빙에 대한 관심이 증가하면서 식품과 관련된 환경 이슈가 등장하게 되었는데, 특정한 목적에 맞도록 농산물의 유전자 일부를 변형하여 만든 (❸), 푸드 마일리지를 줄여 식품의 안전성과 신선도를 확보하고, 농민들의 안정적 소득 확보에도 도움이 되는 (❹) 운동이 대표적인 사례이다.

활동 노트 완성하기 학습하면서 기른 역량을 살려 다음 활동 노트를 완성해 보자.

〈자료 1〉 주요 국가별 1인당 푸드 마일리지

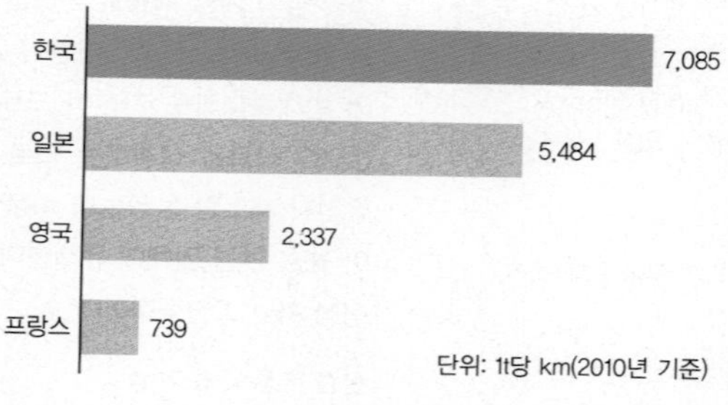

〈자료 2〉 OECD 주요국의 식량 자급률

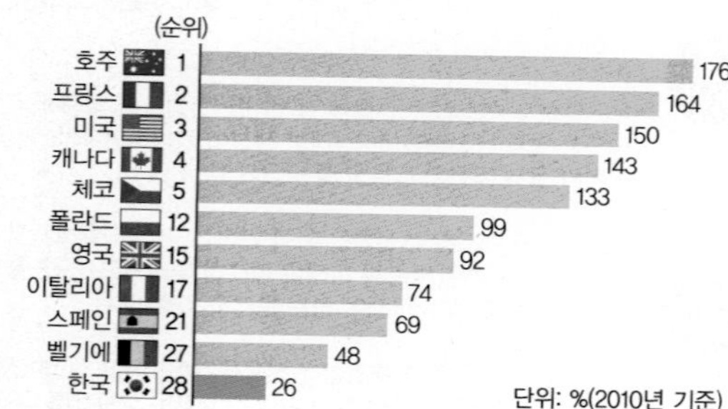

1 〈자료 1〉에서 1인당 푸드 마일리지가 가장 높은 국가를 골라 써 보자.

2 〈자료 2〉를 보고 우리나라의 식량 자급률은 몇 %인지 써 보자.

3 우리나라의 푸드 마일리지 특성을 식량 자급률과 관련지어 설명해 보자.

4 푸드 마일리지를 낮추기 위해서 어떠한 노력이 필요할지 적어 보자.

실력을 키우는 응용 문제

정답과 해설 32쪽

1 다음에서 공통적으로 설명하는 개념을 쓰시오.

- 일상생활에서 접하는 환경 문제 중 각자의 이해관계, 가치관의 차이로 해결 방향을 쉽게 정하지 못하고 있는 것.
- 주요 사례: 아마존 열대 우림 개발 문제

2 다음 자료와 관련된 설명으로 옳지 않은 것은?

▲ 유전자 재조합 농산물(GMO)과 이를 재료로 사용한 가공 식품

① GMO의 사용 범위는 매우 넓다.
② 콩과 옥수수는 가장 대표적인 GMO 식품이다.
③ GMO 콩과 옥수수는 다양한 가공 식품의 원료가 된다.
④ 웰빙에 대한 관심 증가로 GMO를 찾는 사람들이 많아졌다.
⑤ 우리는 자신도 모르는 사이에 GMO로 만든 식품을 먹을 수 있다.

3 유전자 재조합 농산물(GMO)에 대한 학생들의 토론 중 잘못된 설명을 하고 있는 학생은?

- 주영: GMO는 적은 노동력을 투자해서 많은 양을 생산할 수 있기 때문에 정말 효율적이야.
- 민서: 맞아. 대량 생산이 가능하기 때문에 식량 가격을 낮출 수 있을 거야. 이를 세계로 수출하면 식량 부족 문제에 도움을 줄 수도 있어.
- 용태: 하지만 GMO는 유전자를 변형하는 과정에서 병충해에 취약하다는 단점이 있어. GMO만 재배하다가 병충해가 들면 수확량이 대폭 줄어들 위험이 있지.
- 재원: 나는 GMO 재배에 반대해. 다른 장점이 아무리 많아도 아직 안정성 여부가 확실하지 않잖아.
- 유영: GMO를 먹인 여러 동물 실험에서 부작용이 증명되기도 한다니까 아직은 위험성이 더 크다고 생각해.

① 주영 ② 민서 ③ 용태 ④ 재원 ⑤ 유영

[4-5] 지도는 주요 수입 먹을거리의 푸드 마일리지를 나타낸 것이다. 이를 잘 보고 물음에 답하시오.

(국립 환경 과학원, 2012.)

4 다음 중 동일한 무게의 식품이 우리나라로 수입될 경우 푸드 마일리지가 가장 큰 식품은?

① 일본산 명태 ② 칠레산 포도
③ 필리핀산 바나나 ④ 노르웨이산 연어
⑤ 오스트레일리아 산 쇠고기

중요

5 푸드 마일리지에 대한 설명으로 옳은 것은?

① 로컬 푸드는 푸드 마일리지가 작다.
② 푸드 마일리지가 큰 과일일수록 잘 팔린다.
③ 푸드 마일리지가 큰 과일일수록 당도가 높다.
④ 푸드 마일리지가 작을수록 식품 안전성이 낮다.
⑤ 푸드 마일리지는 식품의 이동 거리를 나타낸 것으로 무게와는 관련이 없다.

6 다음 중 각자의 이해관계나 가치관이 달라 문제가 되는 환경 이슈로 보기 어려운 것은?

① 간척 사업과 관련한 문제
② 지구 온난화와 관련한 문제
③ 신공항 건설과 관련한 문제
④ 하수 처리장 건설과 관련한 문제
⑤ 열대 우림의 보전과 개발에 관련한 문제

7 로컬 푸드 운동의 긍정적 측면을 소비자와 생산자 관점에서 각각 서술하시오.

- 소비자 관점:
- 생산자 관점:

교과서 **창의·융합 활동** 풀이

교과서 183쪽

해결 열쇠

핵심 역량 정보 활용 능력

이렇게 해요 ❶, ❷에서 기후 변화가 산업에 미칠 영향을 상상해 보고, 산업 분야별로 지는 산업과 뜨는 산업을 작성해 봅니다. 기후 변화로 뜨는 산업의 종류와 특성의 공통점을 확인해 보고, 인터넷 조사를 통해 ❸을 작성해 보세요. 수집한 정보를 논리적으로 재배열하는 과정이 이 활동의 핵심으로, 본 활동을 통해 스스로 주제를 선정하고 정보를 수집하는 능력을 기를 수 있어요.

활동 도우미

지구 온난화와 같은 기후 변화는 전 지구적인 환경 문제임을 인식하고, 우리의 일상생활과 밀접하게 연관된 산업 분야에서 변화를 예측해 봅니다.

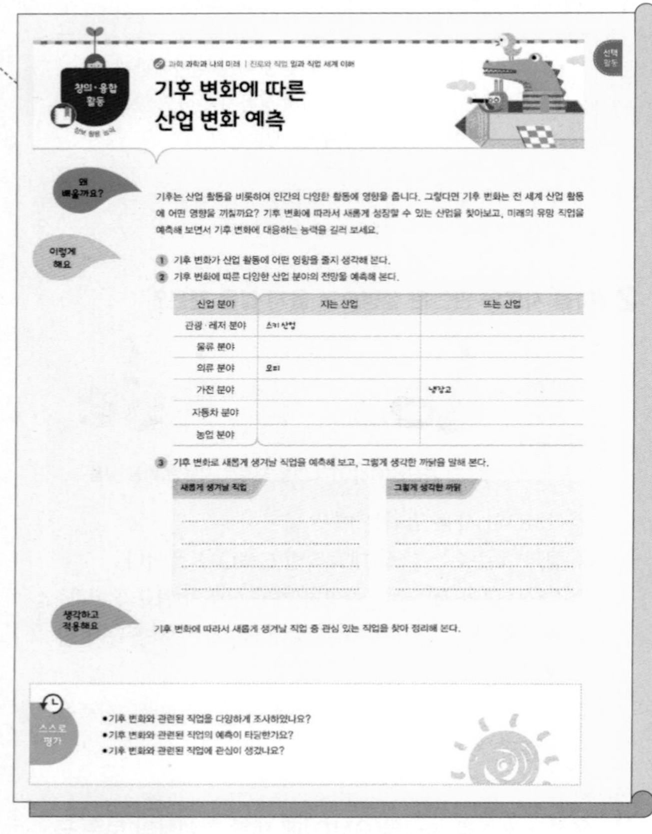

과학 과학과 나의 미래 | 진로와 직업 일과 직업 세계 이해

창의·융합 활동 / 정보 활용 능력 / 선택 활동

기후 변화에 따른 산업 변화 예측

왜 배울까요? 기후는 산업 활동을 비롯하여 인간의 다양한 활동에 영향을 줍니다. 그렇다면 기후 변화는 전 세계 산업 활동에 어떤 영향을 끼칠까요? 기후 변화에 따라서 새롭게 성장할 수 있는 산업을 찾아보고, 미래의 유망 직업을 예측해 보면서 기후 변화에 대응하는 능력을 길러 보세요.

이렇게 해요

❶ 기후 변화가 산업 활동에 어떤 영향을 줄지 생각해 본다.

❷ 기후 변화에 따른 다양한 산업 분야의 전망을 예측해 본다.

산업 분야	지는 산업	뜨는 산업
관광·레저 분야	스키 산업	
물류 분야		
의류 분야	모피	
가전 분야		냉장고
자동차 분야		
농업 분야		

❸ 기후 변화로 새롭게 생겨날 직업을 예측해 보고, 그렇게 생각한 까닭을 말해 본다.

새롭게 생겨날 직업 / 그렇게 생각한 까닭

생각하고 적용해요 기후 변화에 따라서 새롭게 생겨날 직업 중 관심 있는 직업을 찾아 정리해 본다.

스스로 평가

- 기후 변화와 관련된 직업을 다양하게 조사하였나요?
- 기후 변화와 관련된 직업의 예측이 타당한가요?
- 기후 변화와 관련된 직업에 관심이 생겼나요?

이렇게 해요

❷

지는 산업	뜨는 산업
ⓔ 겨울 스포츠와 겨울 축제 관련 산업, 육상 교통을 활용한 물류 산업, 방한 용품 및 의류 산업, 난방 기기 및 제품 산업, 경유·가솔린 자동차 산업, 냉량성 과일 재배 산업 등	ⓔ 여름 스포츠와 축제 관련 산업, 북극 항로를 활용한 물류 산업, 수영복이나 여름철 냉감 소재 의류 산업, 냉방 기기 및 제품 산업, 태양광 자동차 산업, 열대 과일 재배 산업 등

❸ • 새롭게 생겨날 직업: ⓔ 환경 평가와 관련된 직업, 미래 기후를 연구하고 예측하는 직업 등

• 까닭: 지구 온난화로 인한 전 지구적 환경 문제가 우리의 일상생활에도 큰 영향을 미치고 있기 때문에 미래의 기후 변화를 예측하거나 연구하는 직종이 발전할 것으로 기대된다.

생각하고 적용해요

ⓔ 기후 변화 전문가(Climate change officer): 기후 변화 전문가는 기업의 종합적인 기후 변화 전략을 개발·관리·실행하는 것을 돕는 직업이다. 또한 기후 변화 전문가는 기업의 생산 활동으로부터 유발되는 직·간접적 온실가스 배출량을 측정하는 시스템을 개발하며, 이를 통해 온실가스 배출량을 분석하고 불필요한 배출량을 축소하는 전략을 수립한다. 또 기후 변화나 지속 가능한 에너지 개발과 관련한 기업의 전략을 수립하고, 기업 경영에 영향을 미치는 기후 변화 및 관련 정책에 대해 정부 기관을 설득하는 보고서를 작성하는 업무도 수행한다.

참고 자료 **기후 변화 전문가의 소득과 기후 변화 전문가가 되기 위해 갖추어야 할 역량**

기후 변화 전문가의 평균 연봉은 미국의 한 임금 정보 업체의 자료에 의하면 2009년 기준 약 96,000달러(1억 2,000만 원)를 받는 것으로 나타났다. 기후 변화 전문가가 되기 위해서는 환경 과학, 대기 과학 또는 이와 유사한 학과로 전공을 선택하는 것이 유리하다. 또한 환경 정책이나 기후 변화의 영향, 기후 변화 완화 방법, 지속 가능성, 환경적 평가에 관한 지식을 갖추고 있어야 하므로 이와 관련된 경력을 쌓는 것이 좋다. 기후 변화 전문가는 주로 정부의 정책과 연계된 업무를 하게 되므로 뛰어난 협상 능력이 필요하며, 정부 내 정책 입안자들과의 협력 관계를 위해 대인 관계 능력도 갖추어야 한다. 또한 지역 사회 단체 및 NGO, 기업체와 합동으로 진행되는 프로젝트가 많아 협업 능력이 필요하다. 우리나라의 기후 변화 전문가는 매우 부족한 상황으로, 파리 협정의 출범과 기후 변화에 대처하기 위한 노력이 지속되어야하기 때문에 관련 전문가는 더욱 필요할 것으로 예상된다.

교과서 단원 마무리 풀이

교과서 192-193쪽

단원 한눈에 보기

❶ 온실가스 ❷ 교토 의정서 ❸ 선진국 ❹ 개발 도상국 ❺ 환경 이슈

해결 열쇠

교과서 176~191쪽에서 학습한 내용을 떠올리면서 스스로 구조화해 보자.

서술로 사고력 키우기

1 오른쪽 그래프와 같은 현상이 지속될 때 나타날 수 있는 문제점을 두 가지만 서술해 보자.

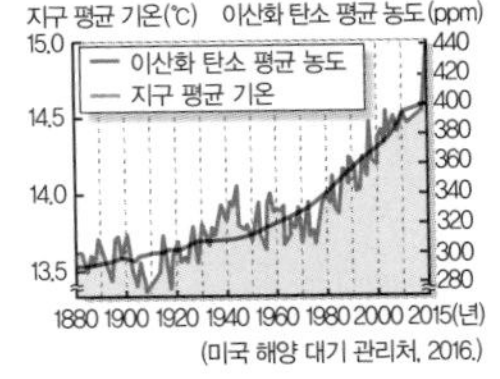

(미국 해양 대기 관리처, 2016.)

예) 제시된 자료는 대기 중 이산화 탄소의 평균 농도가 높아짐에 따라 지구의 평균 기온이 상승하는 지구 온난화 현상을 나타낸 것이다. 지구 온난화가 심해질수록 고위도 지역의 빙하나 해발 고도가 높은 곳의 만년설이 녹아 지구의 평균 해수면을 상승시키고, 해발 고도가 낮은 섬나라나 해안 저지대는 침수 피해를 입을 수 있다. 또 지구 생태계에 큰 영향을 주어 생물 종의 다양성이 낮아질 수 있다.

2 환경 문제 유발 산업은 주로 선진국에서 개발 도상국으로 이동하는 경향이 있다. 그 까닭을 서술해 보자.

예) 개발 도상국은 저렴한 노동력이 풍부하고 환경 문제에 대한 인식이 상대적으로 낮아 환경에 대한 정부의 규제도 적기 때문이다.

3 다음 밑줄 친 부분을 완성해 보자.

> 로컬 푸드 운동은 지역에서 생산된 먹을거리를 지역에서 직접 소비하자는 운동이다. 로컬 푸드 운동을 하는 까닭은 ....

예) 먹을거리의 최종 소비지까지의 거리를 줄임으로써 더 안전하고 신선한 먹을거리를 확보하며, 식품 운송 과정에서 배출되는 온실가스도 감축시킬 수 있다.

채점 기준

❶	상	지구 온난화로 발생되는 문제점을 2가지 이상 정확하게 서술한 경우
	중	1가지만 정확하게 서술한 경우
	하	2가지 모두 정확하게 서술하지 못한 경우
❷	상	환경 문제 유발 산업의 개발 도상국 이전 원인을 2가지 이상의 원인을 들어 정확히 서술한 경우
	중	1가지만 정확하게 서술한 경우
	하	이전 원인을 제대로 서술하지 못한 경우
❸	상	로컬 푸드 운동하게 된 원인을 2가지 이상 정확히 서술한 경우
	중	1가지만 정확하게 서술한 경우
	하	원인을 제대로 서술하지 못한 경우

서술형 더 풀어보기

정답과 해설 32쪽

1 로컬 푸드 운동의 활성화에 따른 푸드 마일리지의 변화를 간단히 설명하시오.

....

수행 평가 해결하기

우리 생활 속의 환경 이슈를 조사하여 환경 신문을 만들어 보자.

1 모둠별로 신문 작성을 위해 자료 수집, 글쓰기, 기사문 편집 등으로 역할을 분담한다.
2 모둠별로 생활 속에서 발생하고 있는 환경 이슈를 조사한다.
3 환경 신문의 기사문을 작성한다.
4 모둠원이 기사 내용을 함께 검토하고 신문의 편집 체제를 정하여 신문을 제작한다.
5 완성된 신문을 다른 모둠에 설명하고, 교실에 전시한다.

> 예시
>
> **갯벌, 개발과 보존 사이**
>
> 우리나라 서·남해안의 갯벌은 세계적으로 유명하다. 최근 생태 자원의 보고인 갯벌을 두고 개발하여 활용하자는 입장과 있는 그대로의 갯벌을 보존하자는 입장이 대립하고 있다.
>
> 갯벌 간척에 찬성하는 사람들은 갯벌 간척을 통해 농업·공업 용지를 확보하여 토지 이용 가치를 높일 수 있다고 주장한다. 반면 이에 반대하는 사람들은 갯벌의 생태적 가치 가 매우 크고 생태계가 파괴될 수 있다고 주장한다.

이 수행 평가는 ▸▸ 다양한 환경 이슈에 대한 입장을 균형 있는 시각으로 제시해 보는 활동이다.

활동 신문 제작 TIP

기사 내용과 함께 도표, 사진, 그림 등을 활용하여 논리적으로 구성합니다. 자료는 출처가 명확하고 검증된 사실이어야 하고, 추측이나 출처가 불분명한 자료를 사실인 것처럼 게재하지 않도록 합니다.

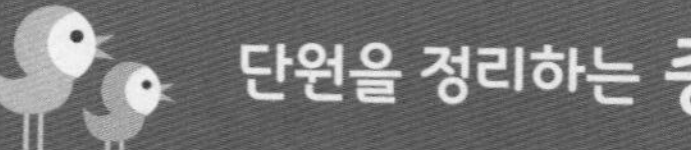

단원을 정리하는 종합 문제

1 다음 설명 카드의 내용에 해당하는 국가는?

> • 위치: 남태평양 중앙부
> • 수도: 푸나푸티
> • 역사: 과거 영국의 식민지, 현재 영연방 국가
> • 지리적 특성: 최고 해발 고도가 약 5m로, 9개의 섬 중 2개의 섬이 해수면 상승으로 침수됨.

① 투발루 ② 뉴질랜드 ③ 인도네시아
④ 마다가스카르 ⑤ 오스트레일리아

중요

2 다음 자료에 대한 설명으로 옳지 않은 것은?

※ 통계는 2015년 기준임.

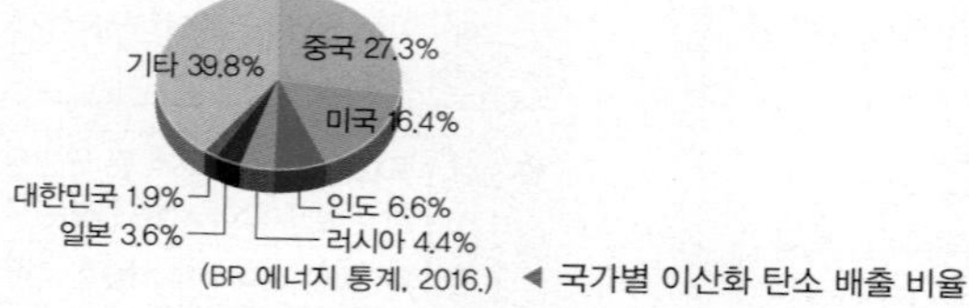

(BP 에너지 통계, 2016.) ◀ 국가별 이산화 탄소 배출 비율

① 인구 규모와 이산화 탄소 배출 비율은 큰 관련이 없다.
② 지구 온난화에 가장 큰 원인을 제공하는 국가는 중국이다.
③ 위 국가들은 모두 전 세계적인 지구 온난화의 책임이 있다.
④ 인구 규모가 크지 않아도 제조업이 발달한 국가의 이산화 탄소 배출량은 많다.
⑤ 세계 제1의 경제 대국이자 공업국인 미국은 인도보다 이산화 탄소 배출량이 많다.

3 다음 설명에 해당하는 국제 협약 또는 회의는?

> 1992년 브라질 리우데자네이루에서 이루어졌으며, '미래 세대가 그들의 필요를 충족할 능력을 저해하지 않으면서 현재 세대의 필요를 충족시키는 발전 양식 추구'를 주요 내용으로 한다.

① 파리 협정 ② 람사르 협약
③ 사막화 방지 협약 ④ 몬트리올 의정서
⑤ 국제 연합 환경 개발 회의

단원 연계 문항

4 다음 중 환경 문제 유발 산업으로 볼 수 없는 것은?

① 대규모 화훼 단지를 운영한다.
② 화력 발전으로 전기를 생산한다.
③ 섬유를 이용해 의류를 생산한다.
④ 태양광을 이용해 전기를 생산한다.
⑤ 전자 쓰레기를 부품별로 분해하고 처리한다.

5 지도는 전자 쓰레기의 발생 및 처리 지역을 나타낸 것이다. A, B 지역에 대한 설명으로 옳은 것은?

(국제 노동 기구, 2012.)

① A 지역은 주로 개발 도상국들이다.
② A 지역은 환경에 대한 사회적 인식이 높다.
③ B 지역은 경제 발달 수준이 높은 편이다.
④ B 지역은 A 지역보다 휴대폰의 교체 주기가 매우 짧다.
⑤ 전자 쓰레기는 B 지역에서 A 지역으로 주로 이동할 것이다.

6 지도에 표시된 A 지역에서 나타나는 환경 이슈에 대한 설명으로 옳은 것은?

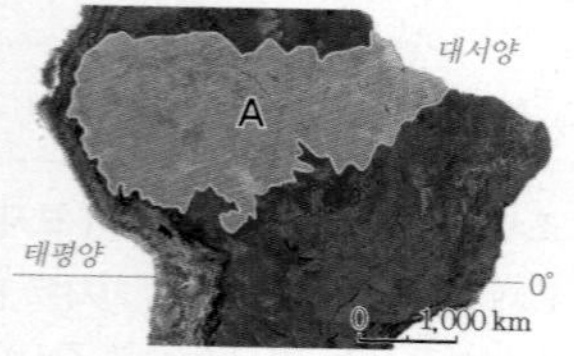

① 글로벌 푸드의 대안으로 등장하였다.
② 인체에 미치는 안전성 문제로 논란이 진행 중이다.
③ 방사능 유출 가능성에 대한 서로 다른 연구 결과로 논쟁중이다.
④ 간척 사업을 찬성하는 측과 반대하는 측의 주장이 팽팽하게 맞서고 있다.
⑤ 열대 우림 지역의 개발을 두고 해당 국가와 다른 국가 간 대립이 나타난다.

7 **다음 자료에 대한 해석으로 옳은 것을 [보기]에서 고른 것은?**

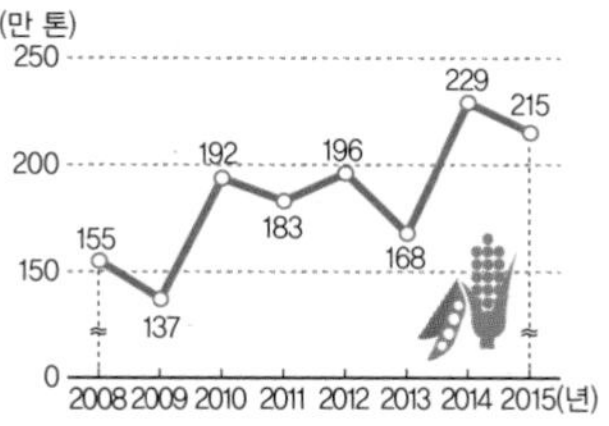

▲ 우리나라 식용 GMO 수입량

보기
ㄱ. 최근 식용 GMO 수입량은 200만 톤을 넘었다.
ㄴ. 식용 GMO 수입량은 지속적인 상승세를 보였다.
ㄷ. 정부는 식용 GMO 섭취를 법으로 금지하고 있다.
ㄹ. 식용 GMO를 활용한 가공 식품의 수입도 따라서 증가하였을 것이다.

① ㄱ, ㄴ ② ㄱ, ㄹ ③ ㄴ, ㄷ
④ ㄴ, ㄹ ⑤ ㄷ, ㄹ

중요
8 **다음 자료에 대한 설명으로 옳은 것은?**

▲ 로컬 푸드 직매장과 일반 상점의 무 가격 비교

① 일반 상점은 로컬 푸드 직매장에 비해 더 친환경적이다.
② 로컬 푸드 직매장을 이용하면 푸드 마일리지가 높아진다.
③ 로컬 푸드 직매장은 생산자와 소비자 모두에게 경제적 이익을 준다.
④ 일반 상점을 이용하면 생산자와 소비자의 거리가 더욱 가까워진다.
⑤ 일반 상점을 이용하면 로컬 푸드 직매장에 비해 신선한 상품을 얻을 수 있다.

서술형 평가

9 **다음과 같은 추세가 지속될 때 발생될 수 있는 문제점을 두 가지 서술하시오.**

▲ 이산화 탄소의 평균 농도와 지구 평균 기온

중요
10 **다음은 아시아 지역의 전자 폐기물 배출량에 관한 신문 기사의 일부이다. 밑줄 친 캄보디아, 베트남, 필리핀이 싱가포르나 중국에 비해 전자 폐기물 배출량이 적은 이유를 간단히 서술하시오.**

○○ 신문 ○○○○월 ○월 ○○일

2015년 세계의 1인당 평균 전자 폐기물 배출량은 10kg이며, 아시아에서는 싱가포르가 19.95kg, 중국이 19.13kg로 가장 많았다. 반면 캄보디아, 베트남, 필리핀의 1인당 평균 전자 폐기물 배출량은 1.1kg, 1.34kg, 1.35kg으로 해당 지역에서 가장 낮은 수준을 보였다.

11 **국립 공원에 케이블카를 설치할 경우 나타날 수 있는 긍정적 영향과 부정적 영향을 각각 1가지씩 서술하시오.**

세계 속의 우리나라

이 단원을 배우면

- 우리나라의 영토, 영해, 영공을 지도에서 설명할 수 있어요.
- 독도의 영역적 가치를 이해하고, 우리 국토를 소중히 하는 태도를 가져요.
- 세계화 시대에 지역의 경쟁력을 높이는 전략을 세울 수 있어요.
- 세계 속에서 통일 한국이 갖는 위치적 장점을 설명할 수 있어요.

이 단원의 학습 주제

1 우리나라의 영역과 독도

❶ 우리나라의 영역은 어디까지일까?

❷ 독도는 왜 중요할까?

개념 노트 만들기 | **실력을 키우는 응용 문제**

우리나라의 영역은 어디까지일까?

2 세계화 속의 지역화 전략

❶ 지역의 가치를 높이는 방법은 무엇일까?

❷ 지역화 전략을 개발하려면 무엇을 고려해야 할까?

개념 노트 만들기 | **실력을 키우는 응용 문제**

우리나라 여러 지역의 경쟁력을 높일 수 있는 방법은 무엇일까?

3 세계화 시대 통일 한국의 미래

❶ 통일은 왜 필요할까?

❷ 통일을 하면 무엇이 달라질까?

개념 노트 만들기 | **실력을 키우는 응용 문제**

우리에게 통일은 왜 필요할까?

단원을 정리하는 종합 문제

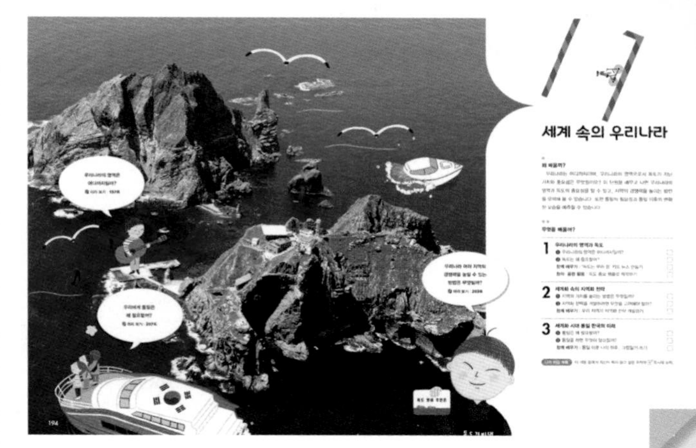

대단원 표지 그림 해설

독도를 상공에서 촬영한 사진이에요. 독도는 우리나라의 동쪽 끝에 위치하여 영역적인 가치가 매우 큰 지역이지요. 또한 생태학 및 지질학적으로도 중요성이 높아요. 이 단원에서 독도를 비롯한 우리나라의 영역을 알아보고, 세계 속에서 우리나라의 경쟁력을 높이는 방법들을 생각해 보세요.

스스로 학습 계획 세우기						나의 학습 달성 정도
계획일	월	일	학습일	월	일	
	월	일		월	일	
	월	일		월	일	
	월	일		월	일	
	월	일		월	일	
	월	일		월	일	
	월	일		월	일	
	월	일		월	일	
	월	일		월	일	
	월	일		월	일	

우리나라의 영역과 독도 (1)

학습 목표 | 영역의 중요성을 인식하고, 우리나라의 영역에 대하여 지도를 통해 설명할 수 있다.

❶ 우리나라의 영역은 어디까지일까?

1 영역의 뜻과 구성

1. **영역의 뜻:** 한 국가의 주권이 미치는 범위
2. **영역의 구성**[1]

구분	내용
영토	국가의 통치권이 미치는 토지, 국민의 생활 터전
영해	• 기선으로부터 12해리[2] 이내의 해역 → 기선은 영해를 정하는 기준선이에요. • 통상 기선: 바닷물이 가장 많이 빠졌을 때의 해안선을 기준으로 영해를 설정하는 기선 → 해안선이 단조로운 곳에 적용 • 직선 기선: 가장 바깥쪽에 위치한 섬들을 직선으로 연결한 선을 기준으로 영해를 설정하는 기선 → 섬이 많고 드나듦이 복잡한 해안에 적용
영공	영토와 영해의 수직 상공

2 우리나라의 영역

1. **우리나라의 영토**
   ① 한반도와 그 부속 도서
   ② 우리나라의 4극[3]: 최동단(독도), 최서단(마안도), 최남단(마라도), 최북단(유원진)
   └ 4극이란 동, 서, 남, 북 방향으로 가장 끝에 위치한 영역을 말해요.
2. **우리나라의 영해**
   ① 동해, 울릉도, 독도, 제주도: 통상 기선으로부터 12해리까지
   ② 서해안, 남해안: 직선 기선으로부터 12해리까지
   ③ 대한 해협: 예외적으로 직선 기선으로부터 3해리까지
3. **우리나라의 영공:** 항공 교통 및 우주 산업의 발달, 군사 목적으로 중요성이 증대됨.

핵심 자료 우리나라의 영해

(대한민국 영해 직선 기선도, 2016.)

핵심 ❶ 동해안, 울릉도, 독도, 제주도 등 해안선이 단조로운 곳은 통상 기선으로부터 12해리를 영해로 설정한다.

핵심 ❷ 서해안과 남해안은 해안선의 드나듦이 복잡하고 섬이 많기 때문에 가장 바깥쪽에 위치한 섬을 연결한 직선 기선을 기준으로 12해리까지를 영해로 인정한다.

핵심 ❸ 대한 해협은 우리나라와 일본의 거리가 가까워 기선으로부터 3해리까지를 영해로 설정한다.

❶ **영역 모식도**

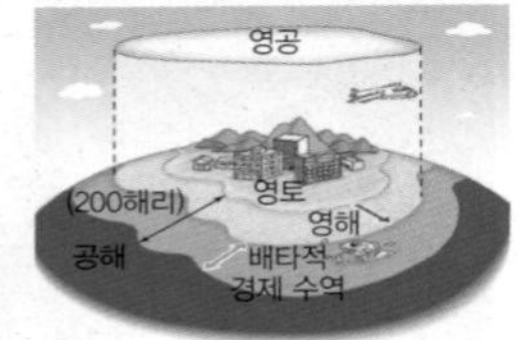

❷ **해리**
바다 위에서의 거리를 나타내는 단위로, 1해리는 약 1,852m이다.

❸ **우리나라의 4극**

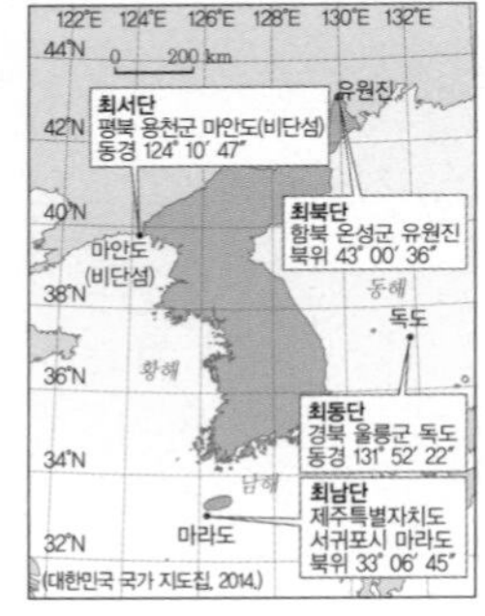

간단 체크 정답과 해설 34쪽

알맞은 말 선택하기

1 (영역 | 영공)이란 한 국가의 주권이 미치는 범위를 의미한다.
2 (영토 | 영해)는 기선으로부터 12해리까지로 설정한다.
3 해안선이 단조로운 (동해안 | 서해안)은 통상 기선을 적용한다.

교과서 **활동 풀이**

교과서 196-197쪽

생각 열기 영역은 왜 중요할까?

중국 어업 단속 위해 특공대 배치

정부는 중국 어선의 불법 조업 근절을 위해 서해 북방 한계선(NLL) 부근에 경비 함정 9척을 추가 배치하고, '중국 어선 단속 기동 전단'을 운영하기로 하였다. 연평도에는 특공대 2개 팀을 배치해 중국 어선 단속과 퇴거 활동을 강화하기로 하였다. 국민 안전처(해경)에서는 전담팀을 신설하고 기동성을 갖춘 중형 함정, 방탄 보트 등도 추가 배치해 대응 역량을 높이기로 하였다.

불법 조업을 하다가 적발된 중국 어선은 담보금을 내야 선박을 돌려받을 수 있는데, 무허가 어선 담보금을 최고 2억 원에서 3억 원으로 상향 조정하였다. 불법 조업 선박의 선장은 구속 수사를 원칙으로 하고, 법정 최고 벌금이 구형될 수 있도록 법무부와 협조해 나가기로 하였다. 또 영해 침범, 무허가 조업, 공무 집행 방해 등 중대 사항을 위반하면 선박을 중국 해경에 직접 인계하여 중국에서도 추가 처벌을 받을 수 있도록 조치할 방침이다.

– ○○ 신문, 2016. 7. 11. –

질문 1 영해를 침범하는 불법 조업과 같은 행위가 계속될 때 우리나라 국민에게 어떤 문제가 발생할 수 있을까?

㉠ 우리나라 어민들의 수확량이 줄어들고, 어업 활동에 타격을 줄 수 있다.

질문 2 영해를 비롯하여 우리의 영역을 지키는 일이 왜 중요할까?

㉠ 영역은 우리 국민이 살아가는 생활 공간이기 때문에 제대로 지켜지지 않으면 국민이 생활을 유지하는 데 어려움이 따르므로 반드시 안전하게 보호되어야 할 필요가 있다.

해결 열쇠

자료 해설

기사는 중국이 불법적으로 우리의 영해를 침범하는 행위에 대해 정부가 어떻게 대처하고자 하는지 보여주고 있다. 이를 통해 정부가 영해를 지키기 위해 수행하는 다양한 노력을 알고, 영해가 중요함을 느낄 수 있다. 중국의 불법 조업 어선과 이를 단속하는 해경의 모습에서는 다른 국가의 영해를 침범하면 강도 높은 제재를 받을 수 있다는 것도 확인할 수 있다.

생각 + 한·중·일 3국이 모두 배타적 경제 수역을 200해리로 주장한다면 어떤 일이 생길지 이야기해 보자.

▲ 우리나라의 영해

▲ 한·중·일 어업 수역도

㉠ 황해는 우리나라와 중국의 배타적 경제 수역이 겹치고, 동해는 우리나라와 일본의 배타적 경제 수역이 겹치게 된다. 따라서 잦은 충돌과 분쟁이 일어날 수 있다.

자료 해설

배타적 경제 수역의 범위는 기선으로부터 200해리에 이르는 수역 중 영해를 제외한 수역이다. 그런데 우리나라의 경우 중국, 일본과 배타적 경제 수역이 겹치므로 어업 협정을 통해 중간 수역을 지정하여 공동으로 관리한다. 배타적 경제 수역은 연안국에 경제 활동의 우선적인 권한을 부여하기 때문에 국가적 차원에서 매우 중요하다.

11-1 우리나라의 영역과 독도 (2)

학습 목표 | 독도의 영역적 가치를 알고 우리 영토를 소중히 여기는 태도를 기른다.

❷ 독도는 왜 중요할까?

1 독도의 중요성

1. 영역적 가치

① 우리나라 영토의 동쪽 끝 → 경상북도 울릉군 울릉읍 독도리에 위치해요.

② 영해와 배타적 경제 수역 설정의 중요한 기점

③ 동아시아 해상 주도권 경쟁에서 우리나라의 전진 기지

④ 군사적 요충지: 항공 교통과 방어 기지

2. 환경 · 생태적 가치

① 지질학적 가치: 화산 활동으로 형성된 섬으로 다양한 화산 지형과 지질 경관

② 생태계의 보고: 다양한 동식물의 서식지, 철새들의 중간 서식지

③ 천연 보호 구역 지정: 섬 전체가 높은 가치를 인정받고 있음.

3. 경제적 가치

① 메탄하이드레이트❶: 차세대 에너지원으로 주목받고 있는 자원

② 해양 심층수: 햇빛이 도달하지 않는 수심 200m 이하의 바닷물 ─ 세균이 번식하지 않고, 미네랄이 풍부하여 개발이 기대되는 자원이에요.

③ 각종 어족 자원 풍부: 난류와 한류가 만나는 조경 수역❷

2 독도에 대한 역사적 기록

1. 의미: 역사적 근거를 통해 독도에 대한 우리의 주권을 확고히 함.

2. 내용

① 대한 제국 칙령 제41호: 독도를 울릉도에 포함한다는 내용을 정하고, 이를 국제적으로 공인 받음.

② 일본 시마네현 고시 제40호: 일본이 이를 통해 독도를 자신들의 영토로 편입하려고 하였으나, 효력을 인정받지 못함.

③ 연합국 최고 사령관 각서: 독도를 우리나라의 영토로 표기함.

3 독도를 지키려는 노력

구분	내용
정부 차원의 노력❸	• 외교부의 독도 홈페이지 운영, 독도 관련 홍보 자료 배포 • 독도 관련 법령 추진
민간단체 및 각종 기관의 노력	• 독도 관련 홈페이지 운영 • 다양한 단체와의 교류 및 협력을 통한 홍보 활동 • 학술 연구 및 음악회, 글짓기 대회 등 다양한 문화 · 예술 행사 개최
독도 경비대	• 경상북도 경찰이 독도에 상시 주둔하며 국토 방위의 임무를 담당 • 군인이 아닌 경찰이 근무함으로써 독도가 우리 땅임을 분명히 함.

❶ 메탄하이드레이트
메탄이 주성분인 천연가스가 고체화된 것으로, 동해 해저에 약 6억 톤이 매장된 것으로 추정된다.

❷ 조경 수역
난류와 한류가 만나면 해수의 순환이 활발해져, 산소와 플랑크톤이 풍부해진다. 이로 인해 한류성 어족과 난류성 어족 모두가 많이 모이게 되어 각종 어류와 해조류 등 수산 자원이 풍부하다.

❸ 독도를 지키려는 정부의 노력
일본이 독도를 자국 영토로 주장하면서 주변 해역에 대한 경제적 이권을 얻으려 하고 있어 정부 차원에서 독도에 대한 영토 주권을 확고히 하고자 많은 노력을 기울이고 있다.

간단 체크 정답과 해설 34쪽

O, X 판단하기

1 독도는 우리나라 영토의 동쪽 끝으로 영역적 중요성이 매우 크다. ( )

2 독도에는 메탄하이드레이트, 해양 심층수 등이 있어 경제적 가치가 높다. ( )

3 독도가 우리 땅임을 알리기 위해 정부와 민간 단체가 활발하게 노력하고 있다. ( )

교과서 **활동 풀이**

교과서 198-200쪽

생각+ 우리나라와 독도, 일본과 독도 간의 거리를 비교해 보고, 독도가 우리나라의 영토인 까닭을 설명해 보자.

예 독도에서 가장 가까운 우리 영토인 울릉도까지는 약 87.4km이지만, 일본의 오키섬까지는 157.5km이다. 이처럼 독도가 우리 영토와 더 가깝다.

생각+ 독도를 지키기 위한 다양한 노력을 좀 더 조사하고, 발표해 보자.

예 • 외교부 독도: 독도에 대한 정부 입장, 독도 관련 법령, 독도 주민과 생활 등을 소개
• 국립 해양 조사원: '우리 땅 독도'를 통해 해저 지형과 해도 등의 해양 정보 제공
• 국토 교통부 독도 지리넷: 독도의 지형도, 지명, 지리지, 국내외의 고지도 등 다양한 지리 정보 제공
• 울릉군: 독도에 관한 정보 제공, 독도 입도 안내, 독도 명예 주민증 발급

해결 열쇠

함께 배우기 **'독도는 우리 땅' 카드 뉴스 만들기**

다음 자료를 활용하여 독도가 우리 땅임을 증명하는 카드 뉴스를 작성해 보자.

1 199쪽 연표와 외교부 독도(dokdo.mofa.go.kr) 누리집을 참고하여 독도가 우리 땅임을 보여 주는 다음 자료들의 의미를 정리한다.

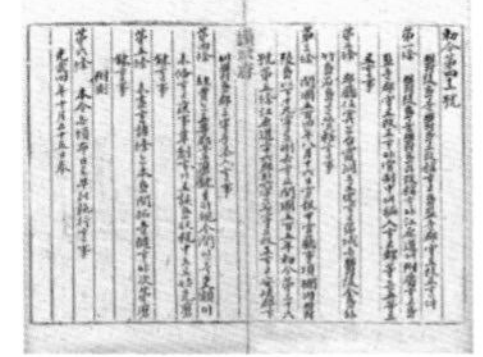
▲ 대한 제국 칙령 제41호

➡ 예 울릉도에 들어온 일본인들의 불법적인 어업 및 벌목 행위를 방지하고자 시찰관을 파견한 뒤 1900년 10월 25일에 제정하였다. 대한 제국 정부가 독도를 시찰관에게 담당시켜 관보를 통해 발표하여 독도의 영유권을 공식적으로 밝히고 있다.

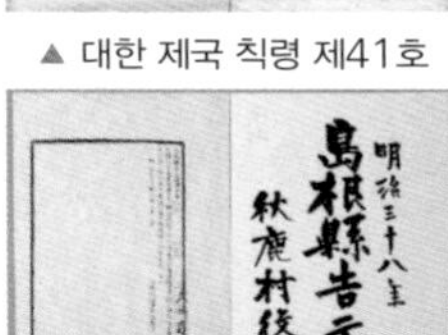

▲ 일본 시마네현 고시 제40호

➡ 예 1905년 2월 22일 독도를 일본 땅에 편입한다는 내용을 시마네현 고시 제40호에 고시하였는데, 이는 출처를 알 수 없는 회람본이고, 공식적으로 고시된 사실이 없어 효력이 떨어진다.

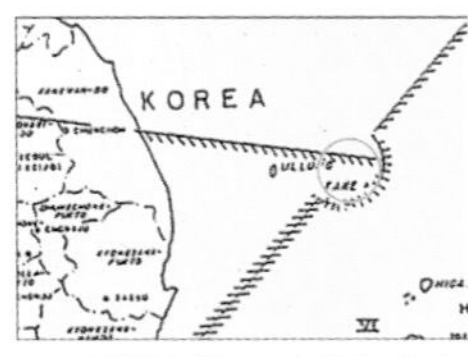

▲ 연합국 최고 사령관 각서 (SCAPIN) 제677호

➡ 예 이 지도에는 독도가 대한민국의 영토로 표시되어 있다. 또한 이 문서에 따르면 독립 이후 미군정의 통치 기간에도 독도를 한국의 영토로 확인하고 있으며, 미 군정의 통치권이 대한민국 정부 수립 이후 그대로 이양되었음을 알려준다.

2 위 정리 내용을 바탕으로 독도가 우리 땅임을 알리는 카드 뉴스 제작을 위해 먼저 10장 이내의 카드에 들어갈 문구를 정한다.

3 카드 내용과 어울리는 독도의 모습이나 관련 사진 자료를 검색한다.

4 제작한 카드 뉴스를 친구들과 공유하거나 전시한다.

활동 도우미

다양한 근거 자료를 활용하여 독도가 우리 땅임을 논리적으로 주장하고, 카드 뉴스라는 새로운 형태로 표현해 보는 활동이에요. 고지도와 고문헌을 살펴보면서 독도가 우리 땅임을 뒷받침할 수 있는 근거를 정리하고, 카드 뉴스에 적을 문구를 작성해 보세요. 카드 뉴스의 문구는 간결하게 적고, 내용과 어울리는 사진을 함께 배치하면 전달하고자 하는 의미를 확실히 부각시킬 수 있어요.

스스로 확인하기

1 (1) 영토 (2) 12, 3 (3) 독도 **2** (1) 직선 기선 (2) 영공 (3) 대한민국

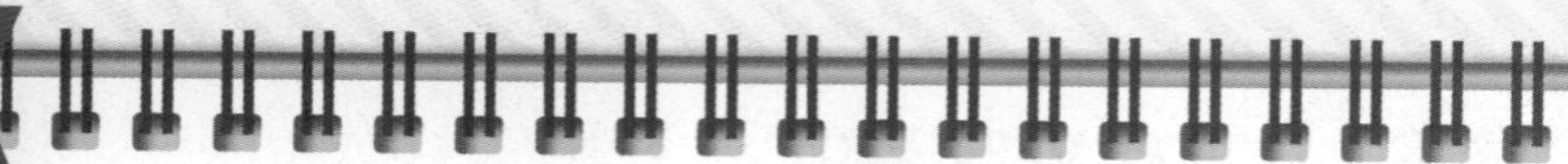

정답과 해설 34쪽

핵심 내용 정리하기 학습한 내용을 기억하면서 다음 글을 완성해 보자.

(제목:)

국가의 (❶)은(는) 국민의 생활 터전이자 국가 존재 요소이다. 영역은 크게 영토, 영해, 영공으로 나눌 수 있다. 우리나라의 (❷)은(는) 한반도와 그 부속 도서로 이루어져 있다. (❸)은(는) 기선으로부터 12해리를 포함하는데, 섬이 많은 서해안과 남해안은 (❹)을(를), 해안선이 단조로운 동해안과 제주도, 울릉도, 독도는 (❺)을(를) 기준으로 적용한다. 일본과 거리가 가까운 대한 해협은 기선으로부터 3해리까지만 영해로 인정하고 있다.

우리나라의 영역 중 동쪽 끝에 위치한 (❻)은(는) 일본이 자국 땅임을 주장하고 있어 우리의 영유권을 확고히 하는 것이 무엇보다 중요하다. 따라서 정부와 민간단체 등 여러 곳에서 독도에 대한 영토 주권을 확실히 하고, 우리 땅임을 알리기 위해 많은 노력을 기울이고 있다.

활동 노트 완성하기 학습하면서 기른 역량을 살려 다음 활동 노트를 완성해 보자.

0 100 km
울릉도
ⓛ
소령도
서격렬비도
어청도
황 해
상왕등도
횡도
홍도
소흑산도
절명서
거문도
간여암
홍도
사수도
생도
화암추
호미곶
달만갑
동 해
대한 해협
남 해
○ 기점
······ ㉠ 기선
—— 영해선

(대한민국 영해 직선 기선도, 2016.)

1 지도의 ㉠에 알맞은 말과 그 기선의 의미를 써 보자.

• ㉠:

• 의미:

2 ㉠ 기선이 적용되는 지역의 해안선 특징을 설명해 보자.

3 동해안, 제주도, 울릉도 등에 적용되는 기선의 명칭과 그 의미를 써 보자.

• 명칭:

• 의미:

4 ⓛ 섬의 영역적 가치를 설명해 보자.

실력을 키우는 응용 문제

정답과 해설 34쪽

1 우리나라의 영역에 대한 설명으로 옳은 것은?

① 영토는 한반도와 그 부속 도서로 이루어져 있다.
② 영공은 우리나라 영토의 수직 상공만을 의미한다.
③ 대한 해협의 영해는 기선으로부터 12해리까지이다.
④ 서해안의 영해는 통상 기선으로부터 12해리까지이다.
⑤ 남해안, 울릉도, 독도의 영해는 직선 기선을 적용한다.

2 다음 글의 ㉠에 들어갈 용어로 알맞은 것은?

(㉠)은(는) 기선으로부터 200해리에 이르는 수역 중에서 영해를 제외한 구역으로, 연안국은 (㉠) 안에서 자원의 탐사와 개발 및 보존, 경제적 개발 등에 관한 권리를 보장받는다.

① 공해　② 조경 수역
③ 대한 해협　④ 한일 중간 수역
⑤ 배타적 경제 수역

3 다음 신문 기사를 읽고 바르게 해석한 것은?

○○ 신문 2016. 7. 11.

중국 어업 단속 위해 특공대 배치

정부는 중국 어선의 불법 조업 근절을 위해 경비 함정 9척을 추가 배치하고, '중국 어선 단속 기동 전단'을 운영하여 중국 어선 단속과 퇴거 활동을 강화하기로 하였다. 우리 영해에서 불법 조업을 하다가 적발된 불법 조업 선박의 선장은 구속 수사를 원칙으로 하되 법정 최고 벌금이 구형될 수 있다. 또 영해 침범, 공무 집행 방해 등 중대 사항 위반에 대해서는 중국 해경에 직접 인계하여 중국에서도 추가 처벌을 받을 수 있도록 조치할 방침이다.

① 영역을 지키는 일은 국민의 생활과는 관계가 없다.
② 우리나라 영해에서는 중국 어선이 조업을 할 수 있다.
③ 중국의 불법 어업은 우리나라 주권을 침해한 것이다.
④ 기사의 중국 어선은 우리나라의 영토를 침범한 것이다.
⑤ 영역 중에서 영토만 안전하게 보호하면 문제되지 않는다.

중요

4 독도의 영역적 가치를 [보기]에서 고르면?

보기
ㄱ. 영해 설정에 중요한 기점이다.
ㄴ. 주변 바다에 각종 어족 자원이 풍부하다.
ㄷ. 항공 교통과 방어 기지로 중요한 군사적 요충지이다.
ㄹ. 섬 전체가 천연 보호 구역으로 지정된 생태계의 보고이다.

① ㄱ, ㄴ　② ㄱ, ㄷ　③ ㄴ, ㄷ
④ ㄴ, ㄹ　⑤ ㄷ, ㄹ

5 그림의 A에 알맞은 자원을 쓰시오.

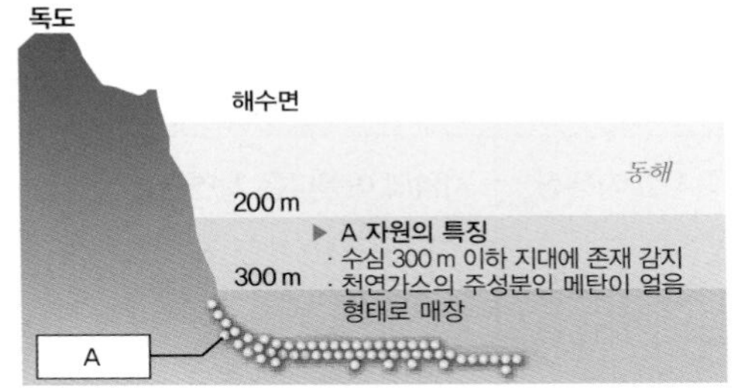

6 다음 역사적 기록의 공통점으로 알맞은 것은?

• 1770년 『동국문헌비고』
• 1808년 『만기요람』
• 1900년 대한 제국 칙령 제41호

① 독도를 국제적인 분쟁 지역으로 묘사하고 있다.
② 일본이 독도를 자국의 영토로 주장한 사실을 뒷받침한다.
③ 울릉도와 독도가 일본의 영토임을 밝힌 역사적 증거물이다.
④ 독도를 우리 영토로 표기하여 독도가 우리 땅임을 증명할 수 있는 자료이다.
⑤ 독도의 주변 해역에 대한 경제적 이권을 얻으려는 시도를 기록해 둔 문헌이다.

11-2 세계화 속의 지역화 전략 (1)

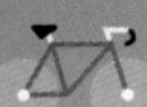

학습 목표 | 지역의 특색을 살리는 지역화 전략의 뜻과 종류를 설명할 수 있다.

❶ 지역의 가치를 높이는 방법은 무엇일까?

1 지역화 전략

1. **의미:** 지역의 고유한 특성을 강조하여 경쟁력을 갖추고자 하는 방안
2. **등장 배경**
   ① 세계의 지역 간 교류 활성화
   ② 세계화[❶]로 인한 문화의 획일화: 지역의 고유한 특성을 강조할 필요성이 대두됨.

2 지역화 전략의 종류[❷]

1. **지역 브랜드**
   ① 의미: 지역의 특성을 담고 있는 상품이나 서비스에 그 지역의 이미지를 결합시켜 지역 그 자체를 브랜드처럼 만드는 것
   ② 구분

종류	활용 요소	사례
자연 자원형	지역의 아름다운 자연환경	• 남해: '보물섬 남해' • 평창: '한국의 알프스, 평창'
문화 자원형	지역 고유의 역사와 전통	• 안동: 전통 문화 강조 • 남원: 춘향의 사랑
상품 자원형	지역 농산물, 상품과 관련한 기술, 품질, 오랜 전통	• 이천: 임금님께 진상한 쌀 • 횡성: 대한민국 대표 한우 • 순창: 고추장
서비스 자원형	사물이나 현상에 창의적인 아이디어를 접목하여 새로운 이미지를 창출	• 뉴욕: I♥NY • 함평: 나비와 친환경 이미지

2. **장소 마케팅**
   ① 특정한 장소를 상품으로 인식하고, 그 장소의 이미지를 개발하는 전략
   ② 사례: 프랑스 파리의 '에펠탑', 경기도 광명시 '광명 동굴'

3 지역화 전략의 개발 효과

1. **지역의 가치 및 경쟁력 제고:** 지역의 고유성을 발견하고 지역의 경쟁력을 높일 수 있음.
2. **경제적 소득 창출:** 지역의 상품과 서비스 판매량 증가
3. **지역에 대한 긍정적 이미지 형성:** 지역 발전을 위한 토대가 됨.
4. **지역 경제 활성화:** 주민 소득 증대, 일자리 증가 등

❶ 세계화와 지역화
교통과 통신 기술의 발달로 국제 사회의 상호 의존성이 증가하면서 전 세계가 하나로 통합되는 현상을 세계화라고 한다. 이에 따라 전 세계에 비슷한 문화가 확산되는 한편 특정 지역에서는 다른 지역과 차별화된 경쟁력을 갖추려고 하는데, 이를 지역화라고 한다.

❷ 지역화 전략의 종류
지역 브랜드, 장소 마케팅 외에도 지리적 표시제, 축제 등이 있다. 지리적 표시제는 어떤 지역의 지리적 특성이 반영된 우수한 상품에 그 지역을 표시할 수 있도록 하는 제도이다. 축제는 지역의 유명한 문화나 특산물 등을 바탕으로 기획하여 많은 부가 가치를 창출할 수 있는 전략이다.

간단 체크 정답과 해설 34쪽

O, X 판단하기

1 지역의 고유한 특성을 강조하여 경쟁력을 갖추고자 하는 방안을 지역화 전략이라고 한다. ( )

2 지역의 특성을 담고 있는 상품이나 서비스에 그 지역의 이미지를 결합시켜 지역 그 자체의 브랜드로 만드는 것을 장소 마케팅이라고 한다. ( )

3 지역화 전략을 잘 활용하면 지역 경제 활성화의 효과를 볼 수 있다. ( )

교과서 **활동 풀이**

교과서 202-203쪽

생각 열기 지역 축제에 다녀온 적이 있나요?

우리나라의 대표적인 지역 축제를 살펴보고, 다녀와 본 축제 또는 가장 가 보고 싶은 축제에 대해 발표해 보자.

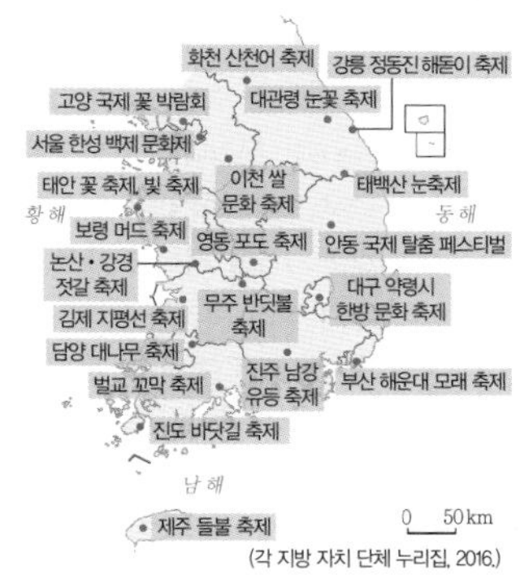

(각 지방 자치 단체 누리집, 2016.)

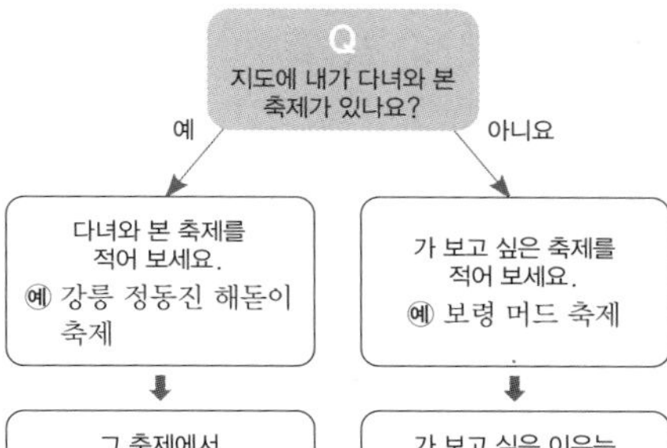

그 축제에서 어떤 것을 경험했나요?
기차를 타고 정동진역에 내려 일출을 보며 소원을 빌었어요.

축제를 통해 알게 된 그 지역의 특징은 무엇인가요?
일출을 잘 볼 수 있는 장소라는 것이 기억에 남아요.

가 보고 싶은 이유는 무엇인가요?
외국인들이 갯벌에서 진흙을 묻히며 노는 게 재밌어 보였어요.

축제를 통해 알게 된 그 지역의 특징은 무엇인가요?
관광객을 많이 오게 해서 지역 소득을 높이고 있는 것 같아요.

해결 열쇠

활동 도우미

지도를 통해 우리나라에서 열리고 있는 지역 축제가 매우 다양함을 확인할 수 있어요. 지역마다 다른 주제로 축제를 활발하게 개최하고 있는데, 이 중에 다녀와 본 축제나 경험하고 싶은 축제에 대해 이야기 나누어 봅시다. 그리고 왜 지역마다 축제를 열고 싶어 하는지, 각 지역 축제의 어떤 점이 특별한지 생각해 보도록 해요.

활동 우리나라의 여러 지역화 전략

(가) 경기도 광명시는 광산으로 이용하던 광명 동굴을 문화 체험과 휴식 공간을 갖춘 동굴 테마파크로 개장하였다. 광명 동굴은 유료화 개장 이후 10개월 만에 관광객 100만 명을 넘어서며 관광 명소로 자리 잡았다. 광명시는 지역 경제를 살리는 데 광명 동굴을 적극적으로 활용하고 있다.

(나) 충청남도 보령시에는 해안선을 따라 고운 바다 진흙이 펼쳐져 있다. 보령시는 천연 바다 진흙을 활용하여 화장품을 개발하고 상품의 홍보와 판매를 촉진하기 위해 머드 축제를 개최하였다. 이로 인해 보령시는 많은 관광객을 유치하고 지역 경제를 발전시킬 수 있었다.

(다) 강원특별자치도 평창군은 해발 고도 700m에 위치한 지리적 특색을 내세워 지역을 홍보하고 있다. 'Happy 700'은 사람과 동식물이 가장 건강하고 행복하게 지낼 수 있는 고지대의 특성을 담은 것이다. 캐릭터 '눈동이'는 눈이 많이 내리는 평창의 기후를 잘 반영하고 있다.

(라) 경상북도 영덕군은 청정한 바다와 풍부한 해산물이 대표적인 지역으로, 특산물로는 대게가 유명하다. 영덕군은 자연환경을 상징하는 브랜드를 고안하여 붓글씨체 속에 바다 해(海)와 대게의 형상을 자연스럽게 녹여 내 좋은 평을 받았다.

1 각 사례에서 활용한 지역화 전략을 지역 브랜드와 장소 마케팅으로 구분해 보자.

- 지역 브랜드: (다), (라)
- 장소 마케팅: (가), (나)

2 각 지역이 지역화 전략을 통해 얻을 수 있는 효과를 적어 보자.

예 주민 소득 증대, 지역 관광 활성화, 긍정적인 지역 이미지 형성, 지역 경제 활성화 등

3 지역화 전략을 도입한 다른 지역의 사례를 조사하여 발표해 보자.

예 전라남도 함평군은 나비를 주제로 축제를 개최하고 특산품을 판매하였다. 그 결과 '나비가 사는 밝고 따뜻한 친환경 지역'이라는 이미지를 갖게 되었고, 지역의 관광 수입도 늘어나게 되었다.

자료 해설

광명시와 보령시는 동굴 테마파크와 머드 축제를 통해 직접적으로는 지역 관광객이 많아져 관광에 의한 지역의 소득이 높아지고, 일자리가 늘어나는 경제적 효과를 누리고 있다. 평창군이나 영덕군은 지역의 특성을 보여주는 효과적인 지역 브랜드 개발을 통해 지역의 고유한 특징을 강조하고, 긍정적인 지역 이미지를 형성할 수 있게 되었다. 이에 따라 지역의 가치가 주목받으면서 지역 관광 활성화, 지역 특산물 및 상품 판매량 증가로 지역 경제가 활성화되는 효과를 누릴 수도 있다.

11-2 세계화 속의 지역화 전략 (2)

학습 목표 | 자신이 사는 지역에 알맞은 지역화 전략을 개발할 수 있다.

❷ 지역화 전략을 개발하려면 무엇을 고려해야 할까?

1 지역화 전략의 개발

1. 필요성

① 세계화에 따라 세계 공통의 문화와 가치 등장으로 지역의 개성이 상실됨.

② 문화 획일화에 따라 지역 고유의 특성이 가치를 인정받게 됨.

2. 과정

• 지역 개발 아이디어 수집 • 지역의 다양한 자원 확인 • 주민과 지방 자치 단체의 협력	⇨	• 지역 정체성 파악 • 차별화된 브랜드 개발 • 전략 수정 및 보완

3. 목표

① 지역의 고유성을 발견하고, 스스로 잠재력을 발굴하여 지역을 발전시킬 것

② 지역의 전통적인 가치와 지역성 보존을 토대로 지역 경쟁력을 강화할 것

③ 주민의 자긍심을 바탕으로 지역 공동체와 정체성을 강화할 것

④ 장기적인 지역 경제 활성화를 이룰 것

2 지역화 전략 개발 시 고려할 점

1. 지역 고유의 특징과 정체성 반영: 지역의 고유성이 반영되는 것이 중요

2. 지역 주민의 참여와 협조 유도[❶]: 지역 주민이 참여해야 진정성이 높음.

핵심 자료 **지역화 전략의 성공 사례와 시사점**

지역화 전략의 성공적인 사례로 꼽히는 대표적인 지역은 뉴욕이다. 뉴욕은 1970년대에 각종 범죄 공간의 상징이 되어버린 도시 이미지를 벗어나고자 'I ♥ New York' 캠페인을 시작하였다. 이는 경기 침체와 사회 불안을 떨쳐내고 뉴욕 시민에게 도시에 대한 관심과 애정을 되살리기 위한 것이었다. 그 과정에서 개발된 로고는 뉴욕을 세계인에게 사랑받는 도시로 만드는 데 기여하였다. 이후 뉴욕은 지속적으로 지역화 전략을 도입하여 활기차고 수준 높은 문화 · 예술의 도시, 세계 중심 도시로서 긍정적인 이미지를 구축하고 지역 경제의 활성화를 도모하였다.

▲ 뉴욕의 지역 브랜드 로고

우리나라도 비슷한 지역화 전략을 추진하는 지방 자치 단체들이 급증하였다. 그러나 대부분 지역의 정체성을 고려하지 않은 채 지역의 특산물과 축제 등을 활용하는 데 그쳐 소비자들의 관심을 끌지 못하고 있다. 단순한 이름 짓기와 캐릭터 개발에서 벗어나 지역 주민들의 협조를 유도하고 독창성과 체계성을 갖춘 지역화 전략을 수립에 더욱 힘써야 한다.

핵심 ❶ 경쟁력 있는 지역화 전략을 개발하기 위해서는 지역의 정체성을 확인하고, 지역의 고유성이 반영된 독창적인 이미지를 바탕으로 해야 한다.

❶ 지역화 전략 개발 시 참여 주체
지역화 전략 개발 시에는 지방 자치 단체와 해당 지역에 입지한 기업뿐만 아니라 지역 주민의 참여와 협조가 중요하다. 우리나라 지방 자치 단체의 경우 단체장이 바뀌면 지역 슬로건이나 지역화 전략을 새로 만드는 경우가 많아 지역화 전략의 연속성이 끊기는 경우도 많다. 하지만 지역 이미지는 지역 주민의 마음 속에 자리잡고 있는 도시 이미지를 형상화하는 것이 바람직하다.

간단 체크 정답과 해설 34쪽

알맞은 말 채우기

1 지역화 전략을 세울 때 가장 먼저 할 일은 지역의 (　　) 을(를) 확인하는 것이다.

2 지역화 전략의 효과를 높이기 위해서는 (　　)의 참여와 협조가 무엇보다 중요하다.

교과서 **활동 풀이**

교과서 204-205쪽

함께 배우기 **우리 지역의 지역화 전략 개발하기**

우리 지역의 특징을 분석하고, 분석한 내용을 토대로 지역화 전략을 수립해 보자.

1 4명의 모둠을 구성하며 모둠별로 우리 지역 특성을 조사한 후 정리한다.

	우리 지역 (예 경기도 안성시)
자연환경	예 • 북쪽이 높고 서남쪽의 경사가 완만함. • 차령산맥이 남북으로 지나감. • 남서쪽으로 평야가 발달함.
인문 환경	예 • 〈남사당〉의 전설이 깃든 예술의 마을로, 바우덕이 무형 문화재가 있음. • 조선 시대 안성장의 번성 → 안성맞춤의 수공업 발달

2 **1**에서 작성한 내용 중에 우리 지역을 가장 잘 대표할 수 있을 만한 특성을 간추려 보고, 이미지로 표현한다.

	우리 지역 (경기도 안성시)
지역을 대표할 만한 특성	예 풍물놀이로 대표되는 바우덕이를 줄 타는 이미지로 변화시켜 예술인이 많은 지역의 특색을 부각시켰다. ⇨

3 우리 지역의 이미지를 홍보할 수 있는 로고나 캐릭터를 디자인해 보고, 그 의미를 설명한다.

	우리 지역 (경기도 안성시)
디자인	City of Masters 안성맞춤도시 안성
의미	예 장인의 혼이 살아있는 세계적인 예술 도시'를 표방하는 안성시는 예술인의 혼을 태극 문양으로, 세계적인 예술 문화의 관문이 된다는 뜻에서 전통 대문을 형상화하여 만들었다.

4 우리 지역의 특징을 살릴 수 있는 축제를 개발하거나 장소를 활용하여 지역화 전략을 세워 본다.

우리 지역 (경기도 안성시)

예 안성 남사당 바우덕이 축제는 조선시대 남사당 발상지의 특색을 살려 바우덕이의 예술 정신을 발전시키고자 시작되었다. 남사당 공연과 전통 혼례, 인형극 등 우리 전통문화를 주제로 다채롭게 진행된다.

해결 열쇠

활동 도우미

지역의 자연환경과 인문 환경의 특색을 다양하게 조사한 뒤 토의를 통해 지역을 가장 잘 나타낼 수 있는 특징을 선정해 보세요. 지역화 전략의 핵심은 다른 지역과 차별화될 수 있는 독창적인 이미지를 구축하는 것이기 때문에 여러 사람과 토의를 거쳐 지역의 대표성을 지닐 수 있는 특징을 찾아내는 것이 중요해요. 이러한 과정에서 여러분은 지역에 대한 깊은 이해와 애정을 갖게 되고, 지역의 특성을 알릴 수 있는 새로운 지역화 전략에 대해 고민하면서 창의적인 사고력을 기를 수 있어요.

스스로 확인하기

1 (1) 장소 마케팅 (2) 지역화 전략 **2** (1) ㉡ (2) ㉢ (3) ㉠

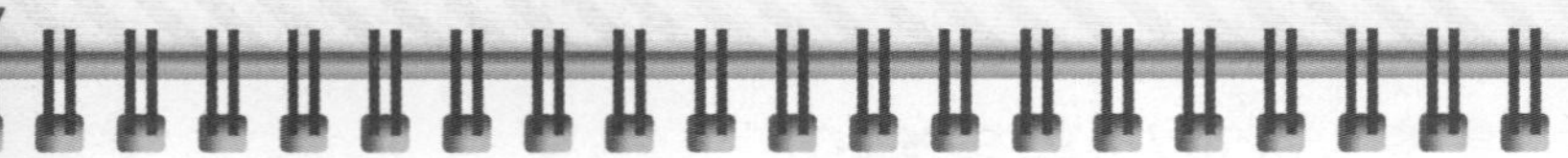

개념 노트 만들기

정답과 해설 34쪽

핵심 내용 정리하기 학습한 내용을 기억하면서 다음 글을 완성해 보자.

(제목:)

세계화로 문화가 획일화되는 가운데 지역의 고유한 특성을 강조하여 경쟁력을 갖추고자 하는 (❶)이(가) 적극 활용되고 있다. 여기에는 지역의 특성을 담고 있는 상품이나 서비스에 그 지역의 이미지를 결합하여 지역 그 자체를 브랜드처럼 만드는 (❷) 전략과 특정한 장소를 상품으로 인식하고, 그 장소의 이미지를 개발하는 (❸) 전략이 대표적이다. 이와 같은 전략을 잘 활용하면 지역에 대한 긍정적인 (❹)을(를) 형성하여 지역의 가치를 높일 수 있다. 그리고 일자리 증가, 관광 사업 확대, 지역의 상품과 서비스 판매량 증가 등에 따라 지역 (❺) 효과가 나타난다.

활동 노트 완성하기 학습하면서 기른 역량을 살려 다음 활동 노트를 완성해 보자.

강원도 평창군	경상북도 영덕군
강원도 평창군은 해발 고도 700m에 위치한 지리적 특색을 내세워 지역을 홍보하고 있다. 'Happy 700'은 사람과 동식물이 가장 건강하고 행복하게 지낼 수 있는 고지대의 특성을 담은 것이다. 캐릭터 '눈동이'는 눈이 많이 내리는 평창의 기후를 잘 반영하고 있다.  	경상북도 영덕군은 청정한 바다와 풍부한 해산물이 대표적인 지역으로, 특산물로는 대게가 유명하다. 영덕군은 자연환경을 상징하는 브랜드를 고안하여 붓글씨체 속에 바다 해(海)와 대게의 형상을 자연스럽게 녹여 내 좋은 평을 받았다. 

1 그림 자료를 보고 바로 알 수 있는 두 지역의 대표적인 특성을 적어 보자.

강원도 평창군	경상북도 영덕군

2 두 지역의 지역 브랜드가 좋은 평가를 받은 이유를 지역의 특성과 관련지어 서술해 보자.

....

....

3 위와 같은 지역화 전략을 통해 두 지역이 얻을 수 있는 효과는 무엇일지 정리해 보자.

....

....

실력을 키우는 응용 문제

정답과 해설 35쪽

중요

1 다음 글의 (가), (나), (다)에 들어갈 용어가 바르게 짝지어진 것은?

> 세계화가 진행되는 가운데 지역의 고유한 특성을 강조하는 ___(가)___ 이(가) 활용되고 있다. 여기에는 지역의 특성을 담고 있는 상품에 지역의 이미지를 결합하여 지역 그 자체를 브랜드처럼 만드는 ___(나)___ 와(과) 특정한 장소를 상품으로 인식하여 그 장소의 이미지를 개발하는 전략인 ___(다)___ 이(가) 포함된다.

	(가)	(나)	(다)
①	지역화 전략	지역 브랜드	장소 마케팅
②	지역 브랜드	지역화 전략	장소 마케팅
③	장소 마케팅	지역 브랜드	지역화 전략
④	지역 브랜드	장소 마케팅	지역화 전략
⑤	지역화 전략	장소 마케팅	지역 브랜드

중요

2 지역화 전략의 효과로 옳은 것을 [보기]에서 고른 것은?

> 보기
> ㄱ. 다른 지역과 지역 특성이 비슷해진다.
> ㄴ. 세계화된 문화에 더욱 빨리 적응할 수 있다.
> ㄷ. 지역 특성을 담은 상품이나 서비스의 판매가 늘어난다.
> ㄹ. 더 많은 관광객이 방문하면서 관광 산업이 활성화된다.

① ㄱ, ㄴ　② ㄱ, ㄷ　③ ㄴ, ㄷ
④ ㄴ, ㄹ　⑤ ㄷ, ㄹ

3 다음과 같은 지역화 전략을 활용한 (가) 지역으로 알맞은 것은?

> (가) 지역은 해발 고도 700m에 위치한 지리적 특색을 내세워 지역을 홍보하고 있다. 지역 슬로건은 'Happy 700'으로, 사람과 동식물이 가장 건강하고 행복하게 지낼 수 있는 고지대의 특성을 담았다. 또한 눈이 많이 내리는 기후를 반영하여 캐릭터는 '눈동이'로 정하였다.

① 경기도 광명시　② 강원도 평창군
③ 경상남도 통영시　④ 충청남도 보령시
⑤ 전라남도 보성군

4 경상북도 영덕군의 지역 브랜드를 보고 바르게 해석한 것은?

① 넓은 평야와 산지가 강조되었다.
② 특산물인 대게를 이미지화하였다.
③ 문화와 역사를 활용한 지역 브랜드이다.
④ 영덕군에 대한 부정적인 지역 이미지가 형성된다.
⑤ 바다의 오염을 막고 수산 자원을 보호하려는 목적이다.

5 다음의 지역화 전략 개발 과정을 순서대로 바르게 나열한 것은?

> (가) 전략 수정 및 보완하기
> (나) 차별화된 지역 브랜드 개발하기
> (다) 지역의 다양한 특성과 자원 파악하기
> (라) 독창적이고 고유한 지역의 정체성 간추리기

① (가) – (나) – (다) – (라)
② (나) – (가) – (다) – (라)
③ (다) – (라) – (나) – (가)
④ (라) – (나) – (다) – (가)
⑤ (라) – (다) – (가) – (나)

6 지역화 전략을 개발하는 과정으로 옳지 않은 것은?

① 지역 특유의 자연환경이나 문화를 바탕으로 한다.
② 지역이 추구하는 모습과 정체성을 분명히 해야 한다.
③ 캐릭터나 문구를 개발할 때 지역 이미지에 기반을 둔다.
④ 지역 주민의 참여보다 지방 자치 단체의 의지가 중요하다.
⑤ 다른 지역과 차별화된 브랜드를 개발하여 경쟁력을 높인다.

11-3 세계화 시대 통일 한국의 미래 (1)

학습 목표 | 세계 속에서 우리 국토의 위치가 갖는 중요성과 통일의 필요성을 제시할 수 있다.

❶ 통일은 왜 필요할까?

1 우리 국토의 위치적 장점❶

1. 동아시아의 중심지 → 통일을 함으로써 위치적 장점은 더욱 빛을 발할 수 있어요.

① 대륙과 해양을 연결할 수 있는 반도국으로서 교류에 유리

② 동아시아의 교통 중심지이자 지리적 요충지

③ 동아시아의 경제적 위상이 높아짐에 따라 한반도의 위치적 중요성이 더욱 증가

└→ 중국, 일본, 러시아를 넘어 유럽과 북아메리카 지역을 잇는 동아시아의 물류 요충지로 성장할 수 있는 커다란 잠재력이 있어요.

2. 대륙으로 이어지는 육로 교통

① 아시안 하이웨이: 아시아에서 유럽까지 잇는 고속도로. 완공될 경우 우리 국토의 유라시아 대륙에의 접근성 향상 및 물류비 감축

② 대륙 횡단 철도: 러시아의 시베리아 횡단 열차와 이어지는 철도 교통로. 우리나라에서 유럽까지 육로 교통이 연결될 수 있음.

2 분단에 따른 피해

1. 육로의 차단 → 분단 상태에서는 대륙으로 진출할 수 있는 육로가 막혀 반도국으로서의 이점을 활용하지 못해요.
2. 이산가족의 고령화 및 생존자 감소
3. 민족 정체성의 훼손, 문화적 이질성❷의 심화
4. 군사적 긴장 상태 지속에 따른 군사비 · 분단 비용❸ 증가
5. 세계 평화 및 국제 정세의 불안 요소로서 부정적 이미지 형성

3 통일의 필요성 → 신뢰를 바탕으로 대화와 협력을 통해 통일을 이루어야 해요.

지리적 중요성	통일 후 반도국으로서 대륙과 해양으로의 진출 관문이 됨. → 중국, 일본, 러시아를 넘어 북아메리카, 유럽을 잇는 동아시아 물류 요충지로의 성장
역사적 중요성	분단으로 굴절된 역사를 바로잡고, 민족의 역량을 극대화하여 공동체로서 발전
이산가족과 민족 정체성 문제	이산가족, 민족 정체성 훼손 문제의 해결, 언어와 문화 등의 이질감을 해소하고 문화적 동질감의 회복
군사비 경감	분단으로 인한 군사비 경감 및 세계 평화에 이바지
세계 평화에 기여	동아시아의 긴장 관계 해소는 물론 세계 평화에 이바지
새로운 성장 동력	북한의 풍부한 지하자원과 남한의 자본과 고급 기술력의 결합으로 경제 성장 및 활성화

❶ 한반도의 위치
한반도는 동아시아에서 대륙과 해양을 연결하는 중요한 위치에 자리하고 있어 해양 진출과 유럽 대륙으로의 진출까지 가능한 관문의 구실을 할 수 있다.

❷ 문화적 이질성
서로 다른 정치 · 경제 체제에서 오랜 시간 지내면서 남과 북의 생활 모습, 언어, 정체성이 달라져 문화적 차이가 발생하는 것을 의미한다.

❸ 분단 비용과 통일 비용
분단 상태에서 소요되는 국방비, 외교적 경쟁 비용, 이산가족, 국군 포로 등으로 인한 비용을 분단 비용이라고 한다. 반면 통일 이후 북한 경제가 자립해 성장할 수 있을 때까지 사회 보장비, 사회 간접 자본 정비비 등으로 남한이 지원해야 하는 비용을 통일 비용이라고 한다. 통일하는 데에는 상당한 규모의 통일 비용이 필요하지만, 분단 체제를 유지하는 비용보다는 적다는 의견이 많다.

간단 체크 정답과 해설 35쪽

알맞은 말 채우기

1 우리나라는 (　　)의 경제적 위상이 높아짐에 따라 지리적 요충지로서의 중요성이 더욱 커지고 있다.

2 분단으로 인해 육로가 차단되면서 (　　)의 지리적 장점을 활용하지 못하는 피해가 있다.

3 남과 북은 오랜 시간 서로 다른 정치 · 경제 체제를 지내며 언어나 생활 모습이 많이 달라졌기 때문에 (　　　) 이(가) 심화되고 있다.

교과서 활동 풀이

교과서 206-207쪽

생각 열기 외국에서 파는 제품을 국내에서 살 수 있을까?

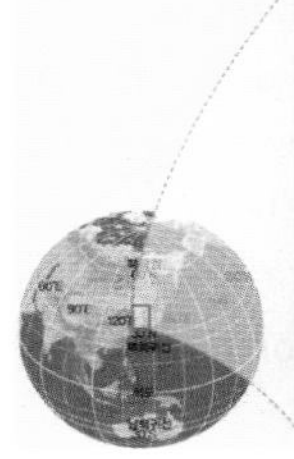

▲ 우주에서 촬영한 한반도의 야간 위성 사진

반도는 섬과 같은 대륙이다. 대륙이면서 섬이고, 섬이면서 대륙이기에, 양쪽의 좋은 점을 두루 이용할 수가 있다. 아울러 섬의 불리한 점과 대륙의 불리한 점도 효과적으로 극복할 수가 있다. 섬나라는 태풍이라도 불면 해양 교통수단이 막히고 만다. 또 대륙 국가는 값이 저렴한 선박을 통한 상품의 직접적인 수출을 생각해 볼 수조차 없다. 그러나 반도국은 이런 불편함을 손쉽게 극복할 수가 있다. 육지로도 바다로도 확장할 수가 있다. 그뿐만 아니라 풍부한 육상 자원과 해양 자원을 두루 확보할 수 있다. 그런 점에서 반도는 대륙의 바다이며 바다의 대륙이다.

– 김삼룡, 『동방의 등불 한국』 –

질문 1 한반도의 야간 위성 사진에서 남한과 북한의 밝기의 차이를 비교해 보고, 이를 통해 알 수 있는 우리나라의 상황을 말해 보자.

예 남한은 매우 밝게 빛나고 있지만 북한은 평양에 작은 불빛이 보일 뿐 거의 빛이 보이지 않는다. 전력 사용이나 도시 발달의 수준 차이가 매우 커 보이고, 남한과 북한이 분단되어 있음을 더욱 확연하게 느낄 수 있다.

질문 2 반도국으로서의 이점을 생각해 보고, 우리나라도 이를 잘 누리고 있는지 평가해 보자.

예 반도국은 대륙과 해양으로 모두 진출할 수 있기 때문에 교류에 유리하다. 하지만 우리나라는 분단 때문에 반도국으로서의 장점을 별로 누리지 못하고 있다.

해결 열쇠

자료 해설

우리나라의 위치적 장점은 바다와 육지 모두로 향할 수 있는 반도국이라는 점, 경제적 위상이 높아진 중국과 일본 사이에 위치하여 동아시아의 중심적 역할을 할 수 있다는 점이다. 그러나 위성 사진에 잘 나타나듯이 남한과 북한의 전력 사용 격차는 매우 크고, 분단으로 두 지역 간 교류가 어려우므로 위치적 장점을 활용하지 못하고 있다.

활동 세계 속의 통일 한국으로

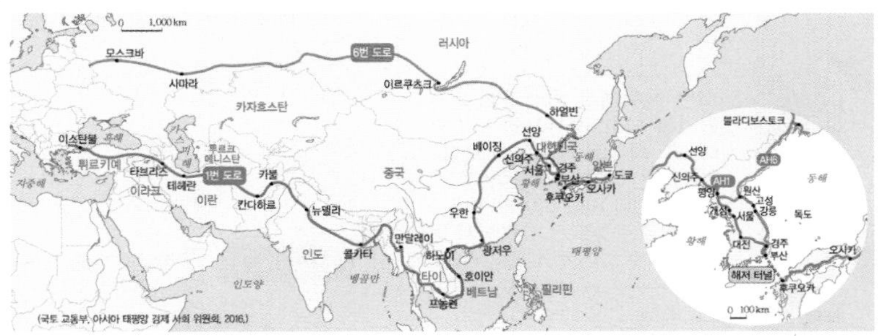

(국토 교통부, 아시아 태평양 경제 사회 위원회, 2016.)

▲ 아시안 하이웨이 예상 노선

1 아시안 하이웨이의 완공을 위해 우리가 먼저 노력해야 할 점을 써 보자.

예 아시안 하이웨이의 완공을 위해서는 우선 한반도의 통일이 선행되어야 한다. 아시안 하이웨이가 서울 - 평양 - 신의주를 거쳐 중국으로, 부산 - 강릉 - 원산 - 청진을 거쳐 러시아로 연결되어야 하기 때문이다.

2 창의·인성 아시안 하이웨이가 모두 연결되었을 때, 우리나라가 얻을 수 있는 효과를 위치와 관련지어 설명해 보자.

예 아시안 하이웨이가 완공되면 아시아의 32개국이 육로로 연결된다. 현재는 남한과 북한이 단절되어 있어 해상 혹은 항공 교통으로만 이용 가능하지만, 육로가 연결될 경우 국가 간의 경제적 교류 비용이 절감되고 물적 · 인적 교류가 대폭 확대될 수 있을 것이다. 그렇게 되면 우리나라는 육지와 해양으로의 연결성을 모두 갖춘 교통의 결절점으로서 반도국이 가진 이점을 살려 동아시아의 중심 국가로 발돋움할 수 있을 것이다.

자료 해설

아시안 하이웨이는 아시아 지역 국가의 교류와 협력을 확대하기 위해 아시아 · 태평양 경제 사회 이사회(ESCAP)가 추진 중인 개발 사업이다. 기존의 도로망을 활용하여 아시아 32개 국가를 그물망처럼 연결하는 도로를 계획하고 있다. 우리나라는 일본–한국–중국–베트남–타이–인도–파키스탄–이란–튀르키예 등을 연결하는 AH1 노선과 한국–중국–카자흐스탄–러시아 등을 연결하는 AH6 노선과 연결될 수 있다. 일본과의 연결은 배나 해저 터널을 고려하는 중이고, 북한과는 분단을 극복한 뒤 기존의 도로망을 연결하는 안이 추진 중이다. 하지만 많은 국가에 걸쳐서 진행되는 사업이기 때문에 외교와 관련된 다양한 문제가 얽혀 있어서 실제로 연결이 되기까지는 많은 시간이 걸릴 것으로 예상하고 있다.

11-3 세계화 시대 통일 한국의 미래 (2)

학습 목표 | 통일 이후 우리 생활의 변화를 예측하고 발표할 수 있다.

❷ 통일을 하면 무엇이 달라질까?

1 통일 후 변화 모습

1. 경제적 측면

① 남북한의 경제 협력 효과: 북한의 풍부한 자원과 남한의 기술력 및 자본을 결합

② 한반도와 중국, 러시아의 연결성 증진으로 경제 권역 확대

③ 세계 각국의 투자 증대 및 일자리 창출 등

2. 사회 · 문화적 측면

① 역사 연구와 문화재 보존

② 음악, 체육 등 예술 분야의 교류 확대 및 발전

③ 통일 이후 미래 세대를 위한 교육 프로그램 개발

④ 이산가족의 상봉 및 남북한의 동질성 회복❶

⑤ 자유로운 교류

3. 그 밖의 측면

① 세계 평화에 기여: 북한 주민에 대한 인도적 지원 확대, 군사적 불안 상태 해소

② 비무장 지대(DMZ)❷의 생태적 · 안보적 가치 조명

핵심 자료 통일 이후의 변화

통일이 되면서 새로운 일자리가 늘어났어요. 북한의 자원도 이용할 수 있게 되었고, 저출산과 고령화로 발생한 노동력 부족 문제도 완화되어 청 · 장년층의 부담도 줄었어요.

이번 방학에는 시베리아 횡단 열차를 타고 러시아의 모스크바까지 다녀올 예정이에요. 통일 전에는 다른 나라를 여행하려면 비행기나 배를 타야만 했다는데, 지금은 철도로 유럽까지 여행을 갈 수 있어 무척 편리해요.

가족과 함께 비무장 지대(DMZ) 평화 공원에서 분단의 역사를 살펴봤어요. 버스를 타고 북쪽으로 달려가 고구려와 발해 유적지도 방문했지요. 아이들에게 통일된 한국을 물려줄 수 있게 되어 다행이에요.

육로가 열리면서 동아시아의 무역이 더욱 활발해졌어요. 건설과 무역이 살아나니 국민 소득도 늘어나고 외국인 투자도 많이 증가하였답니다.

이번 올림픽에서는 더욱 많은 금메달을 기대하고 있습니다. 남과 북의 선수들이 하나가 되어 각 분야에서 좋은 성적을 거두고 있기 때문이지요.

핵심 ❶ 통일을 함으로써 우리 국토는 위치적 장점을 발휘할 수 있고, 경제 · 사회 · 문화적으로 바람직한 변화가 나타난다. 내부 교류 활성과 새로운 경제 성장 동력을 통해 더욱 발전할 것이다.

❶ 남북한의 동질성 회복
통일이 되면 오랜 분단으로 달라졌던 사회 · 문화적 차이를 극복할 수 있다. 올림픽에 남한과 북한이 하나 되어 출전하고, 다양한 분야에서 남북의 문화 변용이 일어나 통일 한국의 문화적 경쟁력이 높아질 것이다.

❷ 비무장 지대(DMZ)
남북한이 협정에 따라 군대나 무기, 군사 시설을 배치하지 않은 지대로, 휴전선에서 남북으로 각각 2㎞씩의 구간에 설정되어 있다. 이 지역은 충돌을 방지하는 구실을 함으로써 안보적 가치를 지니며, 오랜 기간 사람이 드나들지 않아 희귀 동식물이 서식하는 등 특별한 가치를 지닌다.

간단 체크 정답과 해설 35쪽

O, X 판단하기

1 통일 후 남한의 풍부한 지하자원과 북한의 자본 및 기술이 결합하여 경제적 협력 효과를 누릴 수 있다. ( )

2 통일을 함으로써 이산가족 상봉과 남북한의 동질성 회복을 할 수 있다. ( )

3 통일은 세계 평화에 기여하며 비무장 지대(DMZ)는 특별한 생태적 · 안보적 가치를 인정받게 될 것이다. ( )

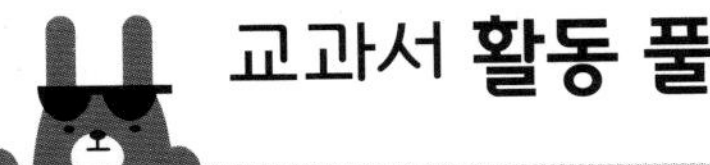

교과서 **활동 풀이**

교과서 208-209쪽

생각+ 통일 이후 달라질 수 있는 우리 생활의 또 다른 변화를 예측해 보자.

예 우리 학교에 북한 지역의 학생들이 전학을 온다. 수학여행을 함경북도로 간다. 서로 다른 용어와 표현을 정리한다. 등

해결 열쇠

함께 배우기 통일 이후 나의 하루, 그림일기 쓰기

친구들과 통일 이후 유망한 직업을 생각해 보고, 통일 이후의 상황을 반영하여 통일 이전과는 달라진 생활 모습을 그림일기로 표현해 보자.

1 모둠을 3~4명으로 구성한다.

2 통일 이후에 유망한 직업들을 알아본 후, 통일 이후의 삶을 잘 보여 줄 수 있는 직업을 선정하고, 해당 직업을 선정한 까닭을 적는다.

유망 직업	예 리조트 개발 건설업자
선정한 까닭	예 새로운 여행지에 대한 관심과 북한 지역을 방문하려고 하는 수요가 생길 것으로 예측된다. 아직 개발되지 않은 북한 지역을 개발하면 많은 사람이 찾아올 것이다.

3 해당 직업에 종사하는 가상의 인물을 설정하여, 통일 이후에 살고 있는 인물의 하루를 일과표로 작성해 본다.

예 리조트 개발 사업자의 일과표

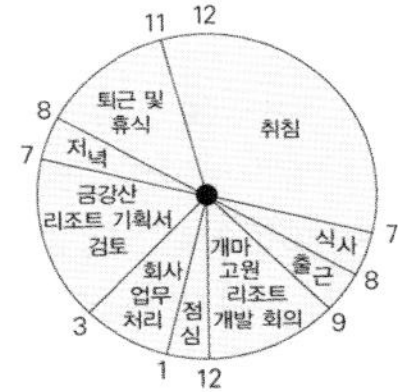

4 3에서 작성한 일과표를 바탕으로 그림일기를 써 보자.

2○○○년 ○월 ○○일

예 나는 리조트 개발 사업자이다. 통일이 되면서 북한 지역에 다양한 시설을 세우기 위한 건설 붐이 일어났다. 많은 건설업자들이 북한 지역에서 사업을 시작할 수 있게 되었고, 많은 사람들이 일자리를 얻었다. 나 또한 굉장히 바빠졌다. 오늘은 개마고원에 리조트를 개발하기 위한 중요한 회의를 마쳤다. 투자도 성공적으로 받아냈고, 지역 주민과의 협조도 잘 이루어졌다. 과거에 비해 저렴한 노동력을 얻을 수 있어 더 많은 노동자를 고용할 계획이라 마음이 놓인다.

주말에는 가족과 러시아로 철도 여행을 가기로 했다. 예전에는 비행기나 배를 이용해야만 갈 수 있었던 해외에 육로로 이동할 수 있게 되어 매우 편리하다. 해외뿐만 아니라 백두산이나 평양처럼 과거에는 가 보지 못했던 곳들을 갈 수 있게 되었으니 여행을 취미로 삼기 잘한 것 같다.

활동 도우미

통일 이후의 국토 공간과 생활 모습의 변화를 예상해 보고, 이를 그림일기로 표현하는 활동이에요. 통일 이후의 변화를 상상하면 막연한 느낌이 들 수도 있지만 자신이 통일 시대의 주인공이라 생각하고 가까운 곳의 변화부터 상상해 보세요. 특히 통일 이후의 유망한 직업을 생각해 보고, 그 직업을 가진 가상의 인물이 어떤 하루를 보낼지 구체적으로 글과 그림으로 표현해 보도록 합니다. 이를 통해 여러분은 통일 이후의 사회 변화를 예측하고, 미래의 직업과 진로에 대해서도 고민해 볼 수 있으며, 창의적 사고력을 기를 수 있어요.

스스로 확인하기

1 (1) ○ (2) X (3) ○

2 예 통일이 되면 분단 상황을 극복하고 한반도의 위치적 장점을 살려 미래에 경제 성장과 세계 평화를 가져올 수 있다.

개념 노트 만들기

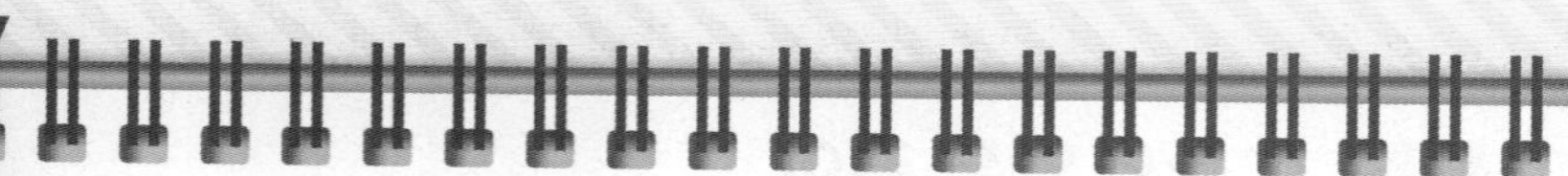

정답과 해설 35쪽

핵심 내용 정리하기 학습한 내용을 기억하면서 다음 글을 완성해 보자.

(제목:)

한반도의 분단은 우리나라 발전의 걸림돌이 될 뿐만 아니라 동아시아의 불안 요소로 작용한다. 한반도는 동아시아의 중심에 자리하고 있어 여러 지역과의 (❶) 측면에서 유리한데, 분단은 이러한 한반도의 위치적 장점을 활용하지 못하게 만든다. (❷)(이)라면 대륙과 해양으로의 진출에 모두 유리해야 하는데, 분단 이후 대륙으로 진출할 수 있는 (❸)이(가) 차단되었기 때문이다. 통일이 되면 이산가족 문제, 문화적 (❹)의 심화, 군사비 부담 등의 문제를 해결할 수 있고, 한반도의 위치적 장점을 살려 동아시아의 중심 국가로 발돋움할 수 있을 것이다. 따라서 남북은 신뢰를 바탕으로 (❺)을(를) 통해 통일을 이루고자 힘써야 한다.

활동 노트 완성하기 학습하면서 기른 역량을 살려 다음 활동 노트를 완성해 보자.

〈남북 지하자원의 잠재적 가치〉 (단위: 달러)

지하자원	남한	북한
금	20억 7,000만	331억 3,500만
철광석	44억 6,500만	3,375억 8,100만
구리	3억 7,800만	314억 1,800만
아연	9억 8,800만	525억 7,400만
마그네사이트	–	1조 4,555억 3,800만
갈탄	–	3조 331억 3,400만
무연탄	2,285억 9,000만	6,889억 1,000만

합산 = 남한(2,397억 5,700만 달러) + 북한(5조 7,503억 2,900만 달러) = 약 6조 달러

남북한이 통합하면 남한의 기술력과 북한의 지하자원이 결합하여 대륙으로 뻗어가는 동북아시아의 새로운 자원 강국이 될 것으로 기대된다. 서울대 통일 평화 연구원은 "북한에 매장된 지하자원의 가치는 약 5조 7,500억 달러로 남한 2,397억 달러의 25배에 달할 것으로 추정된다."며 "남한의 기술력과 유휴 설비를 이용해 북한의 지하자원을 개발하면 통일 한국의 성장 잠재력은 엄청날 것"이라고 했다. 따라서 남북 통합이 진행되면 북한의 광공업은 비약적으로 발전할 전망이다. 그에 따라 막대한 고용 효과, 북한 주민의 실질적 삶의 개선도 가능할 것이다.

1 위 자료를 참고하여 남한과 북한의 강점을 비교해 보자.

남한의 강점	북한의 강점

2 경제적 변화 외에 통일 이후 일어날 수 있는 또 다른 변화에 대해서도 서술해 보자.

실력을 키우는 응용 문제

정답과 해설 35쪽

1 다음 위성 사진을 참고하여 우리나라의 상황을 설명한 내용으로 옳지 않은 것은?

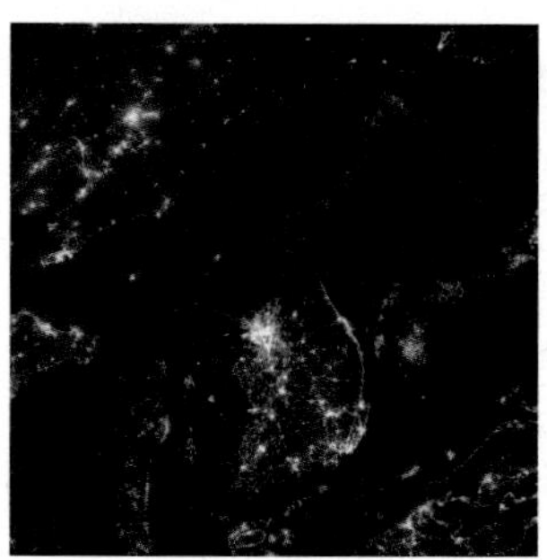

▲ 한반도 야간 위성 사진

① 남한과 북한의 밝기 차이가 심하다.
② 남한과 북한의 도시 발달 수준은 비슷하다.
③ 전력 사용량을 볼 때, 남북의 발전 격차가 크다.
④ 분단 이후에 남북의 교류가 거의 단절된 상태이다.
⑤ 분단은 대한민국이 대륙으로 진출하는 육로를 차단하였다.

중요

2 우리나라의 위치적 장점으로 옳은 설명을 [보기]에서 있는 대로 고른 것은?

보기
ㄱ. 동아시아의 중심에 자리 잡고 있다.
ㄴ. 교통의 중심지로서 여러 지역과의 교류에 유리하다.
ㄷ. 분단 이후에도 반도국으로서의 장점을 잘 살리고 있다.
ㄹ. 동아시아 경제 위상 상승으로 지리적 요충지가 되었다.

① ㄱ ② ㄱ, ㄷ ③ ㄴ, ㄹ
④ ㄱ, ㄴ, ㄹ ⑤ ㄴ, ㄷ, ㄹ

3 분단으로 인한 문제점으로 옳지 않은 것은?

① 민족 정체성이 훼손된다.
② 남과 북의 문화적 동질성이 심화된다.
③ 세계 평화의 불안 요소로 작용하게 된다.
④ 이산가족이 고령화되어 생존자가 감소한다.
⑤ 오랜 시간 분단이 지속되어 군사비 부담이 커진다.

[4-5] 다음 자료를 보고 물음에 답하시오.

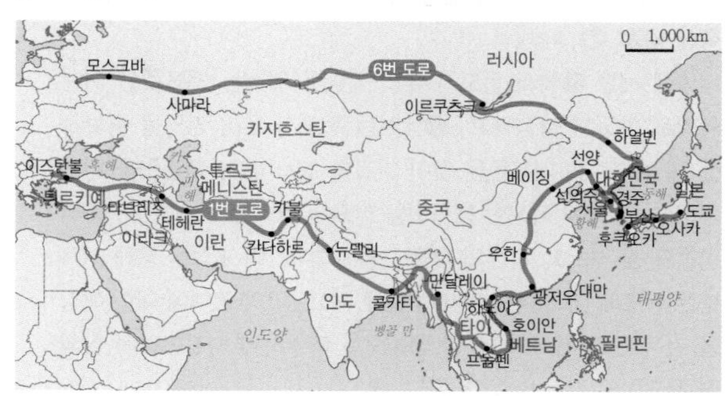

아시아 · 태평양 경제 이사회는 아시아 지역 국가의 교류와 협력을 확대하기 위해 지도와 같은 ____(가)____ 건설을 추진 중이다. 이는 기존의 도로망을 활용하여 아시아 32개 국가를 연결해주며, 우리나라는 2개의 노선에 연결되어 있다.

4 자료에서 설명하고 있는 (가)로 옳은 것은?

① 통일 도로 ② 실크 로드
③ 세계 고속 도로 ④ 아시안 하이웨이
⑤ 유럽 국제 도로망

5 위 자료와 같은 개발이 이루어질 때 우리나라가 얻을 수 있는 직접적인 효과로 가장 적절한 것은?

① 국가 간 교류 비용 절감
② 군사적 긴장 상태의 지속
③ 반도국으로서의 이점 약화
④ 해상 및 항공 교통 이용 증가
⑤ 남북의 물적 · 인적 교류 축소

6 통일 이후에 달라지는 생활 모습을 바르게 예측한 것은?

① 동아시아 교통의 중심지 역할이 축소된다.
② 유럽으로의 여행은 항공편으로만 이루어진다.
③ 일자리가 줄어들어 청 · 장년층의 부담이 증가한다.
④ 저출산 현상이 지속되어 노동력 부족 문제가 심각해진다.
⑤ 북한의 풍부한 자원과 남한의 기술력이 결합하여 경제가 발전한다.

교과서 **창의·융합 활동** 풀이

교과서 201쪽

해결 열쇠

핵심 역량 창의적 사고력

이렇게 해요 ❶에서 독도가 우리 땅임을 알리는 팸플릿을 어떤 형태로 만들지 결정하고, ❷에서는 독도가 우리 땅임을 홍보하는 데 효과적인 내용들을 찾아 자료를 조사하고, 팸플릿을 디자인해요. ❸에서 작성한 팸플릿을 발표하거나 전시하여 친구들의 작품도 감상하고, 자신의 작품도 공유해요. 이 과정을 통해 여러분은 독도에 대해 더욱 자세히 알게 되고, 우리 영역에 대한 애착을 가지게 될 거예요. 또한 팸플릿을 다양하게 디자인하며 창의적 사고력도 기를 수 있어요.

활동 도우미

자세한 내용을 기록하는 페이지와 제목, 광고, 사진이나 그림을 넣을 부분을 세심하게 고려하여 작성하면 좋아요. 너무 꽉 채워도 매력이 떨어질 수 있으니 예시를 참고하여 적정 분량의 내용을 정리하고, 특색 있는 팸플릿을 만들 수 있도록 내용 구성과 디자인 기획을 꼼꼼하게 하는 것이 중요하답니다.

이렇게 해요 예 경상북도 제공 홍보 팸플릿

창의·융합 활동

창의적 사고력

미술 창의적 시각 자료 활용하기 | 역사 주변 국가와의 역사 갈등

선택 활동

독도 홍보 팸플릿 제작하기

왜 배울까요?

최근 일본은 중학교 교과서에 '독도는 일본 땅'이라는 왜곡된 진술을 하고 있습니다. 영역으로서 독도가 지닌 가치와 중요성을 파악하고, 독도를 지키는 노력을 조사함으로써 일본의 부당한 독도 영유권 주장에 반박할 수 있는 논리적인 힘을 기르고, 독도의 소중함을 인식할 수 있습니다.

이렇게 해요

1 다음 팸플릿 형태 중 하나를 골라 도화지의 칸을 나눈다.

2 들어갈 내용을 구상하고, 자료를 조사하여 팸플릿을 작성한다.

TIP 독도 체험관, 독도 박물관 등을 견학하거나 독도 관련 누리집을 참고하여 다양한 자료를 조사해 보자.

포함해야 할 필수 내용

1) 독도 소개 2) 독도의 영역적 중요성과 가치

3) 독도가 우리 땅이라는 증거 4) 독도를 지키려는 노력이나 활동 소개

예시

3 작품을 완성하여 발표하거나, 전시회를 열어 감상한다.

생각하고 적용해요

친구들의 작품을 감상하여 독도의 중요성을 깨닫고, 우리 땅 독도를 해외에 알리는 홍보 활동을 해 본다.

스스로 평가

- 다양한 자료를 수집하였나요?
- 표지와 안쪽, 바깥쪽 면을 잘 구분하여 제작하였나요?
- 사진, 문구, 그림 등을 활용하여 창의적으로 표현하였나요?
- 독도의 가치와 영역적 중요성이 잘 드러나는 내용을 선별하여 구성하였나요?

참고 자료 독도는 우리 땅! 독도 명예증

울릉군에서 운영하는 독도 관리 사무소(www.intodokdo.go.kr)에서는 독도 방문객을 대상으로 '독도 명예 주민증'을 발급해 주고 있다. 이를 통해 독도의 위상을 강화하고 국민의 애국심을 일깨워 주고 있다. 독도 명예 주민증은 독도에 방문했던 사람 중 독도의 명예 주민이 되고자 하는 사람이라면 누구나 신청할 수 있다. 발급 신청은 인터넷이나 서면으로 할 수 있고, 독도에 입도했던 사실을 증빙할 자료가 필요하다. 독도 명예 주민증은 2010년 11월 처음 발급하기 시작한 이후 2016년 3월까지 총 2만 2,785명이 발급받았다. 이는 독도가 우리 땅임을 확실히 하고자 하는 다양한 노력의 일환이라고 볼 수 있겠다.

▲ 독도 명예 주민증 앞면

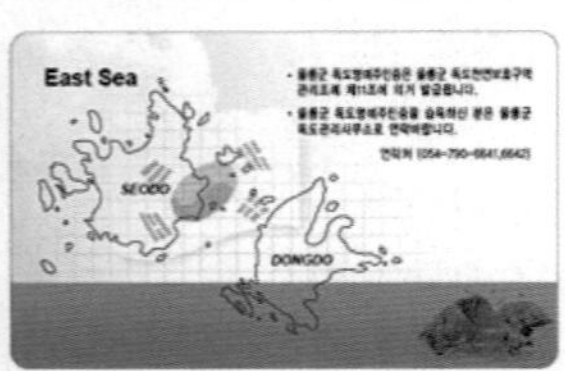

▲ 독도 명예 주민증 뒷면

교과서 단원 마무리 풀이

교과서 210-211쪽

단원 한눈에 보기

❶ 부속 도서 ❷ 직선 기선 ❸ 통상 기선 ❹ 3해리 ❺ 지역 브랜드 ❻ 장소 ❼ 반도국

해결 열쇠

교과서 194~209쪽에서 학습한 내용을 떠올리면서 스스로 구조화해 보자.

서술로 사고력 키우기

1 독도의 중요성을 독도의 영역적 가치를 포함하여 서술해 보자.

㉠ 독도는 우리나라의 최동단으로 영토와 영해를 정하는 기준이 된다. 동해의 해상 주도권 확보를 위한 전진 기지, 군사나 항공 교통의 주요 거점 지역으로 영역적 가치가 매우 높은 곳이다.

2 오른쪽 사진에 나타난 지역화 전략의 효과를 지역 경제 및 이미지 측면에서 서술해 보자.

㉠ 지역 브랜드는 지역의 특성을 담고 있는 상품이나 서비스에 지역의 이미지를 결합하여 지역 그 자체를 브랜드화 하기 때문에 지역 이미지를 긍정적으로 형성하고, 상품과 서비스 판매량이 늘어나 지역 경제가 활성화 될 수 있다.

3 통일 이후 대륙으로의 육로 연결성이 확보되어 나타날 수 있는 국토 공간의 변화를 서술해 보자.

㉠ 도로와 철도의 연결을 통해 대륙과 유럽으로 육로 이동이 가능해지면서 문화 교류가 증가하고 물류와 유통 산업이 발달할 수 있다.

채점 기준

❶	상	독도의 중요성을 독도의 영역적 가치를 포함하여 바르게 서술한 경우
	중	독도의 중요성을 독도의 다른 가치를 더욱 강조하여 서술한 경우
	하	독도의 중요성에 대해 구체적으로 서술하지 못한 경우
❷	상	긍정적 이미지의 형성과 지역 경제가 활성화되는 효과를 포함하여 모두 서술한 경우
	중	지역 경제와 지역 이미지 중 한쪽의 효과만 서술한 경우
	하	지역화 전략의 효과를 지역 경제나 이미지와 관련짓지 못하고 추상적으로 서술한 경우
❸	상	육로 연결성 증진에 따른 교류 활성화, 발달 산업 등을 풍부하게 서술한 경우
	중	교류가 편리해지거나 발달하는 산업 등 변화를 간단히 서술한 경우
	하	육로 연결 확대와 관련이 없는 통일 이후의 변화만 서술한 경우

서술형 더 풀어보기

정답과 해설 36쪽

1 영해 설정 시 통상 기선과 직선 기선이 적용되는 지역의 해안선을 비교해 보자.

2 지역화 전략을 개발할 때 고려할 점을 2가지 서술해 보자.

수행 평가 해결하기

이 단원에서 학습한 내용을 바탕으로 통일 한국의 필요성을 세계 속에서 우리 국토가 가지는 위치적 중요성과 관련지어 500자 이내로 논술해 보자.

1 우리 국토의 위치적 장점을 정리해 본다.
2 통일로 얻게 되는 이익을 세계 속의 위치와 관련지어 생각해 본다.
3 통일의 필요성을 위치적 장점과 관련지어 논술해 본다.

예시 NO.

한반도는 삼면이 바다로 둘러싸인 반
도국이다. 그런데

이 수행 평가는 ▸▸ 통일의 필요성을 이해하고, 논리적으로 설명해 보는 활동이다.

논술 작성 TIP

- 주제를 명확히 하기: 가장 중요한 내용을 글의 맨 처음, 혹은 마지막에 서술해 주면 전하고자 하는 바가 명확히 정리된 느낌이 든다.
- 주제에 맞는 근거를 서술하기: 주장을 뒷받침할 수 있는 근거를 적어둔 다음 순서를 정하여 문단별로 서술하는 것이 논리성을 갖추는 방법이다.

단원을 정리하는 **종합 문제**

1 **다음 글의 ㉠~㉤에 들어갈 내용이 바르게 연결된 것은?**

> (㉠)은(는) 보통 기선으로부터 (㉡)해리를 포함하는데, 우리나라의 경우 섬이 많은 서해안과 남해안은 (㉢)을(를), 동해안은 (㉣)을(를) 기준으로 적용한다. 그러나 (㉤)은(는) 예외적으로 기선으로부터 3해리까지만 포함한다.

① ㉠ – 영공　② ㉡ – 10
③ ㉢ – 통상 기선　④ ㉣ – 직선 기선
⑤ ㉤ – 대한 해협

2 **영공에 대한 설명으로 옳은 것을 [보기]에서 고른 것은?**

보기
ㄱ. 국민의 가장 기본적인 생활 터전이다.
ㄴ. 영토와 영해의 수직 상공을 포함한다.
ㄷ. 영공을 정하는 기준선을 기선이라고 한다.
ㄹ. 항공 및 우주 산업의 발달로 더욱 중요해졌다.

① ㄱ, ㄴ　② ㄱ, ㄷ　③ ㄴ, ㄷ
④ ㄴ, ㄹ　⑤ ㄷ, ㄹ

3 **다음 대화를 읽고, 대화의 주제를 바르게 요약한 것은?**

> • 철수: 독도는 분명한 우리 땅이라서 군인이 아니라 경찰이 지키는 거래.
> • 영희: 맞아. 정부에서도 늘 독도에 대한 영토 주권을 확고히 하려고 노력하지.
> • 철수: 다양한 민간 단체들도 독도에 대한 학술 연구나 홍보 활동을 많이 하고 있어.
> • 영희: 그럼, 우리 나중에 독도 문화 대축제에 한 번 가볼래?
> • 철수: 좋아. 어떤 행사인지 궁금했어.

① 독도의 지리적 위치
② 독도의 지질학적 가치
③ 독도에 대한 역사와 기록
④ 독도 개발에 대한 찬반 의견
⑤ 독도를 지키려는 다양한 노력

4 **다음 중 지역화 전략이 강조되는 배경으로 가장 적절한 것은?**

① 세계화로 지역 간의 교류가 축소되고 있다.
② 지역의 고유한 특성이 지역의 경쟁력으로 작용한다.
③ 국가가 지역의 경제를 활성화시키는 주체가 되고 있다.
④ 획일화된 문화를 활용하여 지역 경제를 살리고자 한다.
⑤ 지역의 고유한 가치보다 세계의 보편적인 가치를 중시한다.

5 **다음 중 지역화 전략을 활용한 사례로 보기 어려운 것은?**

① 충청남도 보령시: 천연 바다 진흙을 활용하여 화장품을 개발하고 머드 축제를 개최하였다.
② 경기도 광명시: 광명 동굴을 테마파크로 개장하여 지역 경제를 살리는 데 적극 활용하고 있다.
③ 서울특별시: 차량의 증가로 교통 혼잡 문제가 심각해져 버스 전용 차로를 도입하고, 교통 문제를 해결하였다.
④ 강원도 평창군: 해발 고도 700m의 눈이 많이 내리는 자연환경을 반영하여 지역 브랜드를 개발하였다.
⑤ 경상북도 영덕군: 청정한 바다, 풍부한 해산물을 강조하고, 특산물 대게를 내세워 지역을 적극 홍보하였다.

6 **다음의 밑줄 친 부분에 대한 해결책으로 옳은 것을 [보기]에서 고른 것은?**

> 뉴욕은 1970년대에 성매매와 각종 범죄 공간의 상징이었지만, 'I ♥ New York' 캠페인을 시작하면서 수준 높은 문화 예술의 도시, 세계 중심 도시로서의 이미지를 구축할 수 있었다. 뉴욕의 사례가 알려지면서 우리나라도 비슷한 지역화 전략을 추진하는 지방 자치 단체들이 급증하였다. 그러나 <u>이들은 대부분 소비자들에게 관심받지 못하고 있다</u>.

보기
ㄱ. 지역 주민들의 협조를 유도한다.
ㄴ. 특산물의 홍보와 판매에 초점을 맞춘다.
ㄷ. 인기를 끌 수 있는 캐릭터 개발에 주력한다.
ㄹ. 독창성과 체계성을 갖춘 지역화 전략을 개발한다.

① ㄱ, ㄴ　② ㄱ, ㄹ　③ ㄴ, ㄷ
④ ㄴ, ㄹ　⑤ ㄷ, ㄹ

7 다음은 내용 일부가 훼손된 보고서이다. 지워진 부분에 들어갈 보고서의 주제로 가장 적절한 것은?

> • 주제: ____________
> 1. 반도국의 이점 활용 불가: 대륙 진출 육로 차단
> 2. 이산가족의 고령화 및 생존자 감소
> 3. 민족 정체성의 훼손과 문화적 이질성 심화
> 4. 군사적 긴장 상태 지속: 세계 평화의 불안 요소

① 통일 이후의 사회 변화
② 한반도의 위치적 중요성
③ 분단에 따른 피해와 문제점
④ 세계 평화와 통일 한국의 미래
⑤ 통일과 민족 문화의 발전 방향

8 통일 이후에 작성한 일기에서 잘못된 부분은?

> 2***년 8월 14일
> 이번 방학은 정말 알차게 보내 뿌듯하다. 먼저 ① 열차를 타고 러시아까지 다녀온 게 가장 기억에 남는다. 그리고 ② DMZ 평화 공원에서 분단의 역사를 살펴본 것도 의미있었다. ③ 고구려와 발해 유적지도 방문했다. 통일 이전에는 이런 역사 유적지를 볼 수 없어 매우 아쉬웠을 것 같다. 통일이 되면서 ④ 군사적 긴장 상태가 완화되어 외국인 투자가 많이 줄었다고 하는데, ⑤ 육로를 통한 동아시아의 교류가 더욱 활발해지고 있으므로 통일 한국의 미래는 밝은 것 같다.

9 다음 지도와 같이 교통로를 연결하기 위해 우리가 가장 먼저 노력해야 할 점은?

① 한반도의 통일
② 일자리 늘리기
③ 이산가족 상봉
④ 비무장 지대 개발
⑤ 북한과의 교류 차단

서술형 평가

10 지도는 우리나라의 영해를 나타낸 것이다. ㉠의 명칭을 쓰고, 이 기선의 의미를 서술하시오.

(대한민국 영해 직선 기선도, 2016.)

• ㉠: ....

• 의미: ....

....

11 주어진 사례에서 공통적으로 활용한 지역화 전략의 방법을 쓰고, 그 효과를 서술하시오.

> • 프랑스 파리 '에펠탑'
> • 오스트레일리아 시드니 '오페라 하우스'

• 지역화 전략: ....

• 효과: ....

....

단원 연계 문항

12 제시어를 모두 활용하여 세계화 시대에 우리나라가 나아가야 할 방향에 대해 서술하시오.

> 〈제시어〉 세계화, 지역, 경쟁력, 반도국, 통일

....

....

더불어 사는 세계

이 단원을 배우면

- 지구상에서 발생하는 다양한 지리적 문제를 설명할 수 있어요.
- 지역별로 다른 발전 수준 차이를 이해하고, 저개발 지역의 빈곤 문제 해결을 위한 노력을 찾아볼 수 있어요.
- 지역 간 불평등 문제를 알고, 지역 간 불평등을 해소하기 위한 노력의 성과와 한계를 평가할 수 있어요.

이 단원의 학습 주제

1 지구상의 다양한 지리적 문제

❶ 지구에서는 어떤 지리적 문제가 발생하고 있을까?

개념 노트 만들기 | 실력을 키우는 응용 문제

지구상에는 어떤 지리적 문제가 발생하고 있을까?

2 발전 수준의 지역 차

❶ 지역별로 발전 수준은 어떻게 다를까?

❷ 저개발 지역은 빈곤에서 벗어나기 위해 어떤 노력을 하고 있을까?

개념 노트 만들기 | 실력을 키우는 응용 문제

지역별로 발전 수준이 어떻게 다를까?

3 지역 간 불평등 완화 노력

❶ 지역 간 불평등 완화를 위해 어떤 노력을 할까?

❷ 지역 간 불평등을 완화하기 위한 노력의 성과와 한계는 무엇일까?

개념 노트 만들기 | 실력을 키우는 응용 문제

지역 간 불평등을 완화하려면 어떤 노력이 필요할까?

단원을 정리하는 종합 문제

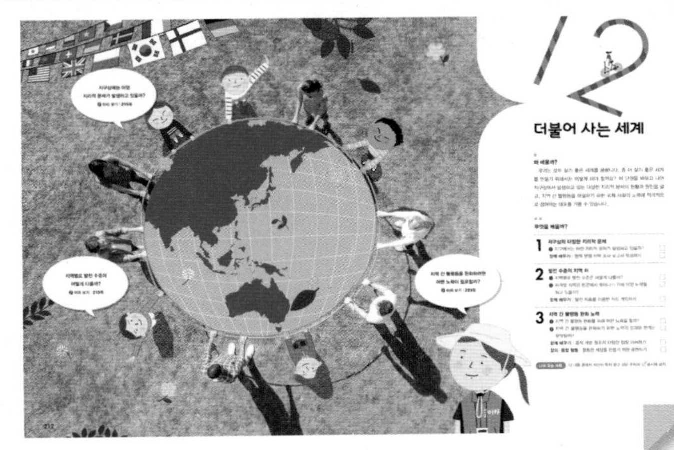

대단원 표지 그림 해설

우리가 살고 있는 지구는 각자가 아닌 공동체로 이루어진 사회입니다. 따라서 세계 각 국가와 다양한 민족이 지구상에 벌어지는 문제를 공유하고, 이를 함께 해결해야겠지요. 그림은 이와 같은 의미를 담아 다양한 사람들이 지구를 함께 들고 있는 모습을 보여줍니다.

스스로 학습 계획 세우기						나의 학습 달성 정도
계획일	월	일	학습일	월	일	
	월	일		월	일	
	월	일		월	일	
	월	일		월	일	
	월	일		월	일	
	월	일		월	일	
	월	일		월	일	
	월	일		월	일	
	월	일		월	일	

지구상의 다양한 지리적 문제 (1)

학습 목표 | 지구상의 다양한 지리적 문제의 현황과 원인을 설명할 수 있다.

❶ 지구에는 어떤 지리적 문제가 발생하고 있을까?

1 지구상에 벌어지는 다양한 지리적 문제

1. 지리적 문제의 의미: 세계 각지에서 자연적 · 인문적 · 사회적 원인에 의해 발생하는 다양한 문제

2. 지리적 문제의 종류

① 기아, 영역 분쟁, 난민❶, 생물 종 다양성 감소 등 (생물 종 다양성 감소: 인구 증가로 거주 면적 확대, 농경지 증가, 삼림 파괴 및 감소의 문제가 발생해요.)

② 최근 지리적 문제의 특징: 급속한 산업화와 인구 증가로 환경 문제의 심각성 대두, 전염병 및 생물 종 다양성 감소 문제 심각

③ 지구상의 지리적 문제는 서로 긴밀하게 연결되어 있음. (육류 소비 증가로 기아, 지구 온난화 문제 등이 발생하듯 지리적 문제는 서로 긴밀하게 연결되어 있다는 의미예요.)

2 기아 문제

1. 의미: 인간이 생존하는 데 필요한 물과 영양소가 결핍된 상태 → 주로 성장하는 어린이에게 큰 피해 발생

2. 발생 지역 → 최근 기아 문제의 원인은 기후 변화의 자연적 원인과 정치 불안 등의 인문적 원인이 복합적으로 작용하여 나타나요.

① 가뭄 · 홍수 · 이상 한파❷ · 태풍 등 자연재해로 농작물 생산이 감소한 지역

② 농작물 병충해 발생으로 식량 생산이 감소한 지역

③ 인구 급증으로 식량이 부족한 지역

④ 잦은 분쟁으로 식량 공급이 원활하지 않은 지역

3. 원인

① 지역별 영향 불균형으로 발생: 육식 위주의 식생활 변화 → 소 먹이로 지구상 곡식의 1/4 사용 → 소 사육과 곡식 재배를 위해 열대림 등 파괴 → 매년 4천만~6천만 명이 영양 실조로 사망

② 식량 생산 부족으로 발생: 분쟁이 잦은 아프리카 일부 국가

3 생물 종 다양성 감소

1. 의미: 지구상에 존재하는 생물 종이 감소하는 현상

2. 심각성: 2050년경 지구상 생물 종의 1/4이 소멸될 것으로 예측 → 인간이 이용 가능한 생물 자원의 수가 감소되고, 먹이 사슬❸과 생태계가 파괴됨.

3. 원인

① 농경지 확대로 야생 동식물 서식지 파괴

② 무분별한 남획과 환경 오염

③ 열대 우림 파괴: 생물 종의 절반 이상이 분포하는 동식물 서식지의 파괴

---

❶ 난민
다양한 원인에 의해 삶의 터전을 떠나는 주민을 말한다. 전쟁이나 내전 등에 의해 난민이 되는 정치적 난민과 환경 문제로 삶의 터전을 잃고 떠나는 환경 난민 등이 있다.

❷ 이상 한파
평년 기온보다 기온이 떨어지는 현상을 말하며, 이로 인해 농작물 성장에 부정적인 영향을 미쳐 농작물 생산이 감소하게 된다.

❸ 먹이 사슬
생태계에서 서로 먹고 먹히는 관계를 말하며, 먹이 사슬 내 연결 고리가 끊어지면 생태계 유지에 심각한 문제가 발생하게 된다.

간단 체크 정답과 해설 37쪽

알맞은 말 선택하기

1 지구상에서 자연 및 인문적인 원인에 의해 발생하는 다양한 문제를 (지리적 | 사회적) 문제라고 한다.

2 지구상에 나타나는 다양한 문제는 서로 (연결 | 분리)되어 나타난다.

3 식량 공급이 충분하지 못하여 나타나는 문제를 (기아 | 영역 분쟁) 문제라고 한다.

4 열대 우림 파괴로 (기아 | 생물 종 다양성 감소) 문제가 더욱 심각하게 나타나게 된다.

교과서 활동 풀이

교과서 214-215쪽

생각 열기 햄버거를 먹으면 열대 우림이 파괴된다고?

❶ 언제든 간편히 먹을 수 있는 햄버거, 미국에서만 1초에 200개 이상의 햄버거가 소비된다.

❷ 최근 햄버거용 고기를 얻기 위한 소 사육 농가가 증가하고 있다.

❸ 1인분의 고기와 우유 한 잔을 얻기 위해서는 소에게 22인분의 곡식을 먹여야 한다.

❹ 한편 지구상에서는 매년 4천만~6천만 명이 기아로 인한 영양실조로 사망한다.

❺ 햄버거용 고기 한 장을 만들기 위해 열대 우림 5㎡ 정도가 파괴된다.

❻ 숲이 사라지면서 지구의 온도는 높아지고, 지구 곳곳에서 이상 기후가 나타난다.

질문 1 햄버거 소비가 증가하면서 나타날 수 있는 문제점에는 어떤 것들이 있을까?

㉥ 햄버거의 재료가 되는 쇠고기를 얻기 위해 조성하는 목장은 열대 우림을 목초지로 만든다. 또한 1인분의 고기를 얻기 위해 많은 양의 곡물이 동물 사료로 사용되어 기아 발생의 원인이 되기도 한다.

질문 2 열대 우림 파괴는 생태계에 어떤 영향을 줄까?

해결 열쇠

활동 도우미

작고 사소한 사건 하나가 나중에 커다란 효과와 영향을 가져온다는 의미를 담은 나비 효과 이론이 있어요. 즉, 햄버거 소비 증가는 결과적으로 지구 온난화를 비롯한 심각한 환경 문제 발생으로 이어진다는 것을 이해할 필요가 있어요. 이는 지구상에 나타나는 다양한 문제는 서로 연결되어 있다는 의미로, 지구촌 사회 또한 그만큼 긴밀하게 연결되어 있다는 것입니다.

질문 2 ㉥ 열대 우림의 파괴는 열대 우림에 사는 다양한 생물의 서식지가 사라지게 되는 것이고, 이에 따라 생태계도 파괴된다.

생각+ 영양 결핍 인구 비율이 높은 국가가 많이 분포하는 지역을 생각해 보자.

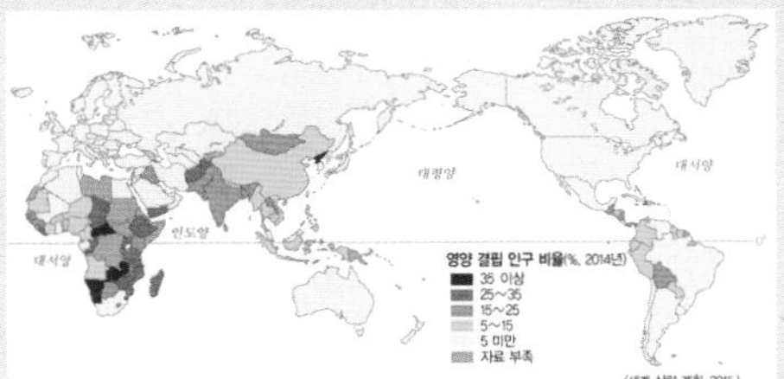

◀ 세계 기아 현황

㉥ 아프리카 사하라 사막 이남 지역에서 영양 결핍 인구 비율이 가장 높게 나타난다. 이 지역은 자연재해와 잦은 분쟁 등으로 식량 공급에 어려움을 겪고 있다.

자료 해설

아프리카 일대는 국가 경제 수준이 낮고 사막화 현상 등의 자연재해가 자주 발생하여 토양이 황폐화되고 식량 공급에 문제가 발생하였다. 또한 심각한 기후 문제가 발생하고 있다. 많은 국제 구호 기구에서도 이 지역에 대한 지원을 확대하고 있다.

생각+ 삼림 파괴가 심각한 지역은 어디이며, 그 원인을 이야기해 보자.

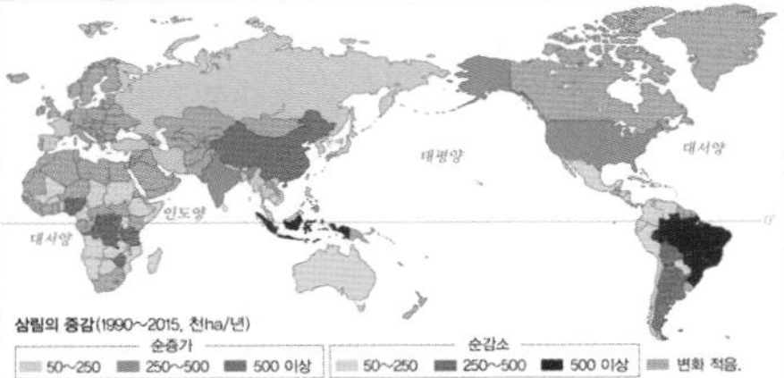

◀ 세계 삼림의 변화(1990~2015)

㉥ 브라질, 인도네시아 지역의 삼림 파괴가 심각하다. 무분별한 삼림 벌채, 과도한 경지 개간, 도시 및 도로 건설을 위한 벌목 등이 그 원인이다.

자료 해설

지구상에는 크게 아프리카 중부, 인도네시아 일대, 브라질 아마존분지가 최대 열대림을 형성하고 있다. 이 지역에서는 농경지 개간, 가축 사육 등을 목적으로 삼림 훼손이 가속화 되고 있다.

지구상의 다양한 지리적 문제 (2)

학습 목표 | 지구상의 다양한 지역 분쟁 문제의 현황과 원인을 설명할 수 있다.

4 영역 분쟁

1. 의미: 영토, 영해, 영공❶의 주권을 두고 벌어지는 국가 사이의 분쟁

(주권: 한 국가의 정치적 권리)

2. 원인

① 역사적 배경과 관련된 민족, 종교, 영토 문제

② 영역과 자원 확보를 위한 경쟁

3. 문제점: 국제 평화 위협, 난민 발생으로 인간의 생존권 위협 및 인권 문제 발생

4. 사례 지역

(카스피해를 바다로 보는가, 호수로 보는가에 따라 영해 범위가 달라지므로 각국의 이익 여부에 따라 카스피해에 대한 의견을 달리하고 있어요.)

분쟁	내용
카스피해 분쟁	카스피해에 매장된 석유 · 천연가스 등을 확보하기 위해 러시아 · 카자흐스탄 · 우즈베키스탄 · 투르크메니스탄 · 이란 · 아제르바이잔의 6개국이 벌이는 영유권❷ 분쟁
아부무사섬 분쟁	페르시아만에 있는 아부무사섬에 대한 주권을 주장하는 이란과 아랍 에미리트 간의 영유권 분쟁
카슈미르 분쟁	인도와 파키스탄의 분리 · 독립 이후 카슈미르 지역에서 계속해서 일어나는 영유권 분쟁 → 종교 분쟁, 영토 분쟁
기니만 연안 분쟁	아프리카 기니만 연안의 석유 등 자원 확보를 위해 주변 국가들이 벌이는 분쟁
센카쿠 열도 분쟁 (댜오위다오 분쟁)	주변 지역에 매장된 자원 확보와 관련하여 중국과 일본이 벌이는 영유권 주장 분쟁
난사 군도 분쟁 (쯔엉사 군도 · 스프래틀리 군도)	많은 양의 석유 자원과 풍부한 수산 자원을 확보하기 위해 남중국해에 있는 난사 군도에 대한 주권을 주장하는 중국, 베트남, 필리핀, 말레이시아, 브루나이의 영토 분쟁
쿠릴 열도 분쟁	풍부한 어족 자원❸과 해저의 석유, 천연가스 확보를 위해 일본과 러시아가 벌이는 영토 분쟁

핵심 자료 | 세계 분쟁 지역

북극해 분쟁
러시아와 에스토니아 분쟁
이스라엘과 팔레스타인 분쟁
카스피해 분쟁
카슈미르 분쟁
쿠릴 열도 분쟁
태평양
대서양
서사하라의 분리 독립 운동
아부무사섬 분쟁
센카쿠 열도 분쟁 (댜오위다오)
난사 군도 분쟁 (쯔엉사 군도, 스프래틀리 군도)
0°
대서양
인도양
칠레-페루 해상 국경 분쟁
분쟁 지역

핵심 ❶ 세계에서 벌어지는 분쟁은 대부분 자원 확보를 위한 분쟁이다.

핵심 ❷ 분쟁의 원인은 역사적 배경, 민족, 종교, 자원 확보 등이 복합적으로 나타난다.

---

❶ 영토, 영해, 영공
한 국가의 주권이 미치는 공간인 영역은 영토, 영해, 영공으로 구성된다. 영토는 주권이 미치는 땅, 영해는 주권이 미치는 바다로서 해안선을 기점으로 약 12해리, 영공은 주권이 미치는 하늘로서 영토와 영해의 수직 상공이다.

❷ 영유권
육지나 바다에 대한 주권을 주장하는 권리를 말한다.

❸ 어족 자원
바다의 수산 자원을 의미한다.

간단 체크 정답과 해설 37쪽

O, X 판단하기

1 영역 분쟁의 원인은 대부분 역사적 배경과 관련하여 종교, 민족, 영토 문제와 관련 있으며, 자원 확보를 위한 분쟁도 많이 발생하고 있다. ( )

2 인도와 파키스탄 간에는 종교, 영토 문제가 결합하여 카슈미르 지방에서 갈등을 겪고 있다. ( )

3 쿠릴 열도에서는 풍부하게 매장된 석유 등 자원을 확보하기 위해 중국, 베트남, 타이완 등 의 국가들이 분쟁을 벌이고 있다. ( )

교과서 활동 풀이

교과서 216-217쪽

활동 아시아의 영역 분쟁

1 자료 1과 자료 2 분쟁 지역과 관련된 내용을 (가)~(라)에서 찾아 기호를 써 보자.

자료 1 ((나), (라)) 자료 2 ((가), (다))

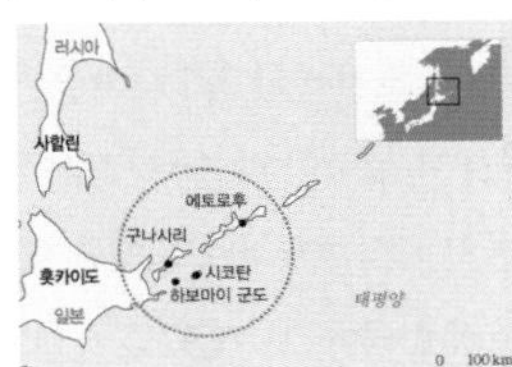

가 이 지역은 풍부한 어족 자원이 있고, 특히 해저에 많은 양의 석유와 천연가스가 매장되어 있다. 러시아는 이 지역의 자원 개발을 위해 많은 돈을 투자하기도 하였다.

나 인도양과 태평양을 잇는 중요한 길목으로 전략적 가치가 높다. 수산 자원이 풍부하고 해저에 많은 양의 석유와 천연가스가 매장된 자원의 보고이다.

다 태평양 북서부 캄차카반도와 일본 홋카이도 사이에 걸쳐 있는 쿠릴 열도 남부에 위치한 4개의 섬에 관련된 러시아와 일본의 영토 분쟁 지역이다.

라 남중국해의 남부 해상에 있으며, 100여 개의 작은 섬과 암초로 구성되었다. 현재 중국, 필리핀, 베트남, 말레이시아, 브루나이 등이 영유권을 주장하고 있다.

2 자료 1과 자료 2에 나타난 분쟁 지역의 공통적 원인을 정리해 보자.

예 자원 확보를 위한 영역 분쟁이다.

해결 열쇠

자료 해설

자료 1은 인도양과 태평양을 연결하는 교통의 요지이며 많은 자원이 매장된 것으로 알려져 있어 주변 국가들 사이에 영유권 분쟁이 치열하다. 특히 경제적 주권을 주장하는 배타적 경제 수역과 관련하여 여러 나라들 사이에 치열한 영유권 주장이 이루어진다. 자료 2는 20세기 초 역사적으로 러시아와 일본이 번갈아 점령 했던 지역으로, 현재 일본이 점령하고 있으나 이 지역의 영유권을 주장하기 위해 러시아는 군사적인 행동까지 벌이고 있다.

함께 배우기 영역 분쟁 지역 조사 보고서 작성하기

1 216쪽 세계 주요 분쟁 지역 지도에 표시된 분쟁 지역 중 한 지역을 선택한다.

2 모둠별로 역할을 분담하고, 조사 계획을 세운다.

3 선택한 분쟁 지역의 분쟁 현황, 분쟁의 원인, 최근의 상황 등에 관한 내용을 조사한다.

분쟁 지역	관련국	원인
예 북극해	러시아, 덴마크, 캐나다, 노르웨이	북극 항로와 자원 매장 지대 영유권 다툼
아부무사섬	이란, 아랍 에미리트	원유 수송 기지 영유권 다툼
카스피해	러시아, 아제르바이잔, 카자흐스탄, 이란, 투르크메니스탄	유전 지대 및 송유관 확보 갈등

4 조사한 내용을 정리하고, 보고서를 작성한다.

예 • 조사 주제: 카스피해 주변 국가들의 갈등 • 제목: 호수인가? 바다인가?

- 분쟁 현황: 카스피해를 두고 바다인지 호수인지에 따라 달라지는 영유권 때문에 분쟁이 발생하고 있다. 러시아와 카자흐스탄은 바다라고 주장하고, 나머지 주변 국가들은 호수라고 주장하며 수역 설정의 기준 때문에 대립하고 있다.
- 분쟁 원인: 카스피해에는 매우 많은 양의 석유가 매장되어 있다. 주변 국가들은 카스피해에 매장된 자원을 조금이라도 더 많이 이용하기 위하여 영유권 분쟁을 하고 있다.
- 결론: 주변 모든 국가가 받아들일 수 있는 타협안이 제시되어야 한다. 하지만 석유 자원과 관련된 매우 민감한 문제이기 때문에 해결이 쉽지는 않다.

활동 도우미

인터넷 기사를 활용하여 해당 지역의 정보를 찾고, 최근의 상황을 알아보세요.

보고서 작성 Tip

- 보고서 작성 과정: 우선 보고서에 들어갈 내용을 정리하여 목차를 정합니다. 그리고 각 항목에 해당되는 다양한 자료를 수집합니다. 자료는 객관적이며 정확한 내용이어야 하며, 이를 바탕으로 자신의 문장을 만듭니다.
- 보고서 작성 시 유의점: 보고서 작성 시 들어가는 다양한 자료는 가급적 최신 자료를 인용해야 합니다. 국제 사회는 거의 실시간으로 변화하기 때문에 과거의 자료를 참고할 경우 현재 상황을 제대로 반영하지 못할 수 있습니다.

스스로 확인하기

1 (1) 기아 (2) 난민 (3) 영역 2 (1) × (2) ○ (3) ○

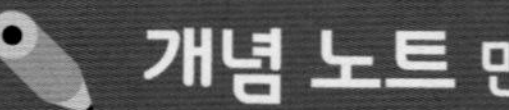
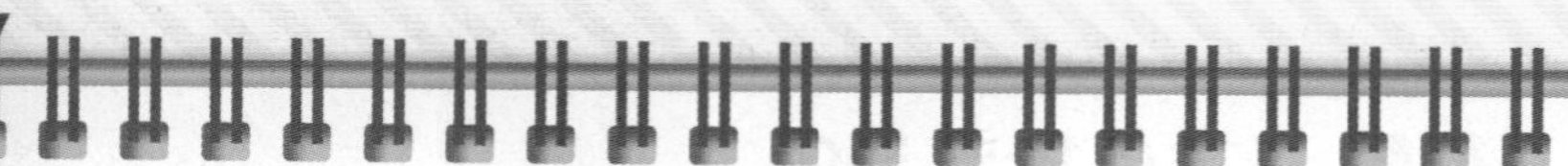

개념 노트 만들기

정답과 해설 37쪽

핵심 내용 정리하기 학습한 내용을 기억하면서 다음 글을 완성해 보자.

(제목:)

우리가 사는 지구상에 나타나는 다양한 문제를 (❶) 문제라고 한다. 가뭄, 홍수 등의 자연재해 지역, 인구 급증 지역, 잦은 분쟁 지역에서는 식량 부족으로 (❷) 문제가 심각하게 발생한다. 열대 지역에서는 농경지 확대, 환경 오염 등으로 (❸)이(가) 파괴되고, 이로 인해 동식물의 서식지가 파괴되면서 (❹) 문제가 나타나고 있다. 지역적으로는 역사적 배경, (❺) 확보 등을 이유로 국가 간 (❻) 분쟁이 자주 발생하는데, 이로 인해 주민들이 삶의 터전을 떠나는 경우가 생긴다. 이들을 (❼)(이)라고 한다.

활동 노트 완성하기 학습하면서 기른 역량을 살려 다음 활동 노트를 완성해 보자.

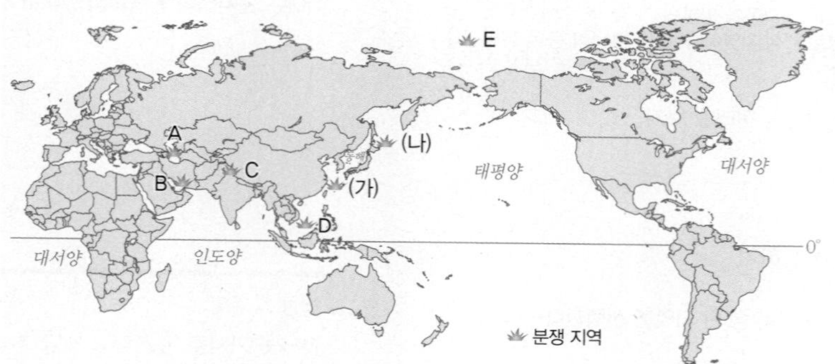

보기
- 북극해 분쟁
- 카스피해 분쟁
- 카슈미르 분쟁
- 아부무사섬 분쟁
- 난사 군도(쯔엉사 군도, 스프래틀리 군도) 분쟁

1 다음의 분쟁 지역에 대한 설명을 참고하여 해당 위치를 지도의 A~E에서 찾아 적고, 분쟁의 명칭을 [보기]에서 골라 적어 보자.

분쟁 지역 설명	위치	분쟁 명칭
(1) 북극 항로와 자원 매장 지역의 영유권 주장 분쟁		
(2) 매장된 석유, 천연가스 확보를 위해 주변 국가들이 바다 또는 호수인지를 놓고 벌이는 분쟁		
(3) 주변 해역의 석유와 풍부한 수산 자원 확보를 위해 남중국해에 위치한 국가들 간의 영유권 주장 분쟁		
(4) 페르시아만 일대의 원유를 실은 유조선의 통행권을 확보하기 위한 분쟁		
(5) 인도와 파키스탄 간 영토 분쟁으로 종교적인 문제와 결부된 분쟁		

2 지도의 (가), (나) 지역에서 나타내는 분쟁 양상을 각각 설명해 보자.

- (가):
- (나):

실력을 키우는 응용 문제

정답과 해설 37쪽

1 다음 중 지리적 문제에 대한 설명으로 옳은 것은?

① 지구상에 나타나는 다양한 문제를 말한다.
② 지역마다 지리적 문제는 똑같이 나타난다.
③ 국가 간 분쟁은 지리적 문제로 볼 수 없다.
④ 지리적 문제는 주로 선진국에서만 나타난다.
⑤ 지리적 문제는 자연환경의 영향을 받지 않는다.

[2-3] 다음 그림을 보고 물음에 답하시오.

▲ 사람들의 육류 소비

▲ 삼림 파괴

▲ 기아

2 그림을 통해 알 수 있는 내용으로 알맞은 것은?

① 지리적 문제는 한 지역만의 문제이다.
② 지리적 문제는 지역 간 연관성이 작다.
③ 육류 소비는 지리적 문제를 해결할 수 있다.
④ 육류 소비 증가로 삼림 파괴를 막을 수 있다.
⑤ 지리적 문제는 서로 긴밀하게 연결되어 있다.

3 그림을 참고하여 육류 소비 증가가 삼림 파괴와 기아로 이어지는 과정을 서술해 보자.

....

....

4 지도에서 기아 문제가 많이 발생하는 지역의 특징으로 보기 어려운 것은?

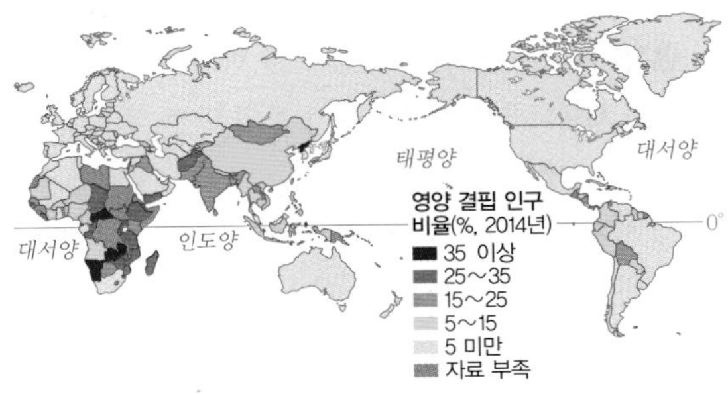

① 정치적으로 분쟁이 잦은 곳이다.
② 자연재해가 자주 발생하는 곳이다.
③ 인구 급증으로 식량이 부족한 곳이다.
④ 자연적 · 인위적 원인이 복합하여 나타난다.
⑤ 경제 수준이 높은 선진국에서 주로 발생한다.

5 생물 종 다양성 감소 문제에 대한 설명으로 옳은 것은?

① 지역 간 내전 발생의 원인이다.
② 인간에게 유해한 생물 종이 증가한다.
③ 삼림 면적이 과도하게 증가하게 된다.
④ 인간이 이용 가능한 생물 종이 감소한다.
⑤ 인간의 거주 면적 축소가 나타날 수 있다.

중요

6 지도에 해당하는 지역에 발생하는 분쟁에 대한 설명으로 가장 알맞은 것은?

① 종교적인 문제로 시작된 영토 분쟁이다.
② 수산 자원과 석유 확보를 위한 분쟁이다.
③ 해양 오염 문제로 발생한 환경 분쟁이다.
④ 물 자원 확보 문제로 진행 중인 분쟁이다.
⑤ 항공 교통 거점을 확보하기 위한 분쟁이다.

12-2 발전 수준의 지역 차 (1)

학습 목표 | 다양한 지표를 통해 지역별 발전 수준의 차이를 비교할 수 있다.

❶ 지역별로 발전 수준은 어떻게 다를까?

1 발전과 발전 지표의 의미

1. **발전:** 더 나은 인간의 삶을 위한 변화의 과정
2. **발전 지표:** 개인, 지역, 국가 등의 발전 정도가 어떤 상태인지를 알려주는 지표
3. **다양한 발전 지표의 활용**
   ① 세계에는 200여 개의 다양한 국가 존재
   ② 발전 수준은 국가별로 다양하게 나타남. → 경제적으로 풍요로운 국가, 빈곤과 기아에 시달리는 국가, 빠르게 경제가 성장하는 국가, 경제 발전이 느린 국가 등
   ③ 다양한 지표를 활용하여 발전 정도를 측정해야 함.

한 국가의 경제 수준을 알려주는 대표적인 지표랍니다. 선진국일수록 높게 나타나며, 일반적으로 국민 소득 개념으로 사용되기도 해요.

2 다양한 발전 지표

국내 총생산 (GDP)	일정 기간 동안 한 나라 안에서 생산되는 재화와 서비스[❶]를 시장 가치로 평가한 합계
1인당 국내 총생산 (GNP)	일정 기간 동안 한 나라의 국민이 국내외에서 생산한 재화와 서비스를 시장 가치로 평가한 합계
인간 개발 지수 (HDI)	국제 연합 개발 계획(UNDP)[❷]이 매년 각국의 교육 수준과 국민 소득, 평균 수명 등을 조사해 인간 발전 정도와 선진화 정도를 평가한 지표
성 불평등 지수 (GII)	국제 연합 개발 계획(UNDP)에서 국가별 모성 사망률과 청소년 출산율, 여성 의원 비율, 중등학교 이상의 교육을 받은 여성 인구, 남녀 경제 활동 참여 인구 비율의 정도를 측정한 지표
기타	국민 총소득(GNI), 인터넷 이용 비율, 문자 해독률[❸], 평균 수명, 학급당 학생 수, 의사 1인당 환자 수, 도로 포장률, 휴대전화 보급률 등

핵심 자료 **세계의 인간 개발 지수(HDI) 순위**

순위	국가명(지수)	순위	국가명(지수)
1	노르웨이(0.944)	10	캐나다(0.913)
2	오스트레일리아(0.935)	11	싱가포르(0.912)
3	스위스(0.930)	12	홍콩(0.910)
4	덴마크(0.923)	13	리히텐슈타인(0.908)
5	네덜란드(0.922)	14	스웨덴(0.907)
6	아일랜드(0.921)	15	영국(0.907)
7	독일(0.921)	16	아이슬란드(0.899)
8	미국(0.915)	17	대한민국(0.898)
9	뉴질랜드(0.913)	18	이스라엘(0.894)

▲ 인간 개발 지수 순위(2014년) (국제 연합 개발 계획, 2015.)

핵심 ❶ 각 국가의 선진화 정도를 평가한 인간 개발 지수(HDI)는 교육 수준과 경제 수준이 높은 국가일수록 높게 나타난다.

핵심 ❷ 경제 수준이 낮은 저개발국의 경우 낮은 지수가 나타난다.

❶ 재화와 서비스
인간의 욕구 충족을 위해 필요한 물질을 재화라하고, 이 중 형체가 없는 것을 서비스라고 한다. 예를 들어 선생님의 수업, 의사의 진료 등은 서비스에 해당한다.

❷ 국제 연합 개발 계획(UNDP)
세계의 개발과 개발 도상국에 대한 원조를 하기 위한 국제 연합 총회의 하부 조직이다.

❸ 문자 해독률
문맹률과 반대 개념으로, 문자를 읽고 쓸 줄 아는 인구의 비율을 측정한 것이다. 교육 수준이 높은 국가일수록 문맹률은 낮고, 문자 해독률은 높게 나타난다.

간단 체크 정답과 해설 37쪽

알맞은 말 선택하기

1 발전의 개념은 국가나 지역마다 (동일하게 | 다르게) 인식되고 있다.

2 국가의 발전 지표는 (동일한 | 다양한) 지표를 활용하여 측정할 필요가 있다.

3 경제 수준이 (높은 | 낮은) 국가일수록 1인당 국내 총생산, 인간 개발 지수는 높게 나타난다.

교과서 활동 풀이

교과서 218-219쪽

생각 열기 내가 생각하는 발전이란 무엇일까?

예 어느 곳에서나 인터넷과 스마트폰을 할 수 있어야 해요, 남자와 여자가 평등해야 해요. 소득 수준이 높고 먹고 싶은 음식을 언제든지 먹을 수 있어야 해요.

질문 1 내가 생각하는 발전의 조건을 빈칸에 적어 보자.

질문 2 지역별 발전 수준을 측정할 수 있는 지표에는 어떤 것들이 있을까?

예 국내 총생산, 1인당 국내 총생산, 녹색 GDP, 국민 총소득, 인간 개발 지수, 성 불평등 지수, 인터넷 이용 비율, 문자 해독률, 평균 수명, 학급당 학생 수 등

질문 3 세계에서 어떤 국가가 발전한 국가라고 생각하는지 국가명을 쓰고, 친구들과 비교해 보자.

예 미국, 캐나다, 프랑스, 영국, 독일, 뉴질랜드, 일본, 오스트레일리아 등

해결 열쇠

활동 도우미

세계 여러 국가 간의 발전 수준 차이는 단순히 경제적 지표를 이용해서 나타내는 것이 아니에요. 환경적 요인을 GDP에 포함 시킨 '녹색 GDP', 전반적인 인간 발전 정도를 나타내는 '인간 개발 지수' 등으로도 나타낼 수 있어요.

세계에는 200여 개 국가가 있고, 경제 발전 속도의 차이, 문화적 특성의 차이 등으로 인해 다양한 지표를 활용할 필요가 있답니다.

활동 발전 지표로 살펴본 지역 차

자료 1 1인당 국내 총생산

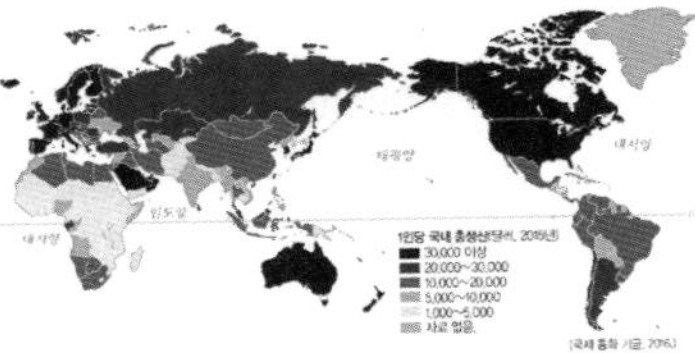

자료 2 인간 개발 지수

1 자료 1을 보고 1인당 국내 총생산이 높은 국가는 주로 어디에 분포하는지 적어 보자.

예 1인당 국내 총생산이 높은 국가는 북서부 유럽과 북아메리카, 오세아니아 지역에 많다.

2 자료 1과 자료 2를 비교하여 1인당 국내 총생산과 인간 개발 지수와의 관계를 설명해 보자.

예 1인당 국내 총생산과 인간 개발 지수는 대체로 비슷하게 나타난다. 1인당 국내 총생산이 높은 국가는 인간 개발 지수도 높게 나타나고, 1인당 국내 총생산이 낮은 곳에서는 인간 개발 지수도 낮게 나타난다. 이러한 발전 지표들이 항상 비슷하게 나타나는 것은 아니지만 주로 선진국에서 높게 나타나고, 저개발국과 개발 도상국에서는 낮게 나타난다.

자료 해설

세계적으로 1인당 국내 총생산이 높은 국가는 북서 유럽, 동북 아시아, 북아메리카 등에 분포하는 선진국이다. 인간 개발 지수는 보다 종합적인 발전 정도를 나타내며, 인간의 행복과 발전 정도가 소득 수준과 일치하지 않는다는 것을 보여 준다.

잠깐! 서남아시아 국가들의 발전 지표

서남아시아 국가들은 풍부한 석유 수출로 높은 경제 성장을 이루고 있는 지역으로, 1인당 국내 총생산을 비롯한 경제 지표가 높게 나타난다. 그러나 성 불평등 지수와 같은 지표는 다른 선진국과 달리 낮게 나타난다. 이슬람교를 주로 믿는 이 지역 특성상 여성에 대한 차별이 높기 때문이다.

12-2 발전 수준의 지역 차 (2)

학습 목표 | 빈곤 문제를 해결하기 위한 저개발 지역의 노력을 나열할 수 있다.

② 저개발 지역은 빈곤에서 벗어나기 위해 어떤 노력을 하고 있을까?

1 저개발 지역

1. 저개발국의 현황

① 대부분 아프리카, 아시아, 남아메리카 지역에 집중 분포

② 과거 식민지 역사 보유, 국내 자본과 기술력 부족, 내전, 부정부패 등으로 경제적 어려움에 처한 국가가 대부분

└ 기술력이 부족하기 때문에 자원을 효율적으로 이용하지 못하고 저렴한 가격에 수출하는 경우가 많아요.

2. 높은 성장 잠재력

① 풍부하고 저렴한 노동력 보유

② 금, 은, 다이아몬드, 보크사이트[1] 등의 다양한 광물 자원과 석유, 천연가스 등의 에너지 자원이 분포하여 **기회의 땅**으로 주목

2 저개발 지역의 빈곤 탈출 노력

└ 일부 국가에서는 풍부한 자원에서 얻는 소득을 내전을 위한 무기 구입에 사용하며 자원 수출로 얻는 이익이 소수에게 집중되어 무엇보다 정치적 안정이 시급하답니다.

1. 빈곤 탈출을 위한 노력

국내적인 노력	• 강력한 정부 정책과 국민 호응이 바탕이 됨. • 정치적 안정화, 질병 퇴치, 개혁 · 개방 확대, 해외 투자 유치, 기술 개발, 식량 생산성 증대, 대외 경제 협력 강화 노력
국제 사회의 지원	• 지속적인 국가 원조, 국제기구를 통한 지원

2. 해결 과제: 부정부패 척결, 지속적인 자본 유치 및 기술 개발, **산업 구조 고도화**[2], 교육 수준 향상, 정치 불안정 해소, 낮은 **인구 부양력**[3] 해결

핵심 자료 저개발 지역의 빈곤 탈출 노력

▲ 에티오피아의 수도 아디스 아바바

에티오피아는 장기간에 걸친 내전과 기상 악화 등으로 아프리카에서도 가장 가난한 국가로 인식되고 있었다. 하지만 정치적 안정을 바탕으로 한 개혁 및 개방 확대, 외자 유치, 대외 경제 협력 등을 추진하면서 지난 10년간 6~11%의 연평균 경제 성장률을 기록하고 있다.

▲ 라오스의 수도 비엔티안

아시아의 저개발국 중 하나인 라오스는 1986년 시장 개방 이후 꾸준히 성장하고 있다. 라오스 정부는 국가 성장 및 빈곤 퇴치 전략을 수립하여 노력한 결과 최근 10년간 평균 7% 이상의 경제 성장률을 기록하였고, 빈곤층 비율도 감소하고 있다.

핵심 ① 정치적 불안정으로 발전에 어려움을 겪었던 저개발국들도 최근 정부와 국민이 함께 빈곤 탈출을 위한 노력을 계속하면서 성장 가능성을 보이고 있다.

---

❶ 보크사이트
알루미늄의 원료가 되는 광물로, 대부분 열대 기후 지역을 중심으로 매장되어 있다.

❷ 산업 구조의 고도화
산업 구조가 농업이나 광업 중심이 아닌 제조업, 서비스업, 첨단 산업 등 고부가가치 산업 위주로 변화하는 것을 의미한다. 저개발국의 경우 기술 수준이 낮아 대부분 농업이나 자원 수출에 집중되는 경향을 보인다.

❸ 인구 부양력
인구를 먹여 살리는 능력을 말한다. 경제 규모가 커지고 농업 생산량이 증가할수록 인구 부양력이 높게 나타난다.

간단 체크 정답과 해설 37쪽

O, X 판단하기

1 대부분의 저개발국은 식민지 역사, 내전, 낮은 경제 및 기술 수준으로 빈곤의 상황에 처해 있다. ( )

2 아프리카의 국가 대부분은 노동력이 부족하고 자원이 빈약하여 발전 가능성이 낮다. ( )

3 최근 저개발국은 정치 안정화, 질병 퇴치, 교육 수준 향상 등 정부의 정책과 국민의 호응으로 높은 발전 가능성을 보여주고 있다. ( )

교과서 활동 풀이

교과서 220-221쪽

해결 열쇠

생각+ 저개발 지역의 경제 성장과 빈곤 퇴치를 위해서는 어떤 노력이 필요할지 말해 보자.

예 부정부패 척결, 정치적 안정, 해외 자본 유치, 기술 개발, 산업 구조 고도화, 경제 운영 능력 함양, 교육 수준 향상 등의 노력이 필요하다.

함께 배우기 발전 지표를 이용한 카드 게임 하기

카드 게임을 통해 세계 여러 나라의 발전 수준을 알아보자.

1 학급 전체 토의를 통해 국가의 발전 수준을 파악할 수 있는 발전 지표를 논의하고, 게임에 사용할 카드를 만드는 데 필요한 지표를 정한다.

예 1인당 국내 총생산, 인간 개발 지수, 기대 수명, 유아 사망률, 인터넷 이용 비율, 성 불평등 지수, 문맹률 등

2 두 명으로 모둠을 구성하고 모둠별로 국가를 분담한 뒤 학급에서 정한 각국의 발전 지표를 조사한다.

예 대한민국 발전 지표

1인당 GDP	US$ 27,214
HDI	0.898
유아 사망률	1,000명 출생당 2.9명 사망
기대 수명	81.9세
인터넷 이용 비율	89.9%

예 수단 발전 지표

1인당 GDP	US$ 2,089
HDI	0.467
유아 사망률	1,000명 출생당 47.6명 사망
기대 수명	63.5세
인터넷 이용 비율	26.6%

(CIA, 2016. / 국제 연합 개발 계획, 2015.)

3 각 국가의 발전 수준을 정리한 카드를 만들고, 모둠의 수만큼 복사하여 나누어 갖는다.

4 두 명이 한 그룹이 되어 카드 게임을 한다.

① 카드를 가운데 쌓아 두고, 맨 위에서 한 장씩 나누어 갖는다.
② 자신의 카드에서 각각의 발전 지표와 내용을 확인하고, 하나의 지표씩 비교하여 두 사람 중 더 발전된 국가의 카드를 가진 사람이 상대방의 카드를 얻는다.
③ 제한된 시간에 더 많은 카드를 가진 사람이 승자가 된다.

정리 발전 지표가 가장 낮은 국가를 선정한 후 빈곤에서 벗어나기 위한 방법을 토의해 보자.

활동 도우미

구체적인 통계 자료를 통해 어느 국가가 어느 정도 더 발전하였는지를 비교해 볼 수 있습니다. 국가의 발전을 나타낼 수 있는 발전 지표를 정해 봄으로써 다양한 지표의 성격을 이해하고, 예시로 제시된 발전 지표 이외에도 다양한 지표를 활용해 보세요. 다양한 발전 지표는 〈통계청 국가 통계 포털〉의 국제 통계에서 주제별 통계를 찾거나 온라인 간행물의 국제 통계연감을 활용할 수 있어요.

자료 해설

- **인간 개발 지수**: 인간 개발 지수는 1인당 국민 소득, 문자 해독률과 평균 수명 등을 토대로 측정한 것으로, 2009년까지는 0.900 이상의 국가를 매우 높음의 범주에 포함을 시켰으나 최근에는 산정 방식이 바뀌어 0.800 이상의 국가부터 매우 높음으로 분류하고 있다.
- **유아 사망률과 평균 기대 수명**: 유아 사망률이 낮고 평균 기대 수명이 높다는 것은 위생 수준과 의학 수준이 높다는 증거이다. 말리의 경우 위생 수준과 의학 수준이 낮아 유아 사망률이 높고 기대 수명이 낮게 나타난다.

스스로 확인하기

1 (1) 발전 지표 (2) 인간 개발 지수 2 (1) × (2) ○ (3) ×

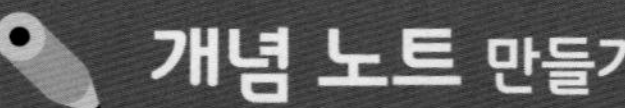

개념 노트 만들기

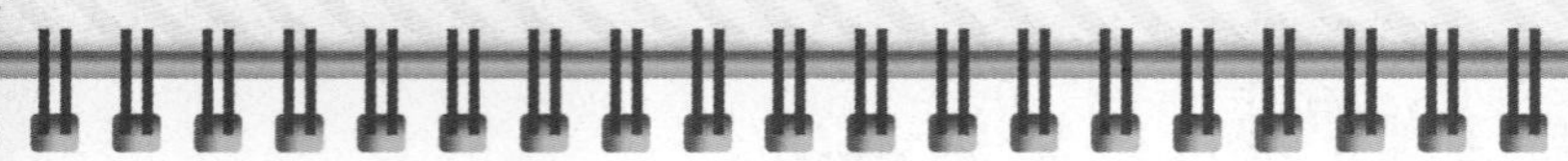

정답과 해설 37쪽

핵심 내용 정리하기 **학습한 내용을 기억하면서 다음 글을 완성해 보자.**

(**제목:**)

(❶)의 수준은 국가별로 다양하게 나타난다. 세계에는 200여 개 국가가 존재하기 때문에 한 가지 방법으로 발전 정도를 나타낼 수 없다. 따라서 다양한 (❷)을(를) 활용하고 있다. 국가의 경제 수준을 나타내는 지표로 (❸)이(가) 대표적으로 사용되고 있으며, 각국의 교육 수준과 국민 소득, 평균 수명 등을 조사해 인간 발전 정도를 나타내는 (❹)을(를) 활용하거나 모성 사망률과 청소년 출산율, 여성 의원 비율 등을 지표로 산출하는 (❺) 등 다양한 지표가 이용되고 있다.

한편, 저개발국은 과거 식민지 역사를 보유하고 오늘날 정치 부패와 내전을 겪으며 어려움에 처해 있으며, (❻), 아시아, 남아메리카에 집중 분포한다. 그러나 이들은 풍부한 자원과 노동력을 바탕으로 빈곤에서 벗어나기 위한 다양한 노력을 하고 있다.

활동 노트 완성하기 **학습하면서 기른 역량을 살려 다음 활동 노트를 완성해 보자.**

1 인간 개발 지수가 높은 지역을 지도에 표시해 보자.

2 인간 개발 지수가 높다고 생각하는 국가들의 공통점이 무엇인지 써 보자.

3 인간 개발 지수 이외에 국가의 발전 정도를 나타낼 수 있는 지표 1가지를 선택하고, 이에 대한 설명을 써 보자.

실력을 키우는 응용 문제

정답과 해설 38쪽

1 한 국가의 발전 지표로 사용할 수 있는 것을 [보기]에서 있는 대로 고른 것은?

보기
ㄱ. 문자 해독률　　ㄴ. 평균 기대 수명
ㄷ. 학급당 학생 수　　ㄹ. 인터넷 이용 비율
ㅁ. 1인당 국내 총생산

① ㄱ, ㄴ　② ㄱ, ㄷ, ㅁ
③ ㄴ, ㄹ, ㅁ　④ ㄷ, ㄹ, ㅁ
⑤ ㄱ, ㄴ, ㄷ, ㄹ, ㅁ

중요
2 발전에 대한 다음 대화를 통해 알 수 있는 것은?

- 선생님: 발전이란 어떤 것일까요?
- 병섭: 모든 사람이 충분한 음식을 먹을 수 있어야죠.
- 경은: 훌륭한 병원과 전문적인 의사가 충분해야죠.
- 준환: 모든 사람이 중등학교에 갈 수 있고, 글을 읽고 쓸 수 있는 것을 말해요.
- 소은: 모든 사람이 마실 수 있는 깨끗한 물을 공급할 수 있어야죠.
- 지영: 모든 사람이 행복한 삶을 즐길 수 있어야죠.

① 다양한 발전 지표가 필요하다.
② 발전에 대한 생각은 모두 동일하다.
③ 경제적 발전을 최우선으로 하고 있다.
④ 발전은 일반 국민과 관련이 매우 적다.
⑤ 지역마다 동일한 발전 지표를 사용한다.

3 다음 내용과 관련 있는 지역의 설명으로 옳은 것은?

이 지역에는 아직 저개발국이 많이 분포하지만 최근 금, 은, 다이아몬드, 보크사이트 등의 광물 자원과 석유 등의 에너지 자원을 바탕으로 높은 성장 잠재력을 가지고 있어 기회의 땅으로 주목 받는 지역이다.

① 경제 수준이 높은 지역이다.
② 아프리카에 해당하는 설명이다.
③ 높은 인간 개발 지수가 나타난다.
④ 해외 교류를 최소한으로 하고 있다.
⑤ 대부분 안정된 정치 상황이 나타난다.

[4-5] 다음 지도를 보고 물음에 답하시오.

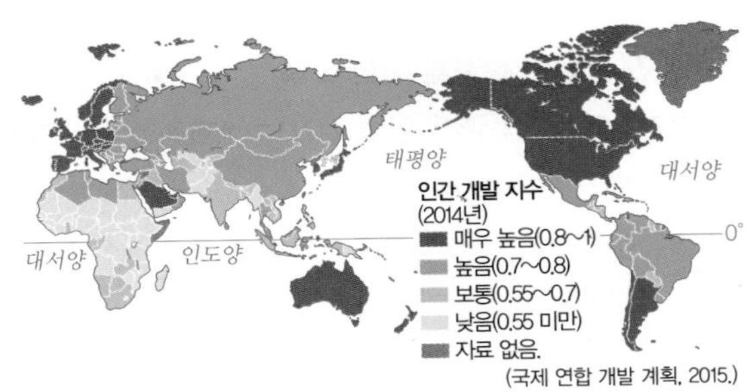

(국제 연합 개발 계획, 2015.)

4 지도에서 표현하고 있는 인간 개발 지수란 무엇을 의미하는지 서술하시오.

5 인간 개발 지수가 가지고 있는 특징으로 옳은 것은?

① 아프리카 국가들의 지수가 높다.
② 국가 경제 수준만을 가지고 판단한다.
③ 국가별 여성 의원 비율이 주된 자료이다.
④ 우리나라는 지수가 비교적 높은 국가이다.
⑤ 경제 수준과 인간 개발 지수는 반비례한다.

중요
6 저개발국이 빈곤으로부터 벗어나기 위해 노력하고 있는 모습과 거리가 먼 것은?

① 대외 경제 협력을 추진한다.
② 개혁과 개방 정책을 확대한다.
③ 국민은 빈곤 퇴치를 원하지 않는다.
④ 식량 생산성 증대를 위해 노력하고 있다.
⑤ 최근 정치적 안정을 위해 노력하고 있다.

12-3 지역 간 불평등 완화 노력 (1)

학습 목표 | 지역 간 불평등을 완화하기 위한 국제 사회의 다양한 노력을 제시할 수 있다.

❶ 지역 간 불평등 완화를 위해 어떤 노력을 할까?

1 지역 간 불평등 완화를 위한 노력

1. **국제기구의 노력:** 국제 연합(UN), 세계은행❶과 같은 국제기구와 국제 비정부 기구(NGO)❷ 중심의 노력
2. **내용:** 세계의 빈부 격차 해소, 위생과 교육 시설 보급, 인권 및 여성 지위 향상, 환경 보존 및 생태적 지속 가능성 추구 노력 등
3. **필요성:** 세계화로 인해 한 나라의 경제를 세계 경제와 분리하여 생각하기 어려워졌으므로 개발 도상국 자체의 노력과 선진국의 지원이 모두 필요

세계 여러 나라는 정치, 경제적으로 긴밀하게 연관되어 있기 때문에 개발 도상국의 자체 노력과 더불어 선진국의 지원도 필요해요.

2 국제적 노력

1. **국제 연합(UN):** 세계 모든 사람의 삶의 질 개선을 위해 노력 중 → **새천년 개발 목표** 및 **지속 가능 발전 목표** 추진

새천년 개발 목표 (MDGs)	2000년 국제 연합(UN) 본부에서 개최된 새천년 정상 회담에서 채택된 빈곤 퇴치를 위한 전 세계적인 운동
지속 가능 발전 목표 (SDGs)	미래 세대의 필요를 충족시킬 수 있으면서도 오늘날의 필요도 충족시키는 발전의 개념을 기반으로 사회의 다양한 문제를 해결하기 위해 설정한 목표

2. **선진국: 개발 원조 위원회(DAC)**를 통해 개발 도상국에 **공적 개발 원조(ODA)**를 제공

개발 원조 위원회 (DAC)	경제 협력 개발 기구(OECD)❸의 하부 기관으로 개발 도상국에 대한 공적 개발 원조를 논의하는 기구
공적 개발 원조 (ODA)	정부를 비롯한 공공 기관이 개발 도상국이나 국제기구에 도움을 주는 것

3. **세계 불평등 완화를 위한 우리나라의 노력**

원조를 받았던 국가에서 1990년대 이후 원조를 주는 나라로 위상이 변화하였지요.

① 과거 광복 이후 원조를 받는 국가에서 원조를 주는 국가로 위상 변화

② 한국 국제 협력단(KOICA)❹을 통해 개발 도상국에 무상으로 지원

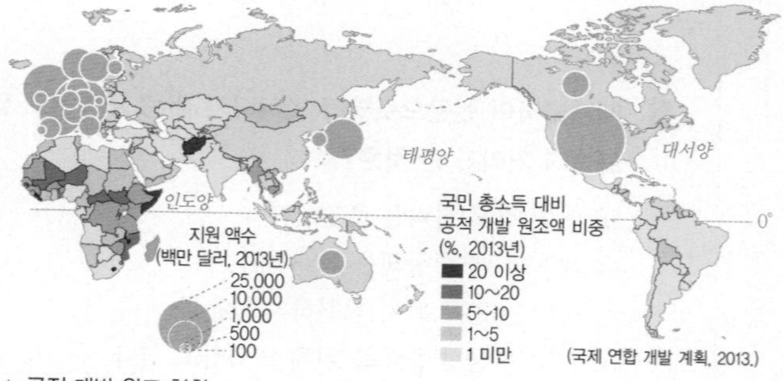

▲ 공적 개발 원조 현황

❶ 세계은행
세계 경제를 부흥하고 개발 도상국에 자금을 제공하는 국제 금융 기관이다.

❷ 비정부 기구
NGO(Non-Governmental Organization)라고도 하며, 지역, 국가, 국제적으로 조직된 자발적인 비영리 시민단체를 말한다. 그린피스, 굿네이버스 등이 대표적인 NGO이다.

❸ 경제 협력 개발 기구(OECD)
회원국 간 경제, 사회 발전을 모색하고 세계 경제 문제에 공동으로 대처하기 위한 정부 간 정책 논의 및 협의 기구이다. 주로 선진국을 중심으로 결성되어 있다.

❹ 한국 국제 협력단(KOICA)
외무부 산하 기관으로 정부 차원의 대외 무상 협력을 담당하여 개발 도상국 중심의 지원을 추진하는 단체이다.

간단 체크 정답과 해설 38쪽

알맞은 말 채우기

1 세계 불평등을 완화하기 위해 정부 차원의 국제기구와 민간 차원의 (　　　)이(가) 노력하고 있다.

2 선진국들은 (　　　)을(를) 통해 개발 도상국에 공적 개발 원조를 제공하고 있다.

3 우리나라는 (　　　)을(를) 통해 개발 도상국의 지원에 힘쓰고 있다.

교과서 **활동 풀이**

교과서 222-224쪽

생각 열기 다음 자선 콘서트의 기획 의도는 무엇일까?

▲ G8 국가들의 도시에서 열린 Live 8 콘서트

▲ 밴드 에이드 앨범 표지

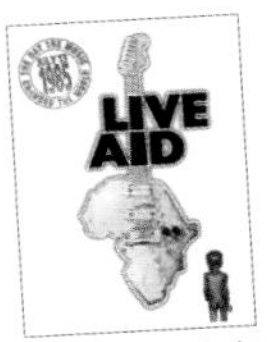

▲ 라이브 에이드의 콘서트 앨범 표지

질문 1 위 자료를 자세히 살펴본 후 다음 물음에 답해 보자.

이 콘서트와 앨범에 공통으로 등장하는 대륙은 어디인가?	예 아프리카
이 콘서트와 앨범에 사용된 문구의 의미는 무엇일까?	예 '세계에 식량을 공급하다.'로 기아 문제 해결에 관한 관심 촉구
이 콘서트를 개최한 목적은 무엇일까?	예 아프리카 기아 문제, 아프리카 부채 탕감 등 아프리카의 다양한 문제 해결에 동참하기 위해

질문 2 세계의 지역 간 불평등을 줄이기 위해 노력한 사람들과 단체들을 생각해 보고, 친구들과 이야기해 보자.

생각+ 공적 개발 원조를 받는 국가는 주로 어디에 위치하고 있는지 말해 보자.

예 주로 아프리카와 아시아, 남아메리카에 위치한 개발 도상국이다.

활동 새천년 개발 목표(MDGs)

새천년 개발 목표(Millennium Development Goals, MDGs)는 2000년 국제 연합(UN) 본부에서 개최된 새천년 정상 회담에서 채택된 빈곤 퇴치를 위한 전 세계적인 운동이다.

1 새천년 개발 목표의 의미를 찾아보고, 이를 달성하기 위해서는 어떤 노력이 필요한지 말해 보자.

예 전 세계 모든 국가가 최초로 만장일치를 통해 절대적 빈곤을 퇴치하려는 뜻을 모았다는 점에서 큰 의미가 있다. 정부와 국제기구, 비정부 기구 등이 각자의 역할을 다하고 협력한다.

2 위의 8가지 개발 목표 이외에 더 필요하다고 생각되는 목표를 제시해 보고, 그 까닭을 말해 보자.

예 인터넷 보급률 확대. 저개발 국가에 인터넷 보급을 늘리면 다양한 정보와 국제 사회의 동향을 지금보다 더 빠르게 파악할 수 있을 것이다.

세상 속으로 지역 간 불평등을 완화하기 위한 노력

지역 간 불평등 완화를 위해 국제기구, 비정부 기구 등이 다양한 노력을 기울이고 있다.

생각+ 지역 간 불평등을 완화하기 위해 우리가 할 수 있는 것들을 찾아보자.

예 국제 연합 개발 계획, 국제 연합 식량 농업 기구, 세계 보건 기구, 국제 적십자사 등의 활동에 참여한다.

해결 열쇠

활동 도우미

해외 원조 사업에는 개인적으로도 당연히 참여할 수 있습니다. 어느 분야에서 해외 지원을 할 것인지를 스스로 정하면 된답니다. 민간 단체를 통해 다양한 활동에 참여하거나 모금 활동, 캠페인 등에 참여할 수 있습니다. 또한 적은 액수라도 정기적으로 후원할 수 있는 다양한 길이 있습니다.

질문 3 예 테레사 수녀, 슈바이처 의사, 이태석 신부, 국제 연합(UN), 국제 통화 기금(IMF), 세계은행, 국경없는의사회, 한국 국제 협력단(KOICA), 굿네이버스, 세이브 더 칠드런, 옥스팜, 초록 우산 어린이 재단 등

자료 해설

새천년 개발 목표에서 제시한 빈곤 퇴치를 위한 8가지 목표는 인간으로서 누려야 하는 가장 기본적인 것들을 제시하고 있다. 우리에게는 어쩌면 당연하다고 생각되는 것들이지만 여러 가지 어려움을 겪는 저개발국 주민에게는 너무나도 필요하고 소중한 목표가 될 것이다.

12-3 지역 간 불평등 완화 노력 (2)

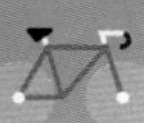

학습 목표 | 지역 간 불평등을 완화하기 위한 노력의 성과와 한계를 분석하여 설명할 수 있다.

❷ 지역 간 불평등을 완화하기 위한 노력의 성과와 한계는?

1 원조의 성과와 한계

1. 저개발국 원조의 형태

단기 원조	재해나 긴급 상황에 처한 사람에게 주는 빠른 원조 예 홍수, 지진, 화산 폭발, 전쟁 등으로 인한 구호 활동
장기 원조	주민의 기본적인 삶을 개선하여 한 국가의 전체적인 발전 수준 향상이 목적 예 기술 전수, 사회 제반 시설❶ 지원 등

2. 성과: 저개발국의 경제 개발 및 복지 증진을 위해 정부 · 기업 · 민간 차원에서 자금, 개발 경험, 기술 등을 지원하고, 자립을 도움.

3. 한계

원조 과정에서 선진국 위주 문화의 일방적인 전달이 이루어지기도 해요.

① 원조 과정에서 저개발국의 전통 훼손 및 환경 파괴

② 원조 의존도가 높아지면서 경제적 자립이 힘들어짐.

③ 구호품이 빈곤한 사람들에게 도달하지 않는 문제 발생

2 공정 무역

1. 공정 무역의 의미와 형태

① 생산자와 기업 간 경제적 불균형을 없애려는 시도

② 개발 도상국의 생산자가 경제적으로 자립할 수 있도록 지원

③ 중간 상인의 개입을 줄여 유통 비용❷을 낮추는 무역 방식

④ 사례: 공정 무역 커피

중간 상인: 상품을 소비자에게 직접 판매하는 상인이 아니라 생산자와 판매자를 연결해 주거나 제품을 공급해 주는 도매상을 의미해요.

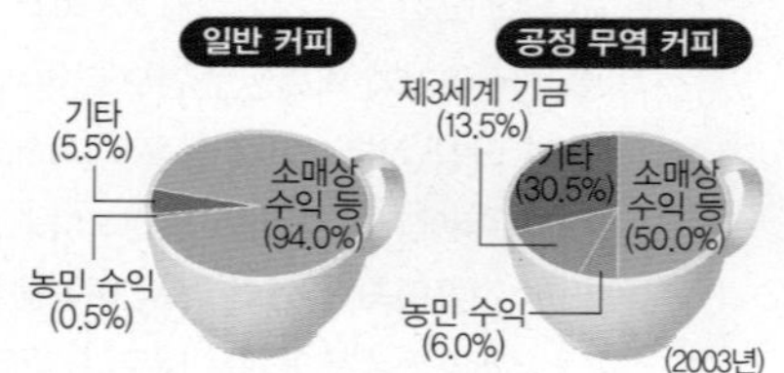

일반 커피의 경우 이익의 대부분이 소매상 등에게 돌아가지만, 공정 무역 커피의 경우 커피 생산 농민에게 실질적인 이익이 돌아가게 하는 구조이다. 이 외에도 초콜릿, 설탕, 수공예품 등에서 공정 무역이 나타나고 있다.

2. 공정 무역의 확대

① 기존의 국제 무역 체계로는 세계의 가난을 해결하는 데 한계가 있음.

② 저개발국에 대한 원조보다 효과적인 빈곤 퇴치 운동으로 인식됨.

효과적인 빈곤 퇴치 운동: 저개발국 생산자 스스로 자립할 수 있는 계기가 돼요.

3. 공정 무역의 한계

다국적 기업의 상품은 대량 생산과 발달된 유통망을 이용하여 제품의 가격을 낮추므로, 공정 무역의 가격 경쟁력은 좋지 않다고 할 수 있어요.

① 다국적 기업❸의 상품에 밀려 시장 확보에 어려움.

② 다국적 기업 이미지 쇄신을 위한 홍보 전략으로 이용되기도 함.

③ 생산자에게는 생산을 위한 더 많은 비용과 노력이 요구됨.

④ 소비자는 공정 무역 제품의 가격이 높고, 판매 가게를 찾기 어려움.

---

❶ 사회 제반 시설
도로, 항만, 발전소, 학교, 병원 등 사회를 운영해 나가는 데 필요한 기본적인 시설을 말한다.

❷ 유통 비용
상품이 생산되어 소비되는 과정에서 소요되는 비용으로, 운송비, 창고비, 광고비 등 각종 비용을 말한다.

❸ 다국적 기업
일반적으로 본사는 자국에 두고 생산 공장, 판매점 등 제품의 생산과 판매가 전 세계적으로 이루어지는 대기업을 말한다.

간단 체크 정답과 해설 38쪽

O, X 판단하기

1 저개발국은 원조를 통해 경제 개발 및 복지 증대의 성과를 거두고 있다. ( )

2 공정 무역은 생산자와 기업의 불균형을 없애고 개발 도상국 생산자에게 경제적 자립을 주기 위한 무역이다. ( )

3 기존 국제 무역 체계로 세계 여러 나라의 가난을 해결할 수 있어 공정 무역은 감소하는 추세이다. ( )

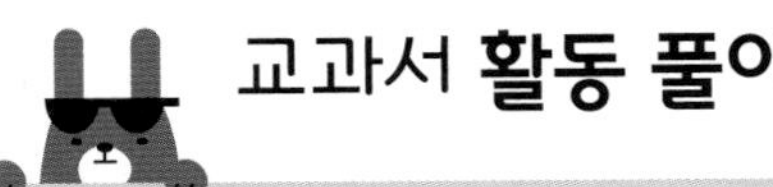

교과서 **활동 풀이**

교과서 225-226쪽

활동 공정 무역의 성과와 한계

해결 열쇠

자료 1 공정 무역으로 다시 태어나는 희망

공정 무역의 취지는 생산자에게 정당한 가치를 지불하는 데 있다. 네팔의 칸첸장하 농장의 홍차는 그동안 1kg에 약 3,000원에 거래되었다. 하지만 공정 무역의 원칙에 따라 유기농으로 생산되면서 현재는 15,000원 정도에 거래되고 있다. 이 돈으로 농장은 고용된 모든 사람의 자녀에게 장학금을 지급하고 마을 도로를 포장할 수 있게 되었다. 또 학교가 세워지면서 농장에서 일하던 많은 아이가 학교로 돌아가고 있다.

자료 2 희망을 짜는 사람들

타이의 로이에 마을은 농사와 전통 직조 기술로 자급자족하던 공동체였다. 그런데 외국 자본이 들어와 옥수수와 유칼립투스를 대규모로 재배하면서 주민들은 터전을 잃게 될 위기에 처하였다. 전통 농업과 직조 기술을 되살려야 한다고 판단한 주민들은 국제기구의 도움으로 기업을 만들고 공정 무역 생산자로 지정받았다. 이들은 공동 작업장에서 마을의 특산품인 실크 수공예품을 만들고 수익을 공동 분배하면서 생활이 개선되고 있다.

1 자료 1과 자료 2를 보고 공정 무역이 지역 주민의 삶에 미치는 긍정적인 영향을 설명해 보자.

예 공정 무역은 공정 무역 기준에 따라 생산된 농산물이나 제품에 정당한 대가를 지급하는 방식이다. 이를 통해 저개발국의 생산자와 그 지역에 좀 더 실질적인 혜택이 돌아가 이들 국가의 지속 가능한 발전에 이바지한다.

2 다음 내용을 참고하여 공정 무역의 한계를 설명해 보자.

생산자의 입장

소비자의 입장

시민 단체의 입장

예 • 생산자: 유기농 재배를 위한 추가 비용과 노력이 필요하다.
• 소비자: 상대적으로 가격이 비싸고 공정 무역 상품을 판매하는 가게를 찾기 힘들다.
• 시민 단체: 다국적 기업의 공정 무역 제품 판매 비율이 낮다. 공정 무역 상품은 시장 확보에 어려움이 있으며, 다국적 기업의 이미지 홍보를 위한 전략으로 이용될 수도 있다.

자료 해설

• 공정 무역의 장점: 공정 무역으로 농산물이나 수공예품 생산자에게 실질적인 이득이 돌아가게 되고, 이를 바탕으로 소득 향상과 다양한 복지가 이루어진다.

• 공정 무역 상품 가격: 일반적으로 대기업에서는 대량 생산과 발달된 유통망을 기반으로 상품을 판매하기 때문에 상품 가격이 저렴하다. 반면 공정 무역 상품은 농민에게 실질적인 이익이 돌아가고 제대로 갖추어진 유통망을 갖추고 있지 않아 상대적으로 가격이 높다.

함께 배우기 공적 개발 원조에 관한 다양한 입장 이해하기

1 원조에 관한 다양한 입장을 파악한다.

2 원조에 관한 자신의 입장을 정하고, 그렇게 생각한 이유를 빈칸에 적는다.

예 • 더 많은 원조를 해야 한다: 저개발국 스스로 성장하는 것에는 한계가 있기 때문이다. 일찍 산업화를 겪은 선진국이 무역 구조 측면에서 개발 도상국보다 유리하기 때문이다. 저개발국의 저성장 원인에 과거 식민 지배와 같이 선진국도 일부 책임이 있기 때문이다.
• 원조를 하지 말아야 한다: 공정 개발 원조가 저개발국의 전통을 훼손하거나 환경을 파괴할 수 있기 때문이다. 원조를 정말 필요로 하는 사람에게까지 전해지지 않을 수 있기 때문이다. 원조에 대한 의존도가 높아지면 경제적 자립이 힘들어지기 때문이다.

3 원조에 관한 자신의 생각을 짝과 이야기해 본다.

4 원조는 원조를 받는 국가에 이익을 줄 수도 있고, 그렇지 않을 수도 있다. 짝과 바람직한 원조 방법을 주제로 논의해 본다.

예 지역의 상황에 맞는 지속 가능한 원조를 해야 한다. 원조는 지역의 전통문화를 가능한 적게 변화시켜야 한다. 원조는 삶의 질을 개선하되, 미래의 삶에 해를 끼쳐서는 안 된다. 또한 지역 사람들이 함께 일하고 그들 자신을 돕도록 격려하는 것이어야 한다.

활동 도우미

원조에 대해서는 다양한 시각이 존재합니다. 정답이 정해져 있는 문제가 아니므로 자신의 의견을 정하고 짝과 함께 열린 마음으로 의견을 듣고 토의해 보세요.

스스로 확인하기

1 (1) 국제 연합 (2) 공적 개발 원조 (3) 공정 무역 2 (1) 국제 아동 기금 (2) 유엔 난민 기구

개념 노트 만들기

정답과 해설 38쪽

핵심 내용 정리하기 학습한 내용을 기억하면서 다음 글을 완성해 보자.

(제목:)

(❶), 선진국의 정부, 기업, 민간 차원 등에서 (❷)의 경제 개발과 복지 증진을 위해 다양한 방법으로 원조를 시행하고 있다. 이러한 원조는 긍정적인 측면이 있는 반면, 저개발국의 (❸)을(를) 훼손하고 (❹)을(를) 파괴하는 문제가 발생하기도 한다.

최근 세계의 가난 극복을 위해 생산자와 기업 간의 경제적 불평등을 없애고자 유통 비용을 낮추어 생산자의 경제적 자립을 돕는 (❺)이(가) 확대되고 있다. 그러나 해당 상품은 (❻) 기업 상품과의 가격 경쟁에 밀려 시장 확보에 어려움을 겪기도 한다.

활동 노트 완성하기 학습하면서 기른 역량을 살려 다음 활동 노트를 완성해 보자.

네팔의 한 농장에서 생산되는 홍차는 그동안 1kg당 약 3,000원에 거래되었다. 하지만 최근에는 홍차를 유기농으로 생산하며, 판매 이익을 생산자에게 돌려주자는 운동이 확산되면서 1kg당 15,000원 정도에 거래되고 있다. 이 돈으로 농장에 고용된 모든 사람의 자녀에게 장학금을 지급하고 마을 도로를 포장할 수 있게 되었다. 또 학교가 세워지면서 농장에서 일하던 많은 아이가 학교로 돌아가 공부할 기회를 갖게 되었다.

1 자료의 밑줄 친 부분에 해당하는 개념이 무엇인지 쓰고, 내용을 설명해 보자.

- 개념:
- 내용:

2 자료의 '홍차' 이외에도 이러한 방식의 거래가 이루어지는 품목에는 어떤 것들이 있을까?

3 위와 같은 거래가 지속적으로 이루어질 때 얻을 수 있는 효과를 생산자와 소비자 입장에서 적어 보자.

- 생산자:
- 소비자:

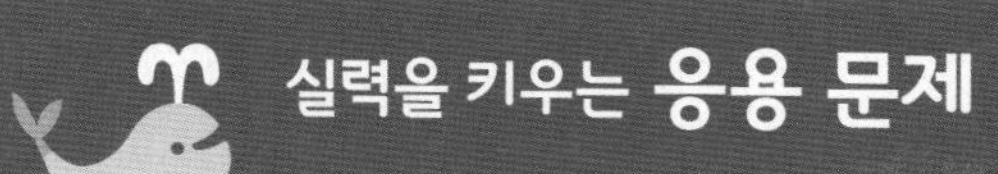

정답과 해설 38쪽

중요

1 다음과 같은 노력과 관련이 적은 것은?

> 국제 연합과 세계은행 등의 국제기구와 다양한 비정부 기구는 선진국과 저개발국의 불평등을 완화하기 위해 다양한 방법의 지원을 하고 있다.

① 세계의 빈부 격차를 없애기 위함이다.
② 환경 보존과 생태적 지속 가능성을 추구한다.
③ 세계 경제는 긴밀하게 연결되어 있기 때문이다.
④ 저개발국의 자원 생산과 수출이 가장 큰 목적이다.
⑤ 저개발국의 인권 및 여성 지위 향상을 위해 노력한다.

중요

2 지도는 세계의 공적 개발 원조의 지원 규모를 나타낸 것이다. 이를 통해 알 수 있는 내용으로 가장 적절한 것은?

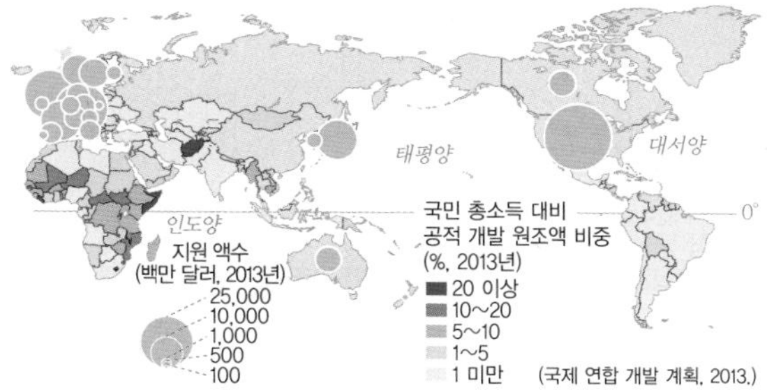

① 유럽 대부분은 공적 개발 원조를 받고 있다.
② 아프리카는 많은 공적 개발 원조를 받고 있다.
③ 우리나라는 공적 개발 원조의 최대 지원국이다.
④ 공적 개발 원조 지원국은 경제 수준과 무관하다.
⑤ 주로 북반구 국가들이 공적 개발 원조를 받고 있다.

3 다음 빈칸에 들어갈 알맞은 내용을 쓰시오.

> (　　　　　　)은(는) 2000년 국제 연합 본부에서 개최된 새천년 정상 회담에서 채택되어, 전 세계 빈곤 퇴치를 위한 목표를 설정하고 세계적인 운동으로 진행되고 있다.

4 다음에서 설명하는 개념에 해당하는 것은?

> 선진국을 중심으로 정부를 비롯한 공공기관이 개발 도상국이나 국제기구에 도움을 주는 것을 의미한다.

① 국제 연합　② 비정부 기구
③ 공적 개발 원조　④ 개발 원조 위원회
⑤ 경제 협력 개발 기구

5 다음은 선진국의 저개발국 원조에 대하여 성과와 한계를 정리한 것이다. ㉠~㉤ 중 옳지 않은 것은?

> 선진국은 다양한 형태로 저개발국에 대한 원조를 진행하고 있다. 이에 대한 성과로 ㉠ 저개발국의 기술력 향상, ㉡ 경제 성장이 나타나고, 주민 복지가 향상되었으며, ㉢ 저개발국의 전통 문화가 잘 보존되게 되었다. 반면 원조 과정에서 ㉣ 환경을 훼손하고 ㉤ 선진국에 대한 의존도가 높아지는 문제점도 나타나게 되었다.

① ㉠　② ㉡　③ ㉢　④ ㉣　⑤ ㉤

6 공정 무역에 대한 설명으로 옳지 않은 설명은?

① 생산자의 경제적 자립을 돕는다.
② 높은 수준의 품질을 기대할 수 있다.
③ 중간 상인의 이익을 극대화 할 수 있다.
④ 저개발국의 빈곤 퇴치에 효과적인 방법이다.
⑤ 생산자와 기업 간의 경제적 불평등을 해소한다.

7 공정 무역이 개선해야 할 문제점을 바르게 지적한 것은?

① 중간 상인의 개입이 적다.
② 생산자의 수가 감소하고 있다.
③ 공정 무역 상품의 가격이 높게 책정된다.
④ 공정 무역 상품 판매처의 감소가 필요하다.
⑤ 대량 생산에서 소량 생산으로 변화해야 한다.

교과서 **창의·융합 활동** 풀이

교과서 227쪽

해결 열쇠

핵심 역량 창의적 사고력

평등한 세상을 만드는 데 도움이 될 만한 자선 공연을 기획해 봄으로써, 공연 기획과 관련된 능력을 기르고, 나눔과 배려를 실천할 수 있어요.

활동 도우미

공연은 하나의 종합적인 예술 분야로 공연 기획자, 무대 예술, 음악 등 다양한 분야와 관련된 직업 체험을 간접적으로 할 수 있습니다. 이러한 공연을 통해 수익을 창출하고, 그 수익을 공연 주제와 맞는 자선 단체에 기부한다면 개인의 능력과 소질을 향상시키고 나눔과 배려의 정신을 실천할 수 있을 거예요.

이렇게 해요

❸ 예 공연 기획안

공연 제목	아프리카 어린이를 돕기 위한 '안녕, 아프리카'
공연 일시	○○월 ○○일 ○요일 ○○시 ○○분
공연 장소	○○ 중학교 강당
공연 내용	• 연극 '뚜뚜의 꿈' (소말리아 뚜뚜네 가족의 기아 문제를 다룬 연극 • 댄스 공연
출연진	모든 모둠원 및 교내 연극 동아리, 댄스 동아리

생각하고 적용해요

❶ 예 공연을 기획하고 준비하는 사람들뿐만 아니라 관객들도 이 공연을 하는 목적을 인지할 수 있도록 충분히 안내한다.

❷ 예 공연의 주제와 목적에 가장 적합한 자선 단체를 선정하여 기부해 보도록 한다. 기부 단체 예시: 초록우산 어린이 재단(www.childfund.or.kr), 유니세프 한국 위원회(www.unicef.or.kr), 사회 복지 공동 모금회(www.chest.or.kr), 굿네이버스(www.goodneighbors.kr), 세이브 더 칠드런(www.sc.or.kr), 대한 적십자사(www.redcross.or.kr) 등

창의·융합 활동 / 창의적 사고력 / 선택 활동

음악 음악과 행사, 음악극 만들기 | 미술 효과적으로 표현하기

평등한 세상을 만들기 위한 공연하기

왜 배울까요?

지역 간 불평등 문제를 해결하기 위해서는 국제 협력도 중요하지만, 세계 시민으로서의 개인의 자세와 역할도 중요합니다. 222쪽 생각 열기에서 보았듯이 해외 유명 음악가들은 대규모 자선 공연을 기획하여 그 수익금을 아프리카의 빈곤 문제 해결을 위해 사용하였습니다. 특히 아일랜드의 한 음악가는 일찍이 아프리카 기아와 난민을 위한 세계적인 자선 공연인 라이브 에이드(Live Aid)를 기획하여 많은 찬사를 받았습니다. 평등한 세상을 만드는 데 우리가 이바지할 수 있는 방법으로 성금 모금을 위한 자선 공연을 기획해 보세요.

이렇게 해요

① 모둠을 만든다.
② 공연을 하는 구체적인 목적을 설정한다.
③ 모둠원은 다음 예시를 참고하여 토의를 통해 자선 공연을 기획한다.

예시

| 공연 기획안 |
- 공연 제목: 지구촌 빈곤 해결을 위한 '라이브 콘서트'
- 공연 일시: ○○월 ○○일 ○요일 ○○시 ○○분
- 공연 장소: ○○ 중학교 대강당
- 공연 내용: • 개사한 노래 부르기 • 아프리카 빈곤 이야기(UCC) 방영
- 출 연 진: 모둠원(유명 가수로 분장)
- 입 장 권: 없음(성금 모금)
- 제 작: ○○ 모둠

| 공연 기획안 |
- 공연 제목:
- 공연 일시:
- 공연 장소:
- 공연 내용: • •
- 출 연 진:
- 입 장 권:
- 제 작:

④ 자선 공연을 홍보하는 홍보 팸플릿을 제작하고 홍보 활동을 한다.

생각하고 적용해요

① 자선 공연을 개최하고, 성금 모금을 한다.
② 모금한 성금은 빈곤 문제 해결을 위해 노력하고 있는 자선 단체에 기부한다.

스스로 평가

- 공연 목적에 맞는 공연을 기획하였나요?
- 친구들과 협력하여 공연 기획안을 작성하였나요?
- 자선 공연을 홍보하는 팸플릿의 디자인이 창의적인가요?
- 자선 공연 홍보 활동에 적극적으로 참여하였나요?
- 성금을 의미 있는 곳에 기부하였나요?

참고 자료 **저개발국을 돕는 기부 단체**

우리 주변에는 다양한 목적을 가진 자선 구호 단체들이 있다. 이러한 단체를 통해 손쉽게 해외 원조에 참여할 수 있다.

- 유니세프: 개발 도상국의 어린이를 구호하기 위한 국제 연합의 보조 기구로 전 세계 150개 이상의 국가와 지역에서 어린이들의 생명과 건강을 위한 예방 접종, 물, 위생, 영양, 교육, 에이즈 등의 분야에서 활동하고 있다.
- 굿네이버스: 1991년 한국인에 의해 설립된 국제 구호 개발 NGO이다. 더불어 사는 세상을 만들기 위해 빈곤과 재난, 억압으로 고통받는 이웃의 인권을 존중하며 그들의 삶을 돕는 단체이다.
- 세이브 더 칠드런: 전 세계 빈곤 아동을 돕는 국제기구로 아동의 생존, 보호, 발달 및 참여의 권리를 실현하기 위해 인종, 종교, 정치적 이념을 초월해 120개 국가에서 활동하는 국제 구호 개발 비정부 기구이다. 저개발국 유아를 위한 모자 뜨기 봉사 활동이 대표적이다.
- 대한 적십자사: 우리나라의 비영리 구호 단체로 전쟁 시에는 국군의 의료 보조 기관으로 부상자에 대한 구휼 사업을 기본 임무로 한다. 평상시에는 각종 구호, 봉사, 건강 증진 활동, 혈액 사업, 이산 가족 상봉과 재결합 사업 등을 수행하고 있다.

교과서 단원 마무리 풀이

교과서 228-229쪽

단원 한눈에 보기

❶ 기아 ❷ 영토 · 영해 ❸ 발전 지표 ❹ 공적 개발 원조 ❺ 공정 무역

해결 열쇠

교과서 212~227쪽에서 학습한 내용을 떠올리면서 스스로 구조화해 보자.

서술로 사고력 키우기

1 다음과 같이 생물 종 다양성이 감소하는 이유를 서술해 보자.

> 지구에 살고 있는 생물의 종류가 갈수록 감소해 현재와 같은 멸종 속도가 유지될 경우 2050년경에는 지구상 생물 종의 4분의 1이 사라질 것으로 예측된다.

예 열대 우림 파괴에 따른 동식물의 서식지 감소, 환경 오염, 농경지 확대 등으로 생물 종 다양성이 감소한다.

2 발전 수준의 지역 차를 측정할 수 있는 지표를 두 가지 이상 제시해 보자.

예 국내 총생산, 1인당 국내 총생산, 인간 개발 지수, 성 불평등 지수, 인터넷 이용 비율 등

3 공정 무역 전과 후의 유통 구조 변화를 비교해 보고, 생산자에게 미치는 영향을 서술해 보자.

예 생산자와 소비자 간의 직거래를 통해 유통 단계를 간소화하여 생산자와 그 지역에 더 많은 혜택이 돌아간다. 이를 통해 생산자의 경영 능력이 향상되고 경제적 지속성이 보장될 수 있다.

채점 기준

❶	상	생물 종 감소 이유를 3가지 이상 서술한 경우
	중	생물 종 감소 이유를 2가지만 서술한 경우
	하	생물 종 감소 이유를 1가지 이하로 서술한 경우
❷	상	발전 지표 2가지를 제시한 경우
	중	발전 지표 1가지를 제시한 경우
	하	발전 지표를 제시하지 못한 경우
❸	상	유통과정을 비교하고 생산자에게 미치는 영향을 서술한 경우
	중	유통과정 또는 생산자에게 미치는 영향만 비교한 경우
	하	주어진 조건에 맞게 서술하지 못한 경우

자료 해설

공정 무역은 중개업자 등의 유통 과정을 최소화하여 이에 대한 이익을 생산자에게 돌려주는 무역 구조이다.

서술형 더 풀어보기

정답과 해설 39쪽

1 기아 문제가 발생하는 지역을 서술해 보자.

....

2 공정 무역의 한계점을 서술해 보자.

....

수행 평가 해결하기

지구상의 다양한 지리적 문제(기아, 영역 분쟁, 생물 종 다양성 감소 문제 등) 해결에 동참하기 위한 캠페인을 계획해 보자.

1 모둠을 구성하고, 캠페인 활동을 할 지리적 문제를 정한다.

2 캠페인 포스터에 들어갈 구체적인 내용을 논의한다.

> 포스터에 들어가야 하는 내용
> ❶ 지리적 문제 해결에 동참을 촉구하는 머리기사
> ❷ 지리적 문제의 실상과 이를 해결하기 위한 구체적인 내용
> ❸ 지리적 문제와 그 해결책을 잘 보여 주는 그림이나 사진

3 정리된 내용을 바탕으로 포스터를 제작한다.

4 모둠별로 제작한 포스터를 소개한다.

5 완성된 포스터를 전교 학생들에게 나누어 주면서 캠페인 활동을 한다.

이 수행 평가는 ▸▸ 일상생활에서 실천 가능한 캠페인을 해 봄으로써 지구상의 다양한 지리적 문제 해결에 직접 참여해 보는 활동이다.

활동 도우미

캠페인 내용을 작성할 때에는 추측이 아닌 객관적인 자료를 토대로 하고, 원인과 대책이 드러나도록 합니다.

단원을 정리하는 종합 문제

1 **그림의 빈칸에 들어갈 설명으로 알맞은 것을 [보기]에서 고른 것은?**

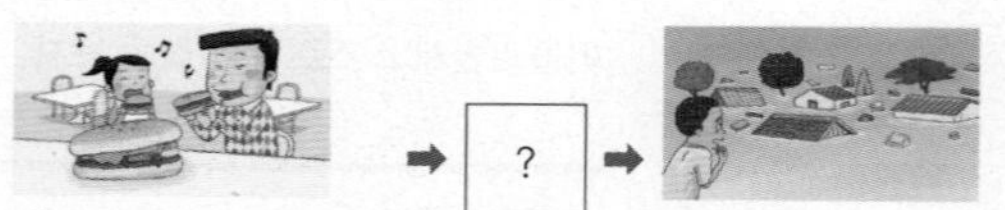

세계적으로 많은 사람들이 햄버거를 소비한다. → ? → 지구 곳곳에서 이상 기후가 나타난다.

보기
ㄱ. 햄버거 소비의 세계적 확산
ㄴ. 소 사육을 위한 열대림 파괴
ㄷ. 식량 부족으로 기아 문제 발생
ㄹ. 개발 도상국의 경제 문제 해결

① ㄱ, ㄴ ② ㄱ, ㄷ ③ ㄴ, ㄷ
④ ㄴ, ㄹ ⑤ ㄷ, ㄹ

2 **지도의 ( ) 표시한 지역에서 발생하는 현상을 바르게 지적한 것은?**

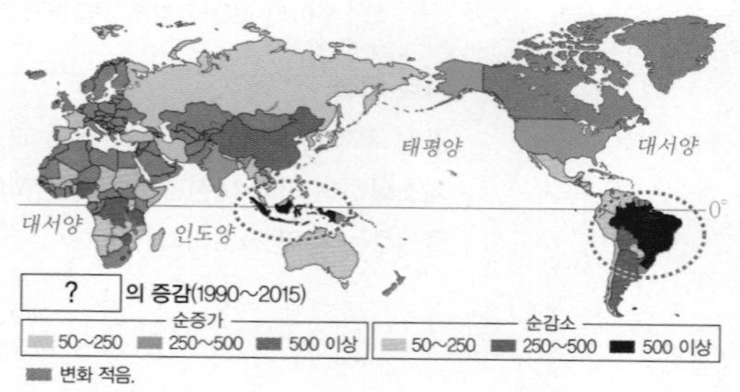

① 기아 발생률이 증가한다.
② 분쟁 지역으로 변화하고 있다.
③ 생태계 파괴가 나타나게 된다.
④ 인간 거주 면적이 축소되고 있다.
⑤ 인간이 이용 가능한 생물이 증가한다.

3 **저개발 지역이 가지고 있는 특징으로 보기 어려운 것은?**

① 1차 산업 비중이 높게 나타난다.
② 아프리카 대륙에 넓게 분포한다.
③ 인구의 심각한 감소가 나타나고 있다.
④ 정치 불안 문제를 해결할 필요가 있다.
⑤ 풍부한 자원을 바탕으로 성장 잠재력이 높다.

4 **지도는 세계의 국가별 1인당 국내 총생산을 나타낸 것이다. 이와 비슷한 경향이 나타나는 지표로 보기 어려운 것은?**

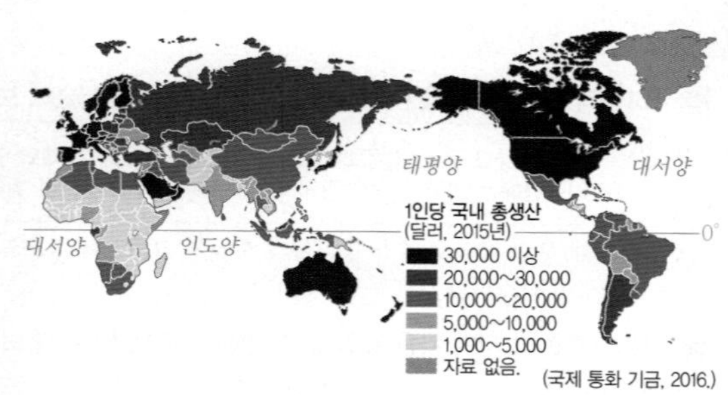

① 도로 포장률 ② 유아 사망률
③ 국내 총생산 ④ 국민 기대 수명
⑤ 인간 개발 지수

5 **다음 사례와 같은 국가에서 빈곤 탈출을 위해 가장 우선적으로 해결해야 할 과제로 알맞은 것은?**

> 아프리카 사하라 사막 이남에 위치한 앙골라는 서아프리카 제2의 산유국이다. 최근 이 지역은 병원, 학교 등의 시설을 확충하고 경제 개발에도 힘쓰고 있다.

① 인구 규모의 감소 ② 국내 인터넷망 확충
③ 해외 자원 생산지 개척 ④ 낮은 인구 부양력 향상
⑤ 기존 정치 제도의 유지

중요

6 **지도에 해당하는 지역 분쟁의 원인으로 알맞은 것은?**

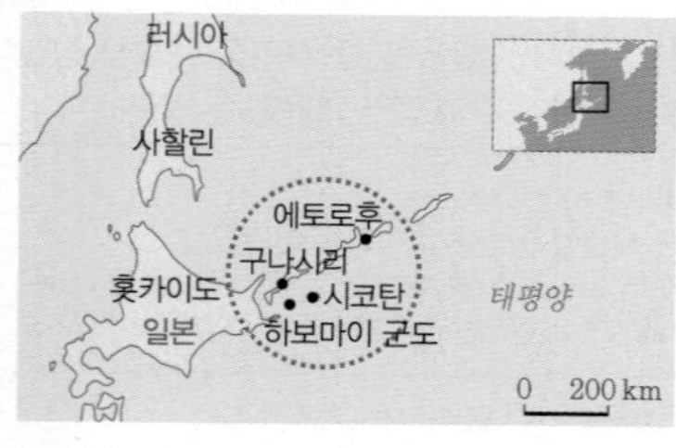

① 자원 확보 ② 종교 갈등 ③ 민족 갈등
④ 환경 오염 ⑤ 물 자원 확보

7 다음은 세계적인 음악가들이 발행한 앨범의 표지이다. 이 앨범의 발간 목적으로 가장 적절한 것은?

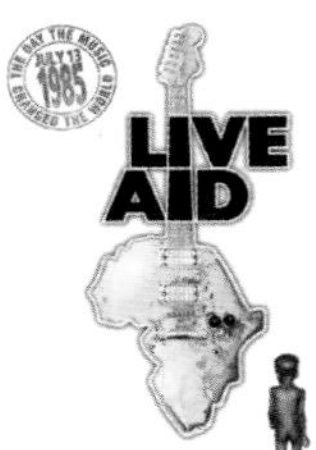

① 지구 온난화 피해 방지
② 세계 기아 문제의 해결
③ 아프리카 음악의 세계화
④ 선진국의 식량 수출 확대
⑤ 아프리카 식량 생산지 확대

8 우리나라의 해외 원조 사업에 대한 설명으로 옳지 않은 것은?

① 공적 개발 원조를 제공하고 있다.
② 해방 이후 꾸준히 원조를 받고 있다.
③ 무상으로 많은 지원을 제공하고 있다.
④ 국제기구 활동에 활발히 참가하고 있다.
⑤ 한국 국제 협력단을 통해 추진하고 있다.

9 그림은 일반 커피와 공정 무역 커피의 수익 분배 비중을 나타낸다. 공정 무역을 통해 나타나는 현상으로 알맞은 것은?

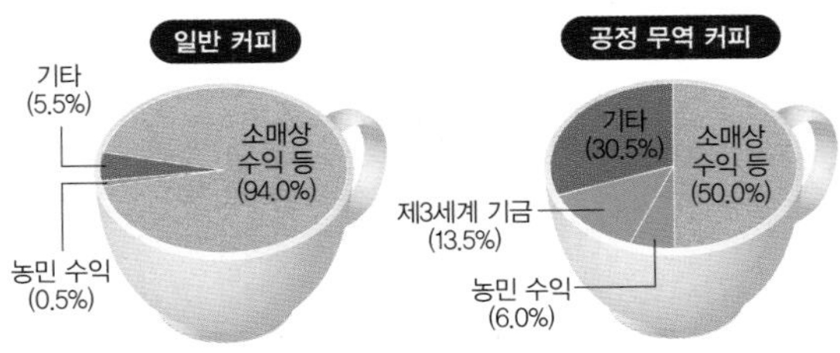

① 생산자의 이익이 감소한다.
② 생산자의 경제적 자립을 저해한다.
③ 저개발국의 빈곤 퇴치에 기여한다.
④ 중간 상인이 얻는 이득이 증가한다.
⑤ 다국적 기업의 상품 가격이 상승한다.

서술형 평가

10 지도의 A 지역에서 발생하는 분쟁의 원인을 2가지 서술하시오.

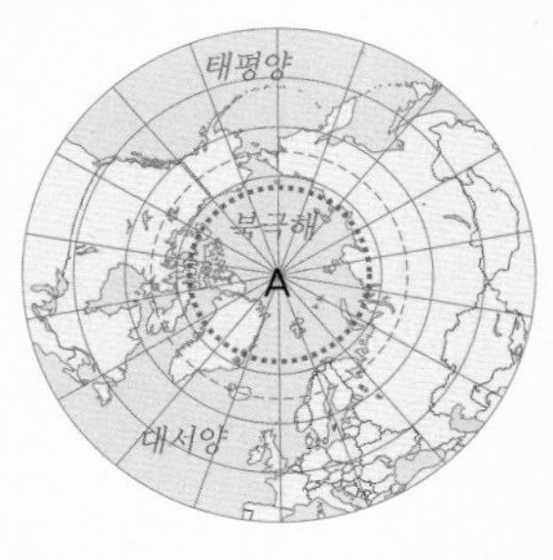

중요

11 저개발 국가가 빈곤에서 벗어나기 위해 추진하는 노력을 3가지 서술하시오.

12 국제 연합이 다음과 같이 새천년 개발 목표를 설정한 까닭을 그림을 참고하여 서술하시오.

memo

이 책의 정답은 QR 코드로 확인할 수 있어요~!

2015 개정 교육과정

금성 자습서

공자랑 놀자!

스스로 학습 강화 시리즈

중학 사회 ② 자습서

정답과 해설

금성출판사

스스로 학습 강화 시리즈

금자랑 놀자!

중학 **사회 ②** 자습서

정답과 해설

금성출판사

1 인권과 헌법

1 인권 보장과 헌법

간단 체크

10쪽

1 보편적 권리 2 기본권 3 헌법

12쪽

1 ○ 2 × 3 ×

개념 노트 만들기

14쪽

핵심 내용 정리하기

(**제목:** 헌법에서 보장하고 있는 기본권)

❶ 행복 추구권 ❷ 평등권 ❸ 자유권
❹ 참정권 ❺ 청구권 ❻ 사회권 ❼ 공공복리
❽ 법률

활동 노트 완성하기

1 • 준영: 국가 안전 보장 • 수영: 질서 유지

2 헌법 제37조 ② 국민의 모든 자유와 권리는 국가 안전 보장·질서 유지 또는 공공복리를 위하여 필요한 경우에 한하여 법률로써 제한할 수 있으며, 제한하는 경우에도 자유와 권리의 본질적인 내용을 침해할 수 없다.

3 국가 안전 보장, 질서 유지 외에 공공복리를 위해서도 기본권은 제한될 수 있다. 공공복리란 사회 구성원 전체의 공통되는 이익을 말한다.

실력을 키우는 응용 문제

15쪽

1 ④ 2 ② 3 ② 4 ③ 5 ② 6 해설 참고

1 인권은 자연 상태에서도 존재했던 자연권이다.

2 세계 인권 선언의 궁극적 목적은 모든 사람의 인권 보장이다.

3 헌법은 국가의 최고 법으로 국민의 인권 보장을 국가의 의무임을 강조한다.
오답 분석 ㄴ. 기본권의 개념으로 인권 보장한다. ㄷ. 기본권의 본질적 내용은 제한할 수 없다.

4 청구권은 다른 기본권 보장을 위한 수단적 권리로, 청원권, 재판 청구권, 국가 배상 청구권 등이 있다.
오답 분석 ㄴ. 국가의 간섭을 받지 않을 권리는 소극적 권리인 자유권이다. ㄷ. 국가에 대해 인간다운 생활의 보장을 요구할 권리는 적극적 권리인 사회권이다.

5 헌법 제37조 ②에서 기본권 제한의 사유를 국가 안전 보장, 질서 유지, 공공복리의 세 가지로 제한하고 있다.

6 **예시 답안** 인권은 국가 이전의 자연 상태에서도 존재하는 자연권이며 동시에 국가의 최고 법인 헌법에서 기본권으로 보장되고 있다.

채점 기준	상	세 단어가 모두 포함하고 연결이 자연스러운 경우
	중	세 단어가 모두 포함하였으나 서술이 미흡한 경우
	하	두 단어 이하를 사용하여 문장을 만든 경우

2 인권 침해와 구제

간단 체크

16쪽

1 인권 침해 2 절차

18쪽

1 ○ 2 × 3 ×

개념 노트 만들기

20쪽

핵심 내용 정리하기

(**제목:** 침해당한 인권과 구제 방법)

❶ 법원 ❷ 헌법 재판소 ❸ 입법 청원
❹ 행정 소송 ❺ 국가 인권 위원회

활동 노트 완성하기

1 입법 청원, 법원, 상소, 헌법 재판소

2 • 공통점: 행정 기관이 인권을 침해한 경우 구제받을 수 있는 방법이다.
• 차이점: 행정 심판은 행정 기관에 잘못을 고쳐줄 것을 요구하는 것이고, 행정 소송은 행정 기관의 잘못에 대해 법원에 소송을 제기하는 것이다.

3 수사 기관에 인권을 침해한 다른 개인이나 단체의 처벌을 요구하는 고소 또는 고발을 하거나, 인권 침해로 입은 재산적 손해나 정신적 피해에 대해서 민사 소송을 제기하여 손해 배상을 받을 수 있다.

실력을 키우는 응용 문제

21쪽

1 ⑤ 2 ⑤ 3 ③ 4 ④ 5 ② 6 해설 참고

1 민사 소송은 다른 개인 혹은 단체가 침해한 인권을 구제받기 위한 수단이다.

2 재판은 법원에 권리 구제를 요청하는 것이고 헌법 소원은 기본권을 침해당한 국민이 헌법 재판소에 구제를 요청하는 것이다.

3 국가 기관에 의한 인권 침해이므로 행정 심판이나 행정 소송이 가능하고, 국가 인권 위원회에 진정도 가능하다.
오답 분석 ㄱ. 항소는 재판 결과에 불복할 때 할 수 있는 방법이다. ㄹ. 민사 소송은 국가 기관이 아닌 개인 혹은 단체를 대상으로 한다.

4 국가 인권 위원회는 인권을 침해할 소지가 있는 법령이나 제도의 개선을 권고하고 개인의 평등권 침해의 사례를 조사하여 구제하는 기관이다.

5 ①, ③, ④, ⑤는 국민 권익 위원회에 관한 설명이다.
오답 분석 ②는 헌법 재판소의 역할이다.

6 **예시 답안** 국가 인권 위원회에 차별을 시정해 달라고 진정할 수 있다.

채점 기준		
	상	침해된 인권 구제 방법과 기관을 모두 정확하게 서술한 경우
	중	침해된 인권 구제 방법과 기관 중 한 가지만 정확하게 서술한 경우
	하	침해된 인권 구제 방법과 기관을 미흡하게 서술한 경우

3 노동권 침해와 구제

간단 체크

22쪽

1 근로 기준법 2 노동 삼권 3 단체 교섭권

24쪽

1 ○ 2 ○ 3 ×

개념 노트 만들기

26쪽

핵심 내용 정리하기

(**제목:** 노동권 침해, 이럴 땐 이렇게!)

❶ 부당 노동 행위 ❷ 부당 해고 ❸ 진정

❹ 민사 소송

활동 노트 완성하기

1

노동 삼권	의미
단결권	근로자가 근로 조건의 유지 · 개선을 위해 단결할 수 있는 권리
단체 교섭권	근로자 단체가 사용자와 근로 조건의 유지 · 개선을 교섭할 수 있는 권리
단체 행동권	단체 교섭이 원만하게 체결되지 않아 노동 쟁의가 발생한 경우 쟁의 행위 등을 할 수 있는 권리

2

구분	사례	구제 방법
부당 노동 행위	파업에 참여했다는 이유로 상여금을 받지 못한 경우	노동 위원회나 법원에 권리 구제 요청
부당 해고	육아 휴직을 이유로 해고당한 경우	• 노동 위원회나 법원에 권리 구제 요청 • 법원에 해고 무효 확인의 소를 제기
임금 체불	임금을 제때 받지 못한 경우	• 지방 고용 노동 관서에 진정 혹은 고소 • 밀린 임금을 받기 위해서 민사 소송

실력을 키우는 응용 문제

27쪽

1 ⑤ 2 ② 3 ④ 4 ① 5 ② 6 해설 참고

1 우리 헌법에서 모든 국민은 근로의 권리를 가지고 있고, 국가는 이를 보장할 책임이 있다.

2 단체 교섭권은 근로자 단체가 사용자와 근로 조건의 유지 · 개선에 대해 협상할 수 있는 권리를 말한다.

3 지방 고용 노동 관서에 진정할 수 있고, 이때 사용자는 형사 처벌을 받을 수 있다. 체불 임금에 대해서는 민사 소송을 거쳐야 받을 수 있다.
오답 분석 ㄹ. 행정 심판은 행정 기관이 국민의 인권을 침해했을 때 구제받을 수 있는 방법이다.

4 직업의 종류에 관계 없이 임금을 목적으로 사업이나 사업장에 근로를 제공하는 사람을 근로자라고 한다.
오답 분석 ② 사용자는 사업주, 경영 담당자, 그 밖에 근로자에 관한 사항에 대해 사업주를 위해 일하는 사람이다. ③ 고용주는 근로자를 고용한 사람이다. ⑤ 노무사는 노사 양측의 의뢰를 받아 노무 관리를 진단하거나 분쟁을 조정하는 사람이다.

5 사용자와 협상을 위해 노동조합을 결성할 수 있는 권리가 단결권, 사용자 측에 압력을 가할 수 있는 권리가 단체 행동권이다.
오답 분석 단체 교섭권은 근로자가 단체를 구성하여 사용자와 교섭할 수 있는 권리이다.

6 예시 답안 • 유형: 부당 노동 행위

• 의미: 부당 노동 행위는 노동자의 노동 삼권을 방해하는 사용자의 행위로, 근로자가 노동조합에 가입하는 것에 대해 불이익을 주는 행위, 노동조합에 가입하지 않을 것을 고용 조건으로 제시하는 경우, 정당한 단체 행동에 참여한 것을 이유로 불이익을 주는 행위 등이 속한다.

채점 기준		
	상	부당 노동 행위와 그 의미를 명확하게 서술한 경우
	중	부당 노동 행위와 의미 중 하나만 서술한 경우
	하	부당 노동 행위에 관해 서술이 미흡한 경우

서술형 더 풀어보기 29쪽

1 예시 답안 노동 위원회나 법원에 권리 구제 요청을 할 수 있고, 민사 소송을 통해 해고 무효 확인을 요청할 수 있다.

단원을 정리하는 종합 문제 30~31쪽

1 ④ **2** ② **3** ④ **4** ② **5** ② **6** ③
7 ④ **8** ④ **9** ④ **10~12** 해설 참조

1 인권의 특성으로는 천부 인권, 보편적 권리, 자연권 등이 있다.

2 헌법은 국민의 인권을 기본권이라는 이름으로 보장하고 있으며 인권 보장을 위해 국가 권력의 분립을 규정하고 있다.
오답 분석 ㄴ. 법률이나 명령으로 바꿀 수 없는 국가의 최고 상위법이 헌법이다. ㄹ. 국민의 기본권을 보장할 의무가 국가에 있다는 것을 명시하고 있다.

3 청구권에는 청원권, 국가 배상 청구권, 재판 청구권 등이 있다.
오답 분석 자유권에는 신체의 자유, 거주 이전의 자유, 종교의 자유 등, 평등권에는 사회생활에서 부당하게 차별받지 않을 권리, 사회권에는 교육을 받을 권리, 근로의 권리 등, 참정권은 선거권, 공무 담임권, 국민 투표권이 있다.

4 기본권이 제한 시 기본권의 본질적 내용이 제한하지 않는다.

5 ○○ 건설 회사를 상대로 소음과 먼지로 인한 피해에 대한 소송을 제기할 수 있다.
오답 분석 ① 소송 후 재판의 결과가 나와야 상소할 수 있다. ③ 관할 구청이 불법적으로 기본권을 침해한 경우에는 행정 소송을 할 수 있다. ④ 국가 기관이 기본권을 침해한 사례가 아니다. ⑤ 행정 소송은 법원에 제기한다.

6 국가 인권 위원회는 독립된 국가 기관으로 인권 침해 소지의 법령이나 제도의 문제점을 개선 권고하고 개인의 평등권 침해 사례를 조사하여 구제하는 역할을 한다.
오답 분석 ㉠ 고충 민원 해결은 국민 권익 위원회에서 담당한다. ㉣ 재판은 법원이 담당한다.

7 청소년 근로자도 성인 근로자와 같이 최저 임금법이 적용되며 근로 계약은 문서로 작성해야 한다.
오답 분석 ㄱ. 청소년의 근로는 청소년 보호를 위해 장소와 시간의 제한을 받고 일반적으로 중학생은 15세 이상만 일할 수 있다.

8 근로자의 권리인 노동 삼권을 방해하는 행위를 부당 노동 행위라고 한다.

9 오답 분석 ㄱ. 부당 해고를 당한 근로자는 무효 확인의 소를 제기할 수 있다. ㄹ. 임금 지급 명령 이후에도 사용자가 계속 체불한 임금은 민사 소송을 통해 받을 수 있다.

10 예시 답안 보육 교사의 사생활 보호와 자유를 제한하고 있으나 아동 학대 예방 및 방지라는 공공복리의 측면에서 기본권 제한은 정당하다.

채점 기준		
	상	제한된 기본권과 기본권 제한 근거를 명확하게 서술한 경우
	중	제한된 기본권과 기본권 제한 근거 중 한 가지만 서술한 경우
	하	제한된 기본권과 기본권 제한 근거 모두 서술이 미흡한 경우

11 예시 답안 • ㉠: 국가 인권 위원회
• ㉡: 진정
• ㉠의 역할: 인권 침해의 소지가 있는 법령이나 제도의 시정을 요청하는 방법으로 국가 인권 위원회에 진정할 수 있다.

채점 기준		
	상	두 가지를 모두 서술한 경우
	중	둘 중 한 가지만 서술한 경우
	하	두 가지 모두 미흡하게 서술된 경우

12 예시 답안 근로의 권리는 모든 국민이 근로를 통해 인간다운 삶을 영위할 수 있는 권리이므로 인간답게 살 권리인 사회권에 속한다.

채점 기준		
	상	근로의 권리와 사회권의 관계가 맞게 서술된 경우
	중	둘의 관계가 미흡하게 서술된 경우
	하	둘의 관계 중 한 가지만 서술된 경우

2 헌법과 국가 기관

1 국회

간단 체크

34쪽

1 국회 2 국회 의원 3 본회의

36쪽

1 ○ 2 ○ 3 ×

개념 노트 만들기

38쪽

핵심 내용 정리하기

(**제목:** 국회의 위상과 역할)

❶ 국회 ❷ 교섭 단체 ❸ 본회의 ❹ 법률
❺ 조약 ❻ 예산안 ❼ 국정 감사

활동 노트 완성하기

1 • 구분: 국회 의원에는 지역구 국회 의원과 비례 대표 국회 의원이 있다.
• 선출 방식: 지역구 국회 의원은 지역구별로 국민이 직접 선거를 통해 선출한 의원이고, 비례 대표 국회 의원은 각 정당별 득표율에 비례하여 선출된다.

2 상임 위원회 제도는 본회의 전에 미리 안건을 심의함으로써 효율적인 의사 진행이 가능하다. 또한 전문적인 지식을 갖춘 소수의 국회 의원들끼리 모여 안건에 대한 전문적인 심의도 할 수 있다.

3 (다)는 본회의이다. 국회 의원들이 모두 모여 국가의 중요한 문제를 논의하고, 위원회에서 심사한 안건을 최종적으로 결정한다.

실력을 키우는 응용 문제

39쪽

1 ④ 2 ⑤ 3 해설 참고 4 ④ 5 ① 6 ⑤

1 국회는 국민의 대표 기관으로서 주권자인 국민의 선거로 선출된 국회 의원들로 구성된다. 입법권, 재정에 관한 권한, 일반 국정에 관한 권한을 가지고 있다.

2 국회는 각 지역구의 후보자 중 투표를 통해 선출된 의원인 지역구 국회 의원과 정당별 득표율에 비례하여 선출된 비례 대표 국회 의원으로 구성된다.

3 **예시 답안** • 국회 조직: 교섭 단체
• 이유: 국회의 효율적인 의사 진행을 위해서이다.

채점 기준		
	상	국회 조직과 이유를 정확히 서술한 경우
	중	국회 조직과 이유를 미흡하게 서술한 경우
	하	국회 조직만 서술한 경우

4 국회 본회의의 의결 정족수는 특별한 규정이 없는 한 재적 의원 과반수의 출석과 출석 의원 과반수의 찬성으로 의결한다.

5 헌법 개정안 제안 및 의결, 조약 체결에 대한 동의는 입법 기관으로서의 국회의 역할이다.
오답 분석 ㄷ은 재정에 관한 권한, ㄹ은 일반 국정에 관한 국회의 권한이다.

6 회계 연도 결산, 예비비 지출 승인의 건 등을 통해 국회의 결산 심사 역할을 알 수 있다.

2 행정부와 대통령

간단 체크

40쪽

1 × 2 ○ 3 ○

42쪽

1 5 2 원수, 행정부 3 국가 원수

개념 노트 만들기

44쪽

핵심 내용 정리하기

(**제목:** 행정부와 대통령)

❶ 대통령 ❷ 행정부 ❸ 국가 원수 ❹ 국무총리
❺ 국무 회의 ❻ 감사원

활동 노트 완성하기

1 감사원은 정부의 예산 사용을 감독하고, 행정부와 공무원의 업무 처리를 감찰한다.

2 고용 노동부

실력을 키우는 응용 문제

45쪽

1 ⑤ 2 ④ 3 ⑤ 4 ② 5 해설 참고 6 ③

1 국회에서 만든 법률을 집행하고, 국민을 위한 여러 가지 정책을 세워 실행하는 국가의 작용을 행정이라고 하고, 행정 업무를 담당하고 있는 국가 기관을 행정부라고 한다.

오답 분석 ① 사법이란 어떤 문제에 대하여 법을 적용하여 해석하는 작용이다. ② 입법은 국가 작용의 근거가 되는 법률을 제정하거나 개정하는 것을 말한다.

2 대통령은 행정부의 수반이자, 국가 원수의 지위를 동시에 가지고 있다.

오답 분석 ① 행정부의 최고 책임자는 대통령이다. ② 국가의 중요한 정책을 심의하는 기관은 국무 회의이다. ③ 행정부의 최고 감사 기관은 감사원이다. ④ 입법 기관은 국민의 대표 기관인 국회이다.

3 국무총리는 대통령을 도와 행정 각부를 총괄한다. 또한 대통령과 함께 국무 회의를 열어 정부의 중요한 정책을 심의한다.

오답 분석 ㄱ. 국무총리는 국회의 동의를 얻어 대통령이 임명한다. ㄴ. 대통령에 대한 설명이다.

4 헌법 제66조 ①항은 국가 원수로서 대통령의 지위로 ①, ③, ④, ⑤가 해당한다.

오답 분석 ② 국군을 지휘하고 통솔하는 것은 행정부 수반으로서의 권한에 해당한다.

5 예시 답안 행정부를 구성하고 지휘 · 감독한다. 국군을 지휘하고 통솔한다. 행정부의 공무원을 임명하거나 해임한다. 필요한 사항에 대하여 대통령령을 만들 수 있다 등

채점 기준		
	상	행정부 수반으로서 대통령 지위를 두 가지 이상 정확하게 서술한 경우
	중	행정부 수반으로서 대통령 지위를 한 가지만 서술한 경우
	하	행정부 수반으로서 대통령 지위를 미흡하게 서술한 경우

6 ㉠에 들어갈 국가 기관은 감사원이다. 감사원은 대통령 직속 기관으로 정부의 예산 사용을 감독하고 행정부과 공무원의 업무 처리를 감찰한다.

오답 분석 ①은 대통령, ②는 국무총리, ④는 행정 각부, ⑤ 국무 회의의 역할에 대한 설명이다.

3 법원과 헌법 재판소

간단 체크

46쪽

1 최종심 2 고등 법원 3 가정 법원

48쪽

1 헌법 재판소 2 헌법 소원 심판 3 법원의 제청

개념 노트 만들기

50쪽

핵심 내용 정리하기

(**제목:** 법원과 헌법 재판소의 역할)

❶ 대법원 ❷ 최종심 ❸ 고등 법원 ❹ 지방 법원
❺ 헌법 재판소 ❻ 헌법 소원 심판 ❼ 기본권

활동 노트 완성하기

1 헌법 재판소

2

분류	헌법 소원 심판	권한 쟁의 심판
청구	국민의 청구	국가 기관, 지방 자치 단체의 청구
결정의 효력	국민의 침해된 기본권 구제	권한 기관 결정

실력을 키우는 응용 문제

51쪽

1 ① 2 ⑤ 3 대법원 4 ⑤ 5 ② 6 ①

1 법을 적용하여 옳고 그름을 판단하는 국가 작용을 사법이라고 한다. 법원과 헌법 재판소에서 사법 기능을 담당하고 있다.

오답 분석 ㄷ과 ㄹ은 행정에 대한 설명이다.

2 위헌 명령 · 규칙 최종 심사권은 대법원에 있다.

오답 분석 ① 가정 법원, ② 지방 법원, ③ 고등 법원, ④ 특허 법원에 대한 설명이다.

3 대법원은 우리나라 최고 법원으로서 상고 사건, 재항고 사건에 대한 최종적인 재판을 담당한다. 또한 위헌 · 위법 명령과 규칙 및 처분에 대한 최종 심사권, 위헌 법률 심판 제청권, 대법원 규칙 제정권 등을 가진다.

4 우리나라에서는 법원과 별도로 헌법의 해석과 관련된 사건을 사법적 절차에 따라 해결하는 헌법 재판 기관인 헌법 재판소를 두고 있다.

5 헌법 소원 심판은 국가 기관에 의하여 헌법에 보장된 기본권을 침해당한 국민이 권리를 구제받기 위하여 헌법 소원을 제기한다.

오답 분석 ① 위헌 법률 심판은 법원의 제청으로 재판의 전제가 되는 법률의 위헌 여부를 판단한다. ③ 권한 쟁의 심판은 국가 기관, 지방 자치 단체의 청구로 이루어지며, 국가 기관이나 지방 자치 단체 간의 권한 분쟁을 해결한다. ④ 정당 해산 심판은 정부의 제소로 이루어지며, 재판관 6인 이상의 찬성으로 비민주적인 정당으로 결정되면 해당 정당은 해산된다. ⑤ 탄핵 심판은 국회가 공무원에 대해 탄핵 소추를 의결하면 재판이 진행되고, 헌법 재판소 재판관 6인 이상의 찬성으로 탄핵이 결정되면 해당 공직자는 파면된다.

6 제시된 자료는 헌법 재판소 주요 결정이다. 이를 통해 헌법 재판소는 국회가 만든 법률이나 국가 기관의 행위가 헌법에 위반되는지는 않는지 판단함으로써 헌법 수호 기관임을 알 수 있다.

서술형 더 풀어보기

53쪽

1 예시 답안 지역구 국회 의원은 각 지역구의 후보자 중 투표를 통해 선출되며, 비례 대표 국회 의원은 정당별 득표율에 비례하여 선출된다.

2 예시 답안 국가 원수로서 대통령은 국가를 대표하여 외국과 조약을 체결하고, 외교 사절을 맞이하거나 해외에 보내며, 헌법에 따라 설치된 국가 기관을 구성한다. 또한 긴급 명령을 내릴 수 있으며, 계엄을 선포할 수 있다 등

단원을 정리하는 종합 문제

54~55쪽

1 ④ **2** ③ **3** ② **4** ② **5** ③ **6** ②
7 ④ **8** ⑤ **9** ② **10~12** 해설 참조

1 제시문에 해당하는 국가 기관은 국회이다. 국회는 국민의 대표 기관으로서 법률을 제정하고 개정하는 입법 기관이다.
오답 분석 ㄱ은 법원, ㄷ은 대통령에 대한 설명이다.

2 국회 의원 또는 정부가 제출한 법률안은 국회 의장을 거쳐 해당 상임 위원회에서 심사를 받는다. 상임 위원회의 심사를 거쳐 통과된 법률안은 본회의에 상정되고, 본회의에서 가결되면 대통령이 공포한다. 일반적으로 공포 후 20일이 지나면 법률의 효력이 발생한다.

3 대통령이 체결하고 공포한 조약은 국내법과 같은 효력을 가지기 때문에 조약의 체결은 입법 기관인 국회의 동의를 얻어야 한다.
오답 분석 ① 재정에 관한 국회의 역할이다. ③, ④, ⑤는 일반 국정에 관한 국회의 역할이다.

4 (가)는 대통령에 소속된 행정부의 최고 감사 기관인 감사원, (나)는 행정부의 최고 심의 기관인 국무 회의에 대한 설명이다.

5 행정부 수반으로서 대통령은 국군을 지휘하고 통솔하며, 국무 회의 의장으로서 행정부를 지휘, 감독한다. 국가 원수로서 대통령은 외교 사절을 맞이하고, 조약을 체결하며, 대법원장, 헌법 재판소장 등을 임명하여 헌법상 국가 기관을 구성한다.

6 대통령의 임기는 5년이며, 중임할 수 없다. 대통령의 중임을 제한한 이유는 대통령이 장기 집권함에 따라 나타날 수 있는 독재를 방지하여 국민의 자유와 권리를 보호하고, 정권을 평화적으로 교체하여 민주 정치를 실현하기 위해서이다.

7 위헌 명령 · 규칙 · 처분 심사권은 대법원에, 위헌 법률 심판권은 헌법 재판소에 있다.

8 오답 분석 ㉠은 상소, ㉡은 주로 지방 법원 및 지방 법원 지원이 담당한다. ㉢ 2심 법원은 고등 법원이나 지방 법원 합의부이다. 가정 법원, 행정 법원은 1심 사건을 재판한다. ㉣은 대법원이다.

9 국가 기관이나 지방 자치 단체 간의 권한 분쟁 해결을 위한 헌법 재판은 권한 쟁의 심판으로, 국가 기관, 지방 자치 단체의 청구로 이루어진다.
오답 분석 ① 탄핵 심판은 국회가 공무원에 대해 탄핵 소추를 의결하면 재판이 진행되고, 헌법 재판소 재판관 6인 이상의 찬성으로 탄핵이 결정되면 해당 공직자는 파면된다. ③ 위헌 법률 심판은 법원의 제청으로 재판의 전제가 되는 법률의 위헌 여부 판단한다. ④ 정당 해산 심판은 정부의 제소로 이루어지며, 재판관 6인 이상의 찬성으로 비민주적인 정당으로 결정되면 정당은 해산된다. ⑤ 헌법 소원 심판은 국가 권력의 행사가 국민의 기본권을 침해하였는지를 심판한다.

10 • ㉠: 위원회
• 이유: 예시 답안 본회의 전에 미리 안건을 심의함으로써 효율적인 의사 진행이 가능하다. 또한 전문적인 지식을 갖춘 소수의 국회 의원들끼리 모여 안건에 대한 전문적인 심의도 할 수 있다.

채점 기준		
	상	국회 운영 제도와 이유를 모두 바르게 서술한 경우
	중	국회 운영 제도와 이유 중 한 가지만 바르게 서술한 경우
	하	국회 운영 제도와 이유 모두 미흡하게 서술한 경우

11 • (가): 감사원
• 역할: 예시 답안 행정 기관이나 공무원들이 직무를 바르게 수행하는지 감찰한다.

채점 기준		
	상	감사원과 감사원의 역할을 모두 정확히 서술한 경우
	중	감사원의 역할만 정확히 서술한 경우
	하	감사원만 정확히 쓴 경우

12 • 국가 기관: 헌법 재판소
• 이유: 예시 답안 민주적인 정당성을 확보하고 권력 분립의 원리를 실현하여 국민의 기본권을 보장하기 위해서이다.

채점 기준		
	상	헌법 재판소와 이유를 정확히 서술한 경우
	중	헌법 재판소와 이유 중 한 가지만 서술한 경우
	하	헌법 재판소와 이유를 미흡하게 서술한 경우

3 경제생활과 선택

1 합리적 선택과 경제 체제

간단 체크

58쪽
1 경제 활동 2 가계 3 정부

60쪽
1 ○ 2 × 3 ○ 4 ×

62쪽
1 희소성 2 경제 체제 3 혼합 경제 체제

개념 노트 만들기

64쪽

핵심 내용 정리하기

(**제목:** 경제 활동과 합리적 선택이란 무엇일까?)
❶ 경제 활동 ❷ 경제 주체 ❸ 가계 ❹ 기업
❺ 정부 ❻ 자원의 희소성 ❼ 합리적 선택
❽ 기회비용 ❾ 시장 경제 체제 ❿ 계획 경제 체제
⓫ 혼합 경제 체제

활동 노트 완성하기

1 A 국은 한정된 자원으로 원하는 모든 것을 다 가질 수 없는 자원의 희소성으로 인해 선택의 문제에 직면하였다.
2 비행기 생산으로 얻을 수 있는 수익이다.
3

분류	시장 경제 체제	계획 경제 체제
생산 수단을 누가 소유하는가?	개인이나 기업	국가 또는 공동 소유
경제 활동을 하는 동기는?	개인의 이익 추구	국가의 명령과 통제
경제 문제를 어떻게 해결하는가?	개인 간의 자유로운 경제 활동과 시장 거래를 통해	국가의 계획과 명령을 통해

실력을 키우는 응용 문제

65쪽
1 ② 2 ③ 3 ① 4 ① 5 ② 6 해설 참조

1 경제 활동은 우리 생활에 필요한 재화와 서비스를 생산 · 분배 · 소비하는 활동으로 이들 활동은 국민 경제에서 서로 연결되어 순환하고 있다. 경제 주체들은 생산 활동에 참여한 대가로 받은 소득으로 소비 활동을 하며, 이러한 활동을 통해 개인은 기본적인 욕구와 필요를 해결할 수 있다.
오답 분석 ② 우리가 시장에서 물건을 사는 것은 소비 활동에 해당한다.

2 (가)는 정부의 경제 활동을 설명한 것이고, (나)는 가계의 경제 활동을 설명한 것이다.

3 생산물의 종류와 양, 생산 방법, 분배의 문제와 같은 경제의 기본 문제는 자원의 희소성 때문에 발생한다. 자원의 희소성이란 인간의 욕구는 무한한 데 비해 이를 충족시켜줄 자원의 양은 상대적으로 부족한 현상을 의미하며, 이로 인해 인간은 원하는 모든 것을 가질 수 없어 선택의 문제에 직면하게 된다.

4 합리적 선택은 비용보다 편익이 큰 것을 선택하는 것이다. 또한 포기하는 대안 중 가장 가치가 큰 기회비용은 적은 것을 선택해야 한다.
오답 분석 ㄷ. 편익이 같은 경우에는 비용이 가장 적은 것을 선택하는 것이 합리적이다. ㄹ. 비용이 같은 경우에는 편익이 가장 큰 것을 선택하는 것이 합리적이다.

5 합리적 의사 결정 과정은 문제 인식 → 대안 탐색 → 대안 평가 → 대안 선택과 실행 → 실행 결과의 반성 순으로 이루어진다.

6 **예시 답안** 우리나라는 시장 경제 체제를 원칙으로 하되, 경제적 약자 보호, 경제 질서 유지를 위해 정부의 시장 개입을 인정하는 혼합 경제 체제를 선택하고 있다.

채점 기준		
	상	우리나라 경제 체제의 특징을 시장 경제 체제 원칙으로 하고, 혼합 경제 체제의 내용을 정확하게 서술한 경우
	중	우리나라 경제 체제의 특징을 시장 경제 체제를 원칙으로 하고, 혼합 경제 체제를 서술하였으나 그 내용이 미흡한 경우
	하	우리나라 경제 체제의 특징을 '혼합 경제 체제'로만 서술한 경우

2 기업의 역할과 사회적 책임

간단 체크

66쪽
1 기업 2 기업가 정신 3 사회적 책임

개념 노트 만들기

68쪽

핵심 내용 정리하기

(**제목:** 기업의 역할과 기업가 정신, 그리고 기업의 사회적 책임)

❶ 생산 ❷ 생산 요소 ❸ 세금 ❹ 이윤
❺ 기업가 정신 ❻ 사회적 책임

활동 노트 완성하기

1 기업은 사람들에게 필요한 재화와 서비스를 공급하고, 일자리를 제공한다. 또한 이를 통해 가계에 소득을 창출하고, 소비자의 권익을 보호하며 이윤을 추구한다. 기업의 활동으로 발생한 이윤을 사회에 환원하는 역할도 한다.

2 제품에 대해 끊임없는 투자로 좋은 품질의 제품을 생산하는 것처럼 기업은 끊임없는 혁신을 통해 수익을 창출하고 경쟁력을 확보해 나가는 도전 정신과 의지를 가지고 있어야 하는데, 이를 기업가 정신이라고 한다.

3 값싼 중국산 인삼을 국산으로 속여 소비자에게 판매한 기업에는 법을 지키면서 이윤을 추구해야 하는 사회적 책임과 소비자의 권익을 보호해야 하는 사회적 책임이 요구된다. 이외에도 기업은 근로자의 권리를 보장하고, 환경 보호, 거래 업체와 정당한 거래를 해야 하는 등의 사회적 책임을 지고 있다.

실력을 키우는 응용 문제

69쪽

1 ② **2** 기업가 정신 **3** ② **4** ④ **5** 해설 참조
6 ⑤

1 기업은 국민 경제에서 사람들에게 필요한 재화와 서비스를 공급하는 생산의 주체이다. 생산을 위해 가계로부터 생산 요소를 받고, 그에 대한 대가를 지불하여 가계의 소득을 창출한다. 또한 정부에 세금을 내어 정부의 재정 마련에도 기여한다.
오답 분석 ② 공공재를 생산 · 공급하는 경제 주체는 정부이다.

2 끊임없는 혁신을 통해 새로운 수익을 창출하려는 기업가의 의지를 기업가 정신이라고 한다.

3 (가), (나) 사례 모두 변화하는 환경에 맞추어 기업가가 신제품 개발 및 새로운 서비스의 제공으로 이윤을 추구하는 기업가 정신을 보여주고 있다.
오답 분석 (가)와 (나) 사례 모두 지나친 이윤 추구나 기업의 사회적 책임을 소홀히 한다고 볼 수는 없다.

4 기업은 소비자 권리 보호, 법을 지키며 이윤 추구, 환경 오염 감소, 노동자에 대한 책임 등 여러 사회적 책임을 지고 있다. 하지만 기업의 주된 목적은 이윤 추구이다.

5 예시 답안 소비자의 권리를 보호하면서 이윤을 추구하고 있다.

채점 기준		
	상	소비자의 권리 보호와 이윤 추구를 서술한 경우
	중	소비자의 권리 보호만 서술한 경우
	하	기업의 이윤 추구만 서술한 경우

6 새로운 생산 시스템의 도입을 통한 생산 비용 절감이나 소비자의 취향을 존중하여 새로운 시장을 개척하는 것은 기업가 정신이 발휘된 사례로 볼 수 있다.
오답 분석 ㄱ. 외국에서 개발한 약을 무단으로 복제하여 판매하는 행위는 불법이다. ㄴ. 기업가 정신은 혁신을 통해 생산 비용을 줄이고 이윤을 늘려나가는 것을 목적으로 한다. 개발 도상국의 저렴한 어린이 노동력을 이용하는 것은 기업가 정신으로 발휘된 사례로 보기 어렵다.

3 경제생활과 금융 생활

간단 체크

70쪽

1 중 · 장년기 **2** 자산 관리 **3** 금융

72쪽

1 유동성 **2** 분산 투자 **3** 신용

개념 노트 만들기

74쪽

핵심 내용 정리하기

(**제목:** 자산 관리는 왜 필요할까?)

❶ 자산 관리 ❷ 수익성, 위험성, 유동성 ❸ 분산 투자
❹ 신용 ❺ 미래(경제생활)

활동 노트 완성하기

1

시기	특징
유소년기	주로 부모 소득에 의존하며, 대부분 소비 활동이 이루어짐.
청년기	생산 활동에 참여하여 소득이 처음 생겨나지만, 소득과 소비가 모두 적은 편임.
중 · 장년기	일생 중 경제 활동이 가장 활발하며, 소득과 소비가 가장 많음.
노년기	직장에서 은퇴로 인해 소득이 크게 줄거나 없어지지만 소비 생활은 계속 이루어짐.

2 A 부분은 소비보다 소득이 많고, B 부분은 소득보다 소비가 많다. 최근 평균 수명의 연장으로 B 부분의 기간이 늘어나고 있으므로 A 부분 동안 저축을 통해 노후 생활에 대비할 수 있도록 자산을 관리해야 한다.

실력을 키우는 응용 문제

75쪽

1 ⑤ 2 자산 관리 3 해설 참조 4 ①
5 ② 6 ②

1 중 · 장년기는 일생 중 가장 많은 소득과 소비가 이루어지는 시기이고, 노년기는 은퇴로 소득이 감소하는 시기이다.
오답 분석 ㄱ. 유년기는 주로 소비 활동만 이루어지는 시기이다. ㄴ. 청년기는 경제 활동을 시작하는 시기로 소득과 소비가 모두 적은 편이다.

2 자산 관리는 일생 동안 소득과 소비가 일치하지 않아 소득이 높을 때 미래 소비를 위해 자산을 확보하고 유지하며 증대시키는 활동이다.

3 **예시 답안** 일생 동안 소비 생활은 평생에 걸쳐 이루어지지만, 소득을 얻을 수 있는 기간은 한정적이다. 따라서 지속 가능한 소비 생활을 영위하기 위해서는 소득이 소비보다 많은 시기에 저축하여 재산을 만들고 그 크기를 늘려나가야 한다.

채점 기준		
	상	자산 관리의 필요성을 소득 기간의 한정성과 지속 가능한 소비 생활을 관련지어 서술한 경우
	중	자산 관리의 필요성을 지속 가능한 소비 생활을 위해서라고만 서술한 경우
	하	자산 관리의 필요성을 소득이 줄어들 경우를 대비하기 위해서라고 서술한 경우

4 (가)는 수익성, (나)는 위험성, (다)는 유동성에 대한 설명이다. 자산 관리할 때에는 이 세 가지 요소를 모두 고려해야 한다.

5 (가)는 주식, (나)는 펀드에 대한 설명이다.

6 신용은 나중에 갚기로 약속하고 현재 돈이나 물건을 빌릴 수 있는 능력을 말한다. 신용을 이용하면 현재 소득보다 더 많은 소비할 수 있고 더 편리한 경제생활을 할 수 있는 장점이 있다. 그러나 신용을 제대로 지키지 않을 경우 신용도가 낮아져 대출 규제 등 여러 가지 불이익을 받을 수 있다.
오답 분석 ② 신용 거래가 많아지면 미래에 갚아야 할 돈이 많아지므로 미래 경제생활의 부담이 늘어난다.

서술형 더 풀어보기

77쪽

1 **예시 답안** 사람의 일생 동안 소비는 지속적으로 이루어지지만 소득을 얻는 기간은 한정적이다. 따라서 지속 가능한 경제생활을 영위하기 위해서는 소득이 많은 기간 동안 자산을 저축하고 그 크기를 늘리는 자산 관리가 필요하다.

2 **예시 답안** 신용은 돈이나 물건을 빌려쓰고 나중에 갚을 수 있는 능력을 의미하며, 신용 거래를 하면 현재의 소득보다 더 많은 소비를 할 수 있다.

단원을 정리하는 종합 문제

78~79쪽

1 ⑤ 2 ④ 3 ② 4 ② 5 ③ 6 ⑤
7 ⑤ 8 ② 9 ④ 10~12 해설 참조

1 가계는 기업에 제공한 생산 요소의 대가를 받아 재화와 서비스를 구매하는 소비의 주체이다. 기업은 사람들이 필요로 하는 재화와 서비스를 생산하고, 가계와 기업은 정부에게 세금을 낸다.
오답 분석 ⑤ 공공재를 공급하는 것은 정부이다.

2 지형이의 창업한 선택에 대한 기회비용은 300만 원이고 편익은 70만 원으로 편익보다 기회비용이 큰 비합리적인 선택을 하였다.
오답 분석 ① 비합리적 선택이다. ② 비용보다 편익이 적다. ③ 음식점을 개업하여 이윤이 줄었다.

3 희소성은 인간의 욕구에 비해 이를 충족시켜줄 자원이 상대적으로 부족한 현상이며 이로 인해 우리는 원하는 것을 다 가질 수 없고 선택을 해야 한다.
오답 분석 ② 희소성은 시대나 사회에 따라 다르게 나타난다.

4 시장의 가격 기구를 통해 경제의 기본 문제를 해결하는 경제 체제는 시장 경제 체제이다. 시장 경제 체제에서는 개인의 사유 재산을 인정하고, 개인이 사익을 추구하는 과정에서 창의성이 발휘되는 장점이 있다.
오답 분석 ㄴ. 시장 경제 체제에서는 빈부 격차 문제가 발생한다. ㄷ. 국가의 계획과 명령에 따라 자원을 배분하는 것은 계획 경제 체제이다.

5 기업가 정신은 신제품 개발, 신시장 개척, 새로운 조직의 형성, 생산 방법의 도입 등 혁신을 시도하는 것이다.
오답 분석 ③ 임금을 삭감하는 것은 노동자의 이익과 권리를 침해하는 것으로 기업가 정신으로 볼 수 없다.

6 기업의 이윤 극대화는 기업의 본래 목적이다. 기업은 이윤 추구라는 본래의 경제적 목적 외에 소비자의 권익 보호, 노동자에 대한 정당한 임금 지급 및 안전한 환경 제공, 환경 오염을 줄이기 위한 노력 등 사회적 책임을 요구받고 있다.

7 인간의 일생 동안 소비 활동은 평생 이루어지지만, 소득을 얻기 위한 생산 활동 기간은 한정적이므로 자산 관리가 필요하다.
오답 분석 ① 유소년기에는 주로 부모 소득에 의존해 소비 활동을 한다. ② 청년기에는 생산 활동에 참여해 소득을 얻기 시작한다. ③ 중 · 장년기는 소득과 소비 모두 증가하는 시기이다. ④ 노년기는 은퇴로 인해 소득이 크게 감소하는 시기이며, 이에 따라 소비 생활도 줄어든다.

8 합리적인 자산 관리를 위해서는 위험성, 수익성, 유동성을 모두 고려하여 자산 관리 방법을 선택하고, 자산 관리의 목적에 따라 자산의 유형을 선택해야 한다. 또한 한 가지 자산에만 투자하기

보다는 여러 자산에 나누어 투자하는 분산 투자로 위험을 줄일 수 있다.

오답 분석 ② 노년기에는 안정성이 높은 자산에 투자하는 것이 합리적이다.

9 신용 거래는 현재의 소득보다 더 많은 소비를 할 수 있지만 제때에 갚지 않으면 불이익을 당할 수 있다.

오답 분석 ㄱ. 신용 거래는 미래에 갚아야 할 빚이 늘어난 것이므로 미래 경제생활에 부담이 된다. ㄷ. 당장 현금이 없더라도 신용으로 물건을 구매할 수 있다.

10 **예시 답안** 시장 경제 체제는 경제의 기본 문제를 시장의 가격 기구와 개인들의 자유로운 경제 활동을 통해서 해결한다. 이에 비해 계획 경제 체제는 국가의 계획과 명령으로 경제의 기본 문제를 해결한다.

채점 기준		
	상	시장 경제 체제와 계획 경제 체제의 차이점을 경제의 기본 문제 해결 방식을 기준으로 정확하게 서술한 경우
	중	시장 경제 체제와 계획 경제 체제의 차이점을 경제의 기본 문제 해결 방식을 기준으로 서술하였으나 내용이 미흡한 경우
	하	경제의 기본 문제 해결 방식을 시장 경제 체제와 계획 경제 체제 중 한 가지만 서술한 경우

11 **예시 답안** 기업은 소비자의 권익 보호, 노동자에게 정당한 임금 지급 및 안전한 작업 환경 제공, 거래 업체와의 공정한 거래, 환경 오염을 줄이기 위한 노력 등의 사회적 책임을 진다.

채점 기준		
	상	기업의 사회적 책임 세 가지 정확하게 서술한 경우
	중	기업의 사회적 책임 두 가지 정확하게 서술한 경우
	하	기업의 사회적 책임 한 가지 정확하게 서술한 경우

12 **예시 답안** 여러 유형의 자산에 나누어 투자하는 분산 투자를 해야 한다. 왜냐하면 한 곳에서 손해를 볼 경우 다른 곳에서 손실을 보충할 수 있기 때문이다.

채점 기준		
	상	분산 투자와 그 이유를 모두 정확히 서술한 경우
	중	분산 투자를 쓰고, 그 이유를 서술하였으나 내용이 미흡한 경우
	하	분산 투자만 서술한 경우

4 시장 경제와 가격

1 시장의 의미와 종류

간단 체크

82쪽

1 특화　　2 분업

84쪽

1 ○　　2 ×　　3 ×

개념 노트 만들기

86쪽

핵심 내용 정리하기

(**제목:** 시장의 의미와 종류)

❶ 시장　　❷ 특화　　❸ 분업　　❹ 생산 요소

❺ 전자 상거래

활동 노트 완성하기

1 (가), (다): 전통 시장, 영화관

(나), (라): 주식 시장, 노동 시장

2 • (가): 추석 명절 준비를 위해 전통 시장을 방문하였다.
• (나): 어머니는 주로 스마트폰 앱을 통해 주식 거래를 하신다.
• (다): 영화관에서 최근 개봉한 영화표를 구매하였다.
• (라): 인터넷 사이트에서 내가 원하는 아르바이트 일자리를 찾을 수 있었다.

실력을 키우는 응용 문제

87쪽

1 ②　　2 ⑤　　3 ④　　4 ④　　5 ①　　6 해설 참고

1 시장에는 거래하는 장소가 구체적으로 존재하지 않는 전자 상거래도 있다.

2 무료로 기증하는 것은 수요자와 공급자 간의 거래로 볼 수 없고, 가격이 형성되지도 않으므로 시장이라고 볼 수 없다.

3 전자 상거래로 이루어지는 인터넷 쇼핑, 스마트폰 앱 거래, 홈쇼핑 등은 거래 장면이 보이지 않는 시장이다.

오답 분석 ①, ② 보이는 시장은 거래 장면을 볼 수 있고 대형 할인점, 전통 시장 등이 해당한다. ③ 보이지 않는 시장은 노동 시장, 주식 시장 등이다. ⑤ 시장에서는 생산 요소와 생산물이 거래된다.

4 부동산 시장은 생산 요소 중 토지를 거래하는 시장이고 ①, ②, ③, ⑤는 모두 생산물을 거래하는 시장이다.

5 시장에서 거래가 이루어지면서 물물 교환보다 거래 비용을 줄이게 되었고, 특화와 분업이 발달하게 되었다.

오답 분석 ㄷ. 최초의 화폐는 쌀과 같은 물품 화폐이다. ㄹ. 자급자족 → 물물 교환 → 화폐 발명의 순서로 이루어졌다.

6 예시 답안 한 가지 상품만 집중 생산을 하는 특화와 분업이 이루어져 생산량이 증가하고 상품의 질도 좋아져 사람들의 만족도가 높아지고, 시장에서의 거래는 거래 비용을 줄일 수 있다.

채점 기준		
	상	자급자족 경제와 비교하여 교환 경제의 장점을 서술한 경우
	중	교환 경제 장점만 서술한 경우
	하	교환 경제의 장점의 서술이 미흡한 경우

2 수요 · 공급과 시장 가격의 결정

간단 체크

88쪽

1 수요량 **2** 공급 법칙 **3** 수요 곡선

90쪽

1 ○ **2** × **3** ×

개념 노트 만들기

92쪽

핵심 내용 정리하기

(**제목:** 수요 · 공급과 시장 가격의 결정)

❶ 초과 공급 ❷ 상승 ❸ 균형 ❹ 균형 거래량

활동 노트 완성하기

1

구분	빵의 가격 2,000원	빵의 가격 500원
수요자	수요량을 줄이고 사지 않으려고 한다.	수요량을 늘리고, 더 많이 사려고 한다.
공급자	한 개를 팔아도 이익이 크므로 공급량을 늘린다.	이익이 줄어들게 되어 공급량을 줄인다.
경쟁 발생	공급자 간의 경쟁이 발생한다.	수요자 간의 경쟁이 발생한다.
가격 변화	하락한다.	상승한다.

2 빵 가격이 1,000원일 때 수요량은 100개, 공급량도 100개로 일치한다. 이때 균형 가격은 1,000원, 균형 거래량은 100개로 빵 시장의 균형이 형성된다.

실력을 키우는 응용 문제

93쪽

1 ④ **2** ⑤ **3** ⑤ **4** ⑤ **5** ③ **6** 해설 참고

1 수요 법칙은 가격과 수요량의 음(−)의 관계를 나타낸다. 즉 가격이 오르면 수요량이 감소하고 가격이 하락하면 수요량이 증가한다.

오답 분석 공급 법칙은 가격과 공급량의 양(+)의 관계를 나타내고 우상향하는 모양의 공급 곡선으로 표현된다.

2 ㉠은 초과 공급, ㉡은 초과 수요이다. 초과 공급이 발생하면 가격이 하락하고 초과 수요가 발생하면 가격이 상승하여 두 그래프가 만나는 점에서 균형 가격과 균형 거래량이 결정된다.

오답 분석 ㉠과 ㉡에서는 균형 가격이 형성되지 않고 그래프가 만나는 점에서 균형 가격과 균형 거래량이 형성되고 자원의 효율적 배분이 이루어진다.

3 김밥 가격이 2,000원일 때 수요량은 10줄, 공급량은 90줄로 80줄의 초과 공급이 발생한다. 즉, 팔고자 하는 사람이 사고자 하는 사람보다 더 많다.

4 가격이 4,000원일 때 공급량은 1,000개 수요량은 200개로 초과 공급 800개가 나타난다.

5 가격이 1,000원일 때 수요량은 600개, 공급량은 200개로 초과 수요 400개가 나타난다.

6 예시 답안 식빵 시장의 균형 가격은 2,000원이고 이때 균형 거래량은 100개이다.

채점 기준		
	상	균형 가격과 균형 거래량을 모두 정확하게 서술한 경우
	중	균형 가격 혹은 균형 거래량 중 한 가지만 서술한 경우
	하	균형 가격과 균형 거래량 모두 미흡하게 서술한 경우

3 시장 가격의 변동

간단 체크

94쪽

1 증가 **2** 대체재 **3** 보완재

96쪽

1 ○ **2** × **3** ×

개념 노트 만들기

98쪽

핵심 내용 정리하기

(**제목:** 시장에서 수요와 공급이 달라지면 가격은 어떻게 달라질까?)

❶ 상승 ❷ 증가 ❸ 하락 ❹ 증가

활동 노트 완성하기

1

구분	(나)
원인	공급 감소
결과	• 가격 상승 • 거래량 감소
사례	초콜릿 시장에서는 초콜릿 재료비의 상승으로 생산 비용이 상승하였다.

2 생산 비용이 상승하거나, 공급자의 수 감소, 미래 가격 상승할 것으로 예상되면, 공급이 감소하여 공급 곡선이 왼쪽으로 이동한다.

실력을 키우는 응용 문제

99쪽

1 ⑤ **2** ① **3** ① **4** ②

1 딸기의 항암 효능 때문에 소비자의 기호가 증가하여 수요가 증가하였다.

오답 분석 ① 수요량이 증가 혹은 공급량이 감소한다. ② 공급 증가, ③ 공급 감소, ④ 취업률 상승으로 소득이 감소하면 수요는 감소한다.

2 신문 기사는 아이스크림의 수요 증가, 공급 감소에 관한 내용으로 수요 곡선은 오른쪽, 공급 곡선은 왼쪽으로 이동하여 균형점은 ㉠ 방향으로 이동한다.

오답 분석 ㉡은 수요 감소와 공급 감소, ㉢은 수요 감소와 공급 증가, ㉣은 수요 증가와 공급 증가 시에 나타나는 균형점의 변화이다.

3 딸기의 대체재인 수입산 포도와 블루베리의 수요가 늘어 딸기의 거래량은 감소한다.

오답 분석 ㄷ은 블루베리 매출이 올라간 것으로 보아 수요 증가로 가격 상승이 예상된다. ㄹ은 자동차와 휘발유는 보완재 관계이다.

4 수입산 포도의 수요 증가로 가격 상승, 거래량 증가한다.

오답 분석 ① 수요 감소 ③ 수요 감소, 공급 감소, ④ 공급 증가, ⑤ 수요 증가, 공급 감소이다.

서술형 더 풀어보기

101쪽

1 **예시 답안** 수요량이 공급량보다 많은 초과 수요가 발생할 경우 수요자 간의 경쟁으로 가격이 상승한다.

2 **예시 답안** 공급의 증가는 공급 곡선의 오른쪽 이동으로 표현된다. 공급이 증가하면 가격은 하락하고 거래량은 증가하여 경제 주체들에게 이익이 증가한다.

단원을 정리하는 종합 문제

102~103쪽

1 ③ **2** ① **3** ④ **4** ④ **5** ① **6** ③
7 ② **8** ② **9** ④ **10~12** 해설 참조

1 구체적인 장소가 없어도 소비자와 생산자 간의 거래가 이루어지면 시장으로 볼 수 있다.

2 대형 할인점은 생산물 시장이고, 취업 박람회는 생산 요소 시장이다.

3 화폐를 시장에서 교환을 더욱 편리하게 하려고 등장하였다. 초기에는 쌀이나 소금과 같은 물품 화폐, 부패를 막고 보관을 편리하게 하려고 금속 화폐, 무게를 줄이기 위해 지폐 등의 순서로 발달하였고, 최근에는 스마트폰 앱을 이용한 결제, 인터넷 결제 등 다양한 전자 화폐를 이용한 결제 수단이 증가하고 있다.

4 공급 법칙에 따르면 수입 명품 시계 가격이 오르면 공급량이 증가한다.

5 제시된 곡선은 오른쪽으로 갈수록 위로 올라가는 우상향하는 공급 곡선이다.

오답 분석 ②는 공급 법칙을 나타내며, ③은 가격과 공급량의 양(+)의 법칙을 나타낸 공급 곡선이다. ④는 가격이 상승하면 공급량이 증가한다는 공급 법칙이다. ⑤는 가격과 공급량의 관계로 나타낸다.

6 균형 가격은 2,000원, 균형 거래량은 100개이다.

오답 분석 ① 가격이 1,000원일 때 80개의 초과 수요가 발생하고, ② 가격이 2,000원일 때 거래량은 100개, ④ 가격이 3,000원일 때 공급자 간 경쟁이 나타난다. ⑤ 가격이 4,000원일 때 수요량은 60개, 공급량은 140개로, 80개의 초과 공급이 발생한다.

7 땅콩의 기호 감소로 수요는 감소하고, 땅콩 재배에 적절한 날씨 조건으로 인해 땅콩 생산량이 증가하여 공급은 증가한다.

8 인구수 증가, 기호의 증가, 소득의 증가, 대체재 가격 상승 등은 수요 증가의 원인이다.

9 공급 증가의 원인에는 생산 비용 하락, 생산 기술 발전, 미래 가격 하락 예상, 공급자 수 증가 등이 있다.

10 예시 답안 수요 법칙은 가격과 수요량의 음(−)의 관계를 말하는 것으로, 가격이 상승하면 수요량이 감소하고 가격이 하락하면 수요량이 증가하는 것을 말한다. 예를 들어 여름에 아이스크림 가격이 오르자 아이스크림의 소비를 줄이게 되었다.

채점 기준		
	상	수요 법칙을 설명하고 사례를 정확히 제시한 경우
	중	수요 법칙을 설명하였으나 사례가 적절하지 않은 경우
	하	수요 법칙의 설명과 사례가 모두 미흡한 경우

11 예시 답안 시장에서 수요가 증가하였다. 소비자의 기호 증가, 소득 증가, 소비자 수의 증가, 보완재 가격이 하락은 수요가 증가하여 수요 곡선이 오른쪽으로 이동한다.

채점 기준		
	상	시장 변화와 그 요인을 세 가지 이상 정확히 서술한 경우
	중	시장 변화와 그 요인을 두 가지만 서술한 경우
	하	시장 변화와 그 요인을 한 가지만 서술한 경우

12 예시 답안 포도 공급이 감소하여 균형 가격은 상승할 것이고 균형 거래량은 감소할 것이다.

채점 기준		
	상	균형 가격과 균형 거래량의 변화를 모두 정확히 서술한 경우
	중	균형 가격과 균형 거래량 중 한 가지만 서술한 경우
	하	두 가지 모두 서술이 미흡한 경우

5 국민 경제와 국제 거래

1 국민 경제의 이해

간단 체크

106쪽

1 최종 생산물 **2** 시장 **3** 1인당 국내 총생산

108쪽

1 ○ **2** ○ **3** ×

개념 노트 만들기

110쪽

핵심 내용 정리하기

(제목: 국내 총생산의 의미와 경제 성장이 우리 생활에 미치는 영향 **)**

❶ 국내 총생산(GDP) ❷ 최종 생산물
❸ 인구수 ❹ 소득 ❺ 경제 성장
❻ 경제 성장률 ❼ 삶의 질 ❽ 환경 파괴

활동 노트 완성하기

1 • 국내 총생산에 포함되는 것: (다)
• 국내 총생산에 포함되지 않는 것: (가), (나), (라), (마)

2 (가): 밀가루는 스파게티를 만들기 위한 재료로 이용되므로 중간 생산물에 해당한다. (나): 국내 총생산은 최종 생산물의 시장 가치의 합으로 계산하기 때문에 시장에서 거래되지 않은 것은 포함되지 않는다. (라): 2년 전에 생산된 자전거는 측정하는 해당 연도 안에 생산된 것이 아니므로 포함되지 않는다. (마): 국내 총생산은 생산 활동 주체의 국적과 관계없이 한 나라 안에서 이루어진 생산 활동을 측정하기 때문에 국외에서 생산된 것은 포함되지 않는다.

3 국내 총생산을 통해 한 나라의 경제 규모와 생산 능력을 파악할 수 있다.

실력을 키우는 응용 문제

111쪽

1 ④ **2** ⑤ **3** ④ **4** ③ **5** 해설 참조 **6** ①

1 최종 생산물을 생산하기 위해 사용된 중간 생산물은 국내 총생산에 포함되지 않는다.

2 국내 총생산은 일정 기간 동안 한 나라 안에서 새롭게 생산된 최종 생산물의 시장 가치를 합한 것이다.
오답 분석 ㄱ. 가정주부의 가사 노동은 시장에서 거래된 것이 아니므로 국내 총생산에 포함되지 않는다. ㄴ. 그해에 새롭게 생산된 상품의 가치만이 포함되며, 중고품은 포함되지 않는다.

3 1인당 국내 총생산은 한 해의 국내 총생산을 그 나라의 인구수로 나눈 것으로 국내 총생산이 전년과 동일하지만 인구가 증가한 경우 1인당 국내 총생산은 감소한다.
오답 분석 ① 국내 총생산으로 소득 분배 상태를 파악하기 어렵다. ② 한 나라의 경제 규모와 생산 능력을 비교할 때에는 국내 총생산을 이용한다. ③ 국민 1인당 평균적인 소득 수준을 비교할 때에는 1인당 국내 총생산을 활용한다. ⑤ 어떤 나라의 국내 총생산이 다른 나라에 비교해 크더라도 인구수가 훨씬 많은 경우에는 1인당 국내 총생산은 작을 수 있다.

4 경제가 성장하면 물질적으로 풍요로운 생활을 할 수 있고, 사회 · 문화적인 욕구를 더욱 잘 충족시켜 삶의 질을 높이는 데 이바지한다. 하지만 반드시 경제 성장이 삶의 질 향상을 가져오는 것이 아니므로 다양한 측면을 함께 고려해야 한다.

5 **예시 답안** 국내 총생산은 국민의 후생이나 복지 수준을 나타내기 어렵다. 또는 국내 총생산은 삶의 질 변화를 반영하지 못한다. 등

채점 기준		
	상	후생, 복지 수준, 삶의 질 등을 포함하여 국내 총생산의 한계를 정확하게 서술한 경우
	중	후생, 복지 수준, 삶의 질 등을 포함하였지만 국내 총생산의 한계를 미흡하게 서술한 경우
	하	후생, 복지 수준, 삶의 질 등을 포함하지 않고 국내 총생산의 한계를 미흡하게 서술한 경우

6 우리나라는 수출 주도형 성장 우선 정책을 실시한 결과, 수출 중심의 경제 구조를 갖게 되었고, 경제의 대외 의존도가 높아져 세계 경제의 영향을 크게 받고 있다.
오답 분석 ㄷ. 농업 사회에서 산업 사회, 현재 정보 사회로 변모하였다. ㄹ. 압축 성장으로 세계 속 경제적 위상이 높아졌다.

2 물가 상승과 실업

간단 체크

112쪽

1 물가 지수 2 실업 3 경기적 실업

114쪽

1 줄이는 2 높이는 3 마찰적 실업

개념 노트 만들기

116쪽

핵심 내용 정리하기

(**제목:** 물가 상승과 실업이 국민 생활에 미치는 영향과 해결 방안)

❶ 물가 지수 ❷ 인플레이션 ❸ 불리 ❹ 줄이고
❺ 실업 ❻ 마찰적 실업 ❼ 정부 ❽ 기업

활동 노트 완성하기

1 • ㉠: 인플레이션
• 원인: 경제 전체의 총수요가 총공급보다 많아 물가가 상승하였다.

2

경제 주체	역할
정부	재정 지출을 줄이고 조세를 늘린다. 공공요금 인상을 억제한다.
중앙은행	통화량을 줄이고 이자율을 높인다.
기업	효율적인 경영과 기술 혁신 등을 통해 생산성을 향상한다. 원가에 비교해 지나치게 많은 이윤을 추구하는 것을 자제한다.
근로자	직업 분야의 전문성을 기른다. 생산성을 넘어서는 지나친 임금 인상 요구를 자제한다.
소비자	건전하고 합리적인 소비를 한다. 단기적인 투기를 억제하고 건전한 투자를 통해 경제 안정에 기여한다.

실력을 키우는 응용 문제

117쪽

1 ③ 2 ④ 3 ② 4 ② 5 해설 참조 6 ①

1 제시문은 원자재 가격 상승에 따른 국내 물가 상승에 대한 내용이다. 재화와 서비스를 생산하는 비용인 임금, 임대료, 국내외의 원자재 가격 등 생산비가 오르면 물가가 상승한다.

2 인플레이션은 화폐 소득의 구매력을 떨어뜨려 임금으로 생활하는 근로자는 손해를 본다.
오답 분석 ① 화폐의 가치가 하락한다. ② 수출품의 가격이 비싸져 수출이 줄고 상대적으로 값이 싸진 외국 상품의 수입은 늘게 된다. ③ 채무자가 채권자에 비해 유리해진다. ⑤ 주어진 소득으로 구매할 수 있는 재화의 양이 줄어든다.

3 ㉠은 경제 활동 인구, ㉡은 취업자, ㉢은 실업자이다. 경기 침체가 지속되면 일반적으로 실업자가 늘어난다.
오답 분석 ㄴ. ㉡은 취업자, ㉢은 실업자이다. ㄹ. 주부, 학생, 구직 단념자 등은 대표적인 비경제 활동 인구이다.

4 정부는 물가 상승이 우려될 경우 정부 지출을 줄이고 세금을 늘리는 등 총수요를 줄이기 위한 정책을 펴야 한다.

5 예시 답안 갑은 구조적 실업, 을은 경기적 실업이다. 구조적 실업이란 산업 구조의 변화로 인해 쇠퇴하는 산업에서 나타나는 실업이다. 경기적 실업이란 경기 침체로 기업이 고용을 줄여 나타나는 실업이다.

채점 기준		
	상	실업의 종류와 의미를 모두 정확히 서술한 경우
	중	실업의 종류를 쓰고, 의미를 미흡하게 서술한 경우
	하	실업의 종류만 쓴 경우

6 제시문은 고용 안정을 위한 경제 주체의 노력으로, ㉠은 정부, ㉡은 근로자, ㉢은 기업이다.

3 국제 거래와 환율

간단 체크

118쪽

1 ○ 2 × 3 ×

120쪽

1 수요, 공급 2 하락 3 상승

개념 노트 만들기

122쪽

핵심 내용 정리하기

(**제목:** 국제 거래의 필요성과 국제 거래 과정에서 환율이 결정되는 원리)

❶ 국제 거래 ❷ 생산 비용 ❸ 수출 ❹ 대규모
❺ 환율 ❻ 공급 ❼ 상승 ❽ 증가
❾ 상승 ❿ 커

활동 노트 완성하기

1 (가): 하락 (나): 상승 (다): 하락 (라): 상승

2

구분	수출	수입	물가	해외여행	외채 상환 부담
환율 상승	증가	감소	상승	감소	증가
환율 하락	감소	증가	안정	증가	감소

실력을 키우는 응용 문제

123쪽

1 ② 2 ④ 3 ① 4 ③ 5 해설 참조 6 ④

1 오늘날 국제 거래는 재화와 서비스뿐만 아니라 노동, 자본, 기술과 같은 생산 요소에 이르기까지 다양한 측면에서 거래가 이루어지고 있다.

2 세계 시장을 상대로 대규모로 생산하면 생산 단가가 낮아져 교역국 모두가 이득을 본다.

3 외화의 수요가 공급보다 많으면 환율은 상승하고, 외화의 공급이 수요보다 많으면 환율은 하락한다.
오답 분석 ② 환율이 상승하면 우리나라 원화의 가치는 하락한다. ③ 환율이 상승하면 비용의 증가로 해외여행을 떠나는 것이 불리하다. ④ 외화에 대한 수요나 공급에 변화가 있으면 그 영향으로 외환 시장에서 환율이 변동한다. ⑤ 외화에 대한 수요는 외국 상품의 수입, 해외여행 등과 같이 외화가 해외로 나가는 경우에 발생한다.

4 외화에 대한 수요는 수입, 해외여행 등과 같이 외국에서 외화를 사용하려는 경우에 발생한다.
오답 분석 ㄱ. 수출로 번 외화의 국내 유입, ㄹ. 외국인의 국내 투자 등은 외화가 국내로 들어오는 경우에 발생하는 외화의 공급 요인이다.

5 예시 답안 외화의 공급을 증가시키는 요인에는 수출 증가, 외국인의 국내 투자 증가, 외국인의 국내 여행 증가 등이 있다.

채점 기준		
	상	외화의 공급 증가 요인을 두 가지 이상 정확하게 서술한 경우
	중	외화의 공급 증가 요인을 한 가지만 정확하게 서술한 경우
	하	외화의 공급 증가 요인을 서술이 미흡한 경우

6 제시된 표는 우리나라 원/달러 환율이 상승하고 있음을 보여준다. 환율이 상승하면 더 많은 원화를 주고 외국 돈을 갚아야 하는 결과가 발생하기 때문에 외채 상환 부담이 커진다.

서술형 더 풀어보기

125쪽

1 예시 답안 국내 총생산을 통해 한 나라의 경제 규모와 생산 능력을, 1인당 국내 총생산을 통해 그 나라 국민의 평균적인 소득 수준을 알 수 있다.

단원을 정리하는 종합 문제

126~127쪽

1 ④	2 ⑤	3 ②	4 ④	5 ①	6 ⑤
7 ⑤	8 ③	9 ③	10~12 해설 참조		

1 국내 총생산(GDP)으로 한 나라의 경제 규모와 생산 능력을 나타낸다.
오답 분석 ① 국민 개개인의 소득이나 생활 수준을 파악하기는 어렵다. ② 시장에서 거래되지 않은 것, ③ 국외에서 생산된 것, ⑤ 중간 생산물은 국내 총생산에 포함되지 않는다.

2 제시된 개념은 1인당 국내 총생산이다. 1인당 국내 총생산은 그 나라 국민의 평균적인 소득 수준을 나타낸다.
오답 분석 ①은 경제 성장률, ②는 국내 총생산에 관한 설명이다. 1인당 국내 총생산은 복지 수준이나 소득이 국민 사이에 얼마나 고르게 나누어졌는가 하는 소득 분배 상태를 알려주지는 않는다.

3 경제 성장은 국내 총생산이 증가하는 것을 의미하며 경제 성장률은 실질 국내 총생산의 증가율로 측정한다.
오답 분석 ㄴ. 경제가 성장하면 물질적으로 풍요로운 생활을 할 수 있지만 반드시 삶의 질 향상으로 이어지는 것은 아니다. ㄹ. 경제 성장률이 평균적인 속도보다 더 높을 때 경제는 팽창 국면에 있다고 한다.

4 제시된 내용은 인플레이션으로 초래되는 부정적 영향이다.
오답 분석 ① 실업은 개인적으로 생계를 어렵게 만들고, 사회적 자원의 낭비이며 범죄와 같은 사회 문제가 발생할 수 있다.

5 물가가 상승하면 채무자는 갚을 돈의 가치가 떨어져 이득을 보고, 수입업자는 상대적으로 값이 싸진 외국 상품의 수입이 늘어 유리하다.
오답 분석 물가가 상승하면 현금 가치는 하락하기 때문에 ㄷ. 임금 근로자와 ㄹ. 화폐 자산을 보유한 사람은 불리하다.

6 A는 구조적 실업, B는 마찰적 실업, C는 경기적 실업이다. 정부는 경기적 실업을 해결하기 위해서는 총수요를 확대하는 정책을 통해 생산과 고용을 늘리도록 해야 한다.

7 국제 거래는 관세가 부과되고, 오늘날 세계화의 영향으로 거래 품목이 다양해지고 있다.
오답 분석 ㄱ. 나라마다 법과 제도가 달라 상품 이동이 국내보다 자유롭지 못하다. ㄴ. 환율 변동에 따라 수출과 수입 상품의 가격이 달라진다.

8 (가)는 외화의 수요 증가로 환율이 상승, (나)는 외화의 공급 증가로 환율이 하락, (다)는 외화의 수요 감소로 환율이 하락한다.

9 환율이 상승하면 수출품의 외화 표시 가격이 하락해 이전보다 이익이 증가한다. 우리나라로 오는 외국인 관광객의 여행 비용이 감소한다.
오답 분석 ㄱ. 원화로 표시되는 수입품의 가격이 비싸져 불리해진다. ㄹ. 해외 유학 중인 자녀에게 같은 금액의 달러를 송금하려면 이전보다 더 많은 원화가 필요하기 때문에 불리해진다.

10 **예시 답안** ㉡, 밀가루 1억원치는 최종 생산물인 케이크를 생산하는 데 사용된 중간 생산물의 가치이다. 밀가루의 가치는 이미 최종 생산물인 케이크의 시장 가격에 포함되어 있기 때문에 국내 총생산에 포함되지 않는다.

채점 기준		
	상	㉡을 쓰고, 중간 생산물의 가치는 국내 총생산에 포함되지 않는다는 점을 정확히 서술한 경우
	중	㉡을 쓰고, 중간 생산물 용어를 포함하지 않고 이유를 미흡하게 서술한 경우
	하	㉡만 쓴 경우

11 **예시 답안** 정부는 지출을 줄이고 조세(세금)를 늘린다. 중앙은행은 통화량을 줄이고 이자율을 높이는 정책으로 물가 안정을 유도한다.

채점 기준		
	상	정부와 중앙은행의 정책을 모두 정확히 서술한 경우
	중	정부와 중앙은행의 정책 중 한가지만 정확히 서술한 경우
	하	정부와 중앙은행의 정책 모두 미흡하게 서술한 경우

12 **예시 답안** 갑은 원/달러 환율이 상승할 것이라고 보고 있다. 갑이 환전을 서두르는 이유는 달러 1단위를 얻는 데 필요한 원화의 양이 많아질 것으로 예상하기 때문이다.

채점 기준		
	상	환율 변동 예측과 이유를 정확히 서술한 경우
	중	환율 변동 예측을 서술하였으나 이유가 미흡한 경우
	하	환율 변동 예측과 이유 모두 미흡하게 서술한 경우

국제 사회와 국제 정치

1 국제 사회의 특성과 행위 주체

간단 체크

130쪽

1 ○ 2 × 3 ×

132쪽

1 국가 2 자회사 3 국제 비정부 기구

개념 노트 만들기

134쪽

핵심 내용 정리하기

(**제목:** 국제 사회의 의미와 특성 및 국제 사회의 행위 주체)

❶ 국제 사회 ❷ 자국 ❸ 중앙 정부
❹ 힘 ❺ 국가 ❻ 다국적 기업
❼ 정부 간 국제기구 ❽ 국제 비정부 기구

활동 노트 완성하기

1 국가는 국제 사회에서 가장 기본이 되는 행위 주체로서 국제법상 평등하고 독립적인 주체로서 국제 사회에 참여한다. 다양한 국제기구에 회원국으로 가입하여 활동한다.

2 • 의미: (나)는 세계 여러 나라에 자회사와 공장을 설립하여 상품을 생산하고 판매하는 다국적 기업이다.
• 국제 사회에 미치는 영향: 다국적 기업의 수와 규모가 확대되면서 국가 간의 경계가 허물어지고 국가 간 상호 의존성이 더욱 증가하고 있다. 다국적 기업들은 경제력을 바탕으로 국제 경제뿐만 아니라 국제 정치와 문화에도 영향을 미치고 있다.

3 • 공통점: 국가의 범위를 넘어 일정한 목적을 달성하기 위해 만들어진 국제기구이다.
• 차이점: (다)는 정부를 회원으로 하는 정부 간 국제기구이고, (라)는 개인과 민간단체를 회원으로 하는 국제 비정부 기구이다.

실력을 키우는 응용 문제

135쪽

1 ② 2 ③ 3 ④ 4 ⑤ 5 해설 참조 6 ⑤

1 국제 사회를 구성하는 기본 단위는 주권 국가이다.

2 각국이 공동 목표를 통해 상호 협조하는 모습을 찾아볼 수 있다.
오답 분석 ① 제시문에서 힘의 원리가 지배한다는 내용은 찾아보기 어렵다. ② 국제 사회에서 국가는 가장 기본적인 단위이지만 유일한 행위 주체는 아니다. ④ 제시문에는 자국의 이익 추구보다는 공존과 협력의 상황이 나타나 있다. ⑤ 제시문에는 중앙 정부가 강제력을 행사한다는 내용이 없다.

3 국제 사회에는 각국이 자국의 이익을 추구하고 강력한 중앙 정부가 존재하지 않으며 기본적으로 힘의 논리가 작용한다.
오답 분석 ㄹ. 국제법은 개별 국가의 의사를 강제하기 어렵고 어떤 국가가 국제법을 어겼을 때 이를 제재하는 것도 현실적으로 어렵다.

4 제시문의 (가)는 다국적 기업이다.
오답 분석 ㄱ. 다국적 기업은 세계 여러 나라에서 재화와 서비스의 교류를 촉진하므로 경제적 영역에서 국가 간 경계를 약화시킨다. ㄴ. 다국적 기업은 이윤을 추구한다.

5 **예시 답안** 국제기구는 회원 자격에 따라 정부를 회원으로 하는 정부 간 국제기구와 개인과 민간단체를 회원으로 하는 국제 비정부 기구로 나눌 수 있다. 정부 간 국제 기구에는 국제 연합, 세계 무역 기구 등이 있고, 국제 비정부 기구에는 국제 사면 위원회, 국경 없는 의사회 등이 있다.

채점 기준		
	상	국제기구를 구분하는 기준과 사례를 모두 정확하게 서술한 경우
	중	기준과 사례 중 한 가지만 서술한 경우
	하	기준과 사례 모두 미흡하게 서술한 경우

6 국제 연합은 정부를 회원으로 하는 정부 간 국제기구로서 정치, 경제, 사회, 문화 등 다양한 분야에서 영향력을 행사한다.

2 국제 사회의 다양한 모습과 공존 노력

간단 체크

136쪽

1 ○ 2 × 3 ○

138쪽

1 국제 평화 2 외교 3 국가 원수

개념 노트 만들기

140쪽

핵심 내용 정리하기

(**제목:** 국제 사회에서 일어나는 경쟁, 갈등, 협력의 다양한 모습과 공존을 위한 노력)

❶ 경쟁 ❷ 갈등 ❸ 협력 ❹ 자국의 이익
❺ 국제 평화 ❻ 외교 ❼ 세계 시민

활동 노트 완성하기

1 • (가): 경쟁, 각국이 자국의 이익을 추구하는 과정에서 자원을 확보하기 위해 경쟁하고 있다.
• (나): 갈등, 각국 간의 이해관계를 둘러싼 분쟁이다. 국가들 상호 간의 영토, 자원 등의 이익이 상호 충돌하기 때문이다.
• (다): 협력, 언론인 보호는 어느 한 국가만의 문제가 아니라 모든 국가의 협력이 필요한 사안이므로 국제기구에서 주도적으로 각국의 협력을 이끌어 내고 있다.

2 국제 관계에서의 분쟁은 감정적으로 대응하기보다는, 이익과 손해를 이성적으로 냉철하게 판단하여 접근해야 한다. 경우에 따라서는 국가 간 관계에서도 신뢰를 바탕으로 한 양보가 필요할 것이다.

실력을 키우는 응용 문제

141쪽

1 ④ 2 ② 3 ⑤ 4 ④ 5 해설 참조 6 ①

1 무역의 비중이 높아지고 다국적 기업이 증가하면서 한 국가의 경제가 다른 국가들로부터 더 많은 영향을 받게 됨에 따라 국제 경제 협력의 필요성이 커지고 있다.

2 기니만 분쟁은 석유 이권을 둘러싼 갈등으로 이는 국가 간 경제적 이익과 관련된 이해관계의 대립이 원인이다.

3 국제 사회의 보건 문제(에볼라 바이러스)는 국경을 초월하여 발생하므로 이를 해결하기 위해서는 국가 간의 협력을 강화하여 공조 체제를 구축해야 한다.
오답 분석 ㄱ. 보건 문제는 산업화 · 도시화로 인한 새로운 전염병의 등장, 국제 사회의 빈번한 교류로 인한 질병 전염 범위의 확대에서 비롯되었다.

4 국제 사회의 공존을 위해 국가는 국제 문제에 관심을 가지고 문제 해결에 동참해야 한다.
오답 분석 ㄱ. 국가는 자국의 이익을 추구하면서 동시에 국제 평화를 지향해야 한다. ㄷ. 국제 문제는 정부 중심의 외교 활동뿐만 아니라 민간 부문의 활발한 참여를 통해서 해결해야 한다.

5 **예시 답안** 환경 문제는 한 나라의 노력으로 해결할 수 없는 전 지구적 문제이기 때문이다. 국제 연합(UN) 등의 국제기구가 나서서 국제 사회의 공존을 위해 협력하도록 유도해야 한다 등

채점 기준		
	상	협력이 필요한 이유와 해결 방안을 정확히 서술한 경우
	중	협력이 필요한 이유를 서술하였으나 해결 방안이 미흡한 경우
	하	협력이 필요한 이유와 해결 방안 모두 미흡하게 서술한 경우

6 오늘날의 외교는 외교 활동의 주체 및 형태가 다양화되고 있다. 공식적 외교 외에 민간 외교의 역할이 중요해지고 있고 이념보다 실리를 추구한다.

3 우리나라의 국제 관계와 외교 활동

간단 체크

142쪽

1 독도 2 동북공정 3 자원

144쪽

1 ○ 2 ○ 3 ×

개념 노트 만들기

146쪽

핵심 내용 정리하기

(**제목:** 우리나라의 국가 간 갈등 문제와 해결 방안)

❶ 이해관계 ❷ 독도 ❸ 동북공정 ❹ 역사
❺ 자원 ❻ 외교 ❼ 정부 ❽ 시민 단체

활동 노트 완성하기

1 • ㉠: 역사적으로 우리의 활동 무대였던 만주 지역을 중국의 역사로 만들어 한반도 통일 이후 발생할 수 있는 영토 분쟁을 막겠다는 정치적 목적이 담겨 있다. 또한 중국 내 소수 민족의 독립을 막겠다는 정치적 의도도 숨겨져 있다.
• ㉡: 독도가 지닌 경제적 · 군사적 이익 때문이다. 독도는 경제적인 측면에서 해양 자원과 해저 자원이 풍부할 뿐만 아니라, 군사적으로도 동북아시아 및 국가 안전 보장에 필요한 군사 정보를 얻을 수 있는 지리적 이점이 있다.

2 국가 간의 갈등을 해결하기 위해서는 국가적 차원의 노력과 국민적 차원의 노력이 동시에 이루어져야 한다. 정부의 적극적인 대응과 외교적 노력이 필요하며 동시에 시민 단체를 중심으로 역사 갈등 문제에 관한 우리 주장의 정당성을 국제 사회에 널리 알리는 홍보 활동에 힘써야 한다 등

실력을 키우는 응용 문제

147쪽

1 ⑤ **2** 해설 참조 **3** ④ **4** ⑤ **5** ⑤

1 우리나라는 6 · 25 전쟁이라는 민족적인 시련으로 인해 현재 국토가 남과 북으로 분단된 상태에 있다.
오답 분석 ① 종교로 인한 갈등을 겪고 있지 않다. ② 지리적으로 대륙과 해양으로 진출하는 데 유리한 위치에 있다. ③ 동아시아에 위치한 반도국이다. ④ 미국과 동맹 관계를 유지해 왔다.

2 **예시 답안** 경제적 이유로는 해양 자원이 풍부하다. 군사적 이유로는 동북아시아 및 국가 안전 보장에 필요한 군사 정보를 얻을 수 있는 지리적 이점이 있다 등

채점 기준		
	상	경제적 · 군사적 측면에서 일본의 주장을 정확히 서술한 경우
	중	일본의 주장을 경제적 또는 군사적 측면에서만 서술한 경우
	하	일본의 주장을 미흡하게 서술한 경우

3 중국의 동북공정 연구 사업에 대한 설명이다. 동북공정 사업은 중국 동북쪽의 변경 지역인 만주 지방의 역사, 지리, 민족 문제를 대상으로, 오늘날의 중국 국경 안에서 이루어진 모든 역사를 중국의 역사로 만들기 위해 추진했던 연구 사업이다.

4 우리나라에 우호적인 입장을 지닌 국가뿐만 아니라 적대적인 입장을 지닌 국가에 대해서도 적절한 외교적 대응이 필요하다.

5 제시문은 북방 외교에 대한 설명으로 외교 정책은 시대적 상황, 국제 정세의 변화에 맞추어 달라져야 한다.

서술형 더 풀어보기

149쪽

1 **예시 답안** 국가의 대외적 위상을 높일 수 있고, 정치적 · 경제적 이익을 획득할 수 있기 때문이다.

단원을 정리하는 종합 문제

150~151쪽

1 ⑤ **2** ④ **3** ③ **4** ② **5** ⑤ **6** ①
7 ② **8** ④ **9** ② **10~12** 해설 참조

1 국제 사회에서 각국은 평등한 주권을 가지고 있지만 실제로는 국력에 따라 주권을 행사하는 정도에 차이가 있다.
오답 분석 ① 국가 간의 관계를 부분적으로 조정하는 국제법과 국제기구가 존재한다. ② 자국의 이익을 최우선으로 한다. ③ 강력한 중앙 정부가 없다. ④ 국가 간 상호 의존성이 높아지고 국제 협력이 증가하고 있다.

2 **오답 분석** ㄷ. 정부를 회원으로 하는 정부 간 국제기구는 어떤 특정 정부의 직접적인 지배를 받지 않는다.

3 개인과 민간단체를 회원으로 하는 국제 비정부 기구이다.

4 오늘날에도 국제 사회에서는 군사력 증강이나 핵무기 개발을 둘러싼 군사 갈등이 나타나고 있다.

5 석유, 천연가스 등 자원이 풍부한 것으로 알려진 남중국해를 두고 분쟁이 벌어지고 있다. 나일 강의 수자원 확보를 위해 국제 하천을 두고 벌어지는 국가 간의 갈등이다.

6 오늘날에는 정상 외교나 공식 외교뿐만 아니라 민간 외교 등 다양한 통로의 교류와 협력을 추진한다.

7 일본은 독도를 국가 간 분쟁 지역으로 만들어 자국에 유리한 상황을 만들려는 의도에서 국제 사법 재판소에 가져가 국제 사회의 심판을 받으려는 시도를 계속하고 있다.

8 **오답 분석** ㄱ. 독도 문제에 자발적이고 꾸준한 관심을 가져야 한다. ㄷ. 일본의 주장을 자세히 분석한 후 확실한 근거를 토대로 논리적으로 대응해야 한다.

9 상대 국가와의 상호 교류를 통해 갈등을 해결하려고 노력해야 한다.

10 **예시 답안** (가)는 각국은 자국의 이익을 추구한다. 국가의 중요한 결정은 자국의 이익을 우선으로 하여 이루어진다 등, (나)는 국제 사회는 기본적으로 힘의 논리가 작용한다. 국력의 차이로 인해 힘의 논리가 작용한다 등

채점 기준		
	상	(가)와 (나)에 해당하는 특징을 모두 정확히 서술한 경우
	중	(가)와 (나)에 해당하는 특징 중 한 가지만 정확히 서술한 경우
	하	(가)와 (나)에 해당하는 특징 모두 서술이 미흡한 경우

11 **예시 답안** 외교, 과거의 외교 활동은 주로 국가 원수나 국가에서 공식적으로 파견하는 외교관이 하였다. 하지만 오늘날에는 정부뿐만 아니라 일반 시민들이 참여할 수 있는 민간 외교가 활성화되고 있다.

채점 기준		
	상	외교를 쓰고, 외교 활동의 주체가 정부의 공식(정상) 외교뿐만 아니라 민간 외교가 중요해지고 있다는 내용을 정확히 서술한 경우
	중	외교를 쓰고, 외교 활동의 주체를 공식(정상) 외교, 민간 외교를 포함하지 않고 다양해졌다는 내용을 미흡하게 서술한 경우
	하	외교라고만 쓴 경우

12 **예시 답안** 동북공정, 우리나라의 대처 방안으로는 고구려를 비롯한 우리나라 고대사에 대한 관심이 필요하다. 다양한 외교적 접근과 노력을 통해 우리 역사와 영토를 지키려는 자세가 필요하다 등

채점 기준		
	상	명칭을 쓰고, 대처 방안을 정확히 서술한 경우
	중	명칭을 쓰고, 대처 방안을 미흡하게 서술한 경우
	하	명칭만 쓴 경우

7 인구 변화와 인구 문제

1 인구 분포

간단 체크

154쪽

1 해안 **2** 밀집 **3** 인문 · 사회적

156쪽

1 ○ **2** ○ **3** ×

개념 노트 만들기

158쪽

핵심 내용 정리하기

(**제목:** 세계와 우리나라의 인구 분포)

❶ 불균등 ❷ 아시아 ❸ 중위도 ❹ 자연적 요인
❺ 남서부 ❻ 인문 · 사회적 요인

활동 노트 완성하기

1, 2

3 • 자연적 요인: 지형, 기후, 토양, 식생 등 인구 분포에 영향을 주는 자연환경적 요인을 말한다.
• 인문 · 사회적 요인: 산업, 문화, 교통 등 인위적으로 만들어진 요인으로, 과학 기술이 발달하고 산업화되면서 그 중요성이 더욱 커졌다.

실력을 키우는 응용 문제

159쪽

1 ② **2** ⑤ **3** ② **4** ④ **5** ③ **6** ①
7 해설 참조

1 인구 밀도는 어떤 지역에 인구가 얼마나 분포하는지를 파악할 때 유용하게 사용되는 개념이다.

2 해안 지역은 예로부터 선박을 이용할 수 있어 외부 지역과의 교류에 유리하고 육상 자원과 해상 자원을 모두 활용할 수 있어 경제 성장에 유리하기 때문에 인구가 밀집하였다.

3 인구 분포의 요인 중 자연적 조건이 탁월한 곳은 예로부터 인구가 집중하였다. 평야가 넓은 지역, 하천 주변의 용수를 구하기 쉬운 지역, 기후가 온화한 지역, 토양이 비옥한 지역 등이 대표적인 예이다.
오답 분석 ㄴ, ㄹ. 교통이 불편하거나 일자리가 부족한 것은 인문 · 사회적 조건이 불리하여 인구를 희박하게 만드는 요인이다.

4 지도에서 어둡게 표시될수록 인구 밀도가 높은 지역이다. 우리나라는 산업화 이후 대도시로 인구가 집중하면서 수도권과 남동 임해 지역의 인구 밀도가 높다.

5 지도의 1점이 인구 10만 명을 나타내므로 지도에서 빨간 점이 많이 찍혀 있을수록 인구 밀집 지역이다. 따라서 서부 유럽(A), 동남 및 남부 아시아(C), 미국의 북동부 지역(D)이 인구 밀집 지역이고, 점이 별로 찍혀 있지 않은 사하라 사막(B)과 아마존 열대 우림(E) 지역은 인구 희박 지역에 해당된다.

6 서부 유럽은 산업 혁명의 발상지로 일찍부터 경제가 성장하여 인문 · 사회적 요인이 우수해 인구가 밀집한 지역이다.
오답 분석 ② C의 인구 밀집 요인이다. ③ B의 인구 희박 요인이다. ④ E의 인구 희박 요인이다. ⑤ D의 인구 밀집 요인이다.

7 **예시 답안** 산업화 이전에는 자연적인 요인의 영향을 많이 받아 농업에 유리한 남서부 지역에 인구가 밀집하였다. 산업화가 진행되면서 일자리를 구하기 위하여 사람들이 대도시로 이동하는 이촌 향도 현상이 나타났다. 따라서 오늘날에는 수도권과 남동 임해 공업 지역을 비롯한 대도시에 인구가 밀집하였다.

채점 기준		
	상	산업화 이전과 오늘날의 인구 밀집 지역을 모두 정확히 쓰고, 그 요인을 논리적으로 서술한 경우
	중	산업화 이전과 오늘날의 인구 밀집 지역을 모두 정확하게 썼으나, 그 요인을 논리적으로 서술하지 못한 경우
	하	산업화 이전과 오늘날의 인구 밀집 지역 중 1가지만 정확하게 서술한 경우

2 인구 이동

간단 체크

160쪽

1 인구 이동 **2** 흡인 **3** 배출

162쪽

1 경제적 **2** 미국 **3** 아프리카

개념 노트 만들기

164쪽

핵심 내용 정리하기

(**제목:** 세계의 인구 이동과 인구 유입 및 유출 지역의 문제점)

❶ 경제적 ❷ 선진국 ❸ 서부 유럽 ❹ 정치적
❺ 유입 ❻ 유출

활동 노트 완성하기

1 예시 답안

인구 유입 지역	인구 유출 지역
서부 유럽	아시아(인도, 중국 등) 북아프리카(모로코, 알제리 등)
북아메리카(미국)	라틴 아메리카, 아시아
동아시아(우리나라, 일본 등)	중국, 동남아시아

2 예시 답안 • 긍정적 측면: 다양한 문화 유입, 노동력 부족 문제 해결

• 부정적 측면: 이주민들과의 사회 · 문화적 갈등 증가, 외국인 범죄 증가, 내국인의 일자리 경쟁 심화에 따른 불만 증가 등

실력을 키우는 응용 문제

165쪽

1 ⑤ **2** ① **3** ② **4** ⑤ **5** ②
6 해설 참조

1 흡인 요인은 인구를 끌어들이는 긍정적인 요인, 배출 요인은 인구를 떠나게 하는 부정적인 요인이다.

2 ㄱ. 내전으로 인한 이동은 정치적 동기에 따른 이동이다. ㄴ. ㄷ. ㄹ. 일자리를 구하기 위하여 또는 높은 임금을 위하여 하는 이동은 경제적 동기에 따른 이동에 해당한다.

3 사례는 여름철 프랑스 남부의 해변으로 여행을 떠나는 이동을 보여주고 있다. 휴양지를 찾아 일정한 기간 동안 여행을 떠나는 것은 거주지를 옮긴 것이 아니며, 일정 기간 이후 본래의 거주지로 돌아가는 이동이므로 자발적이며 일시적인 인구 이동에 해당한다.
오답 분석 ① 경제적 목적의 이동에 해당한다. ③ 자발적이고 영구적인 인구 이동으로, 이민 등이 해당된다. ④ 정치적 목적의 이동이며 비자발적(강제적) 이동에 해당한다. ⑤ 비자발적(강제적) 이동에 해당한다.

4 근로자의 유출 비율이 높은 국가일수록 진한 색으로 표시되어 있고, 이동 방향은 화살표로 표시되어 있다. 동남아시아의 근로자들은 주로 북아메리카의 미국으로 이주하는 모습을 확인할 수 있다.

5 난민은 정치적으로 불안정한 아프리카와 서남아시아에서 많이 발생하고 있다.

6 예시 답안 서로 다른 문화를 지닌 사람들이 모이게 되어 사회 · 문화적 갈등이 증가한다. 다른 지역에서 사람들이 몰려들면서 일자리 경쟁이 심화된다. 등

채점 기준		
	상	사회 · 문화적 갈등 증가, 일자리 경쟁 심화 등을 바르게 서술한 경우
	중	'문화가 달라진다.', '자국민이 싫어한다.' 등 추상적으로 서술한 경우
	하	'문화', '일자리' 등을 언급하였으나 의미가 잘못 서술된 경우

3 인구 문제

간단 체크

166쪽

1 저출산 **2** 개발 도상국 **3** 성비 불균형 문제

168쪽

1 출산 장려 정책 **2** 인구 부양력 **3** 일자리

개념 노트 만들기

170쪽

핵심 내용 정리하기

(**제목:** 선진국과 개발 도상국의 인구 문제와 해결책)

❶ 선진국 ❷ 부족 ❸ 일자리 ❹ 개발 도상국
❺ 부족 ❻ 대도시 ❼ 성비

활동 노트 완성하기

1 예시 답안

	1980년대	2000년대
출산율	높다	낮다
인구 정책	가족계획(출산 억제)	출산 장려 정책

2 예시 답안 출산율이 낮아지면서 청장년층이 감소하여 노동력이 부족해지고, 경제가 침체될 수 있다.

실력을 키우는 응용 문제

171쪽

1 ⑤ **2** ⑤ **3** ④ **4** 해설 참조 **5** ①
6 ④

1 전체 인구 성장 중 개발 도상국이 차지하는 비율이 월등히 높은 것으로 보아 세계의 인구 성장은 개발 도상국이 주도하고 있다고 볼 수 있다.

오답 분석 ① 세계 전체 인구는 계속 증가하고 있다. ② 90억 명은 2050년 예상 인구이다. ③ 세계 전체 인구 곡선의 기울기는 점차 완만해지고 있으므로 인구 성장 속도는 둔화될 것이다. ④ 인구가 정체한다는 것은 그 수가 변하지 않는다는 의미인데, 그래프에서 세계 전체 인구는 꾸준히 증가하고 있다.

2 선진국은 사망률의 감소와 출산율의 감소로 노인 인구 비율이 증가하고, 전체 인구가 정체하거나 감소하는 현상이 나타난다.
오답 분석 ㄱ, ㄴ은 개발 도상국에서 겪고 있는 인구 문제이다.

3 개발 도상국은 인구의 급격한 증가가 문제이므로 출산을 억제하는 인구 정책이 필요하다.
오답 분석 ①, ②, ③ 출산 장려 정책, ⑤ 고령화 대책이다.

4 **예시 답안** A 시기에는 출생률과 사망률이 모두 높았으나, B 시기로 변화하면서 출생률과 사망률은 모두 낮아졌다.

채점 기준		
	상	출생률과 사망률 두 가지 변화를 정확히 서술한 경우
	중	출생률과 사망률 중 한 가지 변화만 맞게 서술한 경우
	하	출생률과 사망률의 변화 중 한 가지만 추상적으로 서술한 경우

5 B는 낮은 출생률로 인구 감소의 위험이 있으므로 직장 내 보육 시설 확대를 통한 출산 장려 정책이 필요하다.

6 저출산에 따른 가장 큰 문제는 향후 청장년층의 노동력이 부족해진다는 점이다. 이로 인해 해당 국가는 부족한 노동력을 보충하기 위해 외국인 노동자의 유입을 증가시킬 수 있다.

서술형 더 풀어보기

173쪽

1 **예시 답안** 높은 임금이나 쾌적한 주거 환경, 풍부한 일자리 등은 인구 이동의 흡인 요인이다.

2 **예시 답안** 고령화 현상은 의학 기술의 발달에 따라 평균 수명이 연장하면서 나타났고, 노인의 경제 활동을 보장해 주는 일자리 제공이나 정년 연장 등의 대책이 필요하다.

단원을 정리하는 종합 문제

174~175쪽

1 ④ **2** ⑤ **3** ③ **4** ③ **5** ② **6** ②
7 ④ **8** ① **9** ③ **10~12** 해설 참조

1 ①은 인구 밀도, ②는 인구 희박 지역, ③은 인문 · 사회적 요인, ⑤는 인구 밀집 지역에 대한 설명이다.

2 세계의 인구는 지구상에 불균등하게 분포하며, 과학 기술의 발달은 자연적 요인의 극복을 가능하게 하여 그 영향력을 감소시켰다.

3 (가)는 개발 도상국, (나)는 선진국이다. 따라서 세계의 경제적 이동은 일자리가 풍부하고 임금이 높은 (나)로 향한다.

4 찌에우 가족은 높은 소득을 위해 이민을 하였으므로 경제적 이동임을 알 수 있다.
오답 분석 ① 대한민국은 인구 유입 지역이다. ② 베트남은 낮은 임금으로 인구 유출 지역이라고 할 수 있다. ④ 통학은 일시적 인구 이동이다. ⑤ 찌에우 가족의 이민은 자발적 이동이다.

5 빈번한 내전은 인구를 밀어내는 배출 요인이다.

6 인구 유입이 활발한 지역은 노동력 부족 현상을 해소할 수 있다.
오답 분석 ① 자국민은 외국인의 유입이 많아지면서 일자리를 얻기 위한 경쟁을 더 심하게 겪을 수 있다. ③, ④ 외국인이 많이 유입되어 그 사회에 조화를 이루지 못할 경우 범죄를 일으키거나 갈등을 일으킬 수 있다. ⑤ 다양한 문화를 지닌 외국인이 늘어나면서 한 사회 내에 다양한 문화가 교류될 수 있다.

7 농어촌은 산업이 발달한 대도시로 인구가 빠져나가면서 대표적인 인구 희박 지역이 되었다.

8 ㄱ, ㄴ은 출산 장려 정책, ㄷ, ㄹ은 고령화에 대한 대비책이다.

9 고령화 현상은 저출산과 함께 노인의 평균 수명이 연장되면서 빠른 속도로 진행된다.

10 **예시 답안** 동남아시아와 남부 아시아는 평야가 발달하였고, 고온 다습한 여름 계절풍이 탁월한 기후 조건을 갖추었다. 이는 벼농사에 유리하여 이 지역의 인구 집중에 영향을 주었다. 이러한 인구 밀집 요인은 자연적 요인이다.

채점 기준		
	상	인구 밀집 요인을 알맞게 적고, 해당 요인이 자연적 요인인지, 인문 · 환경적 요인인지 정확히 파악하여 서술한 경우
	중	인구 밀집 요인을 미흡하게 서술하였으나, 해당 요인이 자연적 요인인지, 인문 · 환경적 요인인지 정확히 파악하여 서술한 경우
	하	인구 밀집 요인이 적절하지 못하고, 해당 요인이 자연적 요인인지, 인문 · 환경적 요인인지에 대한 언급이 없는 경우

11 **예시 답안** 흡인 요인은 높은 임금, 쾌적한 환경 등 인구를 끌어들이는 요인이고, 배출 요인은 열악한 생활 환경, 내전 등과 같이 인구를 밀어내는 요인이다.

채점 기준		
	상	흡인 요인과 배출 요인의 의미가 정확하고, 각각의 예를 바르게 서술한 경우
	중	의미는 명확하나 각각의 예가 미흡한 경우
	하	의미와 각각의 예에 대한 서술이 미흡한 경우

12 **예시 답안** 결혼과 자녀의 필요성을 덜 느끼는 등 가치관이 변하고, 양육 비용에 대한 부담을 느껴 출산을 기피하기 때문이다.

채점 기준		
	상	가치관 변화, 고용 및 소득 불안정, 양육 비용 부담 등 저출산의 원인 2가지를 바르게 서술한 경우
	중	저출산 원인을 2가지 서술하였으나 1가지가 미흡한 경우
	하	원인을 1가지만 서술하였거나, 2가지 모두 미흡한 경우

8 사람이 만든 삶터, 도시

1 세계 여러 도시의 위치와 특징

간단 체크

178쪽

1 × 2 ○ 3 ×

180쪽

1 ○ 2 ○ 3 ×

개념 노트 만들기

182쪽

핵심 내용 정리하기

(**제목:** 도시의 의미와 세계의 여러 도시)

❶ 도시 ❷ 높 ❸ 집약적 ❹ 뉴욕
❺ 브뤼셀 ❻ 쿠스코 ❼ 오로라

활동 노트 완성하기

1 • (가): 뉴욕 • (나): 시드니

2 ①: 뉴욕 – ⓒ
②: 브뤼셀 – ㉠
③: 도쿄 – ㉡
④: 상파울루 – ㉣

실력을 키우는 응용 문제

183쪽

1 ⑤ 2 ⑤ 3 ② 4 ③
5 • (가): 파리, • (나): 런던 6 ①

1 도시는 인구 밀도가 높고 토지 이용이 집약적으로 이루어진다.

2 ㉤은 남아메리카 최대의 경제 중심지인 브라질의 상파울루이다.
오답 분석 ㉠은 파리, ㉡은 카이로, ㉢은 도쿄, ㉣은 뉴욕이다.

3 페루의 쿠스코는 '세계의 배꼽'이라는 뜻을 가진 잉카 문명의 중심 도시이다. 1983년 유네스코 세계 유산에 등재되었다.

4 유럽 대륙과 아시아 대륙에 걸쳐 있는 튀르키예의 이스탄불은 동양과 서양의 문화가 공존하는 도시이다.

5 (가)는 프랑스 파리의 랜드마크인 에펠탑, (나)는 영국 런던의 랜드마크인 타워 브리지이다.

6 미국의 수도는 워싱턴 D.C.이다.

2 도시 구조와 도시 경관

간단 체크

184쪽

1 도심 2 주간, 야간 3 부도심

186쪽

1 ○ 2 × 3 ○

개념 노트 만들기

188쪽

핵심 내용 정리하기

(**제목:** 도시 내부의 구조와 지역 분화의 원인)

❶ 도심 ❷ 접근성 ❸ 중심 업무 지구(CBD)
❹ 부도심 ❺ 개발 제한 구역(그린벨트) ❻ 땅값(지가)

활동 노트 완성하기

1 • (가): 도심 • (나): 부도심

2 **예시 답안** 도심인 (가) 지역이다. 이곳은 도시의 중심부로 접근성이 가장 좋은 곳이기 때문에 땅값이 높게 나타난다.

3 **예시 답안** (가) 도심은 상업 · 업무 기능이 강한 곳이기 때문에 낮에는 유동 인구가 많다. 하지만 도심의 주거 기능은 약하기 때문에 밤에는 사람들이 주변 지역의 주거 지역으로 빠져나가면서 인구 공동화 현상이 나타난다.

실력을 키우는 응용 문제

189쪽

1 ① 2 A: 도심, B: 부도심 3 ③ 4 ②
5 ④ 6 해설 참조

1 도심에는 대기업 본사, 은행 본점, 백화점 본점, 시청 및 주요 관공서 등이 모여 중심 업무 지구(CBD)를 형성한다. 도심은 낮 시간대에 유동 인구가 많지만 상주 인구는 적기 때문에 밤 시간대에는 사람들이 빠져나가 인구 공동화 현상이 나타난다.

2 도시 중심의 A는 도심, B는 도심의 기능을 분담하는 부도심이다.

3 (가) 지역에 분포하는 주요 시설들로 보아 (가) 지역은 도심임을 알 수 있다. 도심은 비싼 땅값으로 주거 기능은 약하기 때문에 대규모 아파트 단지는 찾아보기 힘들다.

4 도심은 상주 인구가 적은 곳이기 때문에 학교 운영에 어려움이 많다. 역사가 오랜 도심의 학교들은 학생 수 감소로 주변 지역으로 이전하고 있다.

5 도심은 도시 내부에서 가장 접근성이 좋고, 땅값도 높다. 따라서 토지 이용이 집약적으로 이루어지며 고층 건물이 많다. 낮 시간대에는 유동 인구와 교통량이 많으나, 주거 기능이 약하기 때문에 야간 인구는 많지 않다.

6 **예시 답안** 도심은 땅값이 비싼 곳으로 상업 · 업무 기능이 강하고 주거 기능이 약하다. 따라서 주간 인구는 많지만, 야간 인구는 많지 않아 밤이 되면 인구 공동화 현상이 나타난다.

채점 기준		
	상	제시된 5개의 단어를 이용하여 도심의 인구 공동화 현상을 논리적으로 서술한 경우
	중	제시된 단어 중 3개의 단어를 이용하여 도심의 인구 공동화 현상을 서술한 경우
	하	제시된 단어 중 1개의 단어를 이용하여 도심의 인구 공동화 현상을 서술하였으나 미흡한 경우

3 도시화 과정과 도시 문제

간단 체크

190쪽

1 선진국 2 종착 3 촌락, 도시

192쪽

1 ○ 2 × 3 ×

개념 노트 만들기

194쪽

핵심 내용 정리하기

(**제목:** 선진국과 개발 도상국의 도시화 과정 및 도시 문제)

❶ 도시화 ❷ 선진국 ❸ 개발 도상국
❹ 도시 기반 ❺ 땅값(지가)

활동 노트 완성하기

1 • (가): 선진국 • (나): 개발 도상국

2 **예시 답안** 선진국의 도시화는 19세기 후반부터 시작되어 오랜 시간에 걸쳐 천천히 진행되어 오늘날 종착 단계에 접어들었다. 한편, 개발 도상국의 도시화는 20세기 후반부터 시작되어 짧은 시간 동안에 빠르게 진행되고 있다.

3 **예시 답안** 오늘날 개발 도상국의 도시화 단계는 대체로 가속화 단계에 해당한다. 따라서 이촌 향도 현상이 나타나고 있으며, 산업이 발달한 특정 도시로의 인구 집중 현상이 심각하게 나타나고 있다. 이에 따라 종주 도시 현상이 심해지고, 교통 혼잡, 넘치는 쓰레기, 대규모 불량 주거 지역 형성 등의 도시 문제가 발생하고 있다.

실력을 키우는 응용 문제

195쪽

1 해설 참조 2 ② 3 ④ 4 ④
5 • A: 선진국, • B: 개발 도상국 6 ③ 7 해설 참조

1 • A: 초기 단계, • B: 가속화 단계, • C: 종착 단계

2 A 단계에서는 촌락에 거주하는 인구 비율이 높고 인구가 전 국토에 걸쳐 고르게 분포하는 단계이다. B 단계에 접어들면 도시의 산업 발달과 함께 촌락 인구가 도시로 집중하는 이촌 향도 현상이 발생한다.

3 (가)는 역도시화 현상을 나타낸 것이고, (나)는 이촌 향도 현상을 나타낸 것이다. 이촌 향도 현상은 도시화의 가속화 단계에서 발생하는 현상으로 오늘날의 개발 도상국에서 주로 나타나고 있다. 오늘날의 선진국은 대체로 도시화의 종착 단계에 접어들었으며, 이에 따라 역도시화 현상이 나타나고 있다.

4 개발 도상국에서는 특정 대도시로의 인구 집중으로 각종 도시 문제가 나타나고 있다.

5 A는 도시화가 일찍이 시작된 선진국의 도시화 과정을 나타낸 그래프이고, B는 제2차 세계 대전 이후 도시화가 진행된 개발 도상국의 도시화 과정을 보여주는 그래프이다.

6 영국, 스위스, 프랑스는 선진국의 도시화 곡선이, 멕시코, 코스타리카는 개발 도상국의 도시화 곡선이 나타난다.

7 **예시 답안** 선진국의 도시화는 산업 혁명 이후 시작되어 100년이 넘는 기간 동안 진행되었고, 오늘날 대체로 종착 단계에 접어들었다. 반면, 개발 도상국의 도시화는 제2차 세계 대전 이후 시작되어 오늘날 대체로 가속화 단계에 해당한다.

채점 기준		
	상	선진국과 개발 도상국을 바르게 분류하고, 도시화 과정을 비교하여 바르게 서술한 경우
	중	선진국과 개발 도상국을 바르게 분류하고, 도시화 과정을 비교하여 서술한 내용이 부분적으로 맞은 경우
	하	선진국과 개발 도상국을 바르게 분류하였으나, 도시화 과정에 대한 비교 설명을 바르게 하지 못한 경우

4 살기 좋은 도시

간단 체크

196쪽

1 × 2 × 3 ○

198쪽

1 ○ 2 × 3 ○

개념 노트 만들기

200쪽

핵심 내용 정리하기

(**제목:** 살기 좋은 도시의 사례와 살기 좋은 도시를 만들기 위한 노력)

❶ 삶의 질 ❷ 빈 ❸ 채터누가 ❹ 쿠리치바

활동 노트 완성하기

1 ㉠: 헬싱키, ㉡: 빈, ㉢: 밴쿠버, ㉣: 멜버른

2 예시 답안 살기 좋은 도시는 적정한 인구 규모에 쾌적한 환경을 갖추어야 하고, 교통 시설, 교육 시설, 의료 시설, 편의 시설 등의 기반 시설도 잘 갖추어져 있어야 한다.

실력을 키우는 응용 문제

201쪽

1 ⑤ **2** ② **3** ① **4** 과도한 인구 집중
5 ② **6** 해설 참조

1 오스트리아 빈과 캐나다 토론토는 해마다 살기 좋은 도시 상위권 안에 드는 도시들이다.

2 살기 좋은 도시들은 대중교통 및 도시의 기반 시설이 잘 갖추어져 편리한 생활이 가능하다. 또, 녹지 비율이 높아 쾌적한 도시 환경이 조성된다.
오답 분석 ㄴ. 살기 좋은 도시 순위와 도시 경제 순위는 반드시 일치하지는 않는다. ㄹ. 인구 규모가 너무 큰 도시들은 삶의 질이 떨어진다.

3 브라질 쿠리치바는 과거의 도시 문제를 해결하고 인간과 자연이 조화를 이룬 모범 사례로 손꼽히는 도시이다.
오답 분석 채터누가는 미국, 예테보리는 스웨덴, 미나마타는 일본, 코펜하겐은 덴마크의 도시이다. 모두 도시 문제를 해결하고 살기 좋은 도시로 거듭난 도시 사례에 해당한다.

4 도시로 많은 인구가 급격히 모여들면서 발생하는 도시 문제들이다.

5 오늘날의 서울은 인구 1천만 명에 달하는 거대 도시이다. 지나치게 많은 인구 규모는 쾌적한 도시 생활을 방해하는 요인이 된다.

6 예시 답안 도시의 많은 차량으로 교통 체증이 심하다. 많은 차량은 배출 가스로 인한 대기 오염 문제를 초래하기도 한다. 따라서, 자가용 차량 10부제로 차량 이용을 제한하거나, 대중교통을 많이 이용할 수 있도록 버스 · 지하철 노선을 확대하거나, 전기차 등의 친환경 차량을 보급하는 등 다양한 대책 마련을 통해 교통 문제도 해결하고 대기 오염 문제도 해결할 수 있다.

채점 기준		
	상	도시 문제를 정확히 쓰고, 이에 대한 대책을 제대로 제시한 경우
	중	도시 문제를 정확히 썼으나, 이에 대한 대책이 다소 미흡한 경우
	하	도시 문제만 찾아 제시하고, 이에 대한 대책을 전혀 제시하지 못한 경우

서술형 더 풀어보기

203쪽

1 예시 답안 도심의 접근성이 가장 좋다. 그 까닭은 도심이 도시의 중심부이며 교통의 결절지인 경우가 많기 때문이다.

2 예시 답안 주택 부족, 교통 혼잡, 각종 환경 오염, 범죄, 쓰레기 문제 등이 발생한다.

단원을 정리하는 종합 문제

204~205쪽

1 ⑤ **2** ② **3** ③ **4** ⑤ **5** ① **6** ④
7 ② **8** ⑤ **9** ⑤ **10~12** 해설 참조

1 설명에 해당하는 도시는 브라질의 상파울루이다. 상파울루는 천만 명이 넘는 사람들이 모여 사는 브라질 최대의 도시이며, 경제 규모 면에서도 브라질 총 GDP의 10%를 넘어 남아메리카 전체에서 가장 경제 규모가 큰 도시이다.

2 북위 60°가 넘는 위도에 위치한 옐로나이프는 오로라 관측의 명소로 유명해지면서 '오로라 관측의 수도'라고 불리운다.
오답 분석 ①은 쿠스코, ③은 이스탄불, ④는 케이프타운, ⑤는 홍콩에 대한 설명이다.

3 인구 공동화 현상은 땅값이 비싼 도심, 부도심에서 나타난다.
오답 분석 ② 많은 주간 인구에 비해 야간 인구가 적은 경우를 인구 공동화 현상이라고 한다. ④ 상업 · 업무 기능이 강한 도심에서 발생한다. ⑤ 출근 시간이면 주변 지역에서 도심으로 이동하는 사람들이 많아 도심 방향으로 교통 체증이 발생한다.

4 A 지역은 도심이다. 도심은 접근성이 뛰어나 땅값(지가)이 비싸고 상업 · 업무 기능이 모여 중심 업무 지구(CBD)를 형성한다. 주거 기능은 약하기 때문에 낮 시간대의 많은 유동 인구에 비해 밤 시간대에는 사람들이 주변 지역으로 빠져나가면서 인구 공동화 현상이 발생한다.

5 B 지역은 도심의 주변에 형성되는 부도심이다. 도심의 기능을 분담하는 곳으로 주변 지역 중에서 교통이 편리한 지역에 형성된다.
오답 분석 ㄷ. 위성 도시는 도시의 외부에 형성되며, 도시의 인구를 분담 · 수용하는 기능을 주로 한다. ㄹ. 서울의 명동, 시청, 광화문 일대는 도심에 해당한다.

6 A는 초기 단계, B는 가속화 단계, C는 종착 단계에 해당한다. 선진국의 도시화 단계는 대체로 종착 단계에 해당하며, 우리나라의 도시화도 이미 종착 단계에 접어들었다. 대도시로의 인구 증가 속도가 빠른 시기는 이촌 향도 현상이 이루어지는 가속화 단계이다.

7 다라비, 키베라, 파벨라 등의 불량 주거 지역은 도시 내부에 형성된다. 도시에서 일자리를 구하기 위해, 교통비를 아낄 수 있도록 도시 안쪽에 자리 잡는다.

8 살기 좋은 도시는 거주하고 있는 도시민들의 삶에 대한 만족도, 즉 삶의 질이 높은 도시를 말한다. 범죄율이 낮아 사회적으로 매우 안정적이며, 정치적 · 경제적인 측면에서도 안정적이다.
오답 분석 ㄱ. 개발 도상국보다는 선진국의 도시들이 주로 해당한다. ㄴ. 쾌적한 도시 환경을 위해 인구 규모는 적정한 것이 바람직하다.

9 살기 좋은 도시를 만들기 위해서는 정부의 체계적이고 효율적인 정책 수립과 함께 시민들의 자발적인 참여와 노력도 매우 중요하다.
오답 분석 ① 도시의 환경 수준과 주민들의 건강 수준은 관련이 많다. ② 과거의 심각한 도시 문제를 해결하고 오늘날 살기 좋은 도시로 거듭한 사례도 많다. ③ 지속 가능한 발전을 통해 경제 발전과 환경 보존을 양립시킬 수 있다. ④ 정부와 시민들의 꾸준한 노력이 이루어진다면 도시 문제를 해결해 나갈 수 있다.

10 **예시 답안** 촌락에 비해 도시의 인구 밀도는 높은 편이고, 토지 이용은 집약적으로 이루어진다.

채점 기준		
	상	도시의 인구 밀도와 토지 이용 특징을 촌락과 비교하여 바르게 서술한 경우
	중	도시의 인구 밀도와 토지 이용 특징 중 한 가지만 바르게 서술한 경우
	하	도시의 인구 밀도와 토지 이용 특징을 서술하지 못한 경우

11 (1) 땅값(지가)
(2) **예시 답안** 지역의 위치에 따라 접근성이 달라지기 때문에 이에 따라 지역의 땅값(지가)도 달라진다.

채점 기준		
	상	땅값과 접근성의 차이가 도시 내부의 지역 분화 원인임을 서술한 경우
	중	땅값과 접근성의 차이 중 한 가지만 언급하여 도시 내부의 지역 분화 원인을 서술한 경우
	하	땅값과 접근성의 차이가 도시 내부의 지역 분화 원인임을 서술하지 못한 경우

12 **예시 답안** (가)는 이촌 향도 현상으로 도시화의 가속화 단계에 주로 발생한다. (나)는 역도시화 현상으로 도시화의 종착 단계에 주로 발생한다.

채점 기준		
	상	(가)의 이촌 향도 현상과 가속화 단계, (나)의 역도시화 현상과 종착 단계를 연관 지어 바르게 서술한 경우
	중	이촌 향도 현상과 역도시화 현상을 알지만, 이를 도시화와 연관 짓지 못한 경우
	하	이촌 향도 현상과 역도시화 현상에 대한 이해가 부족하고, 이를 도시화 단계와 연관 짓지 못한 경우

9 글로벌 경제 활동과 지역 변화

1 농업 생산의 기업화와 세계화

간단 체크

208쪽

1 WTO　2 상업적　3 플랜테이션

210쪽

1 ○　2 ×　3 ×

개념 노트 만들기

212쪽

핵심 내용 정리하기

(제목: 농업의 기업화와 세계화 **)**

❶ WTO(세계 무역 기구)　❷ 기업화　❸ 일자리
❹ 환경 파괴　❺ 음식 문화　❻ 식량 자급률

활동 노트 완성하기

1 • ㉠: 플랜테이션, • ㉡: 기호

2 **예시 답안** 주요 기호 작물은 재배 지역이 열대 기후인 경우가 많다. 이 지역들에서 기업은 많은 자본과 기술을 바탕으로 현지민의 노동력을 활용하여 기호 작물을 대규모로 재배하기 때문이다.

3 **예시 답안** 교통과 통신의 발달로 농산물의 수송이 편리해졌고, WTO 체제 출범과 FTA의 체결로 농업의 세계화가 이루어졌기 때문이다.

실력을 키우는 응용 문제

213쪽

1 ②　2 ③　3 ②　4 ⑤　5 ②
6 해설 참조

1 농업의 세계화로 상업적 농업의 비중이 커졌고, 농업의 기업화 현상이 강화되었다.

2 교통과 통신의 발달로 교류가 쉬워졌고, WTO 체제의 출범으로 자유 무역이 활발히 이루어지게 되었다. 생활 수준의 향상은 세계의 다양한 농산물에 대한 수요를 증가시켜 농업의 세계화를 촉진하게 되었다.
오답 분석 ㄷ. FTA 체결로 국가 간 자유 무역이 증가하였다.

3 곡물을 소규모로 재배하던 자급적 농업 방식은 감소하고, 대신 시장 판매를 목적으로 하는 대규모 곡물 재배와 목축, 그리고 상품 작물의 재배가 증가하였다.

4 그림은 농업의 세계화를 보여준다. ①~④는 모두 농업의 세계화가 지닌 긍정적 영향에 대해 이야기하고 있다. 반면 ⑤는 생산 지역에 미치는 부정적 영향을 말하고 있다.

5 식량 자급률에 대한 설명이다. 식량 자급률이 낮아지게 되면 그만큼 식량난의 위험성도 커지고, 더불어 수입 농산물에 대한 의존도가 높아지게 된다.

6 **예시 답안** 장기적으로는 식량 부족의 위험에 놓일 수 있다. 수입 농산물의 가격이 상승하거나 수입할 수 있는 양이 줄어들 경우 심각한 식량난에 빠질 수 있다. 또한 수입 농산물의 가격이 상승할 경우 국가 경제가 불안정해질 수 있다.

채점 기준		
	상	식량 부족 또는 식량난의 가능성과 국가 경제 불안정에 대한 내용을 모두 서술한 경우
	중	식량난 또는 국가 경제 불안정 중 한 가지 내용을 서술한 경우
	하	식량 관련된 문제점에 대해 정확한 언급을 하지 못한 경우

2 다국적 기업의 공간적 분업 체계

간단 체크

214쪽

1 다국적 기업 2 연구소 3 무역 장벽

216쪽

1 × 2 ○ 3 ×

개념 노트 만들기

218쪽

핵심 내용 정리하기

(**제목:** 다국적 기업의 공간적 분업 체계)

❶ 다국적 ❷ 생산비 ❸ 공간적 분업 ❹ 선진국 ❺ 개발 도상국 ❻ 무역 장벽

활동 노트 완성하기

1 **예시 답안** 다국적 기업은 주로 생산비를 절감하기 위해 인건비와 땅값이 저렴한 곳에 생산 공장을 세우고 있다. 그래서 중국의 인건비가 상승하자 인건비가 더 저렴한 베트남으로 공장을 이동하게 된 것이다.

2 산업 공동화

3 **예시 답안** 유해 물질의 배출 증가로 환경이 오염될 수 있다. 이익이 대부분 본사가 있는 선진국으로 유입되어 생산 공장 유입 지역의 경제에는 큰 보탬이 되지 않는다. 노동 착취로 인한 인권 침해가 발생할 수 있다. 등

실력을 키우는 응용 문제

219쪽

1 ③ 2 ③ 3 ③ 4 해설 참조 5 ④ 6 ④

1 다국적 기업은 교통과 통신의 발달로 세계의 교역이 활발해진 가운데 세계 무역 기구(WTO)의 출범과 자유 무역 협정 체결로 더욱 많아지게 되었다.

오답 분석 ㄹ. 국가 간 이동은 더욱 쉽고 편리해졌다.

2 다국적 기업이 만들어진 초기에는 보통 국내 생산에만 집중하고, 기업이 성장하게 되면서 해외에 판매 대리점을 조금씩 만든다. 그보다 더 성장하게 되면 해외에 생산 공장까지 설립하면서 다국적 기업의 모습을 갖추게 된다.

3 본사와 연구소는 선진국에 입지하는 경우가 많고, 생산 공장은 개발 도상국에 입지하는 경우가 많다.

4 **예시 답안** 관세 부과, 수입량 제한 등의 무역 장벽을 극복하기 위해 인건비가 비싼 지역에 직접 진출하기도 한다.

채점 기준		
	상	무역 장벽 회피에 대해 정확히 서술한 경우
	중	무역 장벽에 대해서 언급만 했을 뿐 정확한 의미와 해당 지역 진출 이유를 설명하지 못한 경우
	하	무역 장벽에 대한 언급이 전혀 없는 경우

5 지역의 많은 일자리를 담당하던 공장이 해외로 빠져나가면서 해당 지역에 경제적 공백이 생기는 현상을 '산업 공동화'라고 한다.

6 생산 공장이 이동함에 따라 기존에 생산 공장이 위치했던 지역에서는 해당 산업이 쇠퇴하고, 실업 증가, 지역 경제 침체 등의 문제가 발생한다.

3 서비스업의 세계화

간단 체크

220쪽

1 정보화 2 물류 3 입지

222쪽

1 정보 · 통신 2 콜센터 3 관광

개념 노트 만들기

224쪽

핵심 내용 정리하기

(**제목**: 정보화에 따른 서비스업의 변화)

❶ 정보화 ❷ 입지 ❸ 전자 ❹ 물류

❺ 외부화

활동 노트 완성하기

1 예시 답안 인터넷과 스마트폰을 통해 손쉽게 해외의 제품을 선택하고 결제할 수 있다. 또 이렇게 구입한 제품이 국제 물류 시스템을 통해 빠르고 저렴하게 집으로 배송될 수 있게 되면서 해외 제품 구입에 대한 부담이 줄었다. 이러한 편리성을 바탕으로 해외 직접 구입이 증가한 것이다.

2 예시 답안 과거에는 반드시 소비자를 많이 만날 수 있는 지역에 판매 지점을 만들어야 했지만, 이제는 인터넷과 물류 센터만 있다면 굳이 판매 지점을 만들지 않아도 된다. 따라서 땅값이 비싼 도시를 벗어나 어디서든 회사를 세우고 다양한 제품을 소비자에게 공급할 수 있게 되었다. 즉 입지가 자유롭게 되었고, 서비스업을 제공하기 위한 장소의 규모도 자유롭게 정할 수 있게 되었다.

실력을 키우는 응용 문제

225쪽

1 ③ **2** ① **3** 전자 상거래 **4** ③
5 해설 참조

1 정보화를 바탕으로 서비스업이 세계화되는 것을 보여주는 사례이다. 그림의 상황에서는 전자 상거래의 발전을 확인할 수 있다. 전자 상거래의 증가는 물류 산업의 발달에 큰 영향을 주었다.
오답 분석 ① 정보화를 바탕으로 전 세계의 소비자를 대상으로 삼게 되었다. ② 인터넷 쇼핑몰을 통해 외국에 가지 않고도 물건을 구입하는 사례가 증가할 것이다. ④ 생산 공장의 입지는 여전히 인건비의 영향을 많이 받고 있다. ⑤ 정보화의 영향으로 서비스업이 세계화되고 있는 것이다.

2 ②~⑤도 간접적인 이유가 될 수 있지만 가장 직접적인 이유는 바로 정보 통신의 발달에 따른 정보화이다.

3 인터넷 쇼핑몰과 같이 직접 만나는 것이 아닌 온라인상의 거래를 전자 상거래라 말한다.

4 온라인 쇼핑 업체는 오프라인 매장의 입지보다는 물류 창고 확보에 더 많은 노력을 기울일 것이다. 오프라인 매장과의 경쟁에서 살아남기 위해서는 소비자가 고른 제품이 최대한 빨리 소비자에게 전달되어야 하기 때문이다.

5 예시 답안 (1) 정보 통신 산업의 발달로 공간적 분업이 가능해졌다. (2) 임금이 저렴하여 생산비를 절감할 수 있다.

채점 기준		
	상	기술적 배경과 경제적 까닭을 정확하게 설명하였고, 두 설명 사이의 연관성이 분명한 경우
	중	기술적 배경과 경제적 까닭에 대한 설명이 옳으나 둘 사이의 연관성이 분명하지 않고 별도의 내용을 서술한 경우
	하	두 내용 중 하나의 설명이 부족하고, 두 설명의 연결성도 전혀 찾아보기가 어려운 경우

서술형 더 풀어보기

227쪽

1 예시 답안 운송 과정에서 과도한 농약을 사용하여 식품 안전성이 떨어질 수 있다. 대량 생산과 생산 비용 절감을 목적으로 안전성이 검증되지 않은 농산물 재배나 과도한 농약 사용이 이루어질 수 있다.

단원을 정리하는 종합 문제

228~229쪽

1 ⑤ **2** ④ **3** ② **4** ② **5** ⑤ **6** ①, ⑤
7 ⑤ **8** ④ **9** ④ **10** ⑤ **11~13** 해설 참조

1 농업 생산의 기업화와 세계화에 따라 기존의 농작물 이외에 수익성이 높은 다양한 작물을 재배하게 되었고, 자급자족보다는 시장 판매로 수익을 얻으려는 상품 작물의 재배가 증가하게 되었다.
오답 분석 ㄱ. 자급적 농업 비중은 감소하고, 상업적 농업 비중이 증가하고 있다. ㄴ. 기업적 농업은 전 세계적으로 나타난다.

2 자료는 수입 농산물 증가로 감소하는 쌀 소비량과 식량 자급률의 변화를 보여주고 있다.
오답 분석 ① 육류 소비량은 증가할 것이다. ② 자료에서는 기호 식품의 소비를 알기 어렵다. ③ 수입 농산물 증가로 국산 농산물이 차지하는 비중은 줄어들고 있다. ⑤ 농업 인구의 감소와 저렴한 수입 농산물의 증가로 우리 농산물의 비중이 줄어들었고 이는 식량 자급률 하락으로 이어지고 있다.

3 자연 상태에서는 모든 식물이 다양하게 나타난다. 단일 작물의 재배는 이러한 자연스러움을 없애는 과정으로, 막대한 양의 농약이 투입되어 생태계를 파괴한다.

4 기업이 성장하게 되면서 판매망을 해외로 넓히고, 보다 더 성장하게 되면 공장까지 해외에 지으면서 판매의 극대화와 생산의 효율화를 함께 모색하게 된다.

5 생산 공장은 무역 장벽을 피해 선진국에 입지하기도 한다.

6 인건비가 저렴한 개발 도상국은 생산 공장 설립 시 선호되는 장소이다. 또한 무역 장벽이 높지만 소비자가 많은 지역의 경우 해당 지역에 생산 공장을 지어 직접 제품을 소비자에게 제공함으로써 무역 장벽을 피하고 많은 시장을 확보할 수 있다.

7 ㄷ. 생산 공장이 철수하는 지역에서는 산업 공동화 현상이 나타나 실직자가 증가하고 지역 경제가 침체될 수 있다. ㄹ. 대신 유해 물질의 배출이 감소하므로 환경 오염은 줄어들 수 있다.

오답 분석 ㄱ. ㄴ. 다국적 기업의 생산 공장이 들어가는 지역에서 나타날 수 있는 변화이다.

8 전자 상거래의 증가로 물류 산업 역시 발전하는 모습을 보인다.

9 정보 통신 설비의 구축을 통해 직접적인 만남 없이도 서비스 제공이 가능해졌고, 이러한 변화로 서비스업의 세계화가 나타났다.

10 W 마트는 전 세계적으로 많은 오프라인 매장을 운영하는 회사로, 동종 업계에서 세계 매출액 1위를 기록하기도 하였다. A사는 전자 상거래의 발달과 함께 등장한 온라인 쇼핑몰로, 오프라인 매장 없이 전 세계에 물건을 판매하고 있다.

오답 분석 ① 물류 센터는 주로 교통이 편리한 곳에 생기게 된다. ② A사는 온라인 쇼핑몰의 특성상 오프라인 매장보다 적은 인원으로 운영할 수 있다. ③ A사의 온라인 쇼핑몰은 세계 어디서든 접속할 수 있어 W 마트보다 더 많은 소비자를 만날 수 있다. ④ W 마트는 현재 비용이 많이 들어가는 오프라인 매장 수를 줄이고, 온라인 쇼핑몰 확장에 관심을 기울이고 있다.

11 **예시 답안** 단일 작물의 대규모 재배는 생태계를 교란하고, 농약 사용으로 환경 파괴를 유발한다. 또한 작물의 국제 가격이 하락하면 지역 경제가 큰 위기를 겪기도 한다.

채점 기준		
	상	부정적 영향을 두 가지 이상 명확하게 서술한 경우
	중	한 가지만 명확하게 서술한 경우
	하	한 가지도 제대로 서술하지 못한 경우

12 **예시 답안** 일자리가 증가한다. 지역 경제가 활성화 된다. 기술 이전을 통해 해당 산업이 지역에서 발전하게 된다. 도로, 전기 등 기반 설비가 갖춰지게 된다.

채점 기준		
	상	부정적 영향의 내용을 바탕으로 긍정적 영향에 대해 서술한 경우
	중	부정적 영향과 전혀 상관없는 긍정적 영향을 서술하였고 해당 내용의 논리성이 조금 부족한 경우
	하	긍정적 영향이라 보기 어려운 내용을 서술한 경우

13 **예시 답안** 농업은 작물이 재배될 최적의 기후와 지형을 찾아 입지하고, 공업은 생산 비용을 낮출 수 있도록 입지하는 반면, 최근의 서비스업은 교통과 정보망만 갖춰졌다면 어디든 입지할 수 있다.

채점 기준		
	상	농업과 공업, 서비스업의 입지 특성을 정확히 설명한 경우
	중	서비스업의 입지에 대해 바르게 설명하였으나 농업과 공업은 명확하게 설명하지 못한 경우
	하	농업과 공업의 입지 특성을 전혀 설명하지 못하고, 서비스업의 입지 또한 명확히 설명하지 못한 경우

10 환경 문제와 지속 가능한 환경

1 기후 변화의 원인과 해결 노력

간단 체크

232쪽

1 자연적 요인 2 증가 3 상승

234쪽

1 ○ 2 ○ 3 ×

236쪽

1 × 2 × 3 ×

개념 노트 만들기

238쪽

핵심 내용 정리하기

(**제목:** 기후 변화의 원인과 해결 노력)

❶ 인간 활동 ❷ 지구 온난화 ❸ 해수면
❹ 탄소 배출권 ❺ 교토 의정서 ❻ 파리 협정

활동 노트 완성하기

1
- 가장 침수 피해가 큰 국가: 중국
- 침수 피해가 큰 까닭: **예시 답안** 중국 동부 지역은 해발 고도가 낮은 저지대가 넓게 펼쳐져 있기 때문이다.

2 **예시 답안** 서울 일부를 비롯하여 서 · 남부 해안 저지대의 침수가 예상된다.

3 **예시 답안** 비정상적인 지구 온난화를 완화시키기 위하여 탄소 배출을 제한하고, 온실가스 배출량을 감축하기 위한 협약을 체결하는 등 다양한 노력을 하고 있다.

실력을 키우는 응용 문제

239쪽

1 ④ 2 ③ 3 ⑤ 4 ④ 5 ④
6 해설 참조

1 제시된 내용은 지구 온난화 현상에 대한 설명이다.

2 (가)는 적정한 온실 효과, (나)는 과도한 온실 효과를 나타낸 그림이다. (나)와 같은 상황에서는 온실가스가 증가하여 지구 평균 기온이 올라가게 된다.

오답 분석 ① (가)의 지구 복사 에너지도 일부 온실가스에 막혀 다시 지구로 반사되고 있다. ② (나)에서는 과도한 온실 효과가 이루어지고 있다. ④ 녹지의 면적이 더 넓게 나타나는 경우는 (가)이다. ⑤ 인간 활동의 영향은 (나)에서 더 높게 나타날 것이다.

3 제시된 설명은 탄소 배출권 거래 제도에 대한 설명이다. 탄소 배출권 거래 제도는 지구 온난화 문제를 해결하기 위한 국가적 · 국제적 차원의 노력이다.

4 A의 빙하 면적보다 B의 빙하 면적이 적은 것으로 보아, A는 1980년, B는 2015년에 촬영한 위성 사진이다.
오답 분석 ㄱ. B가 지구 온난화가 더 진행된 최근의 사진이다. ㄷ. 평균 해수면은 B가 더 높다.

5 사진은 지구 온난화로 인한 북극빙하 면적의 감소를 나타낸 것으로, 지구 온난화가 가속화 되면 고위도 지역은 영구 동토층의 융해로 가옥이 붕괴되는 일이 잦아지고, 투발루와 같이 해발 고도가 낮은 섬 지역은 침수 피해가 커진다.

6 **예시 답안** • 국제 협정: 파리 협정 • 교토 의정서와의 차이점: 개발 도상국에게도 이산화 탄소 감축 부담을 지도록 하고 있다.

채점 기준		
	상	국제 협정의 이름과 교토 의정서와의 차이점을 모두 알맞게 서술한 경우
	중	국제 협정의 이름을 제대로 제시하였으나 교토 의정서와의 차이점을 알맞게 서술하지 못한 경우
	하	국제 협정의 이름과 교토 의정서와의 차이점을 모두 서술하지 못한 경우

2 환경 문제 유발 산업의 이동

간단 체크

240쪽

1 환경 문제 유발 **2** 개발 도상국 **3** 전자 쓰레기

242쪽

1 ○ **2** × **3** ○

개념 노트 만들기

244쪽

핵심 내용 정리하기

(**제목:** 환경 문제 유발 산업의 이동)

❶ 폐기물 ❷ 환경 문제 유발 ❸ 노동비(인건비)
❹ 개발 도상국 ❺ 일자리 ❻ 환경 오염

활동 노트 완성하기

1 중국, 인도, 멕시코와 남아메리카, 동부 유럽, 아프리카 등

2 북아메리카, 서부 유럽, 오스트레일리아, 일본, 한국 등

3 **예시 답안** 폐기물을 처리하는 과정에서 인체에 유해한 카드뮴, 납, 크로뮴, 수은 등이 배출된다. 환경 오염을 유발하고, 지역의 생태계를 교란시킨다.

실력을 키우는 응용 문제

245쪽

1 ③ **2** ② **3** ③ **4** ② **5** 독성 패션
6 해설 참조

1 제시된 내용은 사진은 전자 쓰레기를 나타낸 것이다. 전자 쓰레기 처리는 노동비가 저렴한 개발 도상국으로 이동하는 경우가 많다.
오답 분석 전자 쓰레기는 ④ 사용자가 버리거나 기부한 것 또는 ① 낡거나 수명이 다해 더 이상 가치가 없다고 판단된 전자 제품이다. ⑤ 전자 쓰레기 처리 산업은 대표적인 환경 문제 유발 산업이다.

2 전자 쓰레기의 주요 발생 지역은 경제가 발달한 선진국이나 공업이 발달한 지역이다. 브라질은 대표적인 개발 도상국으로 전자 쓰레기의 주요 처리 지역에 해당한다.

3 전자 쓰레기의 처리 지역은 대체로 개발 도상국이다. 환경 오염에 대한 사회적 인식이 낮고 경제 성장에 초점을 두고 있다.

4 제시된 자료는 유럽 최대의 화훼 산업 국가인 네덜란드의 화훼 산업 현황을 나타낸 것이다. 네덜란드의 화훼 기업 수와 재배 면적은 점차 줄어들고 있지만, 화훼 수입액은 점차 늘고 있는 것으로 볼 때, 수많은 네덜란드의 화훼 기업이 개발 도상국으로 이전했음을 추론할 수 있다. 그중 한 곳인 케냐 지역은 네덜란드의 화훼 기업이 이전하여 일자리가 늘고, 그로 인해 수입이 증가되어 경제가 빠르게 성장하고 있다.
오답 분석 ① 화훼 산업에 필요한 농업용수 비중이 증가됨에 따라 생활용수가 상대적으로 부족해진다. ③ 일자리가 창출되어 수입이 늘어난다. ④, ⑤ 화훼 산업 이전이 환경에 미치는 부작용이다.

5 제시된 내용은 환경 오염의 원인이 되는 독성 패션에 대한 설명이다. 제품의 생산 공장이 본사가 위치한 곳에 있지 않고 주로 환경에 대한 규제나 인식이 적은 개발 도상국에 위치한다는 특징이 있다.

6 **예시 답안** 선진국은 환경 오염을 유발하는 산업이 해외로 이전함에 따라 환경 오염이 감소해 쾌적한 생활 환경이 나타난다는 긍정적 영향이 있는 반면, 산업의 해외 이전으로 일자리가 감소되고 그로 인해 국내 총생산이 감소된다는 부정적 영향도 있다.

채점 기준		
	상	긍정적 영향과 부정적 영향 두 가지를 모두 제대로 설명한 경우
	중	긍정적 영향과 부정적 영향 중 1가지만 제대로 서술한 경우
	하	긍정적 영향과 부정적 영향을 모두 제대로 설명하지 못한 경우

3 생활 속의 환경 이슈

간단 체크

246쪽

1 환경 이슈 2 대립과 갈등 3 열대 우림

248쪽

1 유전자 2 웰빙 3 마일리지

개념 노트 만들기

250쪽

핵심 내용 정리하기

(**제목:** 생활 속의 환경 이슈)

❶ 환경 이슈 ❷ 아마존

❸ 유전자 재조합 농산물(GMO) ❹ 로컬 푸드

활동 노트 완성하기

1 한국

2 26%

3 **예시 답안** 우리나라의 식량 자급률은 다른 OECD 국가들에 비해 매우 낮은 편으로, 식량의 상당 부분을 수입에 의존하고 있다고 볼 수 있다. 따라서 로컬 푸드보다는 해외 각지에서 수입해 오는 식량이 많아 푸드 마일리지가 매우 높게 나타난다.

4 **예시 답안** 이동 거리가 멀어 푸드 마일리지가 높은 해외 수입 식재료 대신, 지역에서 생산된 로컬 푸드를 식재료로 활용하면 푸드 마일리지를 낮출 수 있다. 또한 건물 옥상이나 주변 텃밭을 활용한 도시 농법의 확대도 푸드 마일리지를 낮추는 데 도움이 된다.

실력을 키우는 응용 문제

251쪽

1 환경 이슈 2 ④ 3 ③ 4 ② 5 ①

6 ② 7 해설 참조

1 제시된 내용은 환경 이슈의 개념과 특성 및 주요 사례를 나타낸 것이다. 아마존 열대 우림 개발 문제는 전 세계적 수준의 환경 이슈이다.

2 웰빙에 대한 관심이 증가하면서 식품과 관련된 환경 이슈가 나타나게 되었고, 그 대표적인 사례가 GMO를 둘러싼 갈등이다.

3 GMO는 병충해에 강하고 열매를 많이 맺도록 인위적으로 유전자를 변형한 농산물이다.

오답 분석 ①, ②는 GMO 사용에 찬성하는 입장, ④, ⑤는 GMO 사용에 반대하는 입장을 나타낸 것이다.

4 푸드 마일리지는 식품이 생산자의 손을 떠나 최종 소비자의 식탁에 오르기까지의 이동 거리와 식품의 무게를 곱한 값으로 무게가 같을 경우 가장 이동 거리가 긴 칠레산 포도(20,361km)의 푸드 마일리지가 가장 크다.

오답 분석 ②, ⑤, ④, ③, ① 순으로 푸드 마일리지가 크다.

5 로컬 푸드는 푸드 마일리지가 높은 글로벌 푸드의 대안으로 지역에서 생산되어 지역에서 소비되므로 푸드 마일리지가 작은 먹을 거리를 의미한다.

오답 분석 ② 푸드 마일리지와 판매량은 큰 관련이 없다. ③ 푸드 마일리지와 과일의 당도는 관련이 없다. ④ 푸드 마일리지가 작을수록 신선도와 안전성이 높다. ⑤ 푸드 마일리지는 식품의 이동 거리와 무게의 곱으로 나타낸다.

6 환경 이슈는 각자의 이해관계, 가치관의 차이로 해결 방향을 쉽게 정하지 못하고 있는 것을 말한다. 지구 온난화는 세계인이 함께 해결해 나가야 하는 당위적인 문제로, 탄소 배출 감축 노력을 전 세계에서 하고 있으며 환경 이슈에 해당하지 않는다.

7 **예시 답안** • 소비자 관점: 로컬 푸드 운동은 소비자에게 식품의 신선도 및 안전성을 확보해 줄 수 있다.
• 생산자 관점: 생산자 역시 안정적인 소득원을 확보할 수 있어 수익이 증가하게 된다.

채점 기준		
	상	소비자 관점과 생산자 관점에서의 긍정적 측면을 모두 알맞게 서술한 경우
	중	소비자 관점과 생산자 관점의 긍정적 측면 중 1가지만 알맞게 서술한 경우
	하	소비자 관점과 생산자 관점에서의 긍정적 측면을 모두 알맞게 서술하지 못한 경우

서술형 더 풀어보기

253쪽

1 **예시 답안** 로컬 푸드 운동이 활성화 될수록 식품의 이동 거리가 짧아져 푸드 마일리지는 감소하게 된다.

단원을 정리하는 종합 문제

254~255쪽

1 ① 2 ① 3 ⑤ 4 ④ 5 ②
6 ⑤ 7 ② 8 ③ 9~11 해설 참조

1 제시된 내용은 지구 온난화에 의한 해수면 상승으로 국토의 대부분이 침수될 위기에 처해 있는 투발루에 대한 설명이다.

2 세계 인구 규모 1위(중국), 2위(인도), 3위(미국)에 해당하는 국가들이 모두 이산화 탄소 배출량 순위 3위 안에 들어있다. 따라서 인구 규모와 이산화 탄소 배출량은 큰 관련이 있다고 볼 수 있다.

3 제시된 내용은 1992년 브라질 리우데자네이루에서 개최된 국제 연합 환경 개발 회의에 대한 설명이다. 이 회의에서 지속 가능한 발전의 개념이 등장하게 되었다.
오답 분석 ① 파리 협정은 2015년 교토 의정서를 대체하여 채택된 기후 협정이다. ② 람사르 협약은 습지 보존을 위한 협약이다. ③ 사막화 방지 협약은 무리한 개발과 사막화 방지를 위한 협약이다. ④ 몬트리올 의정서는 오존층 파괴의 주요 물질인 염화 불화 탄소의 생산과 규제에 관한 협약이다.

4 태양광 발전은 지속 가능한 자원을 활용해 전기를 생산하는 것으로 오염 물질을 배출하지 않는 친환경 산업에 해당한다.

5 지도의 A는 전자 쓰레기 발생 지역으로, 선진국이나 공업이 발달한 지역이다. B는 전자 쓰레기 처리 지역으로, 환경에 대한 규제와 인식이 낮은 지역이다.
오답 분석 ① A 지역은 선진국이거나 대체로 공업이 발달한 지역이다. ③ 개발 도상국은 경제 발달 수준이 상대적으로 낮다. ④ 선진국일수록 소득 수준이 높아 휴대폰 교체 주기가 더 빠르다. ⑤ 전자 쓰레기는 주로 A 지역에서 B 지역으로 이동한다.

6 지도의 A 지역은 아마존 열대 우림을 나타낸 것이다. 이 지역의 개발을 두고 환경을 보존하려는 측과 경제 개발을 주장하는 측의 대립이 나타나고 있다.
오답 분석 ① 로컬 푸드 운동에 대한 설명이다. ② 유전자 재조합 농산물(GMO)에 관한 논쟁이다. ③ 원자력 발전소의 건설 문제이다. ④ 간척 사업 실시 문제와 관련된 문제이다.

7 ㄱ. 2015년 식용 GMO 수입량은 약 216만 톤을 넘어섰다. ㄹ. 식용 GMO 수입 증가에 따라 GMO를 활용한 가공 식품 수입도 증가하였을 것이다.
오답 분석 ㄴ. 2009년과 2013년에는 수입량이 다소 감소하기도 하였다. ㄷ. 옳지 않은 설명이다.

8 제시된 그림은 로컬 푸드 직매장을 활용할 경우 생산자인 농민은 더 큰 수익을 올릴 수 있고, 소비자는 더 저렴한 가격에 신선한 상품을 구매할 수 있다는 장점을 나타낸 것이다.
오답 분석 ① 로컬 푸드 직매장이 더욱 친환경적이다. ② 로컬 푸드 직매장은 푸드 마일리지를 감소시킨다. ④ 일반 상점은 중간 유통 단계가 추가되며 생산자와 소비자의 거리가 더 멀어진다. ⑤ 로컬 푸드 직매장의 상품이 푸드 마일리지가 작아 더 신선하고 안전하다.

9 **예시 답안** 그래프는 지구 온난화 추세를 보여준다. 지구 온난화는 기후 변화의 원인이 되어 자연재해가 더 넓은 지역에서 발생하게 되고, 그 피해도 커지게 된다. 또한 해수면 상승으로 해안 저지대나 섬나라가 침수될 위험성이 있다.

채점 기준		
	상	지구 온난화로 발생될 수 있는 2가지 문제점을 모두 알맞게 설명한 경우
	중	지구 온난화로 인해 발생될 수 있는 문제점 중 1가지만 알맞게 설명한 경우
	하	지구 온난화로 인해 발생될 수 있는 문제점 2가지를 모두 설명하지 못한 경우

10 **예시 답안** 캄보디아, 베트남, 필리핀은 싱가포르나 중국에 비해 기술 수준과 소득이 상대적으로 낮기 때문이다.

채점 기준		
	상	해당 국가의 기술 수준 및 소득의 2가지 요소를 모두 바르게 서술한 경우
	중	해당 국가의 기술 수준 및 소득의 2가지 요소 중 1가지 요소만 바르게 서술한 경우
	하	해당 국가의 기술 수준 및 소득의 2가지 요소를 모두 서술하지 못한 경우

11 **예시 답안** 국립 공원에 케이블카를 설치할 경우 신체적 약자도 관광을 즐길 수 있으며 등산객이 분산되어 등산로 훼손이 줄어든다. 또한 관광 소득이 늘어나 지역 경제가 활성화 되는 등의 긍정적 효과를 얻을 수 있다. 반면 생태계와 자연 경관이 파괴되고, 무분별한 개발을 유발할 수 있으며, 관광객이 늘어나면서 자연 훼손이 더 심각해질 수 있는 등의 부정적 영향도 나타날 수 있다.

채점 기준		
	상	긍정적 효과와 부정적 효과를 모두 적절히 서술한 경우
	중	긍정적 효과와 부정적 효과 중 1가지만 제대로 서술한 경우
	하	긍정적 효과와 부정적 효과를 모두 제대로 서술하지 못한 경우

11 세계 속의 우리나라

1 우리나라의 영역과 독도

간단 체크

258쪽

1 영역　2 영해　3 동해안

260쪽

1 ○　2 ○　3 ○

개념 노트 만들기

262쪽

핵심 내용 정리하기

(**제목:** 우리나라의 영역과 독도)

❶ 영역　❷ 영토　❸ 영해　❹ 직선 기선
❺ 통상 기선　❻ 독도

활동 노트 완성하기

1 • ㉠: 직선
• 의미: 예시 답안 가장 바깥쪽에 위치한 섬들을 직선으로 이어 영해를 설정하는 기준선

2 예시 답안 섬이 많고 해안선의 드나듦이 복잡하다.

3 • 명칭: 통상 기선
• 의미: 예시 답안 바닷물이 가장 많이 빠졌을 때의 해안선(최저 조위선)을 기준으로 영해를 설정하는 기준선

4 예시 답안 우리나라 영토의 동쪽 끝으로서 영해 설정의 기준이 되어 영역적 가치가 크다.

실력을 키우는 응용 문제

263쪽

1 ①　2 ⑤　3 ③　4 ②　5 메탄하이드레이트
6 ④

1 우리나라의 영역은 영토, 영해, 영공으로 구성되어 있다. 영토는 한반도와 그 부속 도서로 이루어져 있다. 영해는 기선으로부터 12해리를 적용한다. 영공은 영토와 영해의 수직 상공이다.
오답 분석 ② 영공은 영토와 영해의 수직 상공이다. ③ 대한 해협은 기선으로부터 3해리까지만 영해로 인정한다. ④ 서해안은 직선 기선을 적용한다. ⑤ 울릉도와 독도는 통상 기선을 적용한다.

2 배타적 경제 수역에 대한 내용이다.
오답 분석 ① 모든 나라가 공통으로 사용할 수 있는 바다로, 배타적 경제 수역 밖의 영역이다. ② 한류와 난류가 교차하는 영역을 말한다. ③ 우리나라 남동쪽과 일본 사이의 바다이다. ④ 한국과 일본의 배타적 경제 수역이 겹쳐 공동으로 관리하기로 어업 협정을 맺은 수역이다.

3 영해는 우리나라의 주권이 미치는 곳으로 국민들의 생활을 유지하는 공간이다. 따라서 반드시 안전하게 보호되어야 한다.
오답 분석 ② 영해는 해당 국가의 허락 없이 통행도 할 수 없다. ④ 중국의 어선들은 영해를 침범했다.

4 독도는 우리나라 영토의 동쪽 끝으로서 영해 설정에 중요한 기점이자, 항공 교통과 방어 기지, 해상 전진 기지로서 중요한 군사적 요충지라는 영역적 가치를 가지고 있다.
오답 분석 ㄴ. 어족 자원이 풍부한 것은 경제적 · 생태적 가치이다. ㄹ. 생태적 가치이다.

5 메탄하이드레이트는 메탄과 물이 깊은 바다 속에서 낮은 온도와 높은 압력을 받아 형성된 고체 에너지이다. 얼음 형태이지만 불을 붙이면 활활 타올라 차세대 에너지원으로 주목받고 있다.

6 『동국문헌비고』와 『만기요람』은 독도를 우산도로 표기하였고, 대한 제국 칙령 제 41호는 울릉군 관할 구역에 독도를 포함하고 있다. 따라서 모두 독도를 예전부터 우리 영토로 인식하고 있었음을 보여주는 자료들이다.

2 세계화 속의 지역화 전략

간단 체크

264쪽

1 ○　2 ×　3 ○

266쪽

1 정체성　2 지역 주민

개념 노트 만들기

268쪽

핵심 내용 정리하기

(**제목:** 지역화 전략의 종류와 효과)

❶ 지역화 전략　❷ 지역 브랜드　❸ 장소 마케팅
❹ 이미지　❺ 경제 활성화

활동 노트 완성하기

1 예시 답안

강원도 평창군	경상북도 영덕군
해발 고도 700m의 높은 곳에 위치하여 눈이 많이 내린다.	푸른 동해 바다와 접해 있고, 꽃게가 유명하다.

2 예시 답안 강원도 평창군은 해발 고도 700m에 위치한 지리적 특색이 두드러지도록 지역 브랜드에 잘 반영하였다. 그리고 경상북도 영덕군은 영덕군의 특산물인 대게를 내세우면서도 깨끗한 바다를 떠올리게 하는 하늘색 글자를 통해 청정한 이미지를 잘 구현해 내었다. 이처럼 지역을 대표할 수 있는 고유한 정체성을 구체적으로 선정하고, 이를 이미지화 하는 데에 성공하여 좋은 평가를 받았다고 생각한다.

3 예시 답안 지역의 특성을 보여줄 수 있는 효과적인 지역 브랜드 개발을 통해 긍정적인 지역 이미지를 형성하고, 다른 지역과 차별화되는 고유한 특성을 부각시킬 수 있다. 이를 통해 지역이 주목받으면서 지역 관광이 활성화되고, 특산물 판매가 늘어나면 지역 경제가 활성화되는 효과까지 누릴 수 있다.

실력을 키우는 응용 문제 269쪽

1 ① 2 ⑤ 3 ② 4 ② 5 ③ 6 ④

1 지역화 전략에는 지역 브랜드와 장소 마케팅이 대표적이다.

2 지역화 전략이 성공을 거두면 지역에 긍정적인 이미지가 형성되고, 지역의 상품이나 서비스가 널리 알려지면서 판매가 촉진된다. 이와 더불어 관광객이 늘어나 지역 소득도 증가한다.

3 글의 내용은 강원도 평창군에서 펼친 지역 브랜드 전략을 설명하고 있다. 자연환경을 지역 고유의 특성으로 부각시켜 지역을 홍보하는 데 활용한 사례이다.

4 경상북도 영덕군의 지역 브랜드는 청정한 바다와 해당 지역에서 유명한 대게를 형상화하였다. 이를 통해 지역의 이미지를 확고히 하고, 사람들에게 각인시킴으로써 많은 방문객을 유도하여 지역의 성장을 끌어낼 수 있었다.

5 지역화 전략을 개발할 때에는 지역의 다양한 특성을 확인한 뒤 이를 간추려 독창적인 지역의 정체성을 찾아내는 것이 우선이다. 이를 바탕으로 지역 브랜드를 개발한 뒤 문제점을 보완해야 한다.

6 지역화 전략을 세울 때에는 지역의 독특한 정체성을 찾고 이를 바탕으로 캐릭터, 슬로건, 로고, 문구 등을 개발해야 한다. 그런데 지역화 전략의 효과를 높이기 위해서는 지방 자치 단체만 의지를 가지고 일방적으로 추진하기보다는 지역 주민이 참여하고 협조하는 자세가 무엇보다 중요하다.

3 세계화 시대 통일 한국의 미래

간단 체크

270쪽

1 동아시아 2 반도국 3 문화적 이질성

272쪽

1 × 2 ○ 3 ○

개념 노트 만들기 274쪽

핵심 내용 정리하기

(**제목:** 우리나라의 위치적 장점과 통일 한국의 미래)

❶ 교류 ❷ 반도국 ❸ 육로 ❹ 이질성 ❺ 대화와 협력

활동 노트 완성하기

1 예시 답안

남한의 강점	북한의 강점
뛰어난 기술력, 풍부한 자본	풍부한 자원, 노동력

2 예시 답안 예술 · 문화 분야의 교류 확대로 남북한의 동질성을 회복할 수 있다. 이산가족의 상봉, 북한 주민에 대한 인도적 지원 확대 등으로 세계 평화에 기여할 수 있다.

실력을 키우는 응용 문제 275쪽

1 ② 2 ④ 3 ② 4 ④ 5 ① 6 ⑤

1 위성 사진에서 평양을 제외한 북한 전역이 어두운 것으로 보아, 북한 지역의 도시는 발달이 매우 미약한 것으로 추측할 수 있다. 따라서 남한과 북한의 도시 발달 수준 차이는 크다고 볼 수 있다.

2 세계 속에서 우리나라는 태평양으로 뻗어 있는 반도국이며, 동아시아의 중심에 위치하고 있어 동아시아 경제의 위상이 높아질수록 지리적 요충지로서의 역할이 중요해지고 있다.

오답 분석 ㄷ. 분단은 대륙으로의 진출로를 막아 반도국으로서의 이점을 살리지 못하게 하고 있다.

3 분단이 지속되면 문화적 이질성이 심화된다.

4 자료는 아시안 하이웨이에 대한 설명이다.
오답 분석 ② 실크 로드는 내륙 아시아를 지나 중국, 서아시아, 지중해 연안 지방까지 연결한 고대의 무역로이다.

5 현재는 남한과 북한이 단절되어 있어 해상 혹은 항공 교통으로만 교류할 수 있으나, 육로가 연결될 경우 국가 간의 경제적 교류 비용이 절감되고 교류가 대폭 확대될 것이다.

6 통일은 남과 북의 경제 협력을 이끌어 내 남북한 경제 규모가 증가하고, 세계 경제에서 새로운 강국으로 부상하게 될 것이다.

서술형 더 풀어보기

277쪽

1 **예시 답안** 통상 기선은 해안선이 단조로운 곳, 직선 기선은 섬이 많고 해안선의 드나듦이 복잡한 지역에 적용된다.

2 **예시 답안** 지역화 전략을 개발할 때는 무엇보다 지역의 고유한 정체성을 파악해야 한다. 그리고 지역 주민의 협조를 적극 유도해야 한다.

단원을 정리하는 종합 문제

278~279쪽

1 ⑤ 2 ④ 3 ⑤ 4 ② 5 ③ 6 ②
7 ③ 8 ④ 9 ① 10~12 해설 참조

1 영해에 대한 설명이다.
오답 분석 ① 영해, ② 12, ③ 직선 기선, ④ 통상 기선이다.

2 영공은 영토와 영해의 수직 상공으로, 그 중요성이 더욱 커지고 있다.
오답 분석 ㄱ. 국민의 가장 기본적인 생활 터전은 영토라고 할 수 있다. ㄷ. 기선은 영해를 정하는 기준선을 의미한다.

3 철수와 영희는 독도를 지키기 위한 다양한 노력들에 대해 이야기 나누고 있다. 독도 경비대, 외교부와 정부의 노력, 민간 단체의 활동, 독도 문화 대축제 등이 그 내용이다. 일본이 독도를 자국의 영토라고 주장하면서 독도를 국제 분쟁 지역화 하고, 주변 해역에 대한 경제적 이권을 얻으려는 시도에 대해 우리가 어떠한 노력을 하고 있는지 이야기하였다.

4 지역화 전략이 강조되는 이유는 세계화로 전 세계 지역 간의 교류가 활성화되면서 문화가 비슷해지는 중에 다른 지역과 차별화된 특성을 지닌 지역이 경쟁력을 갖추게 되면서 지역의 가치가 올라가 지역 경제에 많은 도움을 주기 때문이다.
오답 분석 ③ 지역화 전략이 강조되면서 지역이 주체적으로 정체성을 찾아 지역 경제를 활성화하고자 하는 움직임이 강해진다.

5 단순히 교통 문제와 같은 도시 문제를 해결한 것은 지역의 고유한 특성을 내세우는 지역화 전략의 활용과 거리가 멀다.

6 지역화 전략의 성공을 위해서는 지역 주민과의 공감대가 이루어진 뒤 협조를 얻어야 하고, 단순한 상품 판매를 목적으로 하기보다는 지역 특유의 가치를 부각시키는 데 중점을 두어야 한다.

7 대륙 진출로가 막히는 현실, 이산가족 문제, 문화 이질성 심화, 군사적 부담 등은 분단에 따른 문제점으로 통일의 필요성을 느끼게 한다.

8 남북 통일은 군사적 긴장 상태를 완화시켜 동아시아 및 세계 평화에 기여한다. 통일 이후 한반도의 정세가 안정되고 육로 진출이 가능해지면 무역이 활발해지면서 경제가 성장하고, 외국인 투자도 증가하게 된다.

9 지도는 아시안 하이웨이 개발 사업을 나타낸다. 아시안 하이웨이가 서울-평양-신의주-중국으로, 또 부산-강릉-원산-청진-러시아로 연결되려면 우선 한반도의 통일이 선행되어야 한다. 또한 중국, 러시아뿐만 아니라 많은 국가에 걸쳐서 진행되는 사업이므로 외교와 관련된 다양한 문제를 해결해야 하며, 실제로 도로가 연결되기까지는 많은 시간이 걸릴 것으로 예상하고 있다.

10 **예시 답안** • ㉠: 직선 기선
• 의미: 가장 바깥쪽에 위치한 섬들을 직선으로 연결한 기준선으로 영해를 설정하는 기선이다.

채점 기준		
	상	명칭과 의미를 명확히 설명한 경우
	중	명칭과 의미를 대체로 바르게 서술하였으나, 가장 바깥쪽의 섬을 연결한 의미가 모호한 경우
	하	명칭만 서술한 경우

11 **예시 답안** • 지역화 전략: 장소 마케팅
• 효과: 관광 산업이 활성화 되어 지역이 유명해지고, 지역 경제가 활성화 된다.

채점 기준		
	상	장소 마케팅을 적고, 그 효과로 지역 경제 활성화를 서술한 경우
	중	장소 마케팅이을 적지 못하고, 그 효과는 바르게 서술한 경우
	하	장소 마케팅을 적지 못하고, 그 효과를 추상적으로 서술한 경우

12 **예시 답안** 세계화 시대에 우리나라의 발전을 위해서는 지역의 가치를 발견하여 경쟁력을 높이고, 통일을 이루어 반도국으로서의 이점을 살려야 한다.

채점 기준		
	상	지역화 전략과 통일의 필요성을 5개 제시어 모두 사용하여 바르게 서술한 경우
	중	제시어를 3~4개 사용하여, 지역의 가치와 통일의 필요성을 포함시켜 서술한 경우
	하	제시어를 1~2개만 사용하여 서술하였으며 지역화 및 통일의 필요성에 대한 의미가 모호한 경우

12 더불어 사는 세계

1 지구상의 다양한 지리적 문제

간단 체크

282쪽

1 지리적　2 연결　3 기아　4 생물 종 다양성 감소

284쪽

1 ○　2 ○　3 ×

개념 노트 만들기

286쪽

핵심 내용 정리하기

(**제목:** 세계의 다양한 지리적 문제)

❶ 지리적 ❷ 기아 ❸ 열대 우림 ❹ 생물 종 다양성 감소
❺ 자원 ❻ 영역 ❼ 난민

활동 노트 완성하기

1

	지역	분쟁 명칭
(1)	E	북극해 분쟁
(2)	A	카스피해 분쟁
(3)	D	난사 군도 분쟁
(4)	B	아부무사섬 분쟁
(5)	C	카슈미르 분쟁

2 예시 답안 • (가): 센카쿠 열도 분쟁 · 댜오위다오 분쟁. 주변 지역에 매장된 자원 확보와 관련하여 중국과 일본이 벌이는 영유권 분쟁이다.
• (나): 쿠릴 열도 분쟁. 북방 4도의 영유권 주장과 관련하여 러시아와 일본 간에 벌어지는 영유권 분쟁이다.

실력을 키우는 응용 문제

287쪽

1 ①　2 ⑤　3 해설 참조　4 ⑤　5 ④
6 ②

1 지리적 문제란 지구상에 나타나는 다양한 문제를 말한다.
오답 분석 ② 지리적 문제는 지역마다 다양하게 나타난다. ③ 영역 분쟁 등은 대표적인 지리적 문제이다. ④ 지리적 문제는 전 세계적으로 발생한다. ⑤ 지리적 문제는 자연환경, 인문 · 사회적 환경의 복합적인 영향을 받는다.

2 육류 소비 증가는 식량 문제 발생, 열대림 파괴, 지구 온난화의 문제를 발생시킨다. 즉 지리적 문제는 지역 간 연관성이 매우 긴밀하게 나타난다는 것을 알 수 있다.
오답 분석 ① 전 지구적인 차원의 문제이다. ② 지역 간 연관성이 매우 크다. ③ 육류 소비는 전 지구적인 환경 문제를 유발한다. ④ 육류 소비는 삼림을 파괴시키는 원인이다.

3 예시 답안 육류 소비가 증가하면 소 사육을 늘리기 위해 삼림을 파괴하여 농장을 만들게 되고, 소에게 먹일 곡물 수요가 늘어나 기아 문제가 발생한다.

채점 기준		
	상	삼림 파괴, 기아 문제가 발생함을 정확히 설명한 경우
	중	삼림 파괴, 기아 문제 중 한 가지만 과정으로 설명한 경우
	하	육류 소비가 다른 지역에 미치는 영향을 설명하지 못한 경우

4 기아는 다양한 자연재해나 병충해가 발생하는 지역, 인구 급증 지역, 분쟁이 잦은 지역에서 주로 나타나며, 대부분 아프리카의 저개발국에서 심각하게 발생하고 있다.

5 생물 종 다양성 감소로 인간이 이용 가능한 생물 자원 수가 감소하고, 이는 먹이 사슬에 영향을 미쳐 생태계 파괴로 이어지게 된다.

6 난사 군도 일대의 풍부한 수산 자원과 해저에 매장된 석유를 확보하기 위해 중국, 필리핀, 베트남 등의 국가들 사이에 벌어지는 영역 분쟁이다.

2 발전 수준의 지역 차

간단 체크

288쪽

1 다르게　2 다양한　3 높은

290쪽

1 ○　2 ×　3 ○

개념 노트 만들기

292쪽

핵심 내용 정리하기

(**제목:** 지역마다 다른 발전 수준)

❶ 발전 ❷ 발전 지표 ❸ 1인당 국내 총생산(GDP)
❹ 인간 개발 지수(HDI) ❺ 성 불평등 지수(GII)
❻ 아프리카

활동 노트 완성하기

1 예시 답안

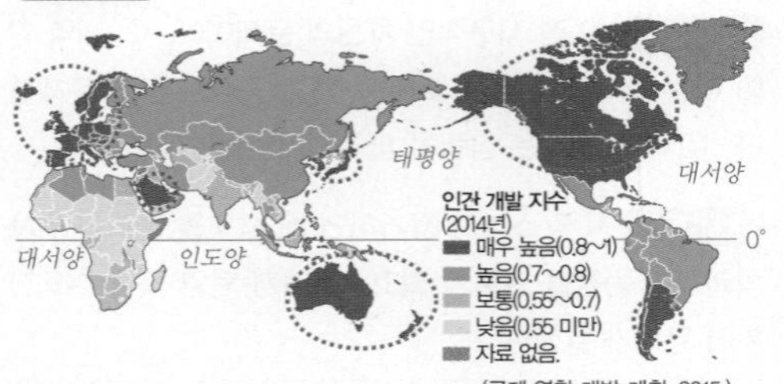

(국제 연합 개발 계획, 2015.)

2 예시 답안 많은 유럽 국가와 우리나라, 일본, 오세아니아, 북아메리카에 위치하고 있다. 이들 국가는 경제 수준과 교육 수준, 복지 수준 등이 높게 나타나는 선진국들이 대부분이다.

3 예시 답안 국내 총생산. 일정 기간 동안 한 국가에서 생산되는 재화와 서비스의 가치의 총합으로, 선진국일수록 국내 총생산이 높게 나타난다.

실력을 키우는 응용 문제

293쪽

1 ⑤ 2 ① 3 ② 4 해설 참조 5 ④ 6 ③

1 발전의 개념과 수준은 국가마다 다양하게 나타난다. 따라서 발전을 나타내는 지표 역시 한 가지 관점이 아닌 다양한 관점의 지표를 활용하여 나타낼 필요가 있다.

2 발전의 의미는 지역과 시대에 따라 달라지며, 어떤 지역의 발전을 이해하기 위해서는 다양한 발전 지표가 필요하다.

3 아프리카 지역은 현재 경제 수준이 낮고 정치 불안이 나타나고 있지만, 풍부한 자원을 바탕으로 높은 성장 잠재력을 가진 기회의 땅으로 주목 받는다.

4 예시 답안 국제 연합 개발 계획이 매년 각국의 교육 수준과 국민 소득, 평균 수명 등을 조사해 인간 발전 정도와 선진화 정도를 평가한 지표이다.

채점 기준		
	상	인간 개발 지수의 내용을 예를 들어 구체적으로 서술한 경우
	중	인간 개발 지수의 단순한 의미만 서술한 경우
	하	인간 개발 지수의 의미를 서술하지 못한 경우

5 인간 개발 지수는 선진국일수록 높게 나타난다. 우리나라는 인간 개발 지수가 비교적 높게 나타나는 선진국에 포함된다.
오답 분석 ① 아프리카 국가들의 지수는 비교적 낮게 나타난다. ② 각국의 교육 수준, 국민 소득, 평균 수명 등을 종합적으로 조사한다. ③ 성 불평등 지수의 내용이다. ⑤ 일반적으로 경제 수준과 인간 개발 지수는 비례하여 나타난다.

6 저개발국에서는 적극적인 대외 협력, 개혁과 개방, 식량 생산성 증대를 통한 인구 부양력 확대, 기술 개발 및 정치적 안정, 국민의 적극적인 노력으로 빈곤 탈출을 위한 노력에 힘쓰고 있다.

3 지역 간 불평등 완화 노력

간단 체크

294쪽

1 비정부 기구(NGO) 2 개발 원조 위원회(DAC)
3 한국 국제 협력단(KOICA)

296쪽

1 ○ 2 ○ 3 ×

개념 노트 만들기

298쪽

핵심 내용 정리하기

(**제목:** 지역 간 불평등을 완화하기 위한 노력의 성과와 한계)

❶ 국제기구 ❷ 저개발국 ❸ 전통문화 ❹ 환경
❺ 공정 무역 ❻ 다국적

활동 노트 완성하기

1 • 개념: 공정 무역
• 내용: 예시 답안 생산자와 기업 간 경제적 불균형을 없애 개발 도상국의 생산자가 경제적으로 자립할 수 있도록 도와주고, 중간 상인의 개입을 줄여 유통 비용을 낮추는 무역 방식이다.

2 커피, 초콜릿, 설탕, 각종 수공예품 등

3 • 생산자: 예시 답안 생산품에 대한 정당하고 그에 맞는 대가를 받을 수 있고, 이로 인해 경제적 자립을 이룰 수 있다.
• 소비자: 예시 답안 생산자가 직접 생산한 다양한 품질 좋은 농산물을 구매할 수 있고, 저개발국 사람들의 경제적 자립을 도울 수 있다는 마음을 가질 수 있다.

실력을 키우는 응용 문제

299쪽

1 ④ 2 ② 3 새천년 개발 목표(MDGs) 4 ③
5 ③ 6 ③ 7 ③

1 지역 간 불평등 완화를 위한 노력으로 세계의 빈부 격차 해소, 위생과 교육 시설 보급, 인권 및 여성 지위 향상, 환경 보존 및 생태적 지속 가능성 등을 추고하고 있다.

2 유럽을 포함한 대부분의 선진국들은 공적 개발 원조를 지원하는 국가이고, 공적 개발 원조 지원을 받는 국가는 대부분 아프리카와 아시아의 저개발국에 집중되어 있다.

3 새천년 개발 목표에서는 빈곤 퇴치를 위한 8가지 목표가 제시되고, 전 세계 사람들의 삶의 질을 개선하기 위해 정부, 국제기구, 비정부 기구 등이 각자의 역할을 다하고 서로 협력한다.

4 공적 개발 원조를 통해 선진국은 개발 도상국 지원을 위해 노력하고 있다.
오답 분석 ② 공식적인 정부가 아닌 공익적인 목적으로 설립된 민간 단체이다. ④ 경제 협력 개발 기구의 하부 기관으로 개발 도상국에 대한 공적 개발 원조를 논의하는 기구이다. ⑤ 세계 경제 문제에 공동으로 대처하기 위해 결성된 협의 기구이다.

5 저개발국에 대한 원조를 통해 경제 성장, 복지 증진 등의 성과를 얻기도 하였지만 환경과 전통문화 훼손, 선진국에 대한 높은 의존도는 문제점으로 남게 되었다.

6 공정 무역은 중간 상인의 개입을 줄여 유통 비용을 낮추고자 한다.

7 공정 무역 상품은 일반 제품에 비해 가격이 높고 판매하는 가게의 수가 적다는 문제점이 나타나고 있다.

서술형 더 풀어보기

301쪽

1 **예시 답안** 가뭄, 홍수 등의 자연재해가 잦은 지역, 농작물 병충해가 심한 지역, 인구 급증 지역, 잦은 분쟁 지역에서 주로 기아 문제가 발생한다.

2 **예시 답안** 소비자는 높은 가격의 제품을 구입해야 하거나 판매처를 찾기가 어렵다. 또한 공정 무역을 통해 빈곤 퇴치가 완전히 이루어질 수 없다는 한계가 있다.

단원을 정리하는 종합 문제

302~303쪽

1 ③ **2** ③ **3** ③ **4** ② **5** ④ **6** ①
7 ② **8** ② **9** ③ **10~12** 해설 참조

1 햄버거 소비 증가로 인해 햄버거용 소 사육 면적이 증가하고, 이 과정에서 열대림이 파괴되어 기후 변화를 가져오거나, 곡물 부족으로 인한 기아 문제가 발생하게 된다.

2 열대림이 파괴될 경우 동식물 서식지 파괴, 기후 변화, 생물 종 다양성 감소 등이 나타나고, 인간이 이용 가능한 생물이 감소하게 된다.

3 저개발 국가는 대부분 아프리카, 아시아 지역에 분포하며, 최근 국내외의 노력과 지원을 받으며 성장을 위해 노력하고 있다. 그러나 낮은 인구 부양력, 낮은 산업 구조, 정치 불안 등은 해결해야 할 문제이다.

4 일반적으로 경제 수준이 높은 선진국의 경우 도로 포장률, 국내 총생산, 국민 기대 수명, 인간 개발 지수 등이 높게 나타난다. 한편 영양 실조 인구, 유아 사망률 등은 저개발국 및 개발 도상국에서 높게 나타난다.

5 저개발 국가는 다양한 방법으로 빈곤 탈출을 위해 노력하고 있으나 정치 불안 해소, 낮은 인구 부양력 향상 등의 과제를 해결할 필요가 있다.

6 쿠릴 열도는 해저에 매장된 석유와 천연가스 확보를 위해 러시아와 일본이 영유권 주장을 벌이는 지역이다.

7 다양한 자선 구호 활동을 통해 아프리카가 가지고 있는 경제 문제, 기아 문제 등을 해결하고자 하는 노력이 이어지고 있다.

8 우리나라는 한국 국제 협력단을 중심으로 활발한 해외 지원 사업을 펼치고 있으며, 해방 직후 지원을 받는 국가였으나 1990년대부터 원조를 제공하는 국가로 지위가 달라졌다.

9 공정 무역은 기존의 무역 체계로는 세계의 가난을 해결하는 데 한계가 있다고 인식하여 저개발국에 대한 원조보다 효과적인 빈곤 퇴치 운동을 하고자 한데서 비롯된 운동이다.

10 **예시 답안** 북극해에서는 교통 요지 확보와 주변에 매장된 석유, 천연가스 등 자원의 확보를 위해 주변 국가들 간의 분쟁이 발생하고 있다.

채점 기준		
	상	분쟁의 원인 2가지를 바르게 제시한 경우
	중	분쟁의 원인을 1가지만 제시한 경우
	하	분쟁의 원인을 제시하지 못한 경우

11 **예시 답안** 풍부한 자원 개발, 해외 자본 유치, 기술 개발, 식량 생산성 증대 등의 노력을 기울이고 있다.

채점 기준		
	상	3가지 내용을 바르게 서술한 경우
	중	2가지 내용만 서술한 경우
	하	1가지 내용만 서술한 경우

12 **예시 답안** 저개발 국가에서 나타나는 빈곤을 퇴치하고 주민들의 복지를 향상하는 것을 목표로 하고 있다.

채점 기준		
	상	빈곤 퇴치 목적을 알맞게 서술한 경우
	중	빈곤 퇴치 목적을 서술하였으나 미흡한 경우
	하	빈곤 퇴치 목적을 서술하지 못한 경우

memo

2015 개정 교육과정

스스로 학습 강화 시리즈

중학 **사회② 자습서**

정답과 **해설**